DICCIONARIO
ESPASA

D1488004

DICCIONARIO
ESPASA
CINE ESPAÑOL

AUGUSTO M. TORRES

PRÓLOGO DE
MANUEL GUTIÉRREZ ARAGÓN

ESPASA

Director Editorial
Javier de Juan y Peñalosa

Subdirector Editorial
Juan González Álvaro

Editora
Marisol Palés Castro

Diseño
Joaquín Gallego

Archivos de Fotografía
Espasa Calpe y Augusto M. Torres

Ilustración de la portada
Jacobo Pérez-Enciso

Es Propiedad
© Augusto Martínez Torres
© De esta edición: Espasa Calpe, S. A., Madrid, 1996

Primera edición: mayo, 1994
Segunda edición revisada y actualizada: noviembre, 1996

Depósito legal: M. 41.261-1996
ISBN: 84-239-9241-1

Impreso en España / Printed in Spain

Impresión: Unigraf, S. L.

Editorial Espasa Calpe, S. A.
Carretera de Irún, km. 12,200.
28049 Madrid

LA PRIMAVERA DE LAS ARTES

El cine es joven; sus primeros cien años le colocan en la primavera de las artes, en un retrato de cumpleaños en el que están su abuela, la literatura, su padre, el teatro, y alguna prima dudosa, como puede ser la pintura. Con el tiempo, todas las artes quieren parecerse a la música, y el cine también. Pero son muy pocos los realizadores en los que se pueden reconocer los rasgos —celestes y sensuales— de las musas primigenias. En la foto salen también borrosos bastardos, como los culebrones y los anuncios televisivos, que quizá un día sean recibidos en familia con todos los honores.

El cine es una de las pocas artes que ha surgido de la sociedad industrial. Sólo la simultaneidad y serialización del arte cinematográfico justifican su cierta vocación comercial. Y también su espíritu democrático. Una película es *mejor* si gusta a muchos: nació de la industria y de ella se mantiene. El cine no tiene «original», y esta observación benjaminiana es una de las que obliga a considerar al cine entre el arte y la industria.

Al bautizo del cine invitaron a las hadas buenas, pero, de pronto, apareció, a estropear el festejo, una bruja no invitada: la del éxito. El cine es un arte muy manipulable y, por tanto, codiciado —y maltratado— por la propaganda directamente política o por la censura más brutal. Y su éxito hace que se le pida, se le exija, construir la felicidad en este mundo. El *happy end* demandado por la industria norteamericana no es muy distinto de su equivalente fascista, las ideaciones patrióticas de los filmes mussolinianos o franquistas.

El cine, precisamente por nacer en el seno de la sociedad industrial, es un arte de masas. Cosa que no es evidentemente el cultivo del soneto, ni el de la pintura cortesana del XVIII. Aunque se edite a millares, tampoco lo es la novela, aunque sí el periodismo. Y ser arte de masas es un arma de doble filo, incluso puede llegar a ser un crimen de doble filo. El cine es un seductor oculto y persuade de muchas cosas, precisamente porque no se nota que lo haga.

Para muchos de nosotros, el cine, en España, fue un agente de subversión —quiero decir que no fuimos inocentes en su empleo, porque es imposible— y en él deslizamos un anhelo de cambio de costumbres que no era sino el trasunto de la lucha política. Eso también ocurría porque fue en el cine donde vimos los primeros besos, los primeros traidores y los primeros adorables malvados.

De alguna forma se podría decir que el cine es siempre subversivo, tanto para un sistema autoritario como para uno democrático.

Como toda obra industrial y de consumo masivo, la cinematográfica necesita de muchos colaboradores (o cómplices, si lo prefieren). Los autores de la subversión son sobre todo el director y el guionista. Pero a veces son los productores los incitadores. Los actores fingen determinados sentimientos —amorosos, fraternales, patrióticos, o los del puro melodrama familiar— para trastornar las emociones y destruir los valores morales. Y el músico de la película suele actuar como encubridor.

Por primera vez en España aparece un DICCIONARIO DEL CINE ESPAÑOL con todos los cómplices juntos. Augusto M. Torres los ha convocado en un libro que, desde ahora mismo, será de obligada referencia en el tema. Hay ya algunas publicaciones editoriales dedicadas a películas y directores; pero apenas existen las dedicadas a guionistas y músicos, ni tampoco a productores. Este DICCIONARIO reúne, por primera vez, los nombres de los directores, guionistas, actores, músicos y productores de nuestro cine, con su filmografía propia y colaboraciones. A ellos se juntan los títulos de las películas más significativas. M. Torres ha empleado su larga experiencia como crítico y su curiosidad de cinéfilo para utilizar, en este DICCIONARIO DEL CINE ESPAÑOL, las miles de fichas coleccionadas a lo largo de veinticinco años. Autor cinematográfico él mismo, productor y conocido publicista de cine, une en su persona algunos de los oficios que aparecen en este libro.

Hojeo el DICCIONARIO, veo los nombres de viejos amigos, títulos recobrados, famas perdidas, películas inolvidables de las que nadie se acuerda, actores que entonces, ahora y siempre son queridos por el público... Pero, en cualquier caso, nunca la revisión da idea de algo melancólico; sobrenada una impresión de comedia pícara, de oportunismo, de perturbación de costumbres y de tribulaciones comerciales. El cine bombardea la nostalgia.

Los que nos dedicamos a este oficio tan perverso podemos hacer balance: el cine español seguirá atormentando a los críticos durante mil años más. Y también a los moralistas.

La violencia, el sexo, la risa pueden herir la sensibilidad del espectador: eso es precisamente lo que queremos.

MANUEL GUTIÉRREZ ARAGÓN.

NOTA PREVIA

El DICCIONARIO DEL CINE ESPAÑOL se extiende desde las primeras proyecciones cinematográficas en 1896 en Madrid hasta las últimas películas estrenadas a principios del otoño de 1996, coincidiendo con la celebración del primer centenario del cine español. Aunque, como la práctica totalidad del cine mudo se ha perdido y el poco que queda es casi imposible de ver, se han incluido entradas de profesionales que trabajan durante esta etapa, pero sólo de una película, la famosa *La aldea maldita** (1929), de Florián Rey*, que marca la frontera entre el cine mudo y el sonoro.

Algo similar, pero en menor medida, ocurre con el cine de los años treinta y cuarenta, en buena parte destruido en el incendio de los laboratorios Madrid Films a comienzos de los años cincuenta. Por lo que antes de tener que emitir juicios de segunda mano a partir de informaciones no siempre fiables, he preferido trabajar sobre datos concretos y la información sobre películas aparece volcada en la producción realizada desde comienzos de la década de los cincuenta hasta hoy.

En la selección de películas he tendido a recoger tanto las mejores como las más significativas, mientras en la de los actores y técnicos han pesado tanto la cantidad como la calidad de sus diferentes trabajos. De manera que no se han incluido, por ejemplo, aquellos directores con menos de tres películas en su haber, aunque sí puede aparecer alguna de ellas por su especial interés, ni tampoco a los actores secundarios, un grupo de excepcional calidad dentro del cine español, pero demasiado numeroso para aparecer aquí.

El DICCIONARIO DEL CINE ESPAÑOL está compuesto por una «Breve historia del cine español» y, sobre todo, 650 entradas, de las cuales 317 corresponden a películas significativas y 333 a directores, actores, guionistas, directores de fotografía, productores, músicos e incluso algún decorador, además de 150 fotografías y los correspondientes índices onomástico y de películas citadas.

Las entradas de las películas incluyen el título, el año de producción, un comentario más o menos extenso según su interés y una ficha bastante detallada. En el comentario se mezcla un breve resumen del argumento con un juicio crítico, al tiempo que se sitúa tanto en su contexto como dentro de la trayectoria de sus principales responsables. Y en las restantes entradas, tras el nombre artístico, el verdadero, el año y lugar de nacimiento y, en su caso, también de fallecimiento, se hace una semblanza biográfica con especial hincapié en la trayectoria profesional.

Para el mejor manejo del DICCIONARIO DEL CINE ESPAÑOL, cada película citada va seguida del año de producción y el nombre del director. En el caso de ser extranjera, también se incluye el título con que se estrenó en España. Detrás de cada nombre o título citado y con entrada propia aparece un asterisco.

A la hora de enfrentarme con el puro dato he encontrado algunos problemas concretos. Por un lado están, por ejemplo, los directores catalanes que durante la dictadura del general Franco no tienen más remedio que castellanizar sus nombres. En este caso aparecen con su nombre castellano o catalán, según hayan empleado más uno u otro a lo largo de su carrera. Y por otro, aquellos que a lo largo de su trayectoria profesional varían de nombre, en cuyo caso también aparecen por el más conocido. En cuanto a las películas, por seguir con el mismo ejemplo, las catalanas aparecen con el título catalán seguido del castellano.

Más complejo, y difícil de resolver, es el caso de las fechas de las películas. Según las diferentes fuentes consultadas pueden aparecer con el año de producción, rodaje o estreno, y ser tres fechas distintas. Y, sobre todo, el de las duraciones. Dado que es prácticamente imposible que una misma película tenga la misma duración en diferentes fuentes, lo normal es que aparezcan oscilaciones desde algunos minutos hasta un cuarto de hora. En cuanto a la fecha, he hecho caso a la mayoría y en caso de empate he optado por una intermedia, y en lo referente a la duración he elegido la mayor, por si alguna vez se decide grabar en vídeo su emisión por televisión, en cuyo caso más vale que sobre cinta o grabar parte del siguiente programa que quedarse sin el final.

A. M. T.

UN PRÓLOGO EN DOS TIEMPOS

UNO

A principios de siglo los políticos descubren la gran influencia que el cine tiene sobre las masas y no tardan en mostrarse muy interesados por él. Se esfuerzan en aparecer en el mayor número posible de *actualidades,* mientras sus respectivos gobiernos crean departamentos de censura y leyes que regulan su producción, distribución y exhibición, y preservan, en el mejor de los casos, la producción nacional frente a la competencia extranjera. Este interés de las diferentes fuerzas políticas por el cine es un hecho fácilmente demostrable que empieza poco después de su nacimiento, pero resulta de gran evidencia entre los dictadores de uno y otro signo.

Durante el denominado *Ventennio nero,* los veinte años de fascismo italiano, Benito Mussolini prohíbe la importación de películas norteamericanas y en 1937 inaugura los estudios de Cinecittà, los más grandes de Europa. Con esto consigue una potente industria nacional capaz de rodar grandes producciones de propaganda del régimen y las denominadas comedias de *teléfonos blancos,* pero también en la posguerra, de rebote y muy lejos de sus intenciones, facilita la aparición del fenómeno neorrealista y que el cine italiano se sitúe durante los años cincuenta y sesenta entre los primeros del mundo. Sin olvidar que, curiosamente, su hijo Vittorio Mussolini es el director de la elitista revista especializada *Cinema*, donde colaboran los grandes realizadores de izquierdas que más tarde crean el neorrealismo.

Algo similar hace Adolf Hitler, pero a gran escala y con la diferencia de que su locura megalómana, mínima parte de la cual reside en la prohibición de importar producciones norteamericanas, destroza media

Europa y sobre todo su propio país. De manera que el cine alemán, que a comienzos de la década de los treinta es uno de los más importantes del mundo, todavía no ha podido recuperarse por completo de esta gran hecatombe y, tal como están las cosas, es posible que ya no lo haga nunca.

Tal como recuerda la irregular coproducción entre la desaparecida Unión Soviética e Italia *El círculo del poder* (The Inner Circle, 1991), dirigida por el ruso Andrei Konchalovsky, el camarada Josif Visarionovich Stalin era muy aficionado al cine, le gustaban en especial las comedias musicales norteamericanas, veía películas con bastante regularidad en una sala de proyección privada de su residencia y mantenía buenas relaciones con su proyeccionista. Al mismo tiempo que la férrea censura establecida durante su mandato acababa con el gran cine ruso de comienzos de la revolución para convertirlo en un arma de propaganda a su servicio, lo que más tarde vino a llamarse *culto a la personalidad*.

El argentino Juan Domingo Perón y el chino Mao Zedong también sufren una peculiar fascinación por el cine, que no sólo les lleva a crear rígidas censuras y dictar leyes proteccionistas, sino a casarse respectivamente con las actrices Eva Duarte y Jian Qing. Una mentalidad similar demuestra tener el comandante Fidel Castro cuando, entre las primeras medidas tomadas al subir al poder en 1959, se encuentra la creación del Instituto Cubano de Artes e Industrias Cinematográficas, el llamado I.C.A.I.C., para que se encargue de la producción de un cine al servicio de su revolución durante su larguísimo mandato. Refrendada muchos años después por la creación en 1979 del Festival Internacional de Cine de La Habana y en 1987 de una importante Escuela de Cine.

El general Francisco Franco llega todavía más lejos al apoyar la creación de un cine político-religioso al servicio de sus confusas ideas, y escribir además personalmente el guión de *Raza* para que sirva de modelo. Bajo el seudónimo de Jaime de Andrade da su personal visión de la guerra de España a través de una aburrida historia cuyas raíces se hunden en un pasado familiar. Quizá lo más curioso es que esta película, dirigida en 1940 por José Luis Sáenz de Heredia*, primo hermano de José Antonio Primo de Rivera, fundador del partido fascista Falange Española, tiene un segundo estreno, pocos años después del final de la II Guerra Mundial, en una versión donde han desaparecido los saludos brazo en alto y las alabanzas a la Alemania nazi.

Su interés por el cine lleva al general Franco, como a su acérrimo enemigo Stalin, a ver una película cada noche en su salita privada del palacio de El Pardo, pero a diferencia de aquél sólo le gustan las películas folclóricas españolas. Esto le hace restringuir las importaciones de películas norteamericanas y crear una contradictoria legislación para fomentar ese cine que tanto le interesa como propaganda política y personalmente.

Su repudio, como siempre ocurre en las ideologías fascistas, de todo lo que no sea nacional, le lleva a dictar unas leyes que obligan a doblar al castellano el cine extranjero que se exhibe en España. Esto le concede una ayuda inestimable, regalarle el idioma, quitarle trabas para su difusión. Y en compensación aprueba unas leyes fuertemente proteccionistas, apoyadas en los impuestos sobre esas producciones extranjeras dobladas, que hacen que durante muchos años la mayoría de las películas españolas se amorticen antes de estrenarse.

Estas legislaciones crean una continuidad de sucesivos desconciertos dentro de una industria tan caótica como la cinematográfica española. Nacida de una forma demasiado artesanal y con excesiva timidez a comienzos de siglo, con dos focos importantes de producción en Madrid y Barcelona, sólo tiene una mínima organización y algunos éxitos a finales de los años veinte, pero la llegada del sonoro, con sus elevados costes y complejos procesos técnicos, la hacen volver a partir de cero. A mediados de los años treinta ya se ha recuperado y alcanza nuevos éxitos, pero vuelve a desbaratarla la rebelión militar de julio de 1936 que origina la guerra.

La larga sucesión de medidas proteccionistas que ampara a la industria cinematográfica española entre 1939 y 1975, unida a la fuerte censura imperante durante estos treinta y seis años, crean una continuada sensación de inseguridad que hace imposible que llegue a tener un peso específico y sea algo más que un juguete en manos del general Franco. Los vaivenes experimentados durante este larguísimo período raras veces son producto de un cambio de gustos o influencias, sino de una variante política impuesta a través de modificaciones, más o menos sutiles, en las diferentes medidas proteccionistas que se suceden.

Aunque a la sombra de ellas, entre medias de ese cine que le gusta al general Franco, se pueden hacer algunas películas, sobre todo a medida que los años pasan, que nada tienen que ver con sus preferencias. Y, como ejemplo, baste citar buena parte de la obra del escritor Edgar Neville*, el nuevo giro que consiguen dar al cine español Luis G. Berlanga* y J. A. Bardem* basándose en los modelos italianos, el escándalo promovido por Luis Buñuel* a través de *Viridiana* (1961), que está dieciséis años prohibida, y que Carlos Saura* pueda hacer la primera y más personal parte de su obra.

DOS

Al final de la II Guerra Mundial irrumpe con fuerza la televisión comercial en Estados Unidos. Desde un principio los políticos son muy conscientes de que su influencia sobre las masas puede ser mucho mayor que la del cine, de que quien controle la televisión controlará el electorado, y se plantea una lucha por el dominio del nuevo medio de comunicación. Esto no impide que el cine y la televisión, después de una lucha encarnizada que dura casi treinta años, se hayan aliado, cada uno ocupe su propio terreno, con un claro predominio de la televisión, y aquél pase a ser una buena parte de la programación de ésta.

La televisión tarda casi diez años en llegar a España, hasta mediados de los cincuenta no tiene una cierta incidencia en la vida nacional y hay que esperar hasta finales de los sesenta para que haya el suficiente número de aparatos en los hogares para convertirse en un arma política importante. Como por esta época todo sigue igual dado el estricto control del general Franco, no ocurre ningún cambio significativo, pero con la llegada de la democracia comienza una dura batalla, que en principio finaliza en 1990 con la aparición de tres canales privados de televisión: Antena 3, Tele-5, de clara ascendencia italiana, y Canal Plus, una cadena de pago al estilo de la francesa del mismo nombre.

Durante estos años se ha notado una clara proliferación de programas de noticias, los genéricamente denominados *telediarios*, de variadas tendencias, pero no de otro tipo de informativos. Al mismo tiempo que ha descendido de una forma muy notable el nivel medio de calidad de la programación, en virtud de una absurda competitividad a la baja.

En los primeros años de existencia las televisiones privadas no han aireado cifras de rentabilidad, pero eran claramente perceptibles los problemas de Tele-5 y, sobre todo, Antena 3 por sus constantes cambios, y se sabía que Canal Plus no tenía el suficiente número de abonados para ser rentable. Aunque en los últimos tiempos la situación parece haber evolucionado favorablemente, no se barajan cifras, hasta convertirse las pérdidas en ligeras ganancias.

Sin embargo, en 1991 la televisión pública, los dos canales de Televisión Española, confiesan unas pérdidas de 35.000 millones de pesetas. Y en el mismo período, las autonómicas (las catalanas TV3 y Canal 33, la andaluza Canal Sur, la madrileña Telemadrid, las vascas ETB-1 y ETB-2 y la gallega TVG) suman unas pérdidas de 50.317 millones de pesetas. Estos elevados 85.317 millones de déficit han sido cubiertos sin el menor empacho por las diferentes fuerzas políticas que las sustentan, pero con la única condición de salir lo más asiduamente posible en sus diferentes espacios informativos y ser bien tratados en ellos.

Evidentemente, resulta tan desproporcionado como injusto que frente al despilfarro televisivo de decenas de miles de millones de pesetas, el conjunto del cine español deba conformarse con unos ridículos 4.000 millones, cifra en que se han estancado las subvenciones desde hace años y además se consideran un despilfarro. El cine es despreciado por completo por unas fuerzas políticas que no ven en él ningún valor cultural, ni desde luego propagandístico, a pesar de que su importancia cultural sea muy superior a la que ofrece la media de televisión y, como muy bien saben los norteamericanos, que lo aprovechan para difundir sus ideas y vender sus productos, también tenga un fuerte valor político.

Otro hecho muy injusto es que en la actualidad no exista ninguna relación a niveles de producción entre las diversas televisiones públicas y autonómicas y el cine español; sólo las privadas comienzan a financiar películas. Cuando 23 de las 112 películas semanales que emiten estas televisiones, es decir, el 21 por 100, son españolas y se sitúan entre las más rentables por los bajos precios que pagan por su emisión y los altos índices de audiencia que consiguen.

AUGUSTO M. TORRES.

BREVE HISTORIA DEL CINE ESPAÑOL

El 28 de diciembre de 1895, festividad de los Santos Inocentes, los hermanos Lumière presentan un nuevo invento, al que no conceden mucho futuro, en el Salón Indio del Grand Café de Paris. Lo denominan cinematógrafo y consiste en la proyección sobre un lienzo de una sucesión de fotografías que reproducen la sensación de movimiento. Pocos meses después el invento llega a España de la mano de Alexander Promio, técnico de los hermanos Lumière, que alquila y acondiciona un local en los bajos del hotel de Rusia, situado en la madrileña Carrera de San Jerónimo. Se dan las primeras sesiones el 15 de mayo de 1896, día de San Isidro, como uno más de los festejos conmemorativos de la festividad del patrón de la capital. Un público populachero llena el local, no da crédito a lo que ven sus ojos y se asusta cuando un tren entra en la estación de Lyon y cree que va a abalanzarse sobre ellos.

El cine llega a España en un momento de inseguridad política. El 3 de enero de 1874 el general Pavía irrumpe a caballo en las Cortes, con una violencia sólo superada ciento siete años después, disuelve la Asamblea Nacional y meses más tarde finaliza la I República. En diciembre de ese mismo año, el general Martínez Campos restablece la monarquía al proclamar rey a Alfonso XII en Sagunto. Comienza un período de bipartidismo político donde liberales y conservadores alternan en el gobierno. En 1885 muere Alfonso XII y empieza un período de regencia que por su inestabilidad política facilita la pérdida de las colonias. Se independizan Cuba, Puerto Rico y Filipinas, al tiempo que se inicia la inestabilidad en Marruecos. La arbitrariedad, la inseguridad y la violencia presiden el final del siglo XIX y el comienzo del siglo XX españoles. El poder de la oligarquía y los terratenientes, la pobreza generalizada y la mala situación económica, propician los desastres coloniales y marroquíes. En 1902 sube al trono Alfonso XIII y la inestabilidad política, la mala situación de los trabajadores y la guerra del Rif crean un clima de violencia que estalla en la denominada Semana Trágica de Barcelona en 1909, que comienza cuando las tropas se niegan a embarcar para ir a África a sofocar el levantamiento de las cabilas.

Esta situación política genera un público analfabeto, sin empleo ni dinero, que se extasía con facilidad ante la irreal realidad que le muestra el recién nacido cinematógrafo en los barracones que cada vez proliferan más. Así como unos avispados técnicos dispuestos a embarcarse en cualquier empresa nueva donde vean la posibilidad de impulsar sus maltrechas economías. Y también una burguesía que escatima su dinero cuando lo invierte en lo que les parece el menos real y más arriesgado de los negocios.

Por estas razones las primeras películas que se hacen en España las rueda Alexander Promio, el técnico de los hermanos Lumière que llega a España con la doble misión de dar a conocer el nuevo invento y conseguir producciones para su distribución. Entre las cortas películas hechas por Promio en 1896 cabe destacar *Llegada de los toreros*, *Maniobras de la artillería en Vicálvaro* y *Salida de las alumnas del colegio de San Luis de los Franceses*.

El cine propiamente español nace poco después, en octubre de 1896, de la mano de Eduardo Jimeno, que rueda en Zaragoza una película característica de estos primeros momentos: *Salida de misa de doce del Pilar de Zaragoza*. Resulta significativo que, mientras por la misma época en Francia se ruedan las salidas de las fábricas, en España proliferan las salidas de iglesias, que recorren las pantallas de las barracas de feria donde se exhiben ante el asombro de un público que trata de reconocer a las personas principales de la ciudad entre las figuras animadas que se deslizan ante sus ojos.

El auténtico pionero del cine español es Fructuos Gelabert*, que escribe, produce, dirige e interpreta *Riña de café* (1897) en Barcelona, la primera película de ficción. El éxito de esta experiencia le lleva, dentro del estilo realista de los hermanos Lumière, a rodar la inevitable *Salida del público de la iglesia parroquial de Sans* (1897) y el primer reportaje *Visita de doña María Cristina y don Alfonso XIII a Barcelona* (1898), que vende a Pathé Fréres haciendo la primera exportación. Vuelve al cine de ficción con *Dorotea* (1898), mientras prosigue alternándolo con los reportajes.

Al mismo tiempo que Georges Méliès en París, Gelabert* en Barcelona también se interesa por decorados, maquetas y trucos, pero es el turolense Segundo de Chomón* quien no tarda en destacar en este terreno. En su taller de Barcelona, el primero español para colorear películas, descubre las sobreimpresiones, el rodaje fotograma a fotograma y las posibilidades de hacer ingeniosos trucos, tal como demuestra *El hotel fantástico* (1905).

Gracias al trabajo de estos dos pioneros, Barcelona se impone como primer centro productor frente a otras ciudades. Allí se fundan a principios de siglo Hispano Films, Iris Films y Films Barcelona, las productoras más importantes de estos años, para las que trabajan tanto Fructuos Gelabert* como Ricardo de Baños*. Y se hacen muchas películas históricas, basadas en los dramas teatrales de un romanticismo tardío que pueblan la escena, rodadas con un estilo tosco inspirado en los grandilocuentes *films d'art* franceses.

Al borde de la Gran Guerra, el cine español ni siquiera intenta reflejar los múltiples acontecimientos sociales y políticos que conmocionan al país. Se ha convertido en una prolongación de los escenarios teatrales sin ninguna de sus virtudes, pero con todos sus defectos, tanto por la adaptación de acartonadas obras de Jacinto Benavente, Vicente Blasco Ibáñez, Joaquín Dicenta o Adrià Gual, como por la actuación de Enrique Borrás, María Guerrero, Fernando Díaz de Mendoza o Margarita Xirgu.

Dado el reducido precio de las entradas y la paupérrima situación nacional, el cine no tarda en convertirse en la principal diversión del pueblo. En 1914 hay más de novecientos cinematógrafos en toda España y el volumen anual de negocio supera los veinte millones de pesetas de la época. El cine español apenas saca partido de estas circunstancias y son los norteamericanos, ya con su fuerte empuje industrial, quienes mejor aprovechan las posibilidades del naciente mercado español.

No sólo deben pagarse altos *royalties* por las películas extranjeras que se exhiben, sino que también la producción española está supeditada a otros países. Las cortas inversiones que se hacen en cine sólo dan malamente para realizar alguna película, pero nadie se lo plantea de una forma industrial. No tardan en aparecer laboratorios de revelado y positivado, pero ni se fabrica negativo ni maquinaria, y los estudios de rodaje son pequeños y modestos. El cine español debe luchar contra la fuerte competencia extranjera y además comprar el negativo y la maquinaria en el exterior.

Las productoras aparecen y desaparecen con gran celeridad. Se aprovecha un éxito teatral o un pasajero triunfo artístico para rodar una o dos películas, ganar o perder dinero y desaparecer. En 1914 hay diecisiete productoras en Barcelona, pero dos años después han desaparecido, independientemente de haber tenido pérdidas o beneficios, para dejar paso a otras nuevas. Invertir dinero en cine se considera una aventura, no una actividad industrial, algo similar a jugar a la ruleta.

Gracias a la actividad de los hermanos Perojo*, la producción en

Enrique Guitart y Enriqueta Soler en *No quiero... no quiero,* de Francisco Elías

Madrid comienza en 1916. Poco después muere José, pero Benito Perojo* empieza una larga carrera en cuyos inicios trabaja como guionista, productor, fotógrafo, director e incluso actor, con el nombre de Peladilla, en películas cómicas de poca o nula calidad, como *Peladilla, cochero de punto* (1915). Tras unos años de trabajo en Francia, a mediados de los años veinte Perojo* vuelve a España convertido en un importante realizador.

También por esta época José María Codina rueda *El signo de la tribu* (1915), primera producción española de episodios, fórmula narrativa muy popular entonces. Aunque la que alcanza más éxito es *Barcelona y sus misterios* (1915), de Alberto Marro, clara imitación de las producciones seriales norteamericanas y francesas que dominan el mercado. La única película con un cierto interés de este período es la coproducción hispano-francesa *Cristóbal Colón* (1916), pero la aportación nacional es mínima. Está dirigida por el norteamericano Charles Jean Dressner y la mayoría de los intérpretes son franceses, pero su realización dura cinco meses y cuesta un millón de pesetas, cifra insólita en una época donde puede hacerse una película por mil.

Mientras los capitalistas de la insegura y represiva derecha sólo invierten en cine como si se tratase de una aventura, muchas veces con tonalidades eróticas, los sucesivos gobiernos de la tímida y desbordada monarquía únicamente prestan atención al cine para decretar normas para regirlo. A petición del gobernador de Barcelona, un Real Decreto de 19 de octubre de 1913 establece la censura cinematográfica. En 1918, el gobernador de Barcelona prohíbe que los personajes de las películas tengan nombres de personas conocidas o que puedan confundirse con ellos. Y en 1920, el director general de Seguridad dicta una ridícula norma por la cual los hombres deben separarse de las mujeres en las salas de proyección, pero no llega a cumplirse.

El 13 de septiembre de 1923, el general Primo de Rivera da un golpe de Estado por teléfono y usurpa el poder. Alfonso XIII no duda en someterse a la nueva situación política, mientras la guerra de Marruecos prosigue desgastando la frágil economía española, que sólo ha aprovechado mínimamente la situación de neutralidad durante la Gran Guerra. El dictador no tarda en ponerse al frente del ejército para poner fin a la guerra, pero sólo logra un remedio pasajero. El período de dictadura —1923-1930— significa muy poco para un cine que vive al margen de la actualidad, perdido en acartonadas adaptaciones teatrales o películas que tratan de ser populares a cualquier precio, mientras los nuevos gobernantes siguen sin ocuparse de él.

Durante la primera mitad de los años veinte debuta como actor Antonio Martínez, que más tarde se hace famoso con el seudónimo Florián Rey*, y obtiene su primer triunfo personal en *La verbena de la Paloma* (1921), versión muda de la popular zarzuela realizada por José Busch*. Su éxito pone de moda las adaptaciones de zarzuelas, y Florián Rey* dirige *La revoltosa* (1924) y *Gigantes y cabezudos* (1925). Al tiempo que también son bien recibidas por el público las primeras versiones de *La casa de la Troya* (1925) y *Currito de la Cruz* (1925), dirigidas por el novelista Alejandro Pérez Lugín, así como *Boy* (1925) y *El negro que tenía alma blanca* (1926), realizadas por Benito Perojo*.

Dentro de la producción de 1927 destacan varias películas. En primer lugar *La hermana san Sulpicio**, primera versión de la novela de Armando Palacio Valdés, que supone el primer encuentro del director Florián Rey* con Imperio Argentina*, que llega a ser la máxima *estrella* del cine español en la primera mitad de los años treinta. Seguida de *Una aventura de cine*, que marca el debut como realizador del actor Juan de Orduña, la famosa *Las de Méndez*, de Fernando Delgado*, y las interesantes producciones experimentales *El sexto sentido* y *Al Hollywood madrileño*, de Nemesio M. Sobrevilla.

A pesar de sus múltiples problemas, el cine español encuentra la veta popular que le hace rentable a través de estas películas. La producción sigue planteándose como una aventura, pero algunos directores empiezan a hacer un cine artesanal con un mínimo de calidad que tiene aceptación popular. En 1928, cuando el fantasma del cine sonoro todavía no se ha materializado, se producen cincuenta y nueve largometrajes. Y también se fundan los primeros cine-clubs, Ernesto Giménez Caballero y Luis Buñuel* crean el Cine-club Español en Madrid, y José Palau y Díaz Plaza el Cine-club Mirador en Barcelona, en un tímido acercamiento de los intelectuales a un fenómeno popular que nunca llega a interesarles.

Con motivo del Primer Congreso Español de Cinematografía, inaugurado en octubre de 1928, la Unión Artística Cinematográfica Española hace gestiones ante el Gobierno del general Primo de Rivera para conseguir subvenciones para el cine español y una legislación que le proteja de la dura competencia extranjera. Las peticiones son muy modestas, pide que se declare obligatoria «la exhibición mínima de cinco películas españolas por cada cien extranjeras» y también que «por cada veinticinco películas de una misma marca importadas en España, la adquisición de una película española para que sea exhibida en el país de origen de las extranjeras»; el Ministerio de Economía se da por enterado, pero no se desarrolla la menor legislación proteccionista.

Los últimos éxitos del cine mudo español son *¡Viva Madrid que es mi pueblo!* (1928), *Cuarenta y ocho pesetas de taxi* (1929) y *El gordo de Navidad* (1929), de Fernando Delgado*, y *Los chavales de la Virgen* (1928) y *La aldea maldita** (1929), de Florián Rey*. En el momento en que por fin logra interesar al público y alcanzar un elevado número de producciones anuales y cierto poder de penetración en los mercados latinoamericanos, llega el cine sonoro, con su mayor complejidad técnica, su necesidad de nuevos estudios insonorizados y unas mayores inversiones, y pone punto final a una industria artesanal, pero que gracias al esfuerzo personal de unos pocos había logrado un importante volumen de negocios.

En junio de 1929 se estrena en Madrid *El cantor de jazz* (The Jazz Singer, 1927), de Alan Crosland, protagonizada por el cantante Al Jolson, la primera película sonora norteamericana, pero en versión muda porque no hay salas con equipos sonoros de proyección. Y en septiembre del mismo año se estrena en Barcelona *La canción de París* (Innocents of Paris, 1928), de Richard Wallace, otra producción norteamericana, pero protagonizada por Maurice Chevalier, de la que sólo se exhibe con sonido la parte cantada, mientras el resto se proyecta mudo por ser en inglés.

El cine en España no tarda en verse envuelto en una curiosa situación. Los equipos sonoros de proyección Western Electric, que en seguida se generalizan tras una lucha inicial de patentes, son muy caros y los propietarios de los locales de exhibición se resisten a invertir en algo que consideran una moda pasajera. De manera que los cinematógrafos continúan proyectando películas mudas o cierran en espera de que pase la fiebre del cine sonoro. Y la producción, por su parte, también se paraliza por la inexistencia de equipos sonoros de rodaje y estudios convenientemente acondicionados. De los setenta y tantos largometrajes anuales que se ruedan durante los últimos años se pasa a que sólo se hagan cinco entre 1929 y 1931. Y además, los pocos que se producen se ruedan en España mudos y se sonorizan en el extranjero, tal como ocurre con *Prim*, de José Buchs*, o *Fermín Galán* (1931), de Fernando Roldán. Al tiempo que también se sonorizan algunas películas mudas de éxito, como *La aldea maldita* citada o *Zalacaín, el aventurero* (1927), de Francisco Camacho.

La llegada del sonoro coincide a niveles internacionales con la gran depresión económica y en España con el final de la dictadura del general Primo de Rivera, a la que durante unos meses sucede la del general Berenguer. En el terreno cinematográfico significa que, en el momento en que se requieren fuertes inversiones en equipos sonoros de grabación y reproducción y en la construcción de estudios insonorizados de rodaje, la peseta sufre una grave crisis, se acrecienta la fuga de capita-

Concha Catalá, Miguel Ligero y Estrellita Castro en *Suspiros de España,* de Benito Perojo

les y cunde el desánimo entre los inversores. De manera que el paso del cine mudo al sonoro en España no es una simple transición, como ocurre en la mayoría de los países, sino una importante falla que hace que literalmente el cine sonoro tenga que surgir de las cenizas del mudo.

La II República

A pesar del carácter liberal y reformista de los nuevos gobiernos que trae consigo la II República, proclamada el 14 de abril de 1931, el carácter artesanal del cine mudo español y la necesidad de bases económicas más sólidas hacen que se tarde unos años en crear una mínima base industrial desde la que poder plantearse la realización de películas sonoras.

Durante estos años de fuerte caída de la producción nacional tiene lugar una curiosa emigración de técnicos y actores españoles tanto hacia Hollywood como hacia Joinville. Dado que el público nacional no acepta las películas habladas en inglés por su desconocimiento del idioma, que la producción de películas habladas en castellano está paralizada por falta de estudios de rodaje y que España y Latinoamérica son dos grandes mercados, a finales de 1929 Fox y Metro-Goldwyn-Mayer comienzan a producir películas en castellano en Hollywood y Paramount adquiere para el mismo fin los estudios de Joinville-Le-Pont, cerca de París.

Este curioso invento de rodar diferentes versiones de una misma película norteamericana en distintos idiomas con actores que los hablan, tiene una doble finalidad. Por un lado, mantener el predominio de la producción norteamericana en los mercados extranjeros, y, por otro, evitar el desarrollo de las cinematografías nacionales. Debido a ello llegan a hacerse versiones en francés, alemán, italiano, portugués y sueco, pero, dada su poca calidad y que el público quiere ver a las grandes *estrellas* norteamericanas, la práctica no tarda en interrumpirse, salvo las rodadas en castellano, que duran hasta 1935.

En 1931 se estrenan quinientas películas en Madrid, de las cuales cuarenta y seis están habladas en castellano y, de éstas, cuarenta y tres están íntegramente hechas en el extranjero, y tres, los citados dramas históricos *Prim* y *Fermín Galán*, a los que hay que añadir *Isabel de Solís, reina de Granada* (1931), de José Buchs*, rodadas en España, pero también sonorizadas en el extranjero. Entre 1930 y 1933 se hacen dieciocho películas en España, mientras en los estudios norteamericanos de Hollywood y Joinville se ruedan ciento sesenta habladas en castellano entre 1930 y 1935.

Las películas habladas en castellano producidas en los estudios norteamericanos son de dos tipos. Las más interesantes son las que se ruedan a partir de guiones originales directamente escritos en castellano, como *Mamá* (1931), que dirige Benito Perojo* sobre un guión de José López Rubio* basado en una comedia de Gregorio Martínez Sierra, o *Angelina o el honor de un brigadier* (1935), que realiza Louis King sobre un guión de Enrique Jardiel Poncela basado en su obra homónima, pero constituyen una minoría. Las más abundantes son las versiones castellanas de producciones norteamericanas, que utilizan el mismo guión y los decorados originales, pero diferentes actores, castellanoparlantes, y directores sólo en raras ocasiones no norteamericanos, tal como ocurre en *Drácula* (1931), donde el actor Bela Lugosi es sustituido por Carlos Villarías y el gran director Tod Browning por el desconocido George Melford. La supervisión de estos guiones corre a cargo de los españoles Enrique Jardiel Poncela, José López Rubio*, Gregorio Martínez Sierra y Edgar Neville*, especialmente desplazados a Hollywood para hacer este trabajo.

La mezcla de diferentes acentos hispanos de actores llegados de distintos países, la sustitución de las grandes *estrellas* norteamericanas por irregulares actores iberoamericanos y la baja calidad de unas producciones destinadas a mercados tan importantes como subdesarrollados, hacen que estas películas habladas en castellano, pero rodadas fuera de España, pasado el primer impacto producido por el sonido, tengan poca aceptación popular.

Mientras tanto comienzan a exhibirse películas extranjeras subtituladas, pero encuentran una fuerta oposición en una población con un alto índice de analfabetismo. El problema se resuelve cuando se implanta el doblaje, que en seguida tiene éxito en España, y en 1933 se instalan los primeros estudios. Por su cuidado estilo, los mejores doblajes son los realizados por Jules Zeisler para Metro-Goldwyn-Mayer y por Hugo Donarelli. Una orden del Ministerio de Industria de 1934 obliga a doblar en España las películas extranjeras que se exhiban en el país.

En octubre de 1931 el Congreso Hispanoamericano de Cinematografía reúne a importantes personalidades del mundo del cine iberoamericano para llegar a unos acuerdos que regulen las normas de distribución de unas películas que tienen en común una misma lengua y costumbres. En las conclusiones finales se pide una cuota de pantalla que defienda la producción nacional frente a la fuerte competencia norteamericana, un concierto aduanero que la libere de impuestos y la unificación de los criterios de censura, pero los sucesivos gobiernos de la II República permanecen sordos ante estas peticiones. Sólo dos años después se crea el Consejo Nacional de Cinematografía, pero no consigue ninguna legislación proteccionista a favor de un cine nacional cada vez más debilitado frente a un cine extranjero fortalecido por la extendida práctica del doblaje.

Después de unos años de obligado trabajo en Francia, en 1932 Francisco Elías* regresa a Barcelona, como tantos otros que durante los primeros años del cine sonoro trabajan en los estudios Paramount de Joinville. Consigue que la Generalidad ceda el Palacio de la Química de la Exposición Universal de 1929, situado en Montjuich, convertirlo en los estudios Orphea, los primeros insonorizados de España, y rodar en coproducción con Francia y un equipo mayoritariamente francés *Pax* (1932).

También en 1932 se constituye en Madrid la sociedad Cea, Cinematografía Española Americana, y en su consejo de administración aparecen los más conocidos dramaturgos del momento —los hermanos Álvarez Quintero, Carlos Arniches, Jacinto Benavente, Jacinto Guerrero, Juan Ignacio Luca de Tena, Pedro Muñoz Seca—, que creen que el cine sonoro es patrimonio de los hombres de teatro. Se construyen unos modernos estudios en la Ciudad Lineal y la primera película que se rueda es *El agua en el suelo* (1934), de Eusebio Fernández Ardavín*, una historia con una sólida carga religiosa que obtiene un considerable éxito.

El mismo año, Manuel Casanova Llopis crea en Valencia Cifesa, Compañía Industrial Films Española, Sociedad Anónima, para distribuir las películas de Columbia en España. El éxito de *El agua en el suelo*, la primera película española que distribuye, le lanza también a la producción. La buena acogida obtenida por *La hermana san Sulpicio*￼* (1934), de Florián Rey*, la primera producción de Cifesa, hace que durante los siguientes veinte años se dedique especialmente a la producción y llegue a convertirse en la empresa cinematográfica más importante de España.

Las películas de más éxito producidas por Cifesa durante la primera parte de su trayectoria son *Nobleza baturra*￼* (1935) y *Morena Clara*￼* (1936), de Florián Rey* con Imperio Argentina*, y *Es mi hombre* (1935) y *La verbena de la Paloma*￼* (1936), de Benito Perojo*, nuevas versiones de películas mudas con un marcado aire regionalista y sin la menor relación con la trepidante actualidad nacional de estos años. Gracias a ellas Cifesa no sólo logra mantener el mercado de Latinoamérica, sino abrir nuevos en Marruecos, Alemania, Francia y Holanda.

Los estudios Aranjuez se inauguran con el rodaje de una nueva versión de *El negro que tenía el alma blanca* (1934), de Benito Perojo*. Mientras los estudios Ecesa, Ediciones Cinematográficas Españolas Sociedad Anónima, que están dentro de la órbita conservadora de

Acción Católica y el diario *El Debate*, se dedican a la producción de películas con un tono claramente moralizante, como *Currito de la Cruz* (1936), de Fernando Delgado*. Sin olvidar los estudios Iberia Films y los estudios Ballesteros, también creados a principios de los años treinta.

La empresa Filmófono realiza el trabajo cinematográfico más importante durante la II República. Creada en 1929 por el ingeniero Ricardo M. de Urgoiti, que interviene en la sonorización de las primeras películas habladas en castellano, en una primera fase sólo se dedica a la importación, distribución y exhibición. No tarda en tener una amplia cadena de salas de exhibición en Madrid y ampliar sus actividades a otros campos cinematográficos.

Tras crear el cine-club Proa-Filmófono, comienza a producir en 1935 contando con Luis Buñuel* como productor ejecutivo, que ya ha alcanzado notoriedad por haber rodado en Francia *Un perro andaluz* (1928) y *La edad de oro* (1930) y haber doblado películas en Joinville. En una concepción del trabajo a lo norteamericano, Buñuel* elige el

Alberto Romea y Fuensanta Lorente en *Viaje sin destino,* de Rafael Gil

tema, los guionistas y el director, el equipo técnico y los actores, y también supervisa muy de cerca el rodaje y el montaje.

La primera producción de Filmófono es *Don Quintín el amargao* (1935), que dirige Luis Marquina*, y de la que Buñuel* hace una nueva versión en 1951 durante su exilio mexicano, a la que sigue *La hija de Juan Simón* (1935), un melodrama en la línea de los que Buñuel* dirige en México, que comienza a rodar Nemesio M. Sobrevilla, autor del argumento, pero dada su lentitud es sustituido por José Luis Sáenz de Heredia*, que acaba de tener éxito con su primera película *Patricio miró una estrella* (1934). Durante 1936 Filmófono produce otras dos películas: *¿Quién me quiere a mí?*, de José Luis Sáenz de Heredia*, una comedia sobre el candente tema del divorcio en torno a una niña elegida en un concurso y presentada como la Shirley Temple española, y *¡Centinela, alerta!*, una adaptación de una obra de Carlos Arniches que comienza a dirigir el francés Jean Gremillon, finaliza Buñuel* por incomprensión entre ambos y se estrena sin firmar.

Durante la II República el cine español logra un espectacular avance. No sólo consolida la imprescindible infraestructura industrial para realizar 109 películas en clara progresión ascendente —6 en 1932, 17 en 1933, 21 en 1934, 37 en 1935 y 28 en 1936—, sino que cada vez logra mayores éxitos entre los cien millones de espectadores que hablan castellano. No obstante, el cine de la II República se caracteriza por el escapismo, no reflejar los sucesos sociales que ocurren a su alrededor y estar integrado por comedias musicales y españoladas que en su mayor parte son adaptaciones de obras precedentes.

El intento más serio por hacer un cine español con unas características propias y contando con el apoyo del público, lo realiza Filmófono en unión de Cifesa. Sin embargo, en contra de lo que ocurre con Cifesa, que tras la guerra española puede proseguir su actividad en una línea similar, la trayectoria de Filmófono se interrumpe después de la insurrección militar de 1936 al exiliarse sus principales componentes. Y no puede pasar del populismo barato de sus primeras películas a proyectos mucho más ambiciosos, como las adaptaciones de *Fortunata y Jacinta*, de Benito Pérez Galdós; *Tirano Banderas*, de Ramón del Valle-Inclán; *La lucha por la vida,* de Pío Baroja, y *Cumbres borrascosas*, de Emily Brontë, que pensaba dirigir el propio Buñuel*.

Además de las citadas, también cabe destacar por su éxito durante este período la comedia musical *Boliche* (1933), de Francisco Elías*; el melodrama *El cura de aldea* (1934), de Francisco Camacho; y la adaptación de la opereta *El gato montés* (1935), de Rosario Pi. Como claro dato del tono intrascendente de las películas de esta época hay que citar el caso de *El genio alegre*, una adaptación de una obra de los hermanos Álvarez Quintero. La comienza a rodar Fernando Delgado*

en julio de 1936, se interrumpe por la rebelión militar que desencadena la guerra, se finaliza tres años después recurriendo a dobles y se estrena sin ningún problema, sólo omitiendo los nombres de los actores y técnicos que permanecen leales a la República.

No hay que olvidar los brillantes comienzos de Edgar Neville*. Tras los imaginativos cortometrajes *Yo quiero que me lleven a Hollywood* (1931), *Falso noticiario* (1933) y *Do re mi fa sol la si o la vida privada de un tenor* (1935), demuestra lo mucho que ha aprendido durante su estancia en Hollywood en los largos *El malvado Carabel* (1935) y *La señorita de Trevélez* (1936). Además de su aportación como guionista y ayudante de dirección a la brillante *La traviesa molinera** (1936), de Harry d'Abadie d'Arrast.

Durante estos años hay una abundante producción de cortometrajes. Entre los de ficción destacan *Una de fieras* (1934), *Una de miedo* (1935), *Y, ahora, una de ladrones* (1935), que dirige Eduardo G. Maroto* sobre guiones de Miguel Mihura*, y que les conducen al largo *La hija del penal** (1935), todos en una similar línea de humor paródico y absurdo. Y entre los documentales sobresalen los realizados por Fernando G. Matilla y el biólogo Carlos Velo, posteriormente emigrado a México, *Felipe II y El Escorial* (1933), *Infinitos* (1933), *Almadrabas* (1934), *Castillos en Castilla* (1935). Como dato curioso cabe señalar que *Felipe II y El Escorial*, el mejor de ellos, se sigue exhibiendo en la posguerra, pero con un nuevo comentario triunfalista de signo opuesto al original desmitificador de la memoria del monarca.

La mejor película realizada durante la II República es el documental *Tierra sin pan* (1932). Luis Buñuel* sabe mezclar con eficacia su gran capacidad de análisis con su visión surrealista para hacer un duro retrato de Las Hurdes, una de las zonas más míseras de la España de entonces. El doctor Gregorio Marañón, presidente de un comité de defensa de Las Hurdes, ve la película en una sesión privada, se siente agredido por la fuerza de sus imágenes y convence a José María Gil Robles, a la sazón ministro de la Guerra del gobierno Lerroux, para que la prohíba. Este hecho da una idea muy clara de la capacidad represiva que tienen las fuerzas de derechas durante estos años de aparente libertad. Así como de la ceguera de la II República en materia cinematográfica, que además en ningún momento protege el cine español, tal como empieza a hacerse en otros países europeos, de la cada vez mayor competencia norteamericana.

Otro incidente que muestra la estrechez de miras cinematográficas de los gobiernos republicanos es el ocurrido con *Tu nombre es tentación* (The Devil is a Woman, 1935), la excelente adaptación de la novela *La mujer y el pelele*, de Pierre Louys, dirigida por Josef von Sternberg con Marlene Dietrich para Paramount. José María Gil

Robles ve en la película un insulto al machismo español y, sobre todo, a la guardia civil, y amenaza a Paramount con no dejar entrar más producciones suyas en España si no destruye el negativo. Paramount cede ante la amenaza de pérdida de tan importante mercado, pero afortunadamente sólo destruye un contratipo y se salva una de las mejores películas norteamericanas de los años treinta.

La guerra

Durante los tres años de guerra se continúan rodando películas en ambos bandos, pero como es lógico con mucha menor asiduidad que en la última etapa de la II República. En la zona republicana gracias a estar situados en ella la totalidad de los estudios y laboratorios, y en la zona rebelde por la ayuda prestada por los gobiernos fascistas de Alemania e Italia.

Sobre los documentales de ambas zonas que, salvo casos muy concretos, pueden tener las mismas imágenes, pero sustentadas por comentarios contrapuestos, destacan unos largometrajes que marcan con claridad sus diferencias ideológicas. Mientras los rebeldes ruedan en Berlín típicas españoladas como *El barbero de Sevilla* (1938) y *Suspiros de España* (1938), de Benito Perojo*, y *Carmen, la de Triana* (1939) y *La canción de Aixa* (1939), de Florián Rey*, y en Roma *Frente de Madrid* (1939), de Edgar Neville*, los republicanos hacen películas mucho más realistas, como *Aurora de esperanza* (1938), de Antonio Sau; *Barrios bajos* (1938), de Pedro Puche, y *¡No quiero... no quiero!* (1938), de Francisco Elías*.

Aunque la mejor producción de este terrible período es *Sierra de Teruel** (1939), la única película dirigida por el novelista francés André Malraux. Narra con habilidad y realismo uno de los episodios más conmovedores de su novela *L'espoir*, subrayando el abandono de que es objeto la II República por parte de las naciones democráticas.

La dictadura

Por una orden del Ministerio del Interior, aprobada en Burgos, residencia del mando rebelde, el 2 de noviembre de 1938 se crea la Comisión de Cinematografía y la Junta Superior de Censura Cinematográfica para reagrupar y unificar los anteriores intentos en este terreno. Finalizada la guerra con el triunfo del general Franco, en el preámbulo de una orden del Ministerio de la Gobernación de 15 de julio de 1939 se justifica la existencia de la censura, mientras la orden crea una Sec-

Rafael Durán y Lina Yegros en *Un marido a precio fijo*, de Gonzalo Delgrás

ción de Censura, cuyo exclusivo objeto son los guiones, que permanece inalterable, a pesar de múltiples variaciones y reestructuraciones, durante los largos años de dictadura.

La institucionalización de la censura es un mal previsible, característico de la época, a pesar del cual hubiese podido consolidarse una industria cinematográfica con la misma o mayor fuerza que tenía durante los últimos años de la II República, pero la legislación de 1941 supone la creación de un obstáculo insalvable para el normal desarrollo cinematográfico: pone el cine en manos del Estado.

El 23 de abril de 1941, una orden del Ministerio de Industria y Comercio establece un canon de importación sobre las películas extranjeras que se exhiben en España, pero sobre todo prohíbe «la proyección cinematográfica en otro idioma que no sea el español». Esta orden, dictada en un momento de máximo orgullo fascista, al comienzo de la II Guerra Mundial, antes de que Estados Unidos entre en la contienda, es la consecuencia de otras de similares características que obligan a *españolizar* o cambiar los nombres de los establecimientos comerciales con denominaciones extranjeras. No sólo es un ataque directo a las diferentes lenguas que se hablan en España, sino también el origen de la crisis crónica que desde entonces padece el cine español y de sucesivas legislaciones para controlarlo y compensarlo de la terrible competencia que significa poner ante el público al mismo nivel la producción extranjera y la nacional.

Esta orden sólo permanece vigente durante seis años, pero es suficiente para causar todo su mal. El público, analfabeto en un alto grado y desconocedor de otros idiomas en otro mucho mayor, no tarda en acostumbrarse a una forma de ver cine que no le requiere el menor esfuerzo; los distribuidores y exhibidores en seguida se dan cuenta de que las películas dobladas recaudan mucho más dinero que las subtituladas y no abandonan el doblaje, y los censores comprenden que les permite alterar los diálogos mucho más impunemente.

Una orden de 17 de diciembre de 1942, de la Vicesecretaría de Educación Popular, crea *NO-DO*, un noticiario semanal de producción estatal, con la obligación de exhibirse en todas las sesiones cinematográficas y la prohibición de realizarse y distribuirse cualquier otro. Esta orden, sólo abolida tras la muerte del general Franco, mucho después de que la expansión de la televisión haga inoperante la eficacia política de los noticiarios estatales, significa la desaparición de la incipiente escuela documentalista surgida durante la II República. A pesar de que ese mismo año otra orden, ratificada en 1943, 1948, 1953 y 1960, obliga a programar también un cortometraje en cada sesión cinematográfica, los exhibidores se limitan a proyectar los que, a partir de ese momento, comienza a producir *NO-DO* con el título genérico de *Imágenes*.

El 18 de mayo de 1943 aparece una orden del Ministerio de Industria y Comercio por la cual las licencias de importación de películas extranjeras sólo se conceden a productores de películas íntegramente nacionales «de una categoría artística y técnica suficientemente decorosa a juicio de la Comisión Clasificadora». Y distingue tres categorías: primera, con derecho a tres o cinco licencias; segunda, con derecho a dos o cuatro; y tercera, sin derecho a ninguna. El 13 de octubre de 1944 una orden complementaria del Ministerio de Industria y Comercio impone a los cinematógrafos la obligación de exhibir un día de películas españolas por cada cinco de extranjeras. Estas órdenes tratan de paliar el mal causado por la que obliga a doblar todas las películas, incrementar la producción y agilizar la distribución y exhibición, pero consiguen sus propósitos de una forma muy peculiar, con una producción que comienza en 1939 con doce largometrajes y para estas fechas ya supera la veintena.

Desde el momento en que el doblaje se convierte en una práctica habitual, la distribución de películas extranjeras resulta ser mucho mejor negocio que la producción de nacionales. Con una inversión menor se puede conseguir un producto igualmente hablado en castellano, pero de mucha mayor envergadura, con grandes *estrellas*, mejor acabado y que puede dar mucho más dinero. Los distribuidores empiezan a producir películas cuya única finalidad es conseguir licencias de importación, mientras la obligación de exhibirlas se considera un impuesto más a pagar.

Aunque por este sistema de subvenciones, si la película gusta a la Comisión de Clasificación, se tienen buenas amistades y algo de suerte, puede conseguirse no sólo amortizarla, sino incluso ganar dinero con ella antes de estrenarla, al revender las licencias de importación. La corrupción que desde un principio caracteriza la dictadura hace que, por ejemplo, melodramas de época como *El escándalo* (1943), de José Luis Sáenz de Heredia*, y *El clavo* (1944), de Rafael Gil*, que alcanzan éxito popular, obtengan quince licencias de importación cada una. Sin llegar a estos extremos, lo normal es que cualquier producción que obtenga tres o cuatro licencias de importación por su carga ideológica y su buen acabado, se amortice y gane algún dinero antes de estrenarse. Esto hace que la situación cinematográfica cada vez sea más caótica y deba modificarse la legislación proteccionista.

Debido a ello, una orden del 21 de diciembre de 1946, del Ministerio de Industria y Comercio, exige la posesión de permisos de doblaje para las películas extranjeras y sólo los concede a los productores de películas nacionales. Y se establecen tres categorías: primera, a la que corresponden cuatro permisos; segunda, a la que corresponden dos; y tercera, a la que no corresponde ninguno. Más la categoría de Interés Nacional, creada poco antes, a la que corresponden cinco. La principal diferencia con el sistema anterior es que los propietarios de los permisos de doblaje pueden cederlos libremente. Esto da nuevas facilidades a la corrupción y mayores ventajas a distribuidores y exhibidores que, desligados de la producción, deben limitarse a comprar permisos de doblaje a unos productores que más que películas parecen producir permisos.

Bajo esta férrea legislación, en un país destrozado por una sangrienta guerra y aislado del exterior desde el final de la II Guerra Mundial, entre 1939 y 1952 se producen quinientos sesenta y seis largometrajes. A pesar de que la totalidad tienen una similar carga ideológica y están realizadas con un estilo igualmente académico, cabe destacar *Viaje sin destino* (1942), *Huella de luz** (1943) y *La calle sin sol**, de Rafael Gil*; *Malvaloca** (1942), de Luis Marquina*; *Ella, él y sus millones** (1944) y *Locura de amor** (1948), de Juan de Orduña*; *Orosia* (1943), de Florián Rey*; *Lola Montes* (1944) y *Los últimos de Filipinas** (1945), de Antonio Román*; *Las inquietudes de Shanti Andía* (1947), de Arturo Ruiz-Castillo*; *El destino se disculpa** (1945) y *Mariona Rebull* (1947), de José Luis Sáenz de Heredia*; y *Botón de ancla* (1947), de Ramón Torrado*.

En cualquier caso, las mejores producciones del período son las comedias dirigidas por Jerónimo Mihura* sobre guiones de su hermano Miguel Mihura*, *Castillo de naipes** (1943) y *Mi adorado Juan** (1949). La trilogía de historias policiacas integrada por *La torre de los siete jorobados** (1944), *Domingo de carnaval** (1945) y *El crimen de la calle de Bordadores** (1946), escrita y realizada por Edgar Neville*, seguidas de sus comedias *La vida en un hilo** (1945) y *El último caballo** (1950), primera experiencia neorrealista española. Y la insólita *Vida en sombras** (1948), única película de Lorenzo Llobet Gracia.

Gracias a la tenacidad de un grupo de aficionados, que organiza cursos de cine en las aulas de la Escuela Especial de Ingenieros Industriales de Madrid, a principios de 1947 se inaugura la primera escuela de cine española, el denominado Instituto de Investigaciones y Experiencias Cinematográficas, bajo la dirección de Victoriano López García. En él se da cita una nueva generación cinematográfica cuyo modelo a seguir es el recién nacido neorrealismo italiano y que rechaza el acartonado cine español alejado de la realidad. La primera promoción sale en 1949 y sus miembros más destacados son Luis G. Berlanga*, J. A. Bardem*, además de los que empiezan a dirigir cine-clubs universitarios, llevan la sección de cine de algunas revistas literarias, crean la publicación especializada *Objetivo*, que aparece en 1953 y es prohibida en 1956, y convocan las Conversaciones Cinematográficas de Salamanca en 1955 para discutir los problemas del cine español.

En estas famosas Conversaciones J. A. Bardem* define el cine nacional con unas brillantes frases, luego repetidas hasta la saciedad, como «políticamente ineficaz, socialmente falso, intelectualmente ínfimo, estéticamente nulo e industrialmente raquítico». Y en las conclusiones se pide un código de censura, un nuevo sistema de protección más justo y eficaz, una federación de cine-clubs, ayuda estatal al Instituto de Investigaciones y Experiencias Cinematográficas y el final del monopolio del *NO-DO* en el terreno del documental.

De manera que en una cinematografía que ya ha descubierto el neorrealismo en los policiacos *Apartado de correos 1001** (1950), de Julio Salvador*, y *Brigada criminal** (1950), de Ignacio F. Iquino*, y los dramas sociales *Surcos** (1951), de José Antonio Nieves Conde*; *Día tras día** (1951), de Antonio del Amo*; y *Cielo negro** (1951), de Manuel Mur Oti*, las primeras películas de los alumnos del Instituto de Investigaciones y Experiencias Cinematográficas —*Esa pareja feliz** (1951), de Luis G. Berlanga* y J. A. Bardem*, y *¡Bienvenido, míster Marshall!** (1952), de Luis G. Berlanga*— sirven para consolidar el fenómeno neorrealista dentro del cine español y conseguir que tenga una continuidad en *Segundo López* (1952), de Ana Mariscal*; *El judas** (1952), de Ignacio F. Iquino*; *Historias de la radio** (1955), de

José Luis Sáenz de Heredia*; *La vida por delante** (1956), de Fernando Fernán-Gómez*; *El expreso de Andalucía* (1956), de Francisco Rovira Beleta*; *Mi tío Jacinto** (1956), de Ladislao Vajda*; *Amanecer en Puerta Oscura** (1957), de José María Forqué*; y *Distrito quinto** (1957), de Julio Coll*, algunas de las mejores producciones de la década.

Mientras tanto, Luis G. Berlanga* rueda *Novio a la vista** (1953) y desarrolla la vena más lírica del neorrealismo en *Calabuch** (1956) y *Los jueves, milagro* (1957), alterada por la censura hasta tener poco que ver con el proyecto original, y J. A. Bardem* consigue sus mejores películas con la trilogía integrada por *Cómicos** (1953), *Muerte de un ciclista** (1955) y *Calle Mayor** (1956), donde sienta las sólidas bases de un neorrealismo crítico que tiene grandes dificultades para desarrollar. La mayoría de las primeras películas de J. A. Bardem* y Luis G. Berlanga* participan en festivales internacionales, ganan importantes premios, descubren la existencia del cine español en el extranjero y también tienen éxito de crítica y público en el país.

El 16 de julio de 1952, una orden conjunta de los Ministerios de Comercio e Información y Turismo impone un nuevo sistema de protección al cine relacionado con el coste de cada película y crea una

Mercedes Vecino y Armando Calvo en *El escándalo,* de José Luis Sáenz de Heredia

nueva Junta de Clasificación y Censura para administrarlo. Crea seis categorías de películas, Interés Nacional, 1.ª A, 1.ª B, 2.ª A, 2.ª B y 3.ª, a las cuales corresponde, respectivamente, una subvención del 50, 40, 35, 30, 25 y 0 por 100 del coste estimado que establece dicha Junta.

La aparición de esta nueva Junta de Clasificación y Censura significa la aceptación a niveles oficiales de que existen dos censuras complementarias, cuyas funciones realizan unas mismas personas. La primera corta y distorsiona las películas y la segunda hunde económicamente a sus productoras. Entre los ejemplos más claros de su forma de actuación destaca lo ocurrido con *Los golfos** (1959), de Carlos Saura*; *Los chicos** (1959), de Marco Ferreri*; y la coproducción hispano-argentina *La mano en la trampa* (1961), de Leopoldo Torre-Nilsson. Las tres son seleccionadas para competir en distintos festivales internacionales y ganan algunos premios, la censura las autoriza con algunas alteraciones y las dos primeras son clasificadas en 2.ª B y la última en 3.ª, lo que en la práctica significa su imposible amortización.

Durante su exilio europeo, motivado por las presiones del Comité de Actividades Antinorteamericanas, el realizador Robert Rossen rueda en España *Alejandro, el Magno* (Alexander the Great, 1955), una de sus peores películas. Es la primera de una larga serie de producciones que los norteamericanos hacen en España para aprovechar los fondos económicos generados en toda Europa por sus películas y congelados por las leyes proteccionistas de posguerra, los bajos sueldos producto del subdesarrollo del país y las disminuciones tributarias que les suponen. Son producciones ajenas a la realidad nacional porque sólo la utilizan como decorado y en las que únicamente intervienen actores y técnicos españoles en cometidos secundarios, pero entre las que destacan por sus elevados presupuestos *Orgullo y pasión* (The Pride and the Passion, 1957), de Stanley Kramer, y *Salomón y la reina de Saba* (Solomon and Sheba, 1959), de King Vidor.

La situación llega a su punto máximo cuando Samuel Bronston, un productor de segunda fila con una mínima experiencia en Hollywood, funda Samuel Bronston Productions Inc. en España y coproduce con el español Cesáreo González* *El capitán Jones* (John Paul Jones, 1959), de John Farrow. Esta compañía, cien por cien norteamericana, pero que sólo trabaja en España, realiza sucesivamente las superproducciones de larga duración *Rey de Reyes* (King of Kings, 1961), de Nicholas Ray; *El Cid* (The Cid, 1961), de Anthony Mann; *55 días en Pekín* (55 Days in Pekyn, 1962), de Nicholas Ray; *La caída del Imperio Romano* (The Fall of the Roman Empire, 1963), de Anthony Mann; y *El fabuloso mundo del circo* (Circus World, 1964), de Henry Hathaway, gracias a la concesión de créditos oficiales a bajo interés, la desinteresada colaboración del ejército en los rodajes y la cesión de parques naciona-les que son alterados según las necesidades del decorado. Samuel Bronston paga estos favores oficiales con la inclusión en sus produc-ciones de algunas concesiones al patriotismo nacional, como la apari-ción de la bandera bicolor y la intervención del embajador español en *55 días en Pekín*, la utilización de personajes españoles como centro de sus historias, el Cid o Isabel la Católica en un proyecto abortado, y la financiación de documentales de propaganda, *El valle de la paz* (1961), de Andrew Marton, y *Sinfonía española* (1963), de Jaime Frades.

A finales de 1964, cuando *El Cid* figura entre las veinte películas más comerciales de la historia del cine y las restantes producciones de Samuel Bronston ocupan destacadas posiciones, la compañía se hunde, desaparece el peligro del dominio de la producción española por parte de la norteamericana y todo queda reducido a una elevación de costes y un descenso de la producción totalmente española. En años posterio-res, gracias a unas condiciones especiales otorgadas por el Gobierno a determinadas zonas geográficas consideradas estratégicas, continúa de forma creciente la realización de películas extranjeras en España, pero no se crea ninguna otra productora de similares características. Entre estas películas cabe destacar *Espartaco* (Spartacus, 1960), de Stanley Kubrick; *Lawrence de Arabia* (Lawrence of Arabia, 1963) y *Doctor Zhivago* (1965), de David Lean; *Patton* (1969), de Franklin J. Schaff-ner, en las que trabajan técnicos españoles en destacados cometidos, como los directores de fotografía Manuel Berenguer* y Cecilio Pania-gua*, el realizador Eduardo G. Maroto* y el decorador Gil Parrondo, e incluso llegan a ganar algún Oscar.

A mediados de los años cincuenta, y como consecuencia de la caída del general Perón, llega a España un considerable número de directo-res argentinos, algunos de los cuales se quedan a vivir y trabajar para siempre. Durante la primera mitad de los años sesenta dominan parte de la producción más comercial. Destacan no por la calidad, sino por la cantidad de sus películas españolas, León Klimovsky*, Tulio Demi-cheli*, Enrique Cahen Salaberry y, sobre todo, Luis César Amadori*. Es un fenómeno similar al que ocurre veinte años después, cuando la junta militar presidida por el general Videla comienza a imponer el terror en 1976, pero con la diferencia de que los que emigran tempo-ralmente no son realizadores, sino actores.

En 1955 llega a Madrid el productor italiano Marco Ferreri*, entra en contacto con el humorista Rafael Azcona* y acaba dirigiendo *El pisito** (1958) sobre una novela de éste. A pesar de una apreciable falta de medios, la recreación del submundo madrileño de la época y la aplicación de un peculiar humor negro a las tendencias neorrealistas da como resultado un eficaz estilo, del que pueden encontrarse antecedentes en la pintura y la literatura españolas, origen de películas de gran importancia. Ferreri* también dirige en España la excelente *Los chicos* (1959) y *El cochecito* (1960), de nuevo sobre un relato de Azcona* y con guión de ambos, una de las escasas grandes películas de estos años. El nuevo estilo creado por Ferreri* y Azcona* alcanza uno de sus mejores momentos y demuestra su eficacia para reflejar a través del prisma del humor los vicios y costumbres de la clase media española.

Por estas mismas fechas Carlos Saura* rueda *Los golfos* (1959), su primer largometraje. A medio camino entre las corrientes neorrealistas italianas y la nueva narrativa impuesta por la *Nouvelle vague* francesa, consigue dar una visión desgarrada de los bajos fondos madrileños. Presentada oficialmente en el Festival de Cannes, donde es bien recibida por la crítica internacional, más tarde es duramente tratada por la doble censura política y económica y tiene una desgraciada carrera comercial.

Durante la primera mitad de 1960 aparecen algunos documentalistas que, a pesar de que no llegan a formar un grupo y realizan cortometrajes de irregular valor, demuestran que existe una nueva preocupación por expresarse en cine. Se mueven alrededor del Instituto de Investigaciones y Experiencias Cinematográficas, que por estas fechas cobra un nuevo impulso bajo la dirección de José Luis Sáenz de Heredia*, donde estudia la mayoría, y de algunas revistas especializadas (*Cinema Universitario, Nuestro Cine*), en que suelen escribir, pero no pueden pasar al largometraje, ni trabajar con comodidad en el documental por el monopolio que sigue ejerciendo *NO-DO*. A la cabeza se sitúa *Cuenca* (1958), de Carlos Saura*, primer documental que hace un acercamiento realista al hombre español, seguido de *A través de San Sebastián* (1960) y *A través del fútbol* (1963), de Elías Querejeta* y Antonio Eceiza*; *El noveno* (1961) y *Torerillos* (1962), de Basilio M. Patino*; *Notas sobre la emigración* (1960) y *Alrededor de las salinas* (1961), de Jacinto Esteva*, recortados o prohibidos por la censura, junto a obras de Javier Aguirre*, Jaime Camino*, Mario Camus* y Jorge Grau*.

Luis Buñuel* llega a Madrid en 1960 para dirigir su primer largometraje español. Se trata de una coproducción con México cuyo guión se presenta a censura, se aprueba con la condición de que se varíe el final, se cambia aceptando las sugerencias hechas por los censores, se rueda, se termina a toda prisa para que llegue al Festival de Cannes y se deposita un internegativo en París. Siguiendo el proceso habitual es vista por censura, la acepta sin ninguna modificación y es seleccionada para representar a España en Cannes, pero más por la personalidad del

Ana Mariscal y Eduardo Fajardo en *De mujer a mujer*, de Luis Lucía

realizador y haber sido solicitada por el propio Festival que por gustar-
le a los censores.

El 17 de mayo de 1961 *Viridiana** gana la Palma de Oro del Festival de Cannes, la noticia es positivamente comentada por la prensa
española, pero dos días después unas declaraciones aparecidas en el
diario vaticano *L'Osservatore Romano*, donde se acusa de blasfemas a
Viridiana* y *Madre Juana de los Ángeles* (Matka Joanna od Aniolów,
1961), de Jerzy Kawalerowicz, también premiada aquel año, originan
una larga reacción en cadena. Se prohíbe nombrar a *Viridiana** en los
medios de comunicación, se cesa al director general de Cinematografía, que había acudido personalmente a Cannes a recoger el premio,
pero también se disuelven sus productoras, se prohíben sus proyectos,
la película deja de tener existencia jurídica, permanece prohibida en
España durante dieciséis años y sólo se le reconoce la nacionalidad
española en 1983, tras la llegada al poder del Partido Socialista.

La consecuencia inmediata es una etapa de endurecimiento de la
censura, durante la cual un miembro de Falange, ajeno al mundo del
cine, es nombrado director general de Cinematografía. Finaliza en
julio de 1962, cuando una reestructuración del Gobierno, impuesta por
las huelgas de la primavera, el pacto firmado en Munich por la oposi-

ción y la conversión del turismo en la principal fuente de divisas, sitúa a Manuel Fraga Iribarne al frente del Ministerio de Información y Turismo para mejorar la imagen exterior de España, controlar la información y fomentar el turismo.

Desde un primer momento varía la posición del Gobierno respecto al cine y, sin dejarse de apoyar el cine oficial, se sientan las bases para lo que llega a denominarse *Nuevo Cine Español* al comenzar a subvencionarse de manera sistemática los proyectos de nuevos realizadores surgidos de las aulas del Instituto de Investigaciones y Experiencias Cinematográficas. Las primeras producciones que se aprovechan de las nuevas circunstancias son *Cuando estalló la paz* (1962), de Julio Diamante, y *Noche de verano** (1962), de Jorge Grau*, primeras películas de sus respectivos realizadores. En 1963 prosigue el debut de nuevos directores con Francisco Regueiro*, *El buen amor**; Mario Camus*, *Los farsantes*, *Young Sánchez**; Manuel Summers*, *Del rosa al amarillo**; Antonio Eceiza*, *El próximo otoño;* Jaime Camino*, *Los felices 60*, además de un largo etcétera que es absorbido por el ramplón cine infantil que comienza a subvencionarse, el peor cine comercial y la televisión.

Durante estos años se desarrolla la segunda etapa de la carrera de los realizadores aparecidos al comienzo de los cincuenta. Muy influenciado por las películas de Ferreri* y Azcona*, y siempre con la colaboración en el guión de este último, Luis G. Berlanga* logra que el ternurismo de sus anteriores trabajos se transforme en un distorsionado realismo, lleno de humor negro, con el que analiza los trasfondos sociales de los temas tratados, al tiempo que su estilo narrativo adquiere mucha mayor soltura al alargarse considerablemente la extensión de sus planos. El cambio comienza a producirse en *Plácido** (1961) y en *La muerte y el leñador*, episodio español de la irregular coproducción *Las cuatro verdades* (1962), donde por primera vez Azcona* y Berlanga* trabajan juntos, pero hay que esperar a *El verdugo** (1963) para que hagan su mejor trabajo y una de las pocas grandes películas del cine español.

Directamente relacionado con esta corriente esperpéntico-realista se sitúa Fernando Fernán-Gómez*. Después de la ácida comedia *La vida por delante** (1958), aprovecha las nuevas circunstancias para rodar las interesantes *El extraño viaje** (1963) y *El mundo sigue** (1963), pero al igual que la mayoría de las primeras películas realizadas durante estos años, son un fracaso comercial y Fernán-Gómez* debe plegarse a un cine comercial sin atractivos.

Desorientado por el fracaso de *La venganza** (1957), *Sonatas** (1959) y *A las cinco de la tarde* (1960), J. A. Bardem* se va a Argentina a rodar la fallida *Los inocentes* (1962), que la censura no autoriza en España. La nueva situación le permite realizar *Nunca pasa nada** (1963), pero a pesar de ser su mejor película, tiene una repercusión limitada y marca el comienzo de un amplio paréntesis en que se ve obligado a apartarse del cine personal.

El primer fruto del nuevo equipo ministerial son las Normas de Censura Cinematográfica, aparecidas el 16 de febrero de 1963, en un intento por dar una base legislativa a un organismo que lleva veinticuatro años trabajando sobre criterios fantasmas, pero son lo suficientemente ineficaces para dejar las cosas como están, como demuestra que durante el resto de la dictadura del general Franco siga existiendo la censura de guiones.

A comienzos de la década de los sesenta se habla mucho de *apertura* de la censura, pero sólo se deja sentir mínimamente en las producciones extranjeras en la medida que se autorizan algunas películas, norteamericanas en su mayoría, prohibidas durante los últimos diez años. También se crea una nueva reglamentación de cine-clubs que, por su excesiva burocracia, supone un freno para sus actividades, mientras ofrece como ventaja la importación anual y caótica de una decena de producciones. Y a comienzos del curso 1962-63, el Instituto de Investigaciones y Experiencias Cinematográficas se convierte en Escuela Oficial de Cinematografía, se aumenta su subvención y pasa a depender directamente de la Dirección General de Cinematografía.

Mientras se espera que la nueva legislación cinematográfica dé una más sólida base al llamado *Nuevo Cine Español,* en 1964 continúa la aparición de películas de nuevos realizadores. Debutan Miguel Picazo* con *La tía Tula** y Vicente Aranda* con *Brillante porvenir*, mientras realizan su segunda obra Jorge Grau*, *El espontáneo**; Manuel Summers*, *La niña de luto;* Carlos Saura*, *Llanto por un bandido;* Francisco Regueiro*, *Amador;* y Julio Diamante, *Tiempo de amor.*

Estas nuevas películas tienen unos planteamientos similares, presupuestos reducidos, rodajes en interiores y exteriores naturales, parten del neorrealismo para llegar a una especie de naturalismo y generalmente presentan personajes desdibujados que se debaten en ambientes que son pálidos reflejos de la realidad circundante. Por todo ello tardan años en estrenarse, pierden su escaso interés inicial y, salvo en contadas excepciones, no consiguen establecer contacto con el público, a diferencia de lo que ocurre con las primeras películas de Bardem* y Berlanga*, ni tan siquiera con la crítica, al revés de lo que sucede con las producciones españolas de Ferreri* y la primera dirigida por Saura*.

Como un apartado del Plan de Desarrollo Económico, con el que el nuevo gobierno se enfrenta con la torcida economía nacional, el 19 de agosto de 1964 aparecen las Nuevas Normas para el Desarrollo de la Cinematografía. Después de veinticinco años de censura encubierta de subvención, es la primera legislación de ayuda al cine realizada con un mínimo de seriedad. Desde ahora la protección a la producción no se distribuye arbitrariamente por una junta de censores disfrazados de funcionarios, sino que se establece automáticamente al recibir cada película el 15 por 100 de los ingresos brutos en taquilla obtenidos durante los primeros cinco años de exhibición en el país. Aunque también se crea la categoría «Interés Especial» para los «proyectos que ofrezcan las suficientes garantías de calidad, contengan relevantes valores morales, sociales, educativos o políticos» y «faciliten la incorporación a la vida profesional de los titulados en la Escuela Oficial de Cinematografía», que consiste en un sustancioso anticipo sobre ese 15 por 100 recaudado y doble cuota de pantalla, una vez que la película pasa censura, y que sigue concediendo una junta de encubiertos censores. Se complementa con una orden del 22 de diciembre de 1964 del Ministerio de Información y Turismo que establece el control de taquilla, pero a pesar de que comienza a funcionar a principios de 1965 y haberse informatizado posteriormente el proceso, casi treinta años después, en unas circunstancias políticas muy diferentes, todavía no funciona con regularidad y sus datos no son muy fiables.

Dentro de estos nuevos canales, en 1965 se realizan *La caza**, de Carlos Saura*; *Nueve cartas a Berta**, de Basilio M. Patino*; *El juego de la oca*, de Manuel Summers*; *Acteón*, de Jorge Grau*; *Con el viento solano*, de Mario Camus*. Y en 1966, *Fata Morgana**, de Vicente Aranda*; *Juguetes rotos**, de Manuel Summers*; *La busca**, de Angelino Fons*; *Una historia de amor**, de Jorge Grau*; y *Mañana será otro día*, de Jaime Camino*. En estas primeras, segundas o terceras obras de sus realizadores, se aprecian unas claras intenciones de abandonar un naturalismo anticuado y dirigirse hacia otras posiciones más actuales, pero no demasiado definidas. Los intentos más interesantes son los de Aranda* y Saura*, que, desde posiciones diferentes, pero igualmente válidas, se acercan a un cine de calidad que también intenta ser comercial a su manera.

Estas películas del denominado *Nuevo Cine Español,* fomentadas y casi producidas por el Estado, dado que dentro de sus bajos presupuestos casi se amortizan con las subvenciones que reciben, representan a España en los festivales internacionales, pero encuentran grandes dificultades para llegar al público español. En buena parte se debe a que las Nuevas Normas para el Desarrollo de la Cinematografía suponen la convivencia de producciones de baja calidad y fuerte comercialidad, realizadas para el mercado interior, con otras de cierta calidad y baja comercialidad, impulsadas por el «Interés Especial», realizadas para ser mostradas en el exterior con un evidente carácter de propaganda estatal.

Este *Nuevo Cine Español* que el Estado subvenciona, está férreamente controlado por la censura política y económica y, como es lógico, es el cine que al Estado le interesa que se haga. Por tanto, su posible y discutida carga crítica resulta muy limitada. Después de una constante lucha de guionistas, directores y productores progresistas, si logra hacerse alguna escena especialmente crítica desde algún aspecto, la censura la corta sin el menor pudor. No hay que olvidar que el dinero con que se subvenciona este cine proviene del canon de doblaje que pagan las películas extranjeras, la mayoría norteamericanas, exhibidas en el país; así como que las distribuidoras más importantes son sucursales de las grandes compañías norteamericanas, que admiten el material español como un impuesto más.

Todo esto confirma la inoperancia de las conclusiones de las Conversaciones de Salamanca de 1955. Pedían un código de censura, un nuevo sistema de protección, una federación de cine-clubs, ayuda estatal al Instituto de Investigaciones y Experiencias Cinematográficas y el final del monopolio del *NO-DO*. Se ha logrado todo, a excepción de esto último, en un plazo de menos de diez años, pero el cine

Lola Flores y Manolo Caracol en *La niña de la venta,* de Ramón Torrado

español cada vez tiene menor libertad y depende más de los intereses estatales.

Durante estos años de aparente *apertura* ocurre un nuevo incidente que vuelve a mostrar la completa intransigencia del Gobierno en materia cinematográfica. Los norteamericanos estudios Columbia producen ... *y llegó el día de la venganza* (Behold a Pale Horse, 1965), de Fred Zinnemann, una irregular narración de más de dos horas de duración, que cuenta cómo Manuel (Gregory Peck), un maqui exiliado en el sur de Francia, regresa a España para ver a su madre moribunda, pero sólo es una trampa que le ha tendido un guardia civil (Anthony Quinn) para matarle. No sólo es prohibida en España, sino que cuando el Gobierno se entera de su existencia, establece relaciones de presión para conseguir que no se distribuya mundialmente. Al fracasar las gestiones, el Gobierno castiga a Columbia cerrando su sucursal española durante dos años y sin poder introducir sus películas en el país a través de otras distribuidoras.

Esta situación lleva a algunos de los directores que debutan en este período a intentar nuevas fórmulas al margen de cualquier tipo de censura. Pueden reducirse a dos grupos, son fruto del optimismo económico que caracteriza los años sesenta y en buena medida constituyen sendos fracasos. El primero es la llamada *Escuela de Barcelona,* un movimiento que agrupa un buen número de interesantes películas, pero se disgrega ante su incapacidad para conectar con el público y la inmovilidad estatal. El segundo gira en torno a la posibilidad de trabajar en 16 mm, de hacer películas al margen del sistema, pero no resultan positivas por los frágiles planteamientos económicos y estéticos de cuantos se acercan a esta modalidad y la imposibilidad de crear canales paralelos de distribución y exhibición.

Las obras más destacas de la *Escuela de Barcelona* son *Fata Morgana** (1965), de Vicente Aranda*; *Dante no es únicamente severo** (1967), de Jacinto Esteva* y Joaquín Jordá*; *Noche de vino tinto** (1966), de José María Nunes; *Ditirambo* (1967), de Gonzalo Suárez*; *Cada vez que...** (1967), de Carlos Durán. Algunas se realizan sin el apoyo económico oficial e incluso sin presentar el guión a censura, pero en ningún momento logran romper el cerco estatal, la película acaba pasando por censura y distribuyéndose por las habituales cadenas de cinematógrafos. Aunque en ellas se desarrolla un realismo fantástico, que representa una interesante novedad frente al realismo crítico que intenta hacerse en Madrid, bajo el lema «Dado que no nos dejan hacer Víctor Hugo, hacemos Mallarmé», que enuncia el teórico del grupo, Joaquín Jordá*.

Por la misma época aparecen en diferentes puntos de la geografía española unos grupos inconexos que ruedan películas en 16 mm de forma artesanal con unos mínimos planteamientos económicos y estéticos. Su máximo atractivo reside en no estar controlados por ningún mecanismo estatal y no llegar a integrarse nunca, pero sobre ellos pesa una férrea falta de medios que hace técnicamente deficientes sus trabajos y les obliga a desaparecer. Debido a su carácter marginal, estas películas no tienen existencia legal, no disfrutan de ninguna subvención y no pueden proyectarse públicamente. En la medida que sus productores y realizadores han seguido trabajando en el terreno cinematográfico, las obras más características rodadas en 16 mm en estas fechas son *El crimen de la pirindola* (1964), de Adolfo Arrieta; *Ditirambo vela por nosotros* (1966), de Gonzalo Suárez*; *Circunstancias del milagro* (1967), de Emilio Martínez-Lázaro*; y *Querido Abraham* (1968), de Alfonso Ungría*.

De forma más casual que premeditada, los miembros más representativos de la *Escuela de Barcelona* y alguno de los grupos que trabajan en 16 mm, se unen a los alumnos de la Escuela Oficial de Cinematografía durante las Primeras Jornadas Internacionales de Escuelas de Cine, celebradas en Sitges durante el otoño de 1967. El descontento de los tres colectivos genera unas conclusiones, cuya difusión es frenada por la intervención directa de la guardia civil, donde se pide «la creación de un cine independiente y libre de cualquier estructura industrial, política o burocrática». Y para lograrlo «libre acceso al ejercicio de la profesión», con la supresión del «Sindicato Nacional del Espectáculo, del permiso de rodaje y de cualquier otro, de la censura previa y posterior, del Interés Especial y de cualquier otro tipo de subvención». Para concluir pidiendo «Libertad de trabajo, fuera de cualquier sujeción, directa o indirecta, a controles gubernativos; y control de los mecanismos de producción, distribución y exhibición por parte de un sindicato democrático».

El 12 de enero de 1967 se autoriza la creación de las denominadas *salas de Arte y Ensayo*. Entre sus limitaciones de población y aforo, destaca que, según la nueva cuota de pantalla implantada meses antes, por cada tres días de exhibición de películas extranjeras en versión original subtituladas y con un especial trato de censura, haya uno de nacionales de «Interés Especial». De manera que las películas españolas de mayor atractivo realizadas durante estos años deben distribuirse por este estrecho canal, pero con tan evidente perjuicio en cuanto a la reducción de su audiencia, que algún tiempo después es abolida esta norma.

Con esta orden ministerial se completa el ciclo cinematográfico. El Ministerio de Información y Turismo controla las películas que se hacen a través de la Junta de Clasificación y Censura, tanto al censurarlas como al subvencionarlas, los hombres que las hacen a través de los que ingresan y se licencian en la Escuela Oficial de Cinematografía y los espectadores que las ven gracias a las *salas de Arte y Ensayo*. Al tener la máquina todas sus piezas encajadas, el 17 de noviembre de 1967 la Dirección General de Cinematografía se integra temporalmente en otro departamento ministerial y desaparece como tal. Este hecho marca el final de la tímida *apertura* que caracteriza los primeros años de Manuel Fraga Iribarne al frente del Ministerio de Información y Turismo.

La mayoría de las sucesivas películas de los nuevos realizadores se hace según una fórmula diferente. Consiste en el empleo sistemático del color y la importación de actores extranjeros, con lo que se espera no sólo atraer al público nacional que siempre les ha faltado, sino conseguir distribuirlas en el extranjero. El resultado son unos productos más consistentes que sus primeras obras, pero generalmente no pasan de ser híbridos sin mucho interés, donde se mezcla la torpeza característica de sus trabajos anteriores con ciertas pretensiones de *calidad*.

Junto a *Oscuros sueños de agosto* (1967), de Miguel Picazo*; *Si volvemos a vernos* (1967), de Francisco Regueiro*; *Los desafíos* (1969), de Claudio Guerín, José Luis Egea y Víctor Erice*; *Del amor y otras soledades* (1969), de Basilio M. Patino*; *Fortunata y Jacinta* (1969), de Angelino Fons*, destacan *Peppermint frappé* (1967) y *La madriguera* (1969) que demuestran que Carlos Saura* es el único de los nuevos directores que sabe desarrollar una temática personal.

Mientras, los veteranos Bardem* y Berlanga* atraviesan uno de los peores períodos de sus respectivas carreras. Dentro del terreno de las grandes coproducciones europeas y con actores extranjeros, tras el éxito de público, pero no de crítica, que supone *Los pianos mecánicos* (1965), J. A. Bardem* hace la convencional película bélica *Los últimos días de la guerra* (1968) sobre la II Guerra Mundial. Y a pesar de contar con eficaces guiones escritos con Rafael Azcona*, Luis G. Berlanga* fracasa al rodar en Argentina *La boutique* (1967) y en España *¡Vivan los novios!* (1969) por problemas de producción.

Al mismo tiempo el brillante grupo de realizadores de la *Escuela de Barcelona* se escinde y comienza a diluirse. Por un lado trabajan con regularidad los que siguen una tendencia similar a los de Madrid, como prueban *Las crueles* (1969), de Vicente Aranda*; *Un invierno en Mallorca* (1969), de Jaime Camino*; *Historia de una chica sola* (1969), de Jorge Grau*, rodadas en color y con protagonistas extranjeros. Y por otro los que siguen experimentando, como José María Nunes en *Biotaxia* (1968) y *Sexperiencias* (1968), prohibida por la censura, y Gonzalo Suárez* en *El extraño caso del doctor Fausto* (1970) y *Aoom* (1970), nunca estrenada. Entre estos últimos destacan Pere Portabella* con *Nocturno 29* (1968) y Jacinto Esteva* con *Des-*

Aurora Bautista y Nicolás Perchicot en *Pequeñeces,* de Juan de Orduña

pués del diluvio* (1968), dos interesantes obras personales que no tienen mucha difusión, pero se sitúan entre las mejores rodadas durante
estos años.

Un nuevo incidente ocurrido a finales de los años sesenta con una
productora norteamericana, vuelve a demostrar que la posición del
Gobierno en materia cinematográfica continúa siendo de total intransigencia. Enterado de que United Artists ha comenzado el rodaje de una
producción que gira en torno a la dura actuación en América durante la
época de la colonización española, el Gobierno amenaza con el cierre
ilimitado del mercado español para sus productos y consigue que la
bandera española se convierta en portuguesa, la acción se traslade a las
colonias de Portugal y se dé un matiz portugués al título. El resultado
es la irregular *Queimada* (1970), dirigida por el italiano Gillo Pontecorvo y protagonizada por un Marlon Brando en plena decadencia, que
en su momento se estrena de forma regular y no tiene la menor repercusión.

El nombramiento de un nuevo Gobierno en octubre de 1969 significa que, mientras en el resto de Europa el comienzo de los años setenta
supone la práctica desaparición de la censura, en España se vuelve a
las peores etapas de la década de los cincuenta. La situación se enrare-
ce todavía más a principios de 1970, cuando el Estado llega a tener una
deuda acumulada con los productores, por el pago de diferentes subvenciones, de doscientos treinta millones de pesetas, en el momento en

que el coste medio de una película es de ocho millones. Esto se produce porque cuando el anterior equipo ministerial planea las nuevas ayudas cinematográficas, tiene más en cuenta el sistema vigente en otros países que la cantidad real de dinero de que dispone para estos fines.

A mediados de marzo de 1970 la Asociación Sindical de Directores-Realizadores de Cinematografía celebra una asamblea extraordinaria donde se aprueban algunas reivindicaciones para superar la crisis. Libertad de expresión cinematográfica, supresión de la censura, libertad de expresión en las distintas lenguas y culturas españolas, democratización de las *salas de Arte y Ensayo,* supresión de la obligatoriedad del *NO-DO,* supresión del cartón de rodaje, prohibición del doblaje de películas extranjeras, control de taquilla y billetaje automáticos, puntualidad en el pago de la protección y supresión del «Interés Especial».

Como única respuesta y para tratar de arreglar esta situación, en marzo de 1971 se promulga una nueva legislación que opta por la decisión más torpe. Reduce del 15 al 10 por 100 la subvención sobre los ingresos en taquilla que recibe todo largometraje nacional desde 1965. Dada su impopularidad, la vida de esta nueva disposición es corta, e incluso antes de entrar en vigor ya se piensa en una nueva que cubra los cuatrocientos millones de pesetas que para estas fechas ya adeuda la Administración a los productores.

Durante 1970 algunos nuevos realizadores hacen unas películas muy personales de espaldas a la industria y fuera de los canales habituales, pero en la medida que sus temas, tratamientos y procesos se salen de lo habitual, encuentran insalvables problemas burocráticos, tanto de censura como sindicales, para poder estrenarlas. Ni Ricardo Franco* consigue legalizar *El desastre de Annual,* ni Paulino Viota *Contacto,* ni el arquitecto Ricardo Bofill *Esquizo,* ni el veterano Pere Portabella*, que se une a este grupo, *Cuadecuc.* Sólo Alfonso Ungría* logra que *El hombre oculto* represente a España en la Mostra de Venecia y posteriormente tenga una cierta difusión comercial, pero *Tirarse al monte* (1971), su siguiente obra, tampoco se estrena nunca.

Al mismo tiempo, un amplio grupo de nuevos directores, provenientes de las revistas especializadas y el cine independiente, comienza a rodar mediometrajes de ficción con unas características similares, que pueden concretarse en falta de medios, estar producidas por ellos mismos y plantearse con libertad y espíritu renovador. En virtud de la posterior carrera de sus realizadores, los más representativos son *La mano de Belgrado* (1971), de Francesc Bellmunt*; *Estado de sitio* (1971), de Jaime Chávarri*; *¿Qué se puede hacer con una chica?* (1969), de Antonio Drove*; *Bolero de amor* (1970), de Francesc Betriu*; *Gospel* 1969), de Ricardo Franco*; *Loco por Machín* (1971), de José Luis

García Sánchez*; *El último día de la humanidad* (1969), de Manuel Gutiérrez Aragón*; y *Amo mi cama rica* (1970), de Emilio Martínez-Lázaro*.

La gran película de este período es *Tristana** (1970), un viejo proyecto de Luis Buñuel* sobre la novela homónima de Benito Pérez Galdós que después de algunas prohibiciones, y ante la amenaza de rodarla en Portugal, logra hacer en Toledo en coproducción entre España, Francia e Italia. También destacan el excelente documental *Canciones para después de una guerra** (1971), de Basilio M. Patino*, que permanece prohibido hasta el final de la dictadura; *El jardín de las delicias* (1970), de Carlos Saura*, prohibida durante largos meses; *Liberxina 90*, de Carlos Durán, prohibida, cortada y nunca estrenada. Y dentro de las producciones que intentan compaginar calidad y comercialidad sobresalen *Las secretas intenciones** (1969), de Antonio Eceiza*; *El bosque del lobo* (1970), de Pedro Olea*; y sobre todo *Mi querida señorita** (1971), de Jaime de Armiñán*, por dar un acertado tratamiento a un tema insólito y obtener el apoyo de la crítica y el público.

El gran éxito nacional e internacional de *Tristana** vuelve a poner de moda las adaptaciones de clásicos españoles entre los directores mayores, pero ni *La Araucana* (1971), de Julio Coll*, ni *Nada menos que todo un hombre* (1971), *La duda* (1972), *La guerrilla* (1972), o *El mejor alcalde, el rey* (1973), de Rafael Gil*, tienen especial interés. Mientras tanto, el grueso de la producción nacional se divide entre unas «comedias a la española» zafias y sin atractivos, pero que llegan a convertirse en un subgénero con características propias, considerable producción y algunos grandes éxitos, como *No desearás al vecino del quinto* (1971), de Ramón Fernández*, y el denominado cine de terror. En este último terreno destacan, frente a una gran cantidad de películas convencionales y anodinas, la personal *Umbracle* (1971), de Pere Portabella*; la demasiado cortada *La casa sin fronteras* (1972), de Pedro Olea*; la censurada *La novia ensangrentada* (1972), de Vicente Aranda*; y, sobre todo, la excelente *El espíritu de la colmena** (1973), de Víctor Erice*, que retoma la gran tradición del cine fantástico norteamericano de los años treinta para dar una visión muy personal de la dureza castellana de la posguerra a través de las relaciones paternofiliales.

Mientras la deuda de la Administración con los productores alcanza los quinientos millones de pesetas, el gran éxito de la temporada 1972-73 resulta ser *El último tango en París* (Last Tango in Paris, 1972), de Bernardo Bertolucci. El hecho de estar prohibida en España y su fama de obra erótica, arrastra a un gran número de españoles a los cines del sur de Francia, donde llega a proyectarse con subtítulos en castellano.

Dada la gran cantidad de películas que están prohibidas en España a comienzos de la década de los sesenta, las agencias de viajes organizan excursiones colectivas durante los fines de semana, primero a ciudades fronterizas francesas y más tarde también portuguesas, para ver el cine prohibido. Los denominados *week-end cinematográficos* se anuncian en la prensa nacional y permiten conocer, a precios asequibles, producciones de libre circulación en Francia y luego también en Portugal, pero prohibidas en España. Llegan a alcanzar tanta popularidad que incluso son el tema de una comedieta de éxito, *Lo verde empieza en los Pirineos* (1973), de Vicente Escrivá*.

La remodelación del Gobierno llevada a cabo en junio de 1973 significa, a niveles políticos, que el almirante Carrero Blanco es nombrado presidente del Gobierno y, a niveles cinematográficos, que la censura se endurece todavía más y se liquida la deuda contraída con los productores. Esta situación es muy breve por el asesinato del nuevo presidente del Gobierno el 20 de diciembre de 1973 en un atentado de la organización terrorista ETA. A principios del siguiente año, el general Franco nombra presidente del Gobierno a Carlos Arias Navarro para que intente hacer evolucionar el sistema con una falsa apariencia de *apertura*.

Durante este período culmina la trilogía de Carlos Saura*, escrita en colaboración con Rafael Azcona*, sobre la burguesía española. A pesar de los inevitables excesos simbólicos, *El jardín de las delicias* (1970), *Ana y los lobos* (1972) y, sobre todo, *La prima Angélica** (1973), que se estrena gracias a la nueva situación política en medio de una serie de atentados a los cines que la exhiben, alcanzan un considerable éxito y consagran a Saura* a nivel nacional e internacional. El resto de la producción de 1973 no tiene gran interés, pero destacan *Hay que matar a B*, de José Luis Borau*, y las primeras obras de Jaime Chávarri*, *Los viajes escolares*, y Manuel Gutiérrez Aragón*, *Habla, mudita*.

El deterioro de las relaciones entre la Iglesia y el Estado, que caracteriza el período final de la dictadura, hace posible la existencia de algunas películas sobre historias amorosas entre sacerdotes y mujeres. En primer lugar se sitúan las ambientadas a principios de siglo y basadas en clásicos de la literatura, *Pepita Jiménez* (1974), de Rafael Moreno Alba*; *La regenta* (1974), de Gonzalo Suárez*; *Tormento** (1974), de Pedro Olea*, y después las que se desarrollan en la actualidad, sobre guiones originales y sin interés, *Tu Dios y mi infierno* (1974), de Rafael Romero-Marchent*; *Un hombre como los demás* (1974), de Pedro Masó*; *¡Ya soy mujer!* (1975), de Manuel Summers*.

En materia cinematográfica, los resultados de la tímida *apertura* de Arias Navarro se materializan en una cierta tolerancia en los temas eróticos y en la aparición de unas nuevas normas de censura. Como anticipación de una Ley de Cine que nunca llega a existir, el 19 de febrero de 1975 se promulga un nuevo Código de Censura, que deroga el que está vigente desde 1963, cuya máxima novedad reside en el artículo 9, que dice: «Se admitirá el desnudo siempre que esté exigido por la unidad total del film, rechazándose cuando se presente con intención de despertar pasiones en el espectador normal o incida en la pornografía.»

De hecho significa la autorización de desnudos y, por consiguiente, que se autoricen algunas de las películas extranjeras prohibidas durante los últimos años. Las más conflictivas sólo pueden exhibirse en versión original subtitulada en las mortecinas *salas de Arte y Ensayo,* que tras su éxito inicial, durante años apenas han tenido material para estrenar. Al mismo tiempo comienza a proliferar un nuevo tipo de producciones españolas cuya única razón de existencia es mostrar, en contra de lo que indican las nuevas normas, tímidos y fugaces desnudos, pero acaban con las comedietas, donde el protagonista siempre está ávido de mujeres, que inundan el mercado desde principios de los setenta. Aunque sigue existiendo una férrea prohibición de temas eróticos serios y continúan siendo inabordables los políticos y sociales, mientras la producción extranjera reciente se prohíbe y corta en la proporción habitual.

Esta mínima *apertura* supone que, después de diez años de funcionamiento del control de taquilla, los ingresos obtenidos por las películas nacionales por primera vez sean superiores a los de las extranjeras. Esto se debe a permitir la realización de producciones con una temática algo más audaz mezclada con algunos leves desnudos, tal como ocurre en *El amor del capitán Brando** (1974), de Jaime de Armiñán*; *Pim, pam, pum... ¡fuego!** (1975), de Pedro Olea*; *Los pájaros de Baden-Baden* (1975) y *La joven casada* (1975), de Mario Camus*; o *La trastienda** (1975), de Jorge Grau*.

Los casi cuarenta años de férrea dictadura se cierran el 20 de noviembre de 1975 con la muerte, tras larga agonía, del general Franco, rodeado de sus parientes y amigos y con la conciencia de haberlo dejado todo «atado y bien atado», después de unos últimos meses de incertidumbre y aislamiento internacional provocados por el recrudecimiento del terrorismo y su salvaje represión. El final de este largo período está marcado por dos grandes películas que se salen de lo habitual, sólo logran estrenarse tras largos meses de prohibición, una antes y otra después de la muerte del dictador, y alcanzan gran éxito nacional e internacional. La primera es *Furtivos** (1975), de José Luis Borau*, un duro drama rural realizado con perfección, y la segunda *Cría cuervos...** (1975), de Carlos Saura*, que narra el despertar a la vida de una niña en una casa marcada por la muerte.

42

PRODUCCIÓN DE LARGOMETRAJES EN ESPAÑA

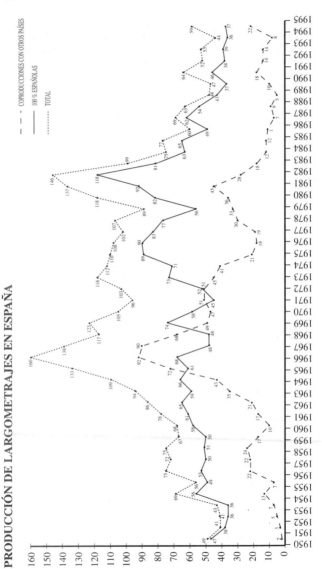

Fuente: I. C. A. A.

La monarquía

El proceso de transición política se pone en marcha cuando el rey Juan Carlos I nombra jefe de Gobierno a Adolfo Suárez a comienzos del verano de 1976. Un gobierno de centro derecha inicia una lenta reforma para deshacer las estructuras fascistas creadas y consolidadas durante la larga dictadura del general Franco, intentar subsanar los más graves daños económicos ocasionados durante los últimos años y construir una democracia.

En los poco más de dos años que transcurren entre la muerte del dictador y la desaparición de la censura cinematográfica coexisten las viejas estructuras con un nuevo interés por que disminuyan las barreras que durante el inacabable período de oscuridad se han levantado contra cualquier planteamiento cultural.

Alentadas por la nueva situación, se ruedan películas implanteables hasta hace poco, pero siguen teniendo problemas con censura. Desde *Las largas vacaciones del 36** (1975), de Jaime Camino*, comenzada durante la dictadura, y *Pascual Duarte** (1976), de Ricardo Franco*, a las que cortan el final, hasta *La petición* (1976), de Pilar Miró*; *Los claros motivos del deseo*, de Miguel Picazo*; *La ciudad quemada* (1976), de Antoni Ribas*; *La primera experiencia* (1976), de Manuel Summers*; *Gulliver** (1976), de Alfonso Ungría*; y *Camada negra** (1976), de Manuel Gutiérrez Aragón*, que deben cambiar de título o están prohibidas durante algunos meses, pero se estrenan gracias a las campañas de prensa en su favor.

La mejor de estas producciones es *El desencanto** (1976), de Jaime Chávarri*, un documento único donde la familia del poeta falangista Leopoldo Panero se analiza hasta conseguirse un retrato de la institución familiar durante los últimos años de la dictadura. También es el más difundido de los documentales que se hacen estos años, un género casi prohibido durante la etapa anterior por ser un reflejo directo de una realidad que se intenta ocultar y que ahora experimenta una lógica revitalización.

Los mejores documentales que se estrenan estos años son *Canciones para después de una guerra** (1971), *Queridísimos verdugos** (1973), prohibidos durante mucho tiempo, y *Caudillo** (1975), de Basilio M. Patino*. Y también *La vieja memoria** (1977), de Jaime Camino*; *Informe general* (1977), de Pere Portabella*; y *Dolores** (1980), de José Luis García Sánchez*.

El cine español gana muchos premios en festivales internacionales y, a su sombra, comienza a abrirse camino en diferentes países. En Cannes-77 se premia *Elisa, vida mía**, de Carlos Saura*; en Berlín-77, *Camada negra**, de Manuel Gutiérrez Aragón*; en San Sebastián-77,

Las palabras de Max*, de Emilio Martínez-Lázaro*, y *Las truchas**, de José Luis García Sánchez*; en Moscú-78, *El puente*, de J. A. Bardem*; en San Sebastián-78, *Sonámbulos**, de Manuel Gutiérrez Aragón*, y *Un hombre llamado «Flor de Otoño»**, de Pedro Olea*; en Moscú-79, *Siete días de enero*, de J. A. Bardem*.

El 1 de diciembre de 1977 aparece una nueva y fundamental legislación cinematográfica. Se suprime la censura y se crea una junta que dictamina sobre el público al que deben ir dirigidas las películas: menores, mayores o nueva clasificación «S», para las eróticas y violentas. También se da libertad de importación a los distribuidores, se suprimen las licencias de doblaje y se establece una cuota de pantalla por la que cada dos días de exhibición de películas extranjeras tiene que haber uno de nacionales. Mientras, a los cortometrajes se les concede una subvención por el solo hecho de existir.

Debido a la caótica situación administrativa del período anterior, los errores se acumulan y a comienzos de 1978 la Administración adeuda a los productores unos dos mil millones de pesetas por diversas subvenciones, en un momento en que el coste medio de una película es de unos veinte millones. Por esto, y por enfrentar casi directamente una industria acostumbrada a subsistir entre proteccionismo con una economía libre de mercado, la producción se encuentra semiparalizada.

La puesta en marcha, en la primavera de 1978, del control automático de taquilla, hace pensar que la situación va a clarificarse, pero todavía en la actualidad sigue resultando lento, inexacto y fraudulento el proceso para conocer las cifras de recaudación oficiales de las películas en España.

Para colmo de males, y en contra de lo que cabía esperar, en el verano de 1979 los exhibidores consiguen que el Tribunal Supremo falle a su favor un recurso contra la obligatoriedad de programar un día de película nacional por cada dos de extranjeras dobladas por considerarla anticonstitucional. Este es el origen de un nuevo decreto, de enero de 1980, por el que la obligatoriedad de programar películas nacionales se rebaja a un día por cada tres de extranjeras dobladas. Y el principio del fin de la endeble industria española, frente a la cada vez mayor fuerza de las distribuidoras norteamericanas.

Mientras tanto hay una primera etapa donde algunas producciones tienen un gran éxito al mostrar una nueva cara de la realidad española. Van desde *La escopeta nacional** (1977), de Luis G. Berlanga*, que da una divertida y caricaturesca visión de algunos aspectos del régimen anterior, a *Tigres de papel** (1977), primera película de Fernando Colomo*, con un diferente enfoque de la comedia que incluye una nueva manera de hablar, pasando por productos más sentimentales, como *Asignatura pendiente** (1977), de José Luis Garci*.

Y también una segunda etapa, cuando las pantallas nacionales están acaparadas por las películas extranjeras prohibidas durante los últimos años de la dictadura, en que los espectadores se desentienden del cine nacional ante la avalancha del extranjero con el reclamo de prohibido. De manera que pasan desapercibidas interesantes producciones nacionales que en otras circunstancias hubiesen tenido una favorable acogida. Esto ocurre tanto con obras de realizadores muy conocidos —Carlos Saura*, *Los ojos vendados** (1978); Vicente Aranda*, *Cambio de sexo* (1977); Gonzalo Suárez*, *Parranda** (1977) y *Reina Zanahoria* (1978)— como de los poco conocidos —Manuel Gutiérrez Aragón*, *Sonámbulos** (1978); Alfonso Ungría*, *Soldados** (1980); Bigas Luna*, *Bilbao** (1978); Ricardo Franco*, *Los restos del naufragio** (1978); y Antonio Drove*, *La verdad sobre el caso Savolta** (1978).

Las únicas películas prohibidas desde 1976 son *Saló o los ciento veinte días de Sodoma* (Salo o le 120 giornate di Sodoma, 1975), de Pier Paolo Pasolini; *El imperio de los sentidos* (Ai no corrida, 1976), de Nagisa Oshima, y *El crimen de Cuenca** (1979), de Pilar Miró*. Esta última está más de año y medio prohibida por mostrar un error judicial del pasado siglo donde la guardia civil arranca la confesión a unos inocentes mediante torturas. Durante meses Pilar Miró* está pendiente de juicio dentro de la jurisdicción militar, pero es sobreseído, se autoriza el estreno de su película con la calificación «S» y se convierte en uno de los grandes éxitos del cine español.

Estos hechos dan lugar a importantes cambios en el terreno de la producción. Dejan de trabajar la mayoría de las productoras directa o indirectamente vinculadas con las grandes distribuidoras norteamericanas, por no necesitar las licencias de doblaje que generan. Los escasos productores de películas de interés, como José Luis Borau*, Luis Megino*, Emiliano Piedra* y Elías Querejeta*, a los que hay que añadir a Alfredo Matas*, prosiguen su trabajo con mayor comodidad y aprovechando la desaparición de la censura. Y también aparecen algunas pequeñas productoras que tratan de amoldarse a las nuevas circunstancias para hacer películas diferentes de la manera más barata posible.

Dentro de estas nuevas y efímeras productoras ocupan la mayor parte del espacio las que trabajan en forma de cooperativa y semicooperativa. Este sistema, por el que la totalidad o parte del equipo técnico y artístico invierte en la producción una parte o todo su sueldo, se extiende durante 1979 y 1980 y permite la realización de algunas obras de interés, pero no prospera ante el mal resultado económico de la mayoría de ellas.

Este cambio en las formas de producción, unido a las peculiaridades del período, hace que la producción anual descienda de los 108 largometrajes de 1976 a los 89 de 1979. Entre ellos destacan *La Sabina** (1979), escrita, producida y dirigida por José Luis Borau*; *El corazón del bosque** (1978) y *Maravillas** (1980), que consagran a Manuel Gutiérrez Aragón* como el director más importante de su generación; *Bodas de sangre** (1981), que abre la trilogía musical de Carlos Saura*; las nuevas comedias políticas de Luis G. Berlanga* *Patrimonio nacional** (1980) y *Nacional III** (1982); *El nido** (1980), el mejor trabajo de Jaime de Armiñán*. Al tiempo que José A. Salgot debuta con *Mater amatisima** (1980) y Fernando Trueba* con *Ópera prima** (1980). E Iván Zulueta repite con la brillante y original *Arrebato** (1980), Pilar Miró* con *Gary Cooper que estás en los cielos** (1980) y Emilio Martínez-Lázaro* con *Sus años dorados** (1980).

A finales de 1980, Televisión Española pone en marcha un primer programa de colaboración con la industria cinematográfica. Destina mil trescientos millones de pesetas a la producción de películas que, tras dos años de exhibición en locales cinematográficos, pasen por televisión. Retrasado por problemas burocráticos, varios años después este proyecto da lugar a series de televisión de amplia audiencia y también a unas cuantas películas de calidad cuyo punto en común es estar basadas en obras de prestigiosos escritores españoles y alejadas de la realidad nacional cotidiana.

De esta forma se hacen *La plaza del diamante* (1982), de Francesc Betriu*; *Valentina** (1982) y *1919** (1983), de Antonio Betancor; *La colmena** (1982), de Mario Camus*; *Bearn o la sala de las muñecas** (1982), de Jaime Chávarri*; *Últimas tardes con Teresa* (1984), de Gonzalo Herralde*; y *Los santos inocentes** (1984), de Mario Camus*. Y también, sobre guiones originales, *El sur** (1983), de Víctor Erice*, que a pesar de ser sólo la primera parte del proyecto original constituye una gran película sobre la infancia y la adolescencia, y *Epílogo** (1984), de Gonzalo Suárez*, donde consigue plasmar en cine las ideas que aparecen en sus novelas y a las que viene dando vueltas durante casi quince años.

Del proyecto original no tarda en pasarse a una mayor flexibilidad en las relaciones cine-televisión, por las cuales Televisión Española compra los derechos de antena de los proyectos que le resultan atractivos. Los inconvenientes de esta colaboración son que quedan excluidos los proyectos que muestran alguna conflictividad tanto por tratar la actualidad de forma crítica como por plantear cualquier problema moral con crudeza, al tiempo que son bajas las compensaciones económicas ofrecidas en contrapartida.

El 27 de octubre de 1982, el Partido Socialista Obrero Español gana las elecciones legislativas por mayoría absoluta y Felipe González se sitúa al frente del Gobierno. Y poco después Pilar Miró* es nombrada directora general de Cinematografía. Por primera vez ocupa el cargo alguien de la profesión, una persona que ha dirigido y producido películas y también trabajado en Televisión Española, y se plantea algunos cambios importantes a corto y largo plazo con pleno conocimiento de los problemas existentes.

A la vista de que la producción nacional está integrada por un tercio de películas «S», un tercio de falsas coproducciones y un tercio de películas de posible interés, Pilar Miró* decide potenciar estas últimas, vigilar estrechamente las coproducciones y crear las salas «X» para películas especialmente eróticas y violentas. De esta forma desaparece la denominación «S», al tiempo que las demás clasificaciones para mayores y menores. Mientras tanto, los cortometrajes dejan de estar subvencionados por el simple hecho de existir y pasan a estarlo de manera similar a los largometrajes, con lo que la producción desciende de los 286 de 1983 a los 81 de 1984.

El 12 de enero de 1984 aparece la denominada *Ley Miró,* basada en el sistema francés *Avance sur recette,* que plantea las subvenciones al cine como un anticipo sobre proyecto de hasta un 50 por 100 del presupuesto, a descontar del 15 por 100 sobre los ingresos en taquilla que recibe cada película nacional desde 1965. Este nuevo sistema de subvenciones va encaminado a que se hagan producciones mejores, más

María Félix y José María Lado en *La corona negra,* de Luis Saslavsky

caras y de más difícil comercialización, pero en ningún apartado la ley trata el conflictivo y básico tema del aumento de la cuota de pantalla del cine nacional.

Mientras tanto, la entrada en vigor y desarrollo del régimen de autonomías tiene una fundamental influencia en el cine español, pero con signos muy diferentes. La práctica totalidad de las autonomías fomenta un cine regional de cierto éxito en la zona de origen, por estar hablado en la correspondiente lengua prohibida durante la dictadura, pero casi nulo en las demás, donde se exhibe convenientemente doblado al castellano. Y alguna, como la catalana, llega a subvencionar los doblajes al catalán de las grandes producciones norteamericanas para impulsar el desarrollo de la lengua autóctona.

El primer criterio del Gobierno vasco de ayuda al cine es el más inteligente y eficaz de los diversos empleados por las distintas administraciones autonómicas. Subvenciona hasta con un 25 por 100 del presupuesto a producciones habladas en euskera sobre temas de la región rodadas con técnicos y actores vascos. Esto da lugar a la realización de obras de interés como *La fuga de Segovia** (1981) y *La muerte de Mikel** (1984), de Imanol Uribe*, y *La conquista de Albania** (1983), de Alfonso Ungría*.

El cine español vuelve a ganar importantes premios internacionales. En Berlín-83, *La colmena**, de Mario Camus*, obtiene el Oso de Oro; en Cannes-83, *Carmen**, de Carlos Saura*, gana varios premios; y en Cannes-84, Alfredo Landa* y Francisco Rabal* consiguen el premio de interpretación por *Los santos inocentes**, de Mario Camus. Y *Volver a empezar** (1982), de José Luis Garci*, logra el Oscar destinado a la producción extranjera.

Las películas más atractivas producidas estos años se centran en el análisis de la posguerra, como la excelente *Demonios en el jardín** (1982), de Manuel Gutiérrez Aragón*, o *La colmena** (1982), de Mario Camus, o de la guerra, como la comercial *Las bicicletas son para el verano** (1984), de Jaime Chávarri*. Mientras la realidad cotidiana sólo se refleja en las coproducciones hiperrealistas de Eloy de la Iglesia*, *Colegas** (1982) y *El pico** (1983), a través del prisma del humor, como en *Entre tinieblas* (1983), de Pedro Almodóvar*, o del policiaco, como la excelente *Fanny Pelopaja** (1984), de Vicente Aranda*.

La llamada *Ley Miró* sirve principalmente para impulsar las producciones de calidad y recuperar temporalmente a interesantes realizadores de mediana edad que llevan años sin trabajar por las nuevas condiciones de producción. De esta manera Miguel Picazo* rueda *Extramuros** (1984), Pedro Olea* hace *Akelarre* (1984) y *Bandera negra* (1986), Basilio M. Patino* dirige *Los paraísos perdidos** (1985) y *Madrid** (1987), Jaime Camino* realiza *Dragon Rapide** (1986) y, sobre todo, Francisco Regueiro* puede rodar la excelente *Padre nuestro** (1985) y *Diario de invierno** (1988).

Mientras tanto, Carlos Saura* cierra su trilogía musical con *El amor brujo** (1986) y, de la mano de su nuevo productor, Andrés Vicente Gómez*, inicia una nueva etapa donde destaca la discutida superproducción *El Dorado** (1987), sobre la conquista española de América, que se anticipa a la celebración del Quinto Centenario; Luis G. Berlanga* puede dirigir *La vaquilla** (1986), una comedia negra sobre la guerra, prohibida durante la dictadura; y Fernando Fernán-Gómez* da lo mejor de sí mismo en *El viaje a ninguna parte** (1986). Al tiempo que se consolidan los nombres de Emilio Martínez-Lázaro* con *Lulú de noche** (1985), y de Fernando Trueba*, de la mano del productor Andrés Vicente Gómez*, con *Sé infiel y no mires con quién** (1985), *El año de las luces** (1986) y *El sueño del mono loco** (1989).

Cada vez más atacada por quienes no reciben subvenciones para sus proyectos, cuando el aumento de los costes de producción y la caída de los índices de asistencia al cine hacen imprescindible el respaldo estatal para que la producción de una película no se convierta en una problemática aventura, en 1985 Pilar Miró* deja su cargo. Lo malo es que lo hace sin haber tenido fuerza, ni tiempo, para llevar su reestructuración a los conflictivos sectores de la distribución y la exhibición, donde sólo vuelve a imponer las discutidas licencias de doblaje, cada vez más controlados por las grandes compañías norteamericanas, y con una producción que ha descendido hasta llegar en 1984 a los 75 largometrajes.

Le sustituye en el cargo el también realizador de cine y televisión Fernando Méndez-Leite. Sus esfuerzos se dirigen a continuar con la política de subvenciones anticipadas, conseguir que aumente la ayuda estatal al cine y luchar contra los ataques comunitarios por lo que creen un exceso de proteccionismo. Asimismo hace desaparecer un decreto que obligaba a incluir un cortometraje en las sesiones cinematográficas, con lo que desaparece una importante y barata forma de aprendizaje, que casi había llegado a una producción de 300 anuales a comienzos de la década.

En 1986 España entra a formar parte de la Comunidad Económica Europea, pero en unas condiciones malas para el cine español pactadas por el anterior gobierno de centro-derecha. Desde un primer momento las películas comunitarias cuentan tanto como las españolas de cara a cubrir la cuota de pantalla. Esto unido a que muchas norteamericanas aparecen camufladas de británicas u holandesas, hace que el espacio para la exhibición de cine español se reduzca considerablemente.

Las adaptaciones literarias propiciadas por Televisión Española prosiguen durante 1987 con *Divinas palabras*, de José Luis García Sánchez*; *La casa de Bernarda Alba**, de Mario Camus*; *El aire de un crimen*, de Antonio Isasi*; *Tiempo de silencio**, de Vicente Aranda*; *El túnel**, de Antonio Drove*; y *Werther*, de Pilar Miró*. Frente a obras más personales como *El río de oro** (1986), de Jaime Chávarri*; *Tata mía** (1986), de José Luis Borau*; *La mitad del cielo** (1986), de Manuel Gutiérrez Aragón*; y *Lola** (1986) y *Angoixa** (1987), de Bigas Luna*.

Durante 1988 se estrena una interesante variedad de producciones nacionales que hace pensar que el cine español se encuentra en un buen momento, pero la realidad es muy diferente. El éxito nacional e internacional de *Mujeres al borde de un ataque de nervios**, de Pedro Almodóvar*; el nacional de *Remando al viento**, de Gonzalo Suárez*; la aparición de Felipe Vega* con *Mientras haya luz*, y Rafael Moleón con *Baton Rouge**, poco tienen que ver con un cine que cada vez muestra más alarmantes síntomas de asfixia.

Acusado de amiguismo, de espíritu corporativo, Fernando Méndez-Leite se tambalea en su cargo, mientras sigue tratando de incrementar las subvenciones para un cine español que cada vez tiene menos contactos con el público al disminuir su tiempo de pantalla. Acaba por dimitir a finales de 1988, enfrentado a unas líneas gubernativas sin la menor visión de futuro, que ven como un despilfarro el poco dinero que se dedica a subvencionar el cine español.

Le sustituye en el cargo el teórico Miguel Marías que, alejado de la realidad industrial, víctima de las circunstancias, no tarda en encontrarse en una posición muy incómoda entre los profesionales y la Administración. Durante 1989 sirve de brazo ejecutor de la política del Partido Socialista Obrero Español de desmantelamiento del plan de subvenciones anticipadas establecido por Pilar Miró*, que mientras tanto ha caído en desgracia.

Cuando la asistencia al cine, sobre todo al español, desciende hasta límites preocupantes, al tiempo que el asentamiento de los canales autonómicos de televisión y la aparición de cadenas privadas hace que el público cada vez consuma más cine, pero a través de un medio diferente, la producción de películas nacionales no deja de disminuir de manera alarmante.

A lo largo de la década de los ochenta, por culpa de una equivocada política gubernativa, que parece empeñada en vender el cine español a su enemigo natural el cine norteamericano, que es el único ganador de esta operación, la producción anual de películas españolas pasa de las 137 a que había ascendido en 1981 a las 48 de 1989, tanto por la disminución de la cuota de pantalla como por la reducción de las subvenciones.

María de los Ángeles Morales y Jorge Negrete en *Teatro Apolo,* de Rafael Gil

Los más importantes productores se refugian en Televisión Española para sobrevivir, como Emiliano Piedra* y José Luis Borau*; hacen una película cada cuatro años, como Elías Querejeta*; o permanecen inactivos, como Luis Megino*. Mientras, ocurre algo similar con los más dotados realizadores, como Manuel Gutiérrez Aragón*, cuya última película sigue siendo *Malaventura* (1988).

No sólo resulta cada vez más difícil realizar una primera película, sino que va en aumento el número de directores de una sola película y todavía es más restringido el número de los que consiguen trabajar con un mínimo de regularidad, con lo que esto significa en una actividad donde la práctica resulta básica y que necesita estar en continua renovación.

A comienzos de 1990 el funcionario Enrique Balmaseda ocupa el puesto dejado vacante por Miguel Marías, con lo que se vuelve a la tradición mantenida durante la dictadura. Mientras, una tras otra fallan las alternativas para encontrar soluciones al posible desarrollo de lo poco que todavía queda en pie de la llamada *Ley Miró.*

La política del Partido Socialista Obrero Español de cara al cine nacional cada vez parece más la de una reconversión industrial desde unos planteamientos pretendidamente intelectuales. Se utiliza a Pilar Miró* para que restrinja la producción a un tercio, basándose en la mala calidad de los otros dos, y dedique el dinero disponible a favorecer los proyectos más interesantes, pero posteriormente cada vez se dedican menores cantidades a subvenciones cinematográficas.

Dado que la industria del cine, sobre todo si es tan artificial y está acostumbrada a depender tanto de ayudas oficiales como la española, es bastante menos manejable que, por ejemplo, una siderúrgica, los resultados obtenidos no son los apetecidos. La calidad y el éxito alcanzado por buena parte de las películas subvencionadas dejan mucho que desear y una hábil campaña de prensa, orquestada durante el mandato de Fernando Méndez-Leite, se encarga de señalar un despilfarro que está muy lejos de la realidad. Y Miguel Marías es el encargado de que la producción se estabilice en casi la cuarta parte de lo que era habitual.

Una vez llegados a estos extremos, a estas cifras de producción, sin duda a las que desde un primer momento se quería llegar, la maquinaria estabiliza su ritmo bajo la vigilancia de un funcionario. En la operación se ha olvidado que el cine es un bien nacional, que el colonialismo cinematográfico norteamericano cada vez es mayor y que, por ejemplo, dentro de poco las cadenas de televisión no podrán cubrir sus cuotas de emisión de películas nacionales, que además curiosamente cada vez alcanzan mayores índices de audiencia, por falta de nuevo material.

No obstante este cúmulo de desgracias, la producción continúa, y en 1989 Pedro Almodóvar* vuelve a tener otro éxito con *¡Átame!**, Vicente Aranda* con *Si te dicen que caí** y Jaime Chávarri* con *Las cosas del querer**. En menor medida también destacan *El mar y el tiempo**, de Fernando Fernán-Gómez*, y *El vuelo de la paloma*, de José Luis García Sánchez*; e incluso Pere Portabella* se permite estrenar la obra experimental *Puente de Varsovia*. En 1990 el máximo triunfo es *¡Ay, Carmela!**, de Carlos Saura*, uno de los mayores éxitos del tema de la guerra, frente a los innovadores trabajos de Felipe Vega* con *El mejor de los tiempos* y Rosa Verges con *Boom-Boom**.

El previsible éxito de las cadenas privadas de televisión lleva a una fuerte caída de los ingresos por publicidad de la estatal Televisión Española. Como primera medida incumple sus compromisos de colaboración con el cine a finales de 1990, al tiempo que casi paraliza la producción propia. Por lo que automáticamente deja de ser el refugio donde se escondían los supervivientes del cine español.

De esta forma, a comienzos de la década de los noventa el cine español se encuentra desprotegido por el Estado, que ha destruido una forma de ayuda, que no era la ideal, pero funcionaba, y no la ha sustituido por ninguna otra; abandonado por los diferentes canales de televisión, que han dejado la producción de películas o no la han emprendido; y apoyado para su supervivencia en un público cada vez más reducido, por el cada vez menor espacio que ocupa en las pantallas, y unas ventas al extranjero que sólo se producen en casos aislados.

La situación continúa degradándose paulatinamente hasta que a comienzos de 1992 el productor y guionista Juan Miguel Lamet* es nombrado director general de Cinematografía. El mal hecho al cine español durante estos años es grande y no tarda en tomar medidas para que comience su recuperación. El número de películas que se producen aumenta ligeramente, pero su gestión coincide con una fuerte crisis económica que la dificulta.

Sin embargo, de forma un tanto milagrosa y a escala reducida cada año se siguen produciendo algunas películas de interés que demuestran que el cine español, a pesar de todo, hace tiempo que ha alcanzado la mayoría de edad. Los casos más destacados son los de Vicente Aranda*, que con *Amantes** (1991) e *Intruso** (1993) obtiene grandes éxitos nacionales e internacionales al proseguir su indagación sobre las relaciones entre el deseo y el crimen, y Pedro Almodóvar*, que con *Tacones lejanos* (1991) y *Kika** (1993) confirma ser el productor y director con más seguidores nacionales e internacionales dentro de la historia del cine español.

Durante estos años también dan un gran paso hacia adelante en sus respectivas carreras Pilar Miró*, con *Beltenebros** (1991) y *El pájaro de la felicidad** (1993); Mario Camus*, con *Después del sueño** (1992) y, sobre todo, *Sombras en una batalla** (1993); y Bigas Luna*, con *Jamón, jamón** (1992) y *Huevos de oro** (1993). Mientras, entre el gran número de debutantes sólo cabe destacar a Julio Medem por *Vacas** (1992).

Y no hay que olvidar el interés despertado por las comedias *Amo tu cama rica** (1992), de Emilio Martínez-Lázaro*; *Belle époque** (1992), de Fernando Trueba*; *Un paraguas para tres** (1992), de Felipe Vega*; *Tierno verano de lujurias y azoteas** (1993), de Jaime Chávarri; las reconstrucciones históricas *El rey pasmado** (1991), de Imanol Uribe*; *La noche más larga** (1991), de José Luis García Sánchez*; *El maestro de esgrima** (1992), de Pedro Olea*; *MadreGilda** (1993), de Francisco Regueiro*. Aunque la mejor película española de la década de los noventa es *El sol del membrillo** (1992), el minucioso documental rodado por Víctor Erice* sobre el pintor Antonio López.

Dado que durante 1993 el Tribunal de Justicia de la Comunidad Europea considera discriminatorio para las películas comunitarias el sistema español de concesión de licencias de doblaje aprobado el 13 de junio de 1986, se establece con cierta premura un plan de medidas de urgencia para salvaguardar el terreno del audiovisual. El 10 de diciembre de 1993 se aprueba un Decreto-ley por el que se varía la cuota de pantalla a un día de películas europeas por cada dos de películas dobladas de otros países; las licencias de doblaje pasan a darse cuando la película comunitaria recauda más de veinte millones de pesetas, pudiéndose obtener una segunda cuando sobrepasa los cincuenta millones.

El borrador del Decreto-ley es mucho más amplio. Por ejemplo, incluye una interesante cláusula por la cual las cadenas de televisión, públicas o privadas, tienen la obligación de producir entre el 25 y el 50 por 100 del cine europeo que emitan. Como los más importantes diarios están directamente ligados a alguna de las cadenas privadas de televisión, organizan una dura campaña de prensa en contra y consiguen que esta medida quede en suspenso.

Al tiempo que triunfa *Todos a la cárcel** (1993), una tan dura como divertida visión del panorama político actual hábilmente realizada por Luis G. Berlanga*, el nuevo Decreto-ley genera la oposición unánime de distribuidores y exhibidores, que llegan a cerrar todas las salas de cine un día antes de su aprobación en señal de protesta, y la presentación de un recurso ante el Tribunal Constitucional.

El éxito de algunas producciones, tanto de directores consagrados —*La pasión turca** (1994), de Vicente Aranda*; *Historias del Kronen* (1995), de Montxo Armendáriz*; *Alegre ma non troppo* (1994) y *El efecto mariposa* (1995), de Fernando Colomo*; *Canción de cuna* (1994), de José Luis Garci*; *El rey del río* (1994), de Manuel Gutiérrez Aragón; *Los peores años de nuestra vida* (1994) de Emilio Martínez-Lázaro*; *Flamenco* (1995), de Carlos Saura*, *Días contados** (1994), de Imanol Uribe*— como de nuevos realizadores —*Boca a boca* (1995), de Manuel Gómez Pereira*; *El día de la bestia** (1995), de Alex de la Iglesia—, lleva a un aumento de la producción.

Este hecho también se debe a que continúa vigente, con algunas variaciones, la política de subvenciones anticipadas establecida por el gobierno socialista y, sobre todo, a que, tras varios años de alejamiento del cine, Televisión Española vuelve a invertir en películas, así como, en menor medida, también otras cadenas de televisión privadas. Este crecimiento de la producción hace posible, por ejemplo, la existencia de las atractivas primeras películas, *Antártida* (1995), de Manuel Huerga; *Entre rojas* (1995), de Azucena Rodríguez; *Hola, ¿estás sola?* (1995), de Icíar Bollaín*; *Nadie hablará de nosotras cuando hayamos muerto* (1995), de Agustín Díaz Yáñez, y *Tesis* (1996), de Alejandro Amenara.

Después de poco más de trece años de gobierno del Partido Socialista Obrero Español, el 3 de marzo de 1996 el Partido Popular gana las elecciones legislativas. Este hecho produce un gran desconcierto dentro de la rudimentaria industria cinematográfica española, siempre necesitada de cualquier tipo de ayudas para subsistir frente al coloso norteamericano. Sin embargo, la producción continúa aumentando a pesar del temor a que la política restrictiva del nuevo gobierno haga desaparecer las subvenciones ministeriales y Televisión Española ponga punto final a su colaboración con el cine, y además se implante una libertad de mercado que acabe de entregarlo a las grandes distribuidoras norteamericanas.

En 1995 tiene lugar un claro aumento de las coproducciones, lo que hace que casi se llegue a la producción de sesenta películas, cifra que se sobrepasará holgadamente en 1996. Sin embargo, la falta de decisión característica del Partido Popular a la hora de adoptar cualquier nueva medida hace que seis meses después de ganar las elecciones todavía no exista una clara política cinematográfica. El hecho de que se hayan limitado las subvenciones ministeriales a las primeras películas y también la cuota de pantalla haya bajado a un día de películas europeas por cada tres de películas dobladas de otros países, hace que el más próximo futuro del cine español siga siendo incierto.

Películas con mayor número de espectadores

A comienzos de 1965 entra en funcionamiento el llamado Control de Taquilla, algo inexistente con anterioridad y de una gran utilidad, aunque los profesionales ponen en duda sus cifras por la defraudación existente. Desde entonces se editan unos boletines anuales con información estadística sobre el cine en España que permiten una nueva aproximación a la producción española.

Se incluye a continuación la bastante insólita lista de las veinticinco primeras películas vistas por un mayor número de espectadores en las salas cinematográficas entre el 1 de enero de 1965 y el 31 de diciembre de 1992. Desgraciadamente, no existe nada similar en el campo del vídeo, ni sobre alquileres ni, mucho menos, sobre ventas.

Lo primero que llama la atención de la lista es el elevado número de coproducciones, el 32 por 100 del total, así como que el actor más popular durante el período sea Manolo Escobar, protagonista del 24 por 100 de las películas, o que los directores que más éxito cosechan sean José Luis Sáenz de Heredia* y Ramón Torrado*, con un 12 por 100 cada uno, los únicos que han situado tres películas y además entre las veinte primeras.

1. *La muerte tenía un precio* (1965), de Sergio Leone,
   con Clint Eastwood y Gian Maria Volonté   5.520.091
2. *No desearás al vecino del quinto* (1970), de Ramón
   Fernández, con Alfredo Landa y Jean Sorel   4.371.624
3. *La ciudad no es para mí* (1965), de Pedro Lazaga,
   con Francisco Martínez Soria y Doris Coll   4.296.281
4. *Pero... ¿en qué país vivimos?* (1967), de José Luis
   Sáenz de Heredia, con Concha Velasco y Manolo
   Escobar   4.054.235

5. *Mi canción es para ti* (1965), de Ramón Torrado, con Manolo Escobar y Ángel de Andrés — 4.035.909
6. *Un beso en el puerto* (1965), de Ramón Torrado, con Manolo Escobar e Ingrid Pitt — 4.010.917
7. *Furtivos* (1975), de José Luis Borau, con Lola Gaos y Ovidi Montllor — 3.581.667
8. *La guerra de papá* (1977), de Antonio Mercero, con Lolo García y Teresa Gimpera — 3.523.472
9. *Juicio de faldas* (1969), de José Luis Sáenz de Heredia, con Manolo Escobar y Concha Velasco — 3.492.048
10. *Adiós, cigüeña, adiós* (1971), de Manuel Summers, con María Isabel Álvarez y Francisco Villa — 3.457.167
11. *Mujeres al borde de un ataque de nervios* (1988), de Pedro Almodóvar, con Carmen Maura y Fernando Guillén — 3.338.909
12. *Por un puñado de dólares* (1964), de Sergio Leone, con Clint Eastwood y Gian Maria Volonté — 3.281.146
13. *Nuevo en esta plaza* (1966), de Pedro Lazaga, con Palomo Linares y Julia Gutiérrez Caba — 3.067.863
14. *El padre Manolo* (1966), de Ramón Torrado, con Manolo Escobar y Ángel de Andrés — 3.031.369
15. *Las adolescentes* (1975), de Pedro Masó, con Anthony Andrews y Koo Stark — 2.917.121
16. *Cuando tú no estás* (1966), de Mario Camus, con Raphael y María José Alfonso — 2.863.471
17. *Relaciones casi públicas* (1968), de José Luis Sáenz de Heredia, con Manolo Escobar y Concha Velasco — 2.860.334
18. *La Celestina* (1969), de César Ardavín, con Elisa Ramírez y Julián Mateos — 2.845.300
19. *Las que tienen que servir* (1967), de José María Forqué, con Concha Velasco y Amparo Soler Leal — 2.801.393
20. *La residencia* (1969), de Narciso Ibáñez Serrador, con Lili Palmer y John Mulder Brown — 2.777.874
21. *Estambul 65* (1965), de Antonio Isasi, con Horst Buchholz y Sylva Koscina — 2.711.683
22. *Las Vegas 500 millones* (1968), de Antonio Isasi, con Gary Lockwood y Elke Sommer — 2.706.116
23. *Encrucijada para una monja* (1967), de Julio Buchs, con Rosanna Schiaffino y John Richardson — 2.673.726
24. *Experiencia prematrimonial* (1972), de Pedro Masó, con Ornella Mutti y Alessio Orano — 2.655.249
25. *La trastienda* (1976), de Jorge Grau, con María José Cantudo y Frederick Stafford — 2.640.058

DICCIONARIO DEL CINE ESPAÑOL

A

A CONTRATIEMPO *(1982)*

Al día siguiente del estreno de su última película, el realizador Félix Ortiz (Óscar Ladoire*) sale de Madrid con destino a Galicia para encontrar localizaciones para su próxima producción. No tarda en subir a su automóvil Clara (Mercedes Resino), una quinceañera que hace *autostop*, le acompaña durante el resto del itinerario y da lugar a algunas pequeñas aventuras. Con una clara estructura de itinerario, la primera película dirigida, pero también escrita y protagonizada por Óscar Ladoire*, se encuadra con cierta dificultad dentro de la comedia madrileña. Un guión poco elaborado, la timidez con que están planteadas las relaciones entre el hombre de treinta años y la mujer de quince y la inconsistencia del trabajo de la debutante Mercedes Resino, hacen que el resultado sea irregular.

Director: *Óscar Ladoire.* Guionistas: *Óscar Ladoire, Fernando Trueba.* Fotografía: *Ángel Luis Fernández.* Música: *Arie Dzierlatka.* Intérpretes: *Óscar Ladoire, Mercedes Resino, Paco Lobo, Fernando de Bran, Juan Cueto, Beatriz Elorrieta, Almudena Grandes.* Producción: *Ópera Films.* Duración: *107 min.*

A LA PÁLIDA LUZ DE LA LUNA *(1985)*

El éxito de *La colmena** (1982), la adaptación de la célebre novela de Camilo José Cela, que retrata el Madrid de la más dura posguerra a través de una multitud de personajes, dirigida por Mario Camus*, lleva al productor y guionista José Luis Dibildos* a hacer este cuadro sobre la picaresca imperante en Madrid durante los primeros años del gobierno socialista, también a través de una gran cantidad de personajes. Dirigida y escrita en colaboración con el también productor José María González Sinde*, es una comedia coral, en la línea desarrollada por Luis G. Berlanga*, que hace un breve papel de director de cine, pero en la que se echa de menos tanto su mordacidad como su habilidad para trabajar con muchos personajes.

Director: *José María González Sinde*. Guionistas: *José Luis Dibildos, José María González Sinde*. Fotografía: *Hans Burmann*. Música: *Antón García Abril*. Intérpretes: *José Sacristán, Fiorella Faltoyano, Emilio Gutiérrez Caba, María Luisa San José, Luis Escobar, Esperanza Roy*. Producción: *José Luis Dibildos para Ágata Films*. Duración: *94 min*.

A SOLAS CONTIGO *(1990)*

Las relaciones entre el personal guionista Agustín Díaz Yáñez y el productor y realizador Eduardo Campoy* comienzan en *Baton Rouge** (1988), de Rafael Moleón, que escribe el primero en colaboración y produce el segundo, sigue en esta producción, la primera que dirige Campoy* en solitario, y continúan en *Demasiado corazón** (1992). Las tres son melodramas con trasfondo policiaco, que dan lugar a brillantes interpretaciones femeninas y hunden sus raíces en el mejor cine clásico norteamericano. En *Baton Rouge** se notan demasiado estos orígenes, pero aquí ha desaparecido este defecto y, frente a un brillante resultado, sólo pueden argüirse algunas leves incoherencias argumentales y que el personaje principal

sea una ciega, lo que siempre supone un lastre para la interpretación, en este caso de Victoria Abril*. Narra cómo al teniente de navío Javier Artabe (Imanol Arias*) le encargan realizar una investigación en el Servicio de Inteligencia de la Marina sobre un caso de espionaje industrial en torno a la fabricación de un nuevo modelo de hidroavión, lo que origina un asesinato y que el teniente utilice a una ciega como cebo para descubrir y apresar al asesino.

Director: *Eduardo Campoy*. Guionistas: *Agustín Díaz Yáñez, Eduardo Calvo*. Fotografía: *Alfredo Mayo*. Música: *Marco de Benito*. Intérpretes: *Victoria Abril, Imanol Arias, Juan Echanove, Nacho Martínez, Rafael Romero Marchent, Conrado San Martín, Manuel Gil*. Producción: *Eduardo Campoy para Lauren Films, Flamenco Films, Creativos Asociados de Radio y Televisión*. Duración: *92 min*.

A UN DIOS DESCONOCIDO *(1977)*

Tras un desconcertante prólogo, situado en julio de 1936 en Granada, donde se describe un paraíso en paz y tranquilidad, a través de leves relaciones en torno a la mítica figura de Federico García Lorca, y cómo es destruido por el comienzo de la guerra, se desarrolla en Madrid en época actual la solitaria vida de José García (Héctor Alterio), sus intentos por romper con sus recuerdos de infancia y comenzar una nueva vida. La historia de

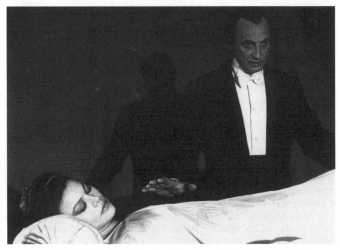

Mirta Miller y Héctor Alterio en *A un Dios desconocido*, de Jaime Chávarri

este hombre que vive encerrado en una cápsula de cristal, representada por el ascensor de su casa a través de cuyos cristales observa a sus vecinos, sus esfuerzos por salir de ella, relacionarse de manera normal con los demás y destruir sus recuerdos, está narrada con mano maestra. El hecho de que sea homosexual, mago o siga enamorado de García Lorca, sólo son elementos accesorios, tratados con gran delicadeza, que influyen de manera tangencial en su soledad, en su tristeza. Con escenas antológicas, como aquella donde el protagonista y un grupo de personas canta una habanera al final de una fiesta, se trata de una de las mejores películas dirigidas por Jaime Chávarri*. Junto a su cuidada y minuciosa realización destaca la interpretación del argentino Héctor Alterio, seguramente su mejor trabajo en el cine español, por la que gana un premio en el Festival de San Sebastián.

Director: *Jaime Chávarri*. Guionistas: *Elías Querejeta, Jaime Chávarri*. Fotografía: *Teo Escamilla*. Música: *Luis de Pablo*. Intérpretes: *Héctor Alterio, Javier Elorriaga, María Rosa Salgado, Rosa Valenty, Ángela Molina, Mercedes Sampietro, Mirta Miller*. Producción: *Elías Querejeta P. C.* Duración: *100 min.*

ABRIL, Victoria (*Victoria Mérida Rojas. Madrid, 1959*)

Sus estudios de ballet la llevan a hacer papeles secundarios en cine. Su primera película es *Obsesión* (1974), de Francisco Lara Polop, pero ya es protagonista de la quinta, *Caperucita y roja* (1976), de Luis Revenga y Aitor Goiricelaya, y todo gira a su alrededor en la séptima, *Cambio de sexo* (1977), donde comienza su apasionante colaboración con Vicente Aranda*. Poco a poco se convierte en su actriz favorita, hasta llegar a ser el principal instrumento en sus investigaciones sobre la pasión amorosa en *La muchacha de las bragas de oro* (1980), *Tiempo de silencio* (1986), *Si te dicen que caí* (1989), donde encarna a varios personajes, *Amantes* (1991) e *Intruso* (1993), sin olvidar su encarnación de la *mechera* protagonista en *El Lute, camina o revienta* (1987) y su personaje en *Libertarias* (1996). También desarrolla otra peculiar colaboración con Pedro Almodóvar* en *¡Átame!* (1989), *Tacones lejanos* (1991) y *Kika* (1993). Entre sus restantes papeles destacan el de Clara, la esforzada madre del niño autista, en *Mater amatísima* (1980), de Josep A. Salgot; el de la prostituta Engracia en *Río abajo* (1984), de José Luis Borau*; la burguesa Elena en *La noche más hermosa* (1984), de Manuel Gutiérrez Aragón*; la puta «La cardenala» en *Padre nuestro* (1985), de Francisco Regueiro*; las gemelas Ana y Clara en *Demasiado corazón* (1992), de Eduardo Campoy*, y la sufrida Gloria Duque de *Nadie hablará de nosotras cuando hayamos muerto* (1995), de Agustín Díaz Yáñez. Desde el comienzo de su carrera también trabaja habitualmente en Suiza, Italia, Portugal y, sobre todo, Francia, lo que, por ejemplo, la conduce a hacer un papel secundario con el japonés Nagisa Oshima en *Max, mon amour* (1986). Muy esporádicamente interviene en alguna obra de teatro, tanto en Madrid como París, y con más asiduidad en televisión, donde una vez más vuelve a destacar su trabajo con Vicente Aranda* en el episodio *El crimen del capitán Sánchez* (1985) y la serie *Los jinetes del alba* (1990).

ADRIANI, Patricia (*María Asunción García Moreno. Madrid, 1958*)

Descubierta por el productor y realizador Ignacio F. Iquino* en su etapa pseudoerótica, luce toda su belleza al protagonizar *Fraude matrimonial* (1976) y *La máscara* (1976). Continúa desnudándose ante la cámara durante el final de la década, pero con la llegada de los ochenta cambia de género al protagonizar *Dedicatoria* (1980), de Jaime Chávarri*, y *Sus años dorados* (1980), de Emilio Martínez-Lázaro*. Ya siempre en esta línea, cabe destacar entre sus restantes películas *Las bicicletas son para el verano* (1983), de Jaime Chávarri*; *Últimas tardes con Teresa* (1983), de Gonzalo Herralde*; *De tripas corazón* (1985), de Julio S. Valdés; *Lulú de noche* (1985), de Emilio Martínez-Lázaro*; *Pasión lejana* (1986), de Jesús Garay.

AGUAYO, José *(José Fernández Aguayo. Madrid, 1911)*

Hijo del fotógrafo taurino Baldomero Fernández Raigón, desde niño ayuda a su padre en la plaza y el laboratorio. Su afición a los toros le hace actuar como torero profesional en más de ochenta novilladas con picadores, pero se retira en 1933 después de tres graves cogidas y por su escasa estatura. Comienza a trabajar como reportero gráfico, especializado en corridas de toros, lo que le lleva a hacer un reportaje sobre el rodaje de *Currito de la Cruz* (1935), de Fernando Delgado*; sus fotos le gustan al operador Enrique Guerner* y le contrata como ayudante. Durante la guerra española trabaja como reportero para la II República, lo que le origina algunas dificultades en la posguerra. Debuta como director de fotografía con *Castañuela* (1945), de Ramón Torrado*, y hasta *Las alegres chicas de Colsada* (1983), de Rafael Gil*, interviene en casi ciento veinte películas. Destaca su amplia colaboración con Juan de Orduña* a lo largo de *La Lola se va a los puertos* (1947), *Locura de amor* (1948), *Cañas y barro* (1954), *Zalacaín el aventurero* (1954), *El último cuplé* (1957), así como en la etapa final de la carrera de Rafael Gil*, *Chantaje a un torero* (1963), *Currito de la Cruz* (1965), *Camino del Rocío* (1966), *El relicario* (1970), *Nada menos que todo un hombre* (1971), *La duda* (1972), ... y al

tercer año resucitó (1980). Aunque las mejores películas donde colabora son *Maribel y la extraña familia** (1960), de José María Forqué*; *Mi calle** (1960), de Edgar Neville*; *El extraño viaje** (1964), de Fernando Fernán-Gómez*; pero sobre todo *Viridiana** (1961) y *Tristana** (1970), de Luis Buñuel*. Durante los años sesenta da clases de técnicas de iluminación en la Escuela Oficial de Cinematografía.

AGUIRRE, Javier *(Javier Aguirre Fernández. San Sebastián, 1935)*

Interesado por el cine desde muy joven, organiza cine-clubs y escribe en diferentes publicaciones antes de ingresar, en 1956, en el Instituto de Investigaciones y Experiencias Cinematográficas y colaborar en las revistas especializadas *Radiocinema, Primer Plano, Film Ideal*. Desde comienzos de los sesenta dirige con regularidad cortometrajes experimentales que obtienen premios en diferentes festivales internacionales, actividad que no abandona cuando debuta en el largo con el documental *España insólita* (1964). Lo que no impide que los cuarenta largometrajes que realiza durante treinta años de profesión sean producciones comerciales nada personales y sin el menor interés, entre los que destacan por su éxito el musical *Los chicos con las chicas* (1967), la comedia *Pierna creciente, falda menguante* (1970), la historia de terror *El gran amor del conde Drácula*

(1972) y la infantil *La guerra de los niños* (1980). La excepción, el único largo personal, es *Vida perra* (1981), sobre los recuerdos de una solterona de provincias, discutible adaptación de la novela *La vida perra de Juanita Narboni,* de Ángel Vázquez.

AGUIRRESAROBE, Javier *(Javier Aguirresarobe Zubía. Éibar, Guipúzcoa, 1948)*

Después de trabajar como periodista, se diploma en fotografía en 1972 en la Escuela Oficial de Cinematografía. Trabaja mucho en el terreno del cine industrial, los cortometrajes y la publicidad. Debuta con la única comedia de su filmografía, *¿Qué hace una chica como tú en un sitio como este?* (1978), de Fernando Colomo*. Entre sus mejores películas hay que citar *La muerte de Mikel** (1983), de Imanol Uribe*; *El sueño de Tánger* (1985), de Ricardo Franco*; *El bosque animado** (1987), de José Luis Cuerda*; *Beltenebros** (1991), de Pilar Miró*; *El sol del membrillo** (1992), de Víctor Erice*, que firma con Ángel Luis Fernández*, *Días contados** (1994), de Imanol Uribe*; *Antártida* (1995), de Manuel Huerga, y *Bwana** (1996), de Imanol Uribe*.

ALARCÓN, Enrique *(Enrique Alarcón Sánchez. Campo de Criptana, Ciudad Real, 1917-Madrid, 1995)*

Estudia arquitectura en Madrid y entra en el mundo del cine a través de su amistad con la actriz Imperio Argentina*. Después de trabajar como ayudante de los famosos escenógrafos Pierre Schildneck y Sigfrido Burmann, es contratado por la productora Cifesa como decorador jefe y debuta en *Huella de luz* (1942), de Rafael Gil*, y a lo largo de cuarenta y dos años interviene como decorador en más de doscientas sesenta películas, tanto dirigidas por españoles como por extranjeros que trabajan en España, entre las que cabe destacar *La calle sin sol** (1948), de Rafael Gil*; *La corona negra* (1950), de Luis Saslavski; *Calle mayor** (1956), de J. A. Bardem*; *Los jueves, milagro* (1956), de Luis G. Berlanga*; *El cochecito** (1960), de Marco Ferreri*; *Mi calle** (1960), de Edgar Neville*; *El Cid* (1961), de Anthony Mann; *Llanto por un bandido* (1963), de Carlos Saura*; *10:30 pm Summer* (1965), de Jules Dassin; *Cervantes* (1968), de Vincent Sherman; *Tristana** (1970), de Luis Buñuel*, y *Padre nuestro* (1985), de Francisco Regueiro*. Durante muchos años ha dado clases de su especialidad tanto en el Instituto de Investigaciones y Experiencias Cinematográficas como posteriormente en la Escuela Oficial de Cinematografía.

ALCAINE, José Luis *(José Luis Alcaine Escaño. Tetuán, 1938)*

Después de trabajar en Tánger en un laboratorio fotográfico de color, ingresa en 1962 en la

Escuela Oficial de Cinematografía y se licencia en 1966 en la especialidad de fotografía. Debuta como director de fotografía en *Javier y los invasores del espacio* (1967), de Guillermo Ziener, y tras unos lentos y laboriosos comienzos, donde interviene en producciones sin interés, gracias a su trabajo en *Los viajes escolares* (1973), de Jaime Chávarri*; *Soldados* (1977), de Alfonso Ungría*; y *Así como eres* (1977), de Alberto Lattuada, se convierte en uno de los grandes directores de fotografía del cine español. Destaca su colaboración con Vicente Aranda* en *Asesinato en el Comité Central* (1982), *El Lute* (1987), *El Lute II* (1988), *Amantes* (1991), *Intruso* (1993), *La pasión turca* (1994), *Libertarias* (1996); Manuel Gutiérrez Aragón en *Demonios en el jardín* (1982), *La mitad del cielo* (1986), *Malaventura* (1988); Fernando Trueba* en *El sueño del mono loco* (1989), *Belle époque* (1992), *Two Much* (1996). Sin olvidar su contribución a *El sur* (1983), de Víctor Erice*; *Tasio* (1984), de Montxo Armendáriz*; *Los paraísos perdidos* (1985), de Basilio M. Patino*; *El viaje a ninguna parte* (1986), de Fernando Fernán-Gómez*; *Mujeres al borde de un ataque de nervios* (1988), de Pedro Almodóvar*; *¡Ay, Carmela!* (1990), de Carlos Saura*; *Jamón, jamón* (1992) y *La teta y la luna* (1994), de Bigas Luna*.

ALCORIZA, Luis *(Badajoz, 1918-Cuernavaca, México, 1992)*

Hijo de cómicos ambulantes, desde pequeño sigue a sus padres en sus giras y debuta como actor a los catorce años. La sublevación militar que desencadena la guerra española les sorprende en el norte de África, la compañía suspende la gira y se exilian a México. Allí se gana la vida como actor de teatro y, desde 1940, también de cine. Entre sus papeles destaca el de Cristo en *María Magdalena* (1945), de Miguel Contreras Torres. Casado con la guionista Raquel Rojas, en 1946 empieza a escribir guiones, entre los que destacan los realizados con Luis Buñuel* para *Los olvidados* (1950), *Él* (1952) y *El ángel exterminador* (1962). Generalmente sobre guiones propios, debuta como director a comienzos de los años sesenta y entre sus primeras películas sobresalen las de carácter indigenista *Tlayucan* (1961), *Tiburoneros* (1962), *Tarahumara* (1964). Del resto de su producción mexicana hay que citar la comedia negra *Mecánica nacional* (1971), *Presagio* (1974), que escribe con Gabriel García Márquez, y la farsa política *Las fuerzas vivas* (1975). Al final de su carrera vuelve a España para rodar *Tac tac* (1981), la compleja historia de una violación, y *La sombra del ciprés es alargada* (1990), adaptación de la primera novela de Miguel Delibes, pero no tienen repercusión.

Pedro Larrañaga y Carmen Viance en *La aldea maldita,* de Florián Rey

ALDEA MALDITA, LA *(1930)*
Drama rural, casi calderoniano en lo concerniente al honor, sobre los amores y desamores del matrimonio formado por Acacia (Carmen Viance*) y Juan Castilla (Pedro Larrañaga), que siempre se ha considerado la gran película muda española. Escrita, producida y dirigida por Florián Rey*, se rueda cuando el sonoro ya es una realidad tan palpable que antes de su estreno le añade algunos diálogos y música en los estudios Tobis de Epinay-sur-Seine, cerca de París, por lo que de muda nunca tuvo mucho. Dentro de su melodramática y anticuada historia, destaca la descripción de la ruda tierra castellana y las escenas del éxodo, donde los campesinos huyen en carretas de la miseria y el hambre. Su éxito lleva a Florián Rey* a hacer una nueva versión en 1942, ya totalmente sonora, con Florencia Bécquer y Julio Rey de las Heras en los papeles protagonistas, pero sin la gracia de la primitiva. En 1986 el músico José Nieto* escribe una

brillante partitura para la versión de 1930 y se exhibe con acompañamiento de orquesta en algunos lugares privilegiados, según una pasajera costumbre de la época.

Director y guionista: *Florián Rey*. Fotografía: *Alberto Arroyo*. Música: *Carlos Pahissa*. Intérpretes: *Carmen Viance, Pedro Larrañaga, Amelia Muñoz, Pilar G. Torres*. Producción: *Florián Rey, Pedro Larrañaga*. Duración: *60 min.*

ALEJANDRO, Julio *(Julio Alejandro Castro Cardús. Huesca, 1906-Alicante, 1995)*

Ingresa en la Escuela Naval como caballero guardiamarina, interviene en el famoso desembarco de Alhucemas y en 1924 viaja hasta Shanghai. Convertido en alférez de fragata, pide la excedencia y comienza a estudiar filosofía y letras. La rebelión militar que desencadena la guerra española le sorprende en el Ministerio de Marina como hombre de confianza de Indalecio Prieto. Una herida en una pierna producida durante un combate en la sierra madrileña, hace que sea trasladado en avión hasta Toulouse, donde temporalmente se gana la vida como profesor universitario. Contratado por la Universidad de Santo Tomás, parte desde Lisboa hacia Manila, pero la II Guerra Mundial, que convierte a las islas Filipinas en centro del enfrentamiento entre norteamericanos y japoneses, le lleva a una prisión japonesa, donde debe ser operado de apendicitis sin anestesia. En 1945 viaja a San Diego, Estados Unidos, México, Santiago de Chile, Buenos Aires y, finalmente, España. Como no puede trabajar ni como marino ni como profesor, se dedica a diferentes menesteres hasta terminar presentando en teatro una serie de obras escritas en Filipinas. Recibe una oferta desde México para escribir diálogos de películas y su mala situación económica le hace embarcarse poco después. Entre sus trabajos cinematográficos destacan los realizados para Luis Buñuel*, *Nazarín* (1958), *Viridiana** (1961), *Simón del desierto* (1965), *Tristana** (1969), como guionista, y *El ángel exterminador* (1962), como director artístico. De vuelta a España publica alguna de sus obras, como *Breviario de chilindrones* o el libro de poemas *Singladura*.

ALMENDROS, Néstor *(Néstor Almendros Cuyás. Barcelona, 1930-Nueva York, Estados Unidos, 1992)*

A los dieciocho años viaja a Cuba para reunirse con su padre, exiliado republicano. Estudia filosofía y letras en la Universidad de La Habana y rueda algunas películas *amateurs,* como *Una confusión cotidiana* (1949), de Tomás Gutiérrez Alea. Estudia en el Institute of Film Techniques de Nueva York y en el Centro Sperimentale di Cinematografia de Roma. Instalado en Nueva York, rueda algunos cortometrajes experimentales, y regresa a La Habana en 1959 con el triunfo de la revolución de Fidel Castro. Tras hacer cerca de veinte documentales, su carácter independiente y renovador choca con el tono cada vez más burocrático de la revolución y decide irse a vivir a París. Después de colaborar en la producción de episodios *París visto por...* (Paris vu par...*, 1964), se convierte en el director de fotografía de Eric Rohmer, *La coleccionista* (La collectionneuse, 1966), *Mi noche con Maud* (Ma nuit chez Maud, 1969), *La rodilla de Clara* (Le genou de Claire, 1970), *La marquesa de O* (Die Marquise von O..., 1975), y François Truffaut, *El pequeño salvaje* (L'enfant sauvage, 1969), *Las dos inglesas y el amor* (Les deux anglaises et le continent, 1971), *La historia de Adèle H.* (Histoire d'Adèle, 1975), *El último metro* (Le dernier métro, 1980). Su posterior carrera norteamericana le lleva a ganar el Oscar de su especialidad por *Días del cielo* (Days of Heaven, 1976), de Terrence Malick, y a trabajar en *Kramer contra Kramer* (Kramer versus Kramer, 1978), de Robert Benton; *La decisión de Sophie* (Sophie's Choice, 1982), de Alan J. Pakula; y *Se acabó el pastel* (Heartburn, 1985) de Mike Nichols. Escribe y dirige los documentales de largometraje *Conducta impropia* (Mauvaise conduite, 1984) y *Nadie escuchaba* (Nobody Listened, 1988) sobre la situación política en Cuba. Publica el libro *Días de una cámara* (1990), donde con gran amenidad narra su experiencia laboral y vital. En España sólo rueda *Cambio de sexo* (1976), de Vicente Aranda*.

ALMODÓVAR, Pedro *(Pedro Almodóvar Caballero. Calzada de Calatrava, Ciudad Real, 1949)*
Durante la segunda mitad de los años setenta alterna su trabajo como administrativo en la compañía Telefónica con la producción y realización de películas en super-8 con un carácter muy personal, formato en el que llega a hacer el largometraje *Folle, folleme Tim* (1978). Fruto de este período es *Pepi, Luci, Bom y otras chicas del montón* (1980), donde ya aparece su interés por el folletín y las situaciones excesivas, pero lastrado por un exceso de feísmo, mal gusto y deficiencias técnicas. Su período de aprendizaje se extiende a lo largo de una trilogía de irregulares comedias urbanas integrada por *Laberinto de pasiones* (1982), *Entre tinieblas* (1983), *¿Qué he hecho yo para merecer esto?** (1984). Siempre basadas en atractivos guiones suyos llenos de brillantes ideas y prometedores comienzos, pero mal desarrollados dramáticamente, tanto *Matador** (1986), que excepcionalmente escribe a medias con el novelista Jesús Ferrero, como *La ley del deseo** (1987), con la que inaugura su productora El Deseo, S. A., se sitúan entre sus mejores trabajos y le convierten

en uno de los realizadores más populares de la década de los ochenta. Logra un enorme éxito nacional e internacional con *Mujeres al borde de un ataque de nervios** (1988), una divertida comedia un tanto al margen del dramatismo que domina el resto de su cine, que escribe, produce y realiza. Convertido en uno de los grandes directores comerciales del cine europeo, tanto con *Átame** (1989) como con *Tacones lejanos* (1991), *Kika** (1993) y *La flor de mi secreto* (1995), vuelve a sus folletines llenos de personal humor, cada vez mejor adornados, pero siempre basados en irregulares guiones. Comienza a producir películas que no dirige con *Acción mutante* (1992), del debutante Alex de la Iglesia, una farsa en clave de ciencia ficción cercana a su cine.

ALONSO MILLÁN, Juan José *(Madrid, 1936)*

El éxito obtenido por alguna de sus primeras comedias teatrales en la segunda mitad de los años sesenta hace que sean adaptadas al cine, tal como ocurre con *Mayores con reparos* (1966), integrada por tres episodios protagonizados y dirigidos por Fernando Fernán-Gómez*, pero de los que la censura corta uno; *La vil seducción* (1968), y *Pecados conyugales* (1969), de José María Forqué*. La ocasional colaboración en alguno de estos guiones le lleva a escribir directamente para el cine y el enorme éxito de *No desearás al vecino del quinto* (1970) le convierte en uno de los más solicitados guionistas de la denominada «comedia a la española» y le hace seguir escribiendo para Ramón Fernández* *Simón, contamos contigo* (1972), *Esta que lo es* (1974), *Matrimonio al desnudo* (1974), *Un lujo a su alcance* (1975), *El adúltero* (1975) y *Cuando los maridos van a la guerra* (1977). Al margen de la comedia también colabora en los guiones de *Marta* (1971) e *Historia de una traición* (1972), dramas psicológico-policiacos, dirigidos por José Antonio Nieves Conde*, protagonizados por Marisa Mell y realizados en régimen de coproducción con Italia. Entre las más de cuarenta películas producidas sobre guiones suyos destaca por su enorme éxito *Cristóbal Colón, de oficio conquistador* (1982), un burdo pastiche lleno de anacronismos y referencias a la actualidad política dirigido por Mariano Ozores*, al que siguen en la misma línea *El Cid cabreador* (1983), de Angelino Fons*; *Juana la Loca, de vez en cuando* (1983), de José Ramón Larraz*; y *La loca historia de los tres mosqueteros* (1983), de Mariano Ozores*.

AMADORI, Luis César *(Luis César Amadori Ricciotti. Pescara, Italia, 1903-Buenos Aires, Argentina, 1977)*

A los tres años emigra con su familia a Argentina. Abandona los estudios de medicina para dedicarse primero a la crítica tea-

Alberto Farnese, Luis Peña y Francisco Rabal en *Amanecer en Puerta Oscura*, de José María Forqué

tral y poco después al montaje de comedias musicales. Después de intervenir como autor y empresario en más de ciento cincuenta espectáculos teatrales, debuta como director de cine con *Puerto nuevo* (1936), que hace a medias con el prestigioso Mario Soffici. Después de realizar más de cincuenta películas en Argentina, la caída del general Perón le hace refugiarse en España, donde rueda el resto de su obra. Al igual que sus demás trabajos, las dieciséis películas que realiza en España entre 1958 y 1968 están marcadas por la comercialidad y su interés por el musical. Van desde las adaptaciones teatrales, *Una muchachita de Valladolid* (1958), de Joaquín Calvo Sotelo; *¿Dónde vas Alfonso XII?* (1958), de Juan Ignacio Luca de Tena; *Una gran señora* (1959), de Enrique Suárez de Deza; *Un trono para Cristy* (1959), de José López Rubio; hasta los musicales, *La violetera* (1958), *Mi último tango* (1960) y *Pecado de amor* (1961) con Sara Montiel*; *La casta Susana* (1962), con Marujita Díaz; *Como dos gotas de agua* (1963), con Pili y Mili; *Acompáñame* (1964), *Más bonita que ninguna* (1964), *Buenos días, condesita* (1966), *Amor en el aire* (1967), *Cristina Guzmán* (1968), con Rocío Dúrcal*.

AMANECER EN PUERTA OSCURA (1957)

En la Andalucía del siglo XIX, el famoso bandolero Juan Cuenca (Francisco Rabal*) vive refugiado en la sierra. A él se unen Andrés Ruiz (Luis Peña*), un minero que ha matado a un capataz que maltrataba a un compañero en las minas de Río Tinto, y Pedro Guzmán (Alberto Farnese), que ha disparado sobre el jefe de la mina para defenderle, más Rosario (Isabel de Pomés*), la mujer del minero. Perseguidos por la guardia civil, huyen hacia el mar con la idea de embarcar hacia América, pero son detenidos en la playa. Los tres hombres son condenados a muerte, pero según una vieja tradición, la mano móvil de la imagen de Jesús el Rico indulta a Juan Cuenca durante una procesión de Semana Santa. Con estos elementos y una tradicional estructura de itinerario, José María Forqué* realiza una eficaz producción sobre el tema del bandolerismo andaluz, que se sitúa entre sus mejores trabajos. Tras ganar el Oso de Plata en el Festival de Berlín, tiene una buena acogida de crítica y público en España.

Director: *José María Forqué*. Guionistas: *Alfonso Sastre, José María Forqué*. Fotografía: *Cecilio Paniagua*. Música: *Regino Sainz de la Maza*. Intérpretes: *Francisco Rabal, Alberto Farnese, Luis Peña, Isabel de Pomés, José Marco Davó*. Producción: *Estela Films (Madrid), Atenea Films (Roma)*. Duración: 92 min.

AMANTE BILINGÜE, EL *(1993)*

En esta ocasión Vicente Aranda* parte de la novela homónima de Juan Marsé para hacer una arriesgada comedia catalana, subgénero especialmente difícil y localista. Narra las relaciones entre una rica catalanoparlante de Barcelona (Ornella Muti) y Juan Marés (Imanol Arias*), un charnego murciano con quien llega a casarse; como ella le deja por otros, él, con la cara quemada en un atentado anti-catalanista, se convierte en su *alter ego* Faneca y la busca para acostarse una última vez con ella y llegar a levitar. Tras una prometedora primera parte, algunas escenas divertidas, como aquella en torno a las dificultades de un grupo de expertos para saber cómo se dice tubo de escape en catalán, unas referencias demasiado localistas y otras cinematográficas que no acaban de funcionar, dan paso a un largo bache central, para llegar a un final más consistente.

Director y guionista: *Vicente Aranda*. Fotografía: *Juan Amorós*. Música: *José Nieto*. Intérpretes: *Imanol Arias, Ornella Muti, Loles León, Javier Bardem*. Producción: *Lola Films (Barcelona), Cartel (Madrid), Atrium Productions (Roma)*. Duración: 95 min.

AMANTES *(1991)*

El éxito de la serie de televisión *La huella del crimen*, cuyo punto de partida son famosos crímenes españoles, y el del episodio *El crimen del capitán Sán-*

Maribel Verdú en *Amantes,* de Vicente Aranda

chez (1985) en concreto, hace que la siguiente colaboración entre el productor Pedro Costa*, el guionista Álvaro del Amo* y el realizador Vicente Aranda*, sea una película con las mismas características de la serie. De nuevo a partir de hechos reales, el llamado «crimen de Tetuán de las Victorias», Álvaro del Amo* escribe, en colaboración con el novelista Carlos Pérez Merinero* y el propio Aranda*, una sórdida historia de amores que se desarrolla en la España de mediados de los años cincuenta. Narra con fuerza y eficaz erotismo las relaciones entre Paco (Jorge Sanz*), un pueblerino que termina su servicio militar en Madrid, y Trini (Maribel Verdú*), la criada del

comandante del que ha sido asistente, pero entre ambos se interpone la timadora viuda Luisa (Victoria Abril*), que le alquila una habitación y le descubre el mundo del sexo. Una vez convertidos en insaciables amantes, la criadita trata de recuperarle entregándose a él, pero sólo consigue que le roben sus ahorros con engaños y acabe dejándose matar por su novio. Una perfecta estructura dramática, una brillante fotografía de José Luis Alcaine* y un excelente trabajo interpretativo de Victoria Abril*, Jorge Sanz* y Maribel Verdú*, la convierten en una de las mejores y más conocidas obras de Vicente Aranda*. Destacan la sobriedad y fuerza de las escenas finales, rodadas en plena nevada delante de la catedral de Burgos.

Director: *Vicente Aranda*. Guionistas: *Álvaro del Amo, Carlos Pérez Merinero, Vicente Aranda*. Fotografía: *José Luis Alcaine*. Música: *José Nieto*. Intérpretes: *Victoria Abril, Jorge Sanz, Maribel Verdú*. Producción: *Pedro Costa P. C.* Duración: *122 min.*

AMIGO, Ángel (*Ángel Amigo Quincoces. Rentería, Guipúzcoa, 1952*)

Estudia periodismo y sociología, publica los libros *Operación Poncho* (1979) y *Pertur* (1979) y en 1986 funda en San Sebastián la productora Igeldo Zine Produkzioak. Todas las películas que produce están originalmente habladas en euskera y su temática directamente relacionada con el País Vasco. Entre ellas destacan *La fuga de Segovia** (1981), de Imanol Uribe*; *La conquista de Albania** (1983), de Alfonso Ungría*; *Ander y Yul** (1988), de Ana Díez; y *El invierno en Lisboa* (1990), de José A. Zorrilla, de la mayoría de las cuales también es coguionista.

AMO, Álvaro del (*Álvaro del Amo y de Laiglesia. Madrid, 1942*)

Estudia derecho y se diploma en dirección en la Escuela Oficial de Cinematografía en 1968. Crítico de cine de las revistas *Nuestro Cine* y *Cuadernos para el Diálogo* y de ópera en el diario *El Mundo*. Entre sus libros publicados destacan el ensayo *Comedia cinemato-*

gráfica española y las novelas *Mutis, Libreto, En casa* y *El horror*. Estrena las obras de teatro *Geografía, Motor,* y *La emoción*. Ha dirigido varios cortos de ficción sobre guiones propios y el largometraje *Dos* (1979). Coguionista de *Amantes** (1991) e *Intruso**, de Vicente Aranda*.

AMO, Antonio del (*Antonio del Amo Algara. Valdelaguna, Madrid, 1911-Madrid, 1991*)

Desde muy joven colabora en las revistas especializadas *Popular Films* y *Nuestro Cinema* y dirige cine-clubs. Trabaja en diferentes cometidos en las películas que supervisa Luis Buñuel* para Filmófono durante la II República. En los años de la guerra española es el responsable de la sección cinematográfica de la división de *El Campesino,* para la que realiza diferentes películas. En la posguerra es represaliado y sobrevive escribiendo guiones para la productora Emisora Films, trabajando como ayudante de dirección de Rafael Gil*, a quien salva la vida durante la guerra, y rodando algunos cortometrajes. Autor de diferentes libros, *Historia universal del cine* (1945), *Estética del montaje* (1972), es profesor de montaje en el Instituto de Investigaciones y Experiencias Cinematográficas y en la Escuela Oficial de Cinematografía. Debuta como director de largometrajes a finales de los años cuarenta con cuatro películas con guiones de Manuel Mur

Oti*, el melodrama *Cuatro muje-res* (1947), la biografía de Gustavo Adolfo Bécquer *El huésped de las tinieblas* (1948), la experimental *Noventa minutos* (1949) y la historia sobre los cadetes de aviación *Alas de juventud* (1949). Entre obras sin interés realiza sus mejores películas durante la primera mitad de los años cincuenta, a pesar de las presiones de la censura del general Franco: *Día tras día** (1951), claro reflejo del neorrealismo italiano, el drama rural *Sierra maldita** (1954) y el melodrama *El sol sale todos los días* (1955). El poco éxito comercial de estas producciones y descubrir al niño cantante Joselito* le hacen dar un brusco giro a su carrera y hacer para su productora Apolo Films nueve de sus trece películas. El triunfo nacional e internacional de las primeras, *El pequeño ruiseñor* (1956), *Saeta del ruiseñor* (1957) y *El ruiseñor de las cumbres* (1958), le permiten construir sus propios estudios en los alrededores de Madrid, pero nunca consigue volver a hacer el cine que le interesa. Entre sus restantes producciones aparece el *spaghetti-western* rutinario *El hijo de Jesse James* (1965), que firma con el seudónimo Richard Jackson, y la moralizante *Madres solteras* (1975), que cierra su poco atractiva filmografía.

AMO TU CAMA RICA *(1992)*

Dentro de las comedias en que se ha especializado Emilio Martí-nez-Lázaro, ésta ocupa una posición intermedia por estar bien rodada, pero centrarse en unos amores juveniles poco atractivos y nada desarrollados. En un ambiente distendido de fiestas y música, narra las relaciones sentimentales entre Pedro (Pere Ponce), un muchacho que todavía vive con su familia, y Sara (Ariadna Gil), una chica que trata de abrirse camino como veterinaria. Destaca la luminosa fotografía en Kodacolor y CinemaScope de José Luis López Linares, así como el trabajo de las actrices secundarias Cayetana Guillén, Clara Sanchís y Ayanta Barilli.

Director: *Emilio Martínez-Lázaro.* Guionistas: *Emilio Martínez-Lázaro, David Rodríguez Trueba, Martín Casariego.* Fotografía: *José Luis López Linares.* Música: *Michel Camino.* Intérpretes: *Ariadna Gil, Pere Ponce, Cassen, Lina Canalejas, Clara Sanchís, Cayetana Guillén, Ayanta Barilli.* Duración: *95 min.*

AMOR BRUJO, EL *(1986)*

La famosa obra homónima con libreto de Gregorio Martínez Sierra y música de Manuel de Falla, sobre los desgraciados amores entre dos gitanos, da lugar a tres películas muy diferentes. En 1949, el tosco Antonio Román* hace una versión sin interés protagonizada por Ana Esmeralda, Manolo Vargas, Elena Barrios y Pastora Imperio. Tras el éxito de *Los Tarantos** (1963), Francisco Rovira Beleta* rueda en 1967 una atractiva versión interpretada por Antonio Gades, La Polaca, Rafael de Córdova y Morucha. La mejor es la realizada por Carlos Saura* con Antonio Gades, que cierra su trilogía musical para el productor Emiliano Piedra*, tras *Bodas de sangre** (1981) y *Carmen** (1983). Situada en un gran plató, que encierra un excelente decorado de Gerardo Vera*, técnicamente es la mejor de las tres películas, pero le falta la pasión que encierran los mejores momentos de *Carmen**.

Director: *Carlos Saura*. Guionistas: *Carlos Saura, Antonio Gades*. Fotografía: *Teo Escamilla*. Música: *Manuel de Falla*. Intérpretes: *Antonio Gades, Cristina Hoyos, Laura del Sol, Juan Antonio Jiménez, Emma Penella, La Polaca*. Producción: *Emiliano Piedra P. C.* Duración: *103 min.*

AMOR DEL CAPITÁN BRANDO, EL *(1974)*

Los amores imposibles entre Aurora (Ana Belén*), la atractiva maestra del pueblo castellano de Trescabañas, Juan (Jaime Gamboa), un inteligente alumno de doce años, y Fernando (Fernando Fernán-Gómez*), un viejo exiliado republicano que retorna a España tras una larga ausencia, dan lugar a uno de los grandes éxitos del cine español durante los últimos tiempos de la dictadura del general Franco. Como es habitual en las películas de Jaime de Armiñán*, está narrada en clave de comedia de costumbres y los personajes nunca toman una

decisión trascendental, pero encierra un buen retrato de un pequeño pueblo. Destaca el trabajo de una joven Ana Belén* en los irregulares comienzos de su carrera, así como la fotografía en Eastmancolor de Luis Cuadrado*.

Director: *Jaime de Armiñán*. Guionistas: *Juan Tebar, Jaime de Armiñán*. Fotografía: *Luis Cuadrado*. Música: *José Nieto*. Intérpretes: *Fernando Fernán-Gómez, Ana Belén, Jaime Gamboa, Julieta Serrano, Antonio Ferrandis, Amparo Soler Leal*. Producción: *Incine*. Duración: *93 min.*

AMOR PROPIO *(1994)*

En esta ocasión el director y guionista Mario Camus* parte de un hecho real para narrar cómo Simón Hierro (Antonio Valero*), director de una sucursal bancaria de una capital de provincias, al ser descubiertos sus fraudes económicos, huye con el dinero y su amante, pero narrado desde el punto de vista de Juana (Verónica Forqué*), la inocente mujer del estafador que nada conoce de la doble vida de su marido, y resuelto como una cuestión de amor propio, con una estructura semipoliciaca, que se convierte en una refinada venganza. Camus encuentra el tono exacto entre el drama, la intriga y la comedia para desarrollar a diferentes niveles una historia con una fuerte carga feminista. Dentro del conjunto destaca la gran interpretación de Verónica Forqué, así como la maestría narrativa de Mario Camus.

Director y guionista: *Mario Camus*. Fotografía: *Jaime Peracaula*. Música: *Sebastián Mariné*. Intérpretes: *Verónica Forqué, Antonio Resines, Fernando Valverde, Antonio Valero, Carlos Ballesteros*. Producción: *José Luis Olaizola y Fernando Garcillán para Sogetel, Central de Producciones Audiovisuales, Antea Films*. Duración: *107 min.*

AMORÓS, Juan *(Juan Amorós Andreu. Barcelona, 1936)*

A los once años comienza a trabajar en NO-DO, donde permanece hasta 1967 y adquiere una experiencia que le permite convertirse en un gran operador de reportajes, mientras también colabora en la incipiente televisión de la época y hace mucho cine publicitario. La primera parte de su carrera como director de fotografía está directamente ligada a la denominada *Escuela de Barcelona*, dado que rueda *Dante no es únicamente severo* (1967), de Joaquín Jordá* y Jacinto Esteva*; *Cada vez que...* (1967) y *Liberxina 90* (1970), de Carlos Durán; *Ditirambo* (1967), de Gonzalo Suárez*; *Después del diluvio* (1968) y *Lejos de los árboles* (1970), de Jacinto Esteva*; *Historia de una chica sola* (1969), de Jorge Grau*; *Las crueles* (1969), de Vicente Aranda*, las principales películas del movimiento. Tras pasar diez años dedicado en exclusiva al cine publicitario, vuelve con *Habla-*

mos esta noche (1982), de Pilar Miró*, a la que siguen las eficaces y brillantes fotografías de *Fanny Pelopaja* (1984), *Tiempo de silen- cio* (1986) y *Si te dicen que caí* (1989), de Vicente Aranda*; *Padre nuestro* (1985) y *Diario de invierno* (1988), de Francisco Regueiro*; *Lulú de noche* (1985) y *El juego más divertido* (1988), de Emilio Martínez-Lázaro*; *Sé infiel y no mires con quién* (1985) y *El año de las luces* (1986), de Fernando Trueba*.

ANA Y LOS LOBOS *(1972)*

Sobre guiones escritos en colaboración con Rafael Azcona*, a comienzos de la década de los setenta Carlos Saura* analiza los mecanismos de poder de la reaccionaria burguesía española en una irregular trilogía. Comienza con la fallida *El jardín de las delicias* (1970), prosigue con esta críptica producción y finaliza con la lograda *La prima Angélica* (1973). Aquí narra cómo la joven institutriz extranjera Ana (Geraldine Chaplin*) llega a un caserón donde vive una familia de la burguesía alta para ocuparse de las hijas, pero debe enfrentarse con los tres hijos cuarentones, el militar José (José María Prada), el místico Fernando (Fernando Fernán-Gómez*) y el erótico Juan (José Vivó). A través de este microcosmos familiar pretende darse una visión de la sociedad española del momento, pero por evi-

Fernando Fernán-Gómez y Martine Audo en *El anacoreta*, de Juan Estelrich

dentes problemas de censura el resultado es demasiado complicado, críptico, sólo para iniciados. No obstante, tiene una impecable factura, tanto en lo concerniente a dirección como interpretación, pero sobre todo destaca la excelente fotografía en Eastmancolor de Luis Cuadrado*. Siete años después, en un momento de incertidumbre creativa, Saura* vuelve a los mismos personajes para hacer *Mamá cumple cien años* (1979), pero sobre guión propio, en tono de comedia, lejos del cripticismo y con irregulares resultados.

Director: *Carlos Saura.* Guionistas: *Rafael Azcona, Carlos Saura.* Fotografía: *Luis Cuadrado.* Música:

Luis de Pablo. Intérpretes: *Geraldine Chaplin, Fernando Fernán-Gómez, José María Prada, José Vivó, Rafaela Aparicio.* Producción: *Elías Querejeta P. C.* Duración: *102 min.*

ANACORETA, EL *(1976)*

La historia de Fernando Tobajas (Fernando Fernán-Gómez*), un hombre casado y con una hija, que lleva once años encerrado en el cuarto de baño de su casa y sólo se relaciona con el mundo exterior a través de los mensajes que manda por el retrete en tubos de aspirina, y sus amoríos con la atractiva joven Arabel Lee (Martine Audo), que se presenta ante él tras haber llegado a sus manos el mensaje donde hacía una reflexión sobre san Antonio y la reina de Saba, dan lugar a una interesante película claustrofóbica y una personal crítica de la sociedad de consumo. Único largometraje dirigido por Juan Estelrich, tras una larga etapa como ayudante de dirección y productor ejecutivo, destaca tanto por su peculiar guión, original de Rafael Azcona* y el propio realizador, como por la buena interpretación de Fernando Fernán-Gómez*, que le vale un premio en el Festival de Berlín.

Director: *Juan Estelrich*. Guionistas: *Rafael Azcona, Juan Estelrich*. Fotografía: *Alejandro Ulloa*. Intérpretes: *Fernando Fernán-Gómez, Martine Audo, José María Mompín, Charo Soriano, Claude Daupin*. Producción: *Incine (Madrid), Arcadie Productions (París)*. Duración: *104 min.*

ANDER Y YUL *(1988)*

Tras cumplir condena por tráfico de estupefacientes, Ander (Miguel Munárriz) vuelve a su ciudad natal para encontrarse con su familia, su amigo de infancia Yul (Isidoro Fernández), convertido en uno de los pistoleros de la banda terrorista ETA, y una mujer (Carmen Pardo) que decide abandonar el País Vasco. Un férreo e interesante guión y una sólida dirección, que apenas deja ver que se trata de la primera película de Ana Díez, son parcialmente traicionados por una interpretación

que no es todo lo convincente que hubiese sido necesaria.

Directora: *Ana Díez*. Guionistas: *Ángel Fernández-Santos, Ana Díez, Ángel Amigo*. Fotografía: *Gonzalo F. Berridi*. Música: *Amaia Zubiría, Pascal Gaigne*. Intérpretes: *Miguel Muñárriz, Isidoro Fernández, Carmen Pardo, Joseba Apaolaza, Ramón Barea*. Producción: *Ángel Amigo para Igeldo Zine Produkzioak*. Duración: *90 min.*

ÁNGEL PASÓ POR BROOKLYN, UN *(1957)*

Para cerrar la trilogía protagonizada por el niño Pablito Calvo* y dirigida por el húngaro Ladislao Vajda* para la productora Chamartín, se elige un guión original que narra una historia, entre la realidad y la fantasía, que transcurre en una calle del neoyorquino barrio de Brooklyn reconstruida en los estudios madrileños. La acción gira en torno al huraño abogado Bossi (Peter Ustinov), administrador de un destartalado inmueble de dicha calle ocupado por emigrantes italianos, y cómo un buen día se transforma en perro. Mezcla de dramatismo, sentimentalismo y humor, el resultado tiene interés, pero queda muy lejos de *Marcelino, pan y vino** (1954) y *Mi tío Jacinto** (1956), las restantes obras de la trilogía, por la poca consistencia de su argumento y por desarrollarse la acción en un lugar que no acaba de tener entidad propia, a pesar de lo buena que es la ambientación de Luigi d'Andria y el decorado de Antonio Simont.

Director: *Ladislao Vajda*. Guionistas: *Istvan Bekeffi, Gian Luigi Rondi, Ugo Guerra, José Santugini, Ottavio Alessi, Ladislao Vajda*. Fotografía: *Enrique Güerner*. Música: *Bruno Canfora*. Intérpretes: *Peter Ustinov, Pablito Calvo, Aroldo Tieri, Silvia Marco, Maurizio Arena, Isabel de Pomés, José Marco Davó*. Producción: *Chamartín (Madrid), Falcó Film (Roma)*. Duración: *91 min.*

ÁNGELES GORDOS *(1980)*

Las relaciones entre Mike (Farnham Scott), un joven pianista solitario que pesa ciento cincuenta kilos y vive en Nueva York, y Mary (January Stevens), una muchacha también gorda que cuida a una rica viuda paralítica en Miami, dan lugar a una tierna comedia sentimental que se sitúa entre los mejores trabajos de Manuel Summers*. Íntegramente rodada en Estados Unidos, con actores poco o nada conocidos, encierra una curiosa visión de una sociedad como la norteamericana, donde se rinde culto a la esbeltez.

Director: *Manuel Summers*. Guionistas: *Manuel Summers, Chumy Chúmez, León Ichaso, Joe González*. Fotografía: *Oliver Wood*. Música: *Bob Dorough*. Intérpretes: *Farnham Scott, January Stevens, Jack Aaron, Amy Steel, Robert Reynolds*. Producción: *Impala (Madrid), Mambru Movies (Nueva York)*. Duración: *99 min.*

ANGOIXA *(Angustia, 1987)*

Ambientada en Estados Unidos y rodada en inglés, pero íntegramente realizada en estudios catalanes, el sexto largometraje de Bigas Luna* es una personal película de terror con una curiosa estructura. Narra cómo un asesino, manejado por su perversa madre vidente, especializada en arrancar ojos, entra en un cinematógrafo, donde proyectan una película de monstruos, y comienza a matar espectadores, pero tan sólo es otra película que exhiben en otro local, entre cuyos espectadores destacan dos muchachas y un hombre que se siente identificado con el protagonista y también comienza a matar. El resultado es algo muy parecido a una atractiva producción norteamericana de serie B, llena de humor y reflexiones filosóficas, pero no se sitúa entre las películas más personales de Bigas Luna*.

Director y guionista: *Bigas Luna*. Fotografía: *José María Civit*. Música: *J. M. Pagan*. Intérpretes: *Zelda Rubinstein, Michael Lerner, Talia Paul, Ángel Jové, Clara Pastor*. Producción: *Pepón Coromina para Samba, Luna Films*. Duración: *93 min.*

ANTES LLEGA LA MUERTE *(1964)*

Mucho antes de la moda de los llamados *spaghetti-western*, películas ambientadas en el Oeste norteamericano rodadas en Almería o Esplugas de Llobregat en coproducción con Italia, el guionista y realizador Joaquín L.

Romero-Marchent* ya trabaja en el subgénero con títulos como *El Coyote* (1954) y *La justicia del Coyote* (1954) o *La sombra del Zorro* (1962) y *La venganza del Zorro* (1962). Su mejor película dentro del subgénero y la mejor rodada por un director español es ésta que, con una clara estructura de itinerario y bastante carga personal, narra cómo el granjero Clifford (Paul Piaget) debe arriesgar la seguridad de la caravana que conduce hasta territorio mexicano para que un médico pueda hacer una delicada intervención quirúrgica a su mujer (Gloria Milland). Lejos de la violencia y falta de ambiciones que no tarda en invadir el subgénero, logra un relato con cierta humanidad, buen desarrollo dramático y eficaz dirección.

Director: *Joaquín L. Romero-Marchent*. Guionistas: *Federico de Urrutia, Joaquín L. Romero-Marchent, Manuel Sebares*. Fotografía: *Rafael Pacheco*. Música: *Riz Ortolani*. Intérpretes: *Paul Piaget, Gloria Milland, Jesús Puente, Fernando Sancho, Robert Hundar*. Producción: *Centauro Films (Madrid), P.E.A. Produzioni (Roma)*. Duración: *94 min*.

ANTONUTTI, Omero *(Basiliano, Udine, Italia, 1935)*

Debuta como actor de teatro en 1965 y desarrolla una importante actividad hasta mediados de los años setenta, sobre todo en espectáculos dirigidos por Luigi Squarzina. Su primera película es *Processo per direttissima* (1973), de Lucio de Caro, y desde entonces trabaja especialmente en Italia con los hermanos Taviani, *Padre patrón* (Padre padrone, 1977), *La noche de san Lorenzo* (La notte di san Lorenzo, 1982), *Kaos* (1984), *Buenos días, Babilonia* (Good Morning, Babilonia, 1987); con Elio Petri, *Le mani sporche* (1979); con Fabio Carpi, *Quarteto Basileus* (1981); y con el griego Théo Angelopoulos en *Alejandro el Grande* (O megalèxandros, 1980). En España rueda por primera vez en la conflictiva coproducción hispano-italo-francesa *La verdad sobre el caso Savolta* * (1978), de Antonio Drove*, y posteriormente vuelve a hacerlo en *El sur* * (1983), de Víctor Erice*; *El Dorado* * (1987), de Carlos Saura*; *Una estación de paso* (1992), de Gracia Querejeta; *El maestro de esgrima* * (1992), de Pedro Olea*, pero siempre doblado. Sin olvidar sus trabajos para televisión *El rey y la reina* (1984), de José Antonio Páramo; *Los pazos de Ulloa* (1985), de Gonzalo Suárez*; *Sandino* (1989), del chileno Miguel Littín.

AÑO DE LAS LUCES, EL *(1986)*

Finalizada la guerra española, el teniente José Morales (Santiago Ramos) lleva a sus hermanos Manolo (Jorge Sanz*), de quince años, y Jesús (Lucas Martín), de once, desde Madrid a un preventorio antituberculoso infantil en Extremadura, cerca de Portugal, regido por la Sección Femenina.

Allí Manolo recibe una peculiar educación sentimental entre las enseñanzas de doña Tránsito (Chus Lampreave), «Bendice Señor esta mesa y los alimentos que vamos a tomar, al Caudillo, a José Antonio, a los caídos por Dios y por España, al Führer, al Duce y al emperador del Japón», la fascinación que causa en la directora Irene (Verónica Forqué*) y alguna de las muchachas que allí trabajan, como Vicenta (Violeta Cela) y Paquita (Diana Peñalver), y el amor que despierta en María Jesús (Maribel Verdú*), la sobrina, o más bien hija, del cura don Teódulo (José Sazatornil), siempre bajo los sabios consejos del envejecido Emilio (Manuel Alexandre), un afrancesado republicano admirador de Buenaventura Durruti. Tras un prólogo demasiado largo, centrado en el viaje en autobús hasta el preventorio, la película adquiere fuerza y Fernando Trueba* cuenta muy bien, sobre guión de Rafael Azcona* y suyo, una atípica historia sentimental, con carga crítica y humorística, en un entorno opresor. Su éxito lleva a un equipo muy similar a hacer *Belle époque** (1992), una historia en buena medida paralela, ambientada en los mejores años de la II República, donde otro jovencito sufre otra peculiar educación sentimental, aunque esta vez a cargo de cuatro hermanas.

Director: *Fernando Trueba*. Guionistas: *Rafael Azcona, Fernando Trueba*. Fotografía: *Juan Amorós*. Música: *Francisco Guerrero*. Intérpretes: *Jorge Sanz, Maribel Verdú, Manuel Alexandre, Lucas Martín, Verónica Forqué, Santiago Ramos, Chus Lampreave*. Producción: *Andrés Vicente Gómez para Compañía Iberoamericana de Televisión*. Duración: *100 min.*

APARTADO DE CORREOS 1001
(1950)

A comienzos de los años cincuenta, y a pesar de las dificultades de censura que encuentra para su normal desarrollo, se realizan algunas interesantes películas policiacas en Barcelona, entre las que destacan *Brigada criminal** (1950), de Ignacio F. Iquino*, y esta. Basada en un guión de los más tarde también realizadores Antonio Isasi* y Julio Coll*, narra la compleja trama que lleva a esclarecer un crimen cometido en plena calle. Correctamente realizada por un casi debutante Julio Salvador*, es una de sus pocas incursiones en el género y su gran éxito. Destaca el buen ritmo narrativo de la persecución final por un parque de atracciones. Supone la consagración del actor Conrado San Martín*, que encarna al inspector de policía protagonista.

Director: *Julio Salvador*. Guionistas: *Antonio Isasi Isasmendi, Julio Coll*. Fotografía: *Federico G. Larraya*. Música: *Maestro Ferrés*. Intérpretes: *Conrado San Martín, Elena Espejo, Tomás Blanco, Manuel de Juan, Carlos Muñiz*. Producción: *Emisora Films*. Duración: *96 min.*

Conrado San Martín en *Apartado de correos 1001*, de Julio Salvador

ARANDA, Vicente *(Vicente Aranda Ezquerra. Barcelona, 1926)*

Desde muy joven trabaja en diversos oficios; en 1949 emigra a Venezuela y llega a alcanzar un puesto importante en la empresa de informática N.C.R. Vuelve a España en 1956, intenta ingresar en el Instituto de Investigaciones y Experiencias Cinematográficas, pero no puede porque no ha acabado el Bachillerato; se instala en Barcelona y crea una productora con la que hace sus primeras películas. Debuta con *Brillante porvenir* (1964), codirigida por motivos sindicales con el coguionista Roman Gubern*, una obra de tono realista demasiado distorsionada por la censura. Le siguen dos de las películas más características de la denominada *Escuela de Barcelona*, ambas basadas en narraciones de Gonzalo Suárez*, *Fata Morgana** (1966), donde aparece en estado puro el realismo fantástico que propugna el grupo, y *Las crueles** (1969), donde está mezclado con algunos elementos comerciales. Sus siguientes trabajos se sitúan en la cuerda floja que une lo comercial con lo personal: *La novia ensangrentada* (1972), una historia de terror destrozada por la censura; *Clara es el precio* (1974), un fallido intento de comedia erótica con incipientes desnudos; *Cambio de sexo* (1976), la correcta y fría historia de un transexual, realizada con mayor libertad, que marca su encuentro con Victoria Abril*. Posteriormente pasa a ser un excelente adaptador de novelas españolas contemporáneas, que convierte en personales y duras películas, como *La muchacha de las bragas de oro** (1980), *Si te dicen que caí** (1989), *El amante bilingüe** (1993), sobre las obras homónimas de Juan Marsé; *Asesinato en el Comité Central* (1982), basada en la novela del mismo título de Manuel Vázquez Montalbán; *Fanny Pelopaja** (1984), sobre la narración policiaca del especialista Andreu Martín*; *Tiempo de silencio* (1986), basada en el clásico de Luis Martín Santos; *El Lute, camina o revienta** (1987) y *El Lute II, mañana seré libre* (1988), sobre la biografía del famoso quinqui Eleuterio Sánchez; *La pasión turca** (1994), adaptación de la novela de Antonio Gala. Realiza dos importantes trabajos para televisión, la serie *Los jinetes del alba* (1990), adaptación de la novela homónima de Jesús Fernández Santos, y el episodio *El crimen del capitán Sánchez* (1985), de la serie *La huella del crimen*, que le pone en contacto con el productor Pedro Costa* y el guionista Álvaro del Amo*. Con su colaboración, y sobre guiones originales, hace sus películas más importantes, *Amantes** (1991) e *Intruso** (1993), donde lleva hasta sus últimas consecuencias las relaciones entre el amor y la muerte a través de la pasión, ya planteado en obras anteriores. Tras quince años logra rodar *Libertarias* (1996), un eficaz y personal fresco sobre la guerra española.

ARDAVÍN, César *(César Fernández-Ardavín Ruiz. Madrid, 1923)*
Sobrino del también realizador Eusebio Fernández Ardavín*, comienza su carrera cinematográfica como ayudante de dirección de su tío. Tras escribir algunos guiones, entre los que pueden citarse los de *Neutralidad* (1949), de Eusebio Fernández Ardavín*, y *La gata** (1955), de Margarita Alexandre y Rafael Torrecilla, pasa a la dirección con *La llamada de África* (1952), una historia de espionaje ambientada en África; *Crimen imposible* (1954), un pretencioso policiaco; y *La puerta abierta* (1956), un irregular melodrama realizado en coproducción con Italia. Tras el típico drama anticomunista ... *y eligió el infierno* (1957), consigue su mayor éxito con *El lazarillo de Tormes** (1959), blanda adaptación del clásico de la novela picaresca rodado en coproducción con Italia que gana el Oso de Oro del Festival de Berlín. Más tarde rueda la irregular comedia *Festival* (1960), ambientada en el Festival de San Sebastián, y los dramas *Cerca de las estrellas* (1961), sobre la obra teatral de Ricardo López Aranda, y *La frontera de Dios* (1963), basada en la novela del sacerdote José Luis Martín Descalzo, antes de conseguir otro éxito con una

mala versión de *La Celestina* (1969), de Fernando de Rojas, gracias a los tenues desnudos de Elisa Ramírez. Mientras tanto, crea la productora Aro Films, para la que escribe y dirige más de doscientos documentales turísticos sin el menor interés. Sus últimos largos, el policiaco *Hembra* (1970), el panfleto antiabortista *No matarás* (1974) y la adaptación de la novela homónima de Benito Pérez Galdós *Doña Perfecta* (1977), carecen de cualquier atractivo.

ARGENTINA, Imperio *(Magdalena Nile del Río. Buenos Aires, Argentina, 1906)*

Hija del guitarrista Antonio Nile y la actriz Rosario del Río, nace casualmente en Argentina durante una gira de sus padres. Educada en Málaga, estudia danza y a los doce años debuta en el teatro de la Comedia de Buenos Aires. Tras recorrer con gran éxito Latinoamérica, regresa a España en 1926, al año siguiente la descubre el realizador Florián Rey* mientras actúa en el teatro Romea de Madrid y le da el papel protagonista de la versión muda de *La hermana san Sulpicio* (1927). Nace así una estrecha y fructífera colaboración, que les lleva a casarse entre 1934 y 1947 y a rodar juntos una decena de largometrajes en muy diferentes circunstancias. Van desde las iniciales producciones mudas, *Los*

Imperio Argentina en *Carmen, la de Triana*, de Florián Rey

claveles de la Virgen (1928); las versiones castellanas de producciones norteamericanas rodadas en los estudios franceses de Joinville, *Buenos días* (1931); y los grandes éxitos para la productora Cifesa durante la II República, *Nobleza baturra** (1935), *Morena Clara** (1936), hasta las películas rodadas en la Alemania nazi durante la guerra española, *Carmen, la de Triana* (1936), *La canción de Aixa* (1939) y su fallido trabajo en la posguerra, *La cigarra* (1948). Del resto de su no muy abundante producción hay que destacar *Goyescas* (1942) y *La copla de la Dolores* (1947), de Benito Perojo*, y *Bambú* (1945), de José Luis Sáenz de Heredia*. Retirada desde principios de los años cincuenta, entre sus esporádicas interpretaciones posteriores destacan sus importantes papeles secundarios en *Con el viento solano* (1965), de Mario Camus*, y *Tata mía** (1986), de José Luis Borau*. Una de sus películas más importantes es *Tosca* (1940), que comienza a rodar en Italia bajo la dirección del gran realizador francés Jean Renoir, pero que por culpa de la II Guerra Mundial la acaba y firma su ayudante alemán Karl Koch.

ARIAS, Imanol (*Manuel Arias Domínguez. Riaño, León, 1956*)
De niño se instala con su familia en la localidad vasca de Ermua. Abandona sus estudios de electrónica en la Universidad Laboral de Éibar, primero para trabajar en compañías de teatro independiente en el País Vasco y después para trasladarse a los diecinueve años a Madrid y hacer papelitos en cine y televisión. Su carrera comienza cuando Adolfo Marsillach* le contrata para integrar la compañía del Centro Dramático Nacional de Madrid y en Cuba protagoniza *Cecilia* (1981), de Humberto Solás. Tras unos irregulares comienzos en que no acaba de aprovechar las grandes oportunidades que suponen *Demonios en el jardín** (1982), de Manuel Gutiérrez Aragón*; *Bearn o la sala de las muñecas** (1983), de Jaime Chávarri*; y *La muerte de Mikel** (1983), de Imanol Uribe*, su primera gran interpretación es la del saxofonista de *Lulú de noche* (1985), de Emilio Martínez-Lázaro*. Su trabajo sube de calidad de la mano de Vicente Aranda* en *Tiempo de silencio** (1986), *El Lute, camina o revienta** (1987), *El Lute II, mañana seré libre* (1988) e *Intruso** (1993). Adquiere gran popularidad con las series de televisión de Pedro Masó* *Anillos de oro* (1983) y *Brigada central* (1989). Debuta como director con el mediocre policiaco *Un asunto privado* (1996).

ARMENDÁRIZ, Montxo (*Juan Ramón Armendáriz Barrios. Olleta, 1949*)
Estudia electrónica y posteriormente da clases en el Instituto Politécnico de Pamplona. Tras realizar algunos cortos, entre los que sobresale *Carboneros de Navarra* (1981), vuelve a tratar el mismo

tema en su primer largometraje, *Tasio** (1984), que rueda para el personal productor Elías Querejeta*. Menos interés tienen *27 horas* (1986), convencional historia de drogadictos ambientada en San Sebastián, *Las cartas de Alou* (1990), poco convincente narración sobre la emigración africana clandestina, e *Historias del Kronen* (1995), adaptación de la novela de J. A. Mañas, que vuelve a escribir y dirigir para Querejeta*.

ARMIÑÁN, Jaime de *(Jaime de Armiñán Oliver. Madrid, 1927)*
Licenciado en derecho, colabora en las revistas *Fotos* y *Dígame* y no tarda en estrenar obras teatrales con regularidad. Entre ellas pueden citarse *Café del Liceo, Pisito de solteras, El último tranvía, Eva sin manzana, Nuestro fantasma,* con las que gana los premios Calderón de la Barca y Lope de Vega. Sus éxitos teatrales durante los años cincuenta le llevan a escribir guiones para televisión a finales de la década y convertirse en uno de sus más prolíficos guionistas durante la siguiente, con series como *Galería de maridos, Confidencias* y *Las doce caras de Eva.* Mientras tanto también desarrolla una carrera paralela como guionista cinematográfico colaborando especialmente con José María Forqué* en *El secreto de Mónica* (1961), *La becerrada* (1962), *El juego de la verdad* (1963), *Tengo 17 años* (1964), *Zarabanda bing bing* (1964), *Un diablo bajo la*

almohada (1967). Comienza dirigiendo películas anodinas y de aprendizaje, *Carola de día, Carola de noche* (1969), una producción al servicio de una Marisol* en plena decadencia, *La Lola dicen que no vive sola* (1970), una frustrada historia con Serena Vergano*, y *Un casto varón español* (1973), una comedieta según la moda de la época, pero entre ellas rueda dos obras de interés, *Mi querida señorita** (1971), gracias a la colaboración como guionista y productor de José Luis Borau*, y *El amor del capitán Brando** (1974), por contar con un sólido guión de Juan Tebar* y suyo. Tras *¡Jo, Papá!* (1975), *Nunca es tarde* (1977) y *Al servicio de la mujer española* (1978), demasiado ancladas en la comedia de costumbres, logra su mejor película con *El nido** (1980). Posteriormente continúa con este tipo de comedias en *En septiembre** (1981), *Stico* (1984), *La hora bruja** (1985), *Mi general* (1987), obteniendo diferentes resultados. Durante los últimos años vuelve a televisión, donde obtiene gran éxito escribiendo y dirigiendo series como *Juncal* (1988) y *Una gloria nacional* (1993).

AROZAMENA, Jesús María *(Jesús María Arozamena Berasategui. San Sebastián, 1918-?, 1972)*
Maestro nacional y licenciado en derecho, desde muy joven trabaja como periodista. Sus obras como dramaturgo le llevan a escribir guiones; no tarda en espe-

cializarse en musicales al servicio de *estrellas* de la canción y durante los años cincuenta y sesenta colabora en más de treinta. Escribe para Luis Mariano *El sueño de Andalucía* (1950), de Robert Wermay; *Violetas imperiales* (1952), de Richard Pottier; y *Aventuras del barbero de Sevilla* (1954), de Ladislao Vajda*; para Carmen Sevilla* *Un caballero andaluz* (1954), de Luis Lucia*, y *La fierecilla domada** (1955), de Antonio Román*; para Sara Montiel *El último cuplé* (1957), de Juan de Orduña*; *La violetera* (1958), *Mi último tango* (1960), *Pecado de amor* (1961), de Luis César Amadori*; *Carmen, la de Ronda* (1959), de Tulio Demicheli*; *La*

reina de Chantecler (1962), *Samba* (1964), de Rafael Gil*; y *La dama de Beirut* (1965), de Ladislao Vajda*; para Rocío Dúrcal* *Más bonita que ninguna* (1965), *Acompáñame* (1966), *Buenos días, condesita* (1966), *Amor en el aire* (1967), *Cristina Guzmán* (1968), de Luis César Amadori*; y *Las leandras* (1969), de Eugenio Martín*.

ARREBATO *(1979)*

Las relaciones entre José Sirgado (Eusebio Poncela*), un realizador de películas de terror de tercera fila con problemas creativos, Ana Turner (Cecilia Roth), su ex amante adicta a la heroína y protagonista de sus últimas

Cecilia Roth y Eusebio Poncela en *Arrebato,* de Iván Zulueta

producciones, y Pedro (Wil-More), un extraño personaje entusiasmado por el cine que rueda constantemente la vida cotidiana en super-8, dan lugar a una peculiar obra que pasa desapercibida en el momento de su estreno y más tarde se convierte en una *película de culto*. A través de unas imágenes especialmente atractivas plantea unas curiosas relaciones entre cine y vampirismo, al tiempo que encierra una fuerte carga autodestructiva, una peculiar reflexión sobre la droga y una apología del suicidio. Se trata del mejor trabajo de Iván Zulueta, un realizador marginal, perdido en la realización de fascinantes super-8 y vídeos caseros, que tan sólo ha realizado algunos cortometrajes, un par de largos y varios programas de televisión. Narrada a lo largo de varios *flash-back*, con el apoyo de una voz en *off* para intentar integrar la parte final en el conjunto, la historia de cómo el protagonista se suicida vampirizado con una cámara de super-8 con la que se rueda a sí mismo, que tiene demasiada autonomía. Destaca una eficaz fotografía en Eastmancolor de Ángel Luis Fernández* y la interpretación de la argentina Cecilia Roth.

Director y guionista: *Iván Zulueta*. Fotografía: *Ángel Luis Fernández*. Música: *Grupo Negativo*. Intérpretes: *Eusebio Poncela, Cecilia Roth, Wil-More, Marta Fernández-Muro, Carmen Giralt*. Producción: *Augusto Martínez Torres para N.A.P.C.* Duración: *110 min.*

ARREGLO, EL *(1983)*

Tras dos años de convalecencia por una herida recibida en acto de servicio, Crisanto Perales, alias Sultán (Eusebio Poncela*), inspector de policía, recibe el encargo de investigar un caso aparentemente sencillo, pero que no tarda en complicarse hasta envolver a algunos de sus compañeros. Con estos elementos el debutante José Antonio Zorrilla hace una atractiva película policiaca, con los mejores ingredientes del género, que se desarrolla en un Madrid no habituado a este tipo de intrigas.

Director y guionista: *José Antonio Zorrilla*. Fotografía: *Andrés Berenguer*. Música: *Francisco Estévez*. Intérpretes: *Eusebio Poncela, Isabel Mestre, Pedro Díez del Corral, Mamen del Valle*. Producción. *Fuenteálamo P. C.* Duración: *100 min.*

ARRIBAS, Fernando *(Fernando Arribas Campa. Madrid, 1940)*

Diplomado en fotografía en 1963 en la Escuela Oficial de Cinematografía, de la que posteriormente es profesor auxiliar, se incorpora en seguida a la profesión como segundo operador. Debuta como director de fotografía con *La casa de las palomas* (1971), de Claudio Guerin, y se convierte en uno de los más prolíficos de su generación al rodar casi setenta películas en poco más de veinte años. Entre sus trabajos cabe destacar *La novia ensangrentada* (1972), de Vicente Aranda*; *Ceremonia sangrienta* (1972), de Jorge Grau*; *Tormento* * (1974), *Pim, pam, pum... ¡fuego!* * (1975), *La Corea* (1976) y *Un hombre llamado «Flor de Otoño»* * (1978), de Pedro Olea*; *Los claros motivos del deseo* (1977), de Manuel Picazo*; *El monosabio* * (1978), de Ray Rivas; *Camila* (1984), de María Luisa Bemberg; *La casa de Bernarda Alba* * (1987), de Mario Camus*; *La noche más larga* * (1991), de José Luis García Sánchez*.

ARROYO, Alberto *(Alberto Arroyo Villarreal. Talavera de la Reina, Toledo, 1894-Madrid, 196?)*
Después de una etapa como aprendiz en unos laboratorios fotográficos, en 1912 comienza a trabajar como reportero en el periódico *Los Sucesos* de Madrid. Asociado a Enrique Blanco*, en 1916 empieza a hacer reportajes cinematográficos y cuatro años después, tras rodar en colaboración algunos largometrajes, firma en solitario la fotografía de *La inaccesible* (1920), de José Buchs*, para la productora Atlántida Films. Durante los años veinte trabaja en especial con José Buchs*, *La verbena de la Paloma* (1921), *Pilar Guerra* (1926), y Florián Rey*, *Gigantes y cabezudos* (1925), *Agustina de Aragón* (1928), *La aldea maldita* * (1929). Aunque continúa trabajando con cierta regularidad

hasta mediados de los años cuarenta, su ritmo desciende con la llegada del sonoro y se dedica especialmente a los laboratorios madrileños que llevan su nombre y funda en 1926.

ARTIGOT, Raúl *(Raúl Artigot Fernández. Zaragoza, 1936)*
Diplomado en fotografía en 1961 en la Escuela Oficial de Cinematografía, debuta como director de fotografía en *Los diablos rojos* (1966), de José Luis Viloria. Trabaja en especial con Germán Lorente* en *Su nombre es Daphne* (1966), *Un día después de agosto* (1967), *Cover Girl* (1967), *Sharon vestida de rojo* (1968), *Las nenas del minimini* (1969), *Coqueluche* (1970), *Una chica casi decente* (1971), *¡Qué cosas tiene el amor!* (1971). Del resto de su producción también cabe citar *La semana del asesino* (1971) y *La criatura* (1977), de Eloy de la Iglesia*; pero sobre todo *Los fieles sirvientes* (1980), *La plaça del Diamant* (1982) y *Réquiem por un campesino español* * (1985), de Francesc Betriu*. También trabaja como productor y guionista y dirige tres películas: *El monte de las brujas* (1972), *Cabo de Vara* (1978) y *Bajo en nicotina* (1984).

ASIGNATURA PENDIENTE *(1977)*
«Nos han robado tantas cosas. Las veces que tú y yo debimos hacer el amor y no lo hicimos. Los libros que debimos leer.

Fiorella Faltoyano y José Sacristán en *Asignatura pendiente,* de José Luis Garci

Cosas que debimos pensar. ¡Qué se yo! Todo eso es lo que no les puedo perdonar. Me parece que es como si nos hubiera quedado algo colgado, como aquellas asignaturas que quedaban pendientes de un curso para otro, como si no hubiéramos acabado la carrera. Y además sé que nos vamos a morir sin acabarla.» Gracias a esta frase el abogado laboralista José (José Sacristán*) consigue acostarse con Elena (Fiorella Faltoyano*), su olvidado primer amor de los veraneos adolescentes en el madrileño pueblo de Miraflores, sobre el bien trabajado fondo de la enfermedad y muerte del general Franco y viejas canciones del Dúo Dinámico, Los Llopis, Los Cinco Latinos y Gloria Lasso. Prosiguiendo el camino emprendido en sus películas como guionista, en la denominada *Tercera vía,* José Luis Garci* consigue un gran éxito en su primer largometraje como director, realizado con la colaboración de José María González Sinde*, que se convierte en una obra clave del cine de la transición. Narrado mediante un largo *flash-back*, con el paso de los años resulta todavía más evidente que mientras el trasfondo político y sentimental funciona bien, el anodino adulterio machista que se ve en primer término carece de cualquier atractivo, está mal contado y es aburrido. No obstante, hay que recordar que en el momento de su estreno, tras el plúmbeo final, y cuando aparece la larguísima dedicatoria que comienza: «A nosotros, que supimos, cuando ya no había remedio, que aquel mundo imperial en Cinemascope y color De Luxe, que nos habían prometido en el colegio y en tantos discursos y sermones, no existiría nunca», mientras Gloria Lasso canta *Luna de miel*, la gente se ponía de pie y aplaudía con toda su alma.

Director: *José Luis Garci*. Guionistas: *José Luis Garci, José María González Sinde*. Fotografía: *Manuel Rojas*. Música: *Jesús Gluck*. Intérpretes: *José Sacristán, Fiorella Faltoyano, Antonio Gamero, Silvia Tortosa, Héctor Alterio*. Producción: *José María González Sinde para José Luis Tafur P. C.* Duración: *95 min.*

ASINS, Miguel (*Miguel Asins Arbó. Valencia, 1916*)

Estudia la carrera de música en el Conservatorio de Valencia, es autor de obras sinfónicas y pertenece al cuerpo de directores de músicas militares. En cine trabaja sobre todo durante los años sesenta y debe su fama a ser autor de la música de *Plácido* * (1961), *El verdugo* * (1963), el episodio *La muerte y el leñador*

de *Las cuatro verdades* (1963) y *La vaquilla* (1985), de Luis G. Berlanga*, así como la de *Los chicos* * (1959) y *El cochecito* * (1960), de Marco Ferreri*, pero hay que reconocer que es tan personal como poco acorde con las películas. Entre el resto de su nada atractiva filmografía, integrada por más de cincuenta títulos, sólo destaca *El buen amor* * (1963), de Francisco Regueiro*.

¡ÁTAME! (*1989*)

Gran admirador de Marina (Victoria Abril*), una actriz porno ex drogadicta, Ricky (Antonio Banderas*) decide raptarla cuando finalmente es dado de alta en el psiquiátrico. Va al rodaje de su película, la sigue hasta su casa, logra entrar y durante varios días la hace su prisionera hasta que ella, víctima de un *síndrome de Estocolmo* especialmente agudo, se enamora perdidamente de él y deciden vivir juntos. Si esta situación única está bien desarrollada y funciona con perfección, en gran parte debido al brillante trabajo interpretativo de Victoria Abril* y Antonio Banderas*, ocurre todo lo contrario con la del realizador paralítico que hace su última película. Ni Francisco Rabal* consigue que su personaje resulte convincente, ni son buenas las escenas iniciales durante el rodaje y se agradece que desaparezca a mitad del relato. En la medida que una historia sirve de complemento a la otra, ambas resultan

Antonio Banderas y Victoria Abril en *¡Átame!*, de Pedro Almodóvar

desequilibradas. Con algunos momentos muy brillantes, como el del hombre rana de juguete que patalea en la bañera entre las piernas de Victoria Abril*, destaca la fotografía en Eastmancolor de José Luis Alcaine* y, sobre todo, la música del italiano Ennio Morricone.

Director y guionista: *Pedro Almodóvar*. Fotografía: *José Luis Alcaine*. Música: *Ennio Morricone*. Intérpretes: *Victoria Abril, Antonio Banderas, Francisco Rabal, Loles León, Julieta Serrano*. Producción: *Agustín Almodóvar para El Deseo*. Duración: *101 min*.

ATRACADORES, LOS *(1961)*

Dividida en tres partes, Inquietud, Violencia y Muerte, no muy diferenciadas, narra cómo tres jóvenes, el estudiante Vidal (Pierre Brice), el obrero Ramón (Manuel Gil) y el maleante Carmelo (Julián Mateos*), forman la banda *Los corteses* e, impulsados por el primero, pasan de hacer atracos en pequeños comercios y farmacias a llegar a matar al encargado de un cine para robar la recaudación. Siguiendo por este camino no tardan en ser apresados, Vidal muere durante un tiroteo con la policía, Ramón es condenado a cadena perpetua y Carmelo a garrote vil. Rodada con un tono realista, Rovira Beleta* consigue una de sus mejores películas, donde destaca la escena final de la ejecución, insólita dentro del cine español de la época. El coproductor francés añade en su versión unas escenas eróticas, muy malas, que ocurren en un *meublé* de la Diagonal.

Director: *Francesc Rovira Beleta.* Guionistas: *Rovira Beleta, Manuel Saló.* Fotografía: *Aurelio G. Larraya.* Música: *Federico Martínez Tudó.* Intérpretes: *Pierre Brice, Manuel Gil, Julián Mateos, Agnes Spaak, María Asquerino, Enrique Guitart.* Producción: *José Carreras para Pecsa Films (Barcelona) y X (París).*

ATRACO A LAS TRES *(1962)*

Tomando como claro punto de referencia la conocida «comedia a la italiana» *Rufufú* (I soliti ignoti, 1958), de Mario Monicelli, una eficaz parodia de la producción francesa *Rififí* (Du rififi chez les hommes, 1956), dirigida por el norteamericano Jules Dassin, donde un grupo de ladronzuelos trata de dar un golpe perfecto como en las películas de Hollywood, pero todo les sale mal, se desarrolla esta eficaz comedia que se sitúa entre las mejores de su género y los más logrados trabajos de José María Forqué*. Narra cómo un día Galíndez (José Luis López Vázquez*), el cajero de una sucursal urbana de un banco, convence a sus compañeros para robar su propio banco, pero en el momento de cometer su fechoría, aparecen unos atracadores de verdad, los empleados acaban capturándoles y recibiendo una paga extraordinaria por su heroico comportamiento. Dentro de una fluida y eficaz dirección, destaca el trabajo de un bien conjuntado equipo de actores secundarios, entre los que cabe citar a Cassen, Manuel Alexandre, José Orjas, Alfredo Landa* y Rafaela Aparicio.

Director: *José María Forqué.* Guionistas: *Vicente Coello, Pedro Masó.* Fotografía. *Alejandro Ulloa.* Música: *Adolfo Waitzman.* Intérpretes: *Cassen, José Luis López Vázquez, Gracita Morales, Katia Loritz, Manuel Díaz González.* Producción: *Hesperia Films, Pedro Masó P. C.* Duración: *86 min.*

¡AY, CARMELA! *(1990)*

A partir de la obra homónima teatral de gran éxito original de José Sanchís Sinisterra, el realizador Carlos Saura* y el guionista Rafael Azcona* vuelven a colaborar, tras diecisiete años de separación, para dar una peculiar visión de la guerra española. Narra cómo la compañía de espectáculos «Carmela y Paulino, varietés a lo fino», formada por Carmela (Carmen Maura*), Paulino (Andrés Pajares*) y el joven Gustavete (Gabino Diego*), tras entretener a las tropas de primera línea por una orden del mando republicano, deciden irse a Valencia, pero se pierden por el camino, entran en la zona rebelde, son detenidos y cuando creen que van a ser fusilados, aparece un teniente italiano (Maurizzio di Razza), apasionado del teatro, que organiza una función y les propone trabajar en ella. Con notables variaciones sobre el ori-

Andrés Pajares, Carmen Maura y Gabino Diego en ¡Ay, Carmela!, de Carlos Saura

ginal, en la medida que sólo eran dos personajes que recordaban sus desventuras y recreaban algunas, es una buena mezcla de tragedia y comedia, con algunas escenas muy logradas, pero cierto desequilibrio final. Muy alejada del resto de la obra de Saura, es una de la grandes películas sobre la guerra española y marca el paso de Andrés Pajares* de la comedieta al cine de autor.

Director: *Carlos Saura*. Guionistas: *Rafael Azcona, Carlos Saura*. Fotografía: *José Luis Alcaine*. Música: *Alejandro Massó*. Intérpretes:

Carmen Maura, Andrés Pajares, Gabino Diego, Maurizio di Razza, Miguel Rellán. Producción: *Andrés Vicente Gómez para Iberoamericana Films Internacional.* Duración: *105 min.*

AZCONA, Rafael *(Rafael Azcona Fernández. Logroño, 1926)*

Llega a Madrid a principios de los años cincuenta y en seguida comienza a colaborar en el diario *Pueblo* y en el semanario de humor *La Codorniz*, donde crea el personaje del repelente niño Vicente, mientras publica algunas novelas, *Los muertos no se tocan, nene, Los ilusos, Los europeos.* A finales de la década de los cincuenta conoce al productor y realizador italiano Marco Ferreri* que, sobre guiones de ambos, dirige *El pisito* * (1958) y *El cochecito* * (1960), basadas en novelas suyas, que no sólo incorporan un personal humor negro al cine español, sino que son origen de una larga colaboración, cuyos puntos más destacados son las producciones italianas *L'ape regina* (1963), *Se acabó el negocio* (La donna scimmia, 1964), *La audiencia* (L'udienza, 1971), *La gran comilona* (La grande abbufata, 1973), *Los negros también comen* (Y'a bon les blancs, 1987). Al mismo tiempo, y también dentro del humor negro, desarrolla una brillante colaboración con Luis G. Berlanga* en *Plácido* * (1961), *El verdugo* * (1963), *¡Vivan los novios!* (1969), *Tamaño natural* * (1973), *La escopeta nacional* * (1977), *Patrimonio nacional* * (1981), *Nacional III* * (1982) y *La vaquilla* * (1984). En una línea muy diferente se sitúan los guiones que escribe para Carlos Saura* y dan lugar a *Peppermint frappé* * (1967), *La madriguera* * (1969), *El jardín de las delicias* (1970), *Ana y los lobos* * (1972), *La prima Angélica* * (1973) y *¡Ay, Carmela!* * (1990). Entre un total de casi cien guiones escritos a lo largo de treinta y cinco años, también destacan los que originan *Pim, pam, pum... ¡fuego!* * (1975), de Pedro Olea*; *El anacoreta* * (1976), de Juan Estelrich; *El año de las luces* * (1986) y *Belle epoque* * (1992), de Fernando Trueba*; *El bosque animado* * (1987), de José Luis Cuerda*; *El vuelo de la paloma* (1989); *Tirano Banderas* * (1993), de José Luis García Sánchez*; *El rey del río* * (1995), de Manuel Gutiérrez Aragón*, y *Suspiros de España (y Portugal)* (1995), de José Luis García Sánchez*. Menos interés tienen los guiones que escribe para el italiano Gian Luigi Polidoro y los españoles José María Forqué* y Pedro Masó*, con quienes también colabora con cierta asiduidad.

DICCIONARIO
DEL
CINE ESPAÑOL

B

BAENA, Juan Julio *(Juan Julio Baena Álvarez. Madrid, 1925)*

Perteneciente a la primera promoción del Instituto de Investigaciones y Experiencias Cinematográficas, se diploma en fotografía en 1951, pero no realiza sus primeros largometrajes profesionales hasta varios años después. Gracias a la nueva fotografía realista que plantea *Los golfos** (1959), de Carlos Saura*, y en menor medida *El cochecito** (1960), de Marco Ferreri*, sus dos primeras películas, se convierte en el director de fotografía de buena parte del llamado *Nuevo cine español: El buen amor** (1963), de Francisco Regueiro*; *Llanto por un bandido* (1963), de Carlos Saura*; *La tía Tula** (1964), de Miguel Picazo*; *Con el viento solano* (1965), de Mario Camus*; a las que hay que añadir *Nunca pasa nada** (1963), de J. A. Bardem*. Apartado de este tipo de cine desde mediados de los años sesenta

también interviene en el menos interesante cine comercial. En 1968 es nombrado director de la Escuela Oficial de Cinematografía, pero debido a su torpe gestión logra poner a los alumnos en su contra y que el centro desaparezca unos años después. Desde mediados de los años setenta se dedica a labores puramente administrativas en Televisión Española.

BAHÍA DE PALMA *(1962)*

A principios de los años sesenta, y como fiel reflejo del despertar turístico del país, Juan Bosch realiza una trilogía ambientada en diferentes playas españolas y protagonizada por Arturo Fernández*. Entre *El último verano* (1961) y *Sol de España* (1963) se sitúa esta producción, cuyo máximo interés radica en ser la primera película española donde aparece una mujer luciendo un sucinto *bikini*, aunque sea la posteriormente famosa actriz alemana

Elke Sommer y en una breve escena. Narra los amores entre Mario (Arturo Fernández*), un buen pianista en decadencia por culpa de su turbio pasado, y Olga (Elke Sommer), la atractiva y malcriada hija de un nuevo rico, entre los que se interpone Clara (Tere del Río), una prima pobre interesada por la música. Mala mezcla de inconsistente historia sentimental y documental turístico, es un antecedente directo de las películas dirigidas por Germán Lorente*.

Director: *Juan Bosch.* Guionistas: *Manuel Vela, José Luis Colina, Juan Bosch.* Fotografía: *Miguel Fernández Milá.* Música: *José Sola.* Intérpretes:

Arturo Fernández, Elke Sommer, Tere del Río, Cassen, Roberto Camardiel. Producción: *Enrique Esteban y Germán Lorente para Este Films.* Duración: *94 min.*

BAILARÍN Y EL TRABAJADOR, EL *(1936)*

Don Carmelo Romagosa (José Isbert*) es el propietario de una próspera fábrica de galletas, su hija Luisa (Ana María Custodio) está enamorada del joven de buena familia Carlos Montero (Roberto Rey*), cuya máxima virtud es haber ganado un concurso de valses en Viena. Para hacer de su futuro yerno un hombre de provecho decide

Roberto Rey, Ana María Custodio y José Isbert en *El bailarín y el trabajador,* de Luis Marquina

darle un puesto en su fábrica, pero el contacto con los empleados le transforma en un eficaz trabajador y hace que desaparezca el amor que unía a la pareja. Con este curioso argumento, basado en la obra de Jacinto Benavente *Nadie sabe lo que quiere*, Luis Marquina* escribe y dirige una comedia que sitúa a la cabeza de sus películas.

Director y guionista: *Luis Marquina*. Fotografía: *Enrique Barreyre*. Música: *Francisco Alonso*. Intérpretes: *Roberto Rey, Ana María Custodio, José Isbert, Antoñita Colomé, Antonio Riquelme, Irene Caba Alba, Mariano Ozores*. Producción: *Cea*. Duración: *84 min*.

BAILE, EL *(1959)*

El fracaso económico de *La ironía del dinero* (1955), debido a la falta de formalidad de los coproductores franceses, lleva a Edgar Neville* al teatro, medio que siempre le había interesado y en el que había logrado repetidos éxitos, y a apartarse del cine. Sólo vuelve cuando el productor José Antonio Yrrisarry le propone hacer una adaptación con el mismo título de su obra teatral de más éxito, estrenada en 1952 y por la que gana el Premio Nacional de Literatura. Narra el amor de dos entomólogos, Pedro (Alberto Closas*) y Julián (Rafael Alonso), por una misma mujer, Adela (Conchita Montes*), en tres momentos diferentes de su vida. En 1905, cuando Pedro y Adela se casan, pero

Julián se va a vivir con ellos. En 1930, en el momento en que ella descubre el grave diagnóstico del médico que los dos amigos le habían ocultado. Y en 1955, al haber triunfado como entomólogos y revivir su amor por Adela en la figura de su nieta Adelita (Conchita Montes*). Sin alcanzar la calidad de sus obras directamente escritas para el cine y con un éxito inferior al de su versión teatral, es una de las películas más conocidas de Neville*.

Director y guionista: *Edgar Neville*. Fotografía: *José Aguayo*. Música: *Gustavo Pitaluga*. Intérpretes: *Conchita Montes, Alberto Closas, Rafael Alonso*. Producción: *José Antonio Yrrisarry para Carabela Films*. Duración: *95 min*.

BAILE DE LAS ÁNIMAS, EL *(1993)*

Interesado por las más ancestrales costumbres gallegas desde que escribe y produce *Flor de santidad* (1972), atractiva adaptación de Ramón del Valle-Inclán destrozada por la censura y única película dirigida por el hombre de teatro Adolfo Marsillach*, el productor, guionista y realizador Pedro Carvajal vuelve a Galicia una y otra vez, tanto en algunos cortos que rueda a finales de los años ochenta, como en la trilogía sobre las relaciones de los hombres con la muerte que comienza a hacer en la década de los noventa. Después de *Martes de Carnaval* (1991), codirigida con Fernando Bauluz, donde están mucho más presentes los vivos que los muertos, en esta segunda entrega narra una historia ambientada en 1948, en una gran casa de campo cercana a La Coruña, a medio camino entre el melodrama y las narraciones de aparecidos. Relata cómo una madre, Adela (Ángela Molina*), y una hija, Mónica (Mónica Molina), con la ayuda de su criada Dorotea (Dorotea Bárcena) y la parienta aparecida Irma (Ana Álvarez), consiguen deshacerse del terrible marido y padre Agustín (José Conde). Una curiosa historia feminista, donde los hombres son débiles o malvados y las mujeres tienen el poder en las manos, se entienden bien entre ellas y se confabulan contra el sexo opuesto.

Director y guionista: *Pedro Carvajal*. Fotografía: *Tote Trenas*. Música: *Manuel Balboa*. Intérpretes: *Ángela Molina, Mónica Molina, Joaquim de Almeida, Dorotea Bárcena, Ana Álvarez, José Conde*. Producción: *Fernando Bauluz para Margen, S. A., Los films del Búho*. Duración: *95 min*.

BAJARSE AL MORO (1989)

Adaptación de la comedia teatral homónima original de José Luis Alonso de Santos, con la que el realizador Fernando Colomo* hace otra más de sus «comedias madrileñas». Las relaciones entre Chusa (Verónica Forqué*) y Jaimito (Juan Echanove*), dos primos que subsisten haciendo regulares viajes a Marruecos para comprar droga y luego venderla

en Madrid, un policía (Antonio Banderas*) y una niña guapa (Aitana Sánchez-Gijón), son el eje en torno al cual gira la acción. Sin perder de vista su origen teatral, conservando la mayoría de los diálogos y aireándola mínimamente, Colomo* consigue una película de una cierta entidad, pero mucho menos éxito que la obra original.

Director: *Fernando Colomo*. Guionistas: *José Luis Alonso de Santos, Joaquín Oristrell, Fernando Colomo*. Fotografía: *Javier Salmones*. Música: *Pata Negra*. Intérpretes: *Verónica Forqué, Antonio Banderas, Aitana Sánchez-Gijón, Juan Echanove, Chus Lampreave, Miguel Rellán*. Producción: *Ion Producciones, Lolafilms*. Duración: *90 min*.

BALARRASA (1950)

Mucho más cercana del cine político-religioso escrito y producido por Vicente Escrivá* y dirigido por Rafael Gil* durante la década de los cincuenta, que del que en realidad le interesa a José Antonio Nieves Conde*, se trata de unos de los grandes éxitos del cine español. A lo largo de un amplio *flash-back*, el misionero Javier Mendoza, alias Balarrasa (Fernando Fernán-Gómez*), recuerda su vida en medio de una tormenta de nieve en Alaska. Cuando una bala perdida acaba con un compañero, a quien había ganado su guardia a las cartas durante la guerra española, el capitán Mendoza se siente responsable, deja su vida

Gerard Tichy, Manolo Morán, Eduardo Fajardo y Fernando Fernán-Gómez en *Balarrasa,*
de José Antonio Nieves Conde

de juergas e ingresa en el seminario. Antes de ordenarse sacerdote e irse a las misiones, hace una última visita a su familia, queda asustado por la dejadez moral en que viven y trata de convertirles. El paso de los años ha acentuado el tono moralizante de su historia y el falso aire realista de su narración hasta llegar a hacer incomprensible su éxito.

Director: *José Antonio Nieves Conde*. Guionista: *Vicente Escrivá*. Fotografía: *Manuel Berenguer*. Música: *Jesús García Leoz*. Intérpretes: *Fernando Fernán-Gómez, María Rosa Salgado, Dina Sten, Luis Prendes, Eduardo Fajardo, Jesús Tordesillas, Maruchi Fresno*. Producción: *Vicente Escrivá para Aspa*. Duración: *93 min*.

BALCÁZAR, Alfonso *(Alfonso Balcázar Granda. Barcelona, 1925-Sitges, Barcelona, 1993)*

Hermano mayor del también realizador Jaime Jesús Balcázar (Barcelona, 1934), es propietario de la productora Balcázar, la distribuidora Filmax y unos estudios de rodaje en Esplugues de Llobregat donde se ruedan numerosos *spaghetti-western* en la segunda mitad de los años sesenta. Más interesado por la comercialidad que la calidad, produce y dirige más de cuarenta largometrajes que se limitan a seguir las modas imperantes en el cine español. Así, tras debutar con *La encrucijada* (1959), folletín ambientado en la guerra española, rueda *¿Dónde vas triste de ti?* (1960), segunda parte de la obra teatral de Juan Ignacio Luca de Tena, las comedietas *Los castigadores* (1961), *Piso de soltero* (1963), y el musical con Sara Montiel* *La bella Lola* (1962). La moda de los *spaghetti-western* le hace realizar muchos, entre los que cabe citar *Sonora* (1969), tanto bajo su nombre como con el seudónimo Al Bagran, compuesto por las primeras letras de su nombre y apellidos. La desaparición de la censura le lleva paulatinamente de las películas didácticas sobre sexualidad a las pornográficas, pasando por las eróticas, con títulos como *Eroticón* (1974), *Las primeras experiencias* (1975), *Colegialas lesbianas y el placer de pervertir* (1982). Además de producir las películas de su hermano, Jaime Jesús Balcázar, muy en la línea de las suyas, también produce algunas de las primeras obras de Julio Coll* y Josep María Forn*.

BALLESTEROS, Antonio *(Antonio López Ballesteros. Madrid, 1910)*
Su afición a la fotografía le lleva a convertirse en un reputado profesional con estudio propio. Entra en contacto con el cine como foto-fija en 1940, su primera película como director de fotografía es *Sangre en Castilla* (1950), de Benito Perojo*, y en veintiséis años de actividad profesional rueda setenta y cinco películas. De su trabajo en los años cincuenta cabe destacar *La corona negra* (1951), de Luis Saslavsky; *Aventuras del barbero de Sevilla* (1954), de Ladislao Vajda*; *Historias de la radio* (1955), de José Luis Sáenz de Heredia*; *La fierecilla domada* (1956), de Antonio Román*; *Embajadores en el infierno* (1956), de José María Forqué*; *La violetera* (1958), de Luis César Amadori*. Durante la década de los sesenta se convierte en el fotógrafo oficial de Marisol* en *Ha llegado un ángel* (1961) y *Tómbola* (1962), de Luis Lucia*; *Marisol, rumbo a Río* (1963), de Fernando Palacios*; *La nueva Cenicienta* (1964), de George Sherman; *Búsqueme a esa chica* (1964), de Fernando Palacios*; *Cabriola* (1965), de Mel Ferrer; *Las cuatro bodas de Marisol* (1967) y *Solos los dos* (1968), de Luis Lucia*; *Carola de día, Carola de noche* (1969), de Jaime de Armiñán*; y de Rocío Dúrcal* en *Canción de juventud* (1962) y *Rocío de la Mancha* (1963), de Luis Lucia*; *Amor en el aire* (1967) y *Cristina Guzmán* (1968), de Luis César Amadori*; *La novicia rebelde* (1971), de Luis Lucia*. Su trabajo durante la primera mitad de los setenta tiene mucho menos interés desde el punto de vista comercial y sólo cabe citar *No es bueno que el hombre esté solo* (1973), de Pedro Olea*; *Yo soy Fulana de Tal* (1975), de Pedro Lazaga*, y *La violación* (1976), de Germán Lorente*, su última película.

BANDERAS, Antonio *(José Antonio Domínguez Banderas. Málaga, 1960)*

Tras estudiar arte dramático y trabajar con distintas compañías de teatro independiente por toda España, se instala en Madrid e interviene en destacados papeles en importantes montajes teatrales demostrando su valía. Descubierto para el cine por Pedro Almodóvar* en *Laberinto de pasiones* (1982), realiza con él alguna de sus mejores actuaciones en *Matador** (1985), *La ley del deseo** (1986) y, sobre todo, *Mujeres al borde de un ataque de nervios** (1988) y *¡Átame!** (1989). Entre sus restantes actuaciones hay que señalar las realizadas en *El caso Almería* (1983), de Pedro Costa*; *Los zancos** (1984), de Carlos Saura*; *Réquiem por un campesino español** (1985), de Francesc Betriu*; *La corte de Faraón* (1985), de José Luis García Sánchez*; *Baton Rouge** (1988), de Rafael Moleón; *Bajarse al moro** (1988), de Fernando Colomo*; *Si te dicen que caí** (1989), de Vicente Aranda*; *La blanca paloma** (1989), de Juan Miñón. Con la producción norteamericana *Los reyes del mambo* (The Mambo Kings, 1991), de Arnold Glimcher, emprende una irregular carrera internacional, dentro de la que también se sitúa la coproducción hispano-italiana *Dispara** (1993), de Carlos Saura* y la europea *La casa de los espíritus* (The House of Spirits, 1993), de Bille August, pero cada vez más centrada en Hollywood.

BAÑOS, Ricard de *(Barcelona, 1892-Barcelona, 1939)*

Hermano menor del operador Ramón de Baños (1890-1980), con quien colabora estrechamente durante la mayor parte de su carrera, es uno de los pioneros del cine español. Aprende el nuevo oficio en París en la productora Gaumont durante los primeros años de siglo, debuta como documentalista en Barcelona en 1904 y rueda escenas de zarzuelas sonorizadas con discos en 1905. Asociado a su hermano, dos años después instala un laboratorio para el revelado y tiraje de copias. A medias con Alberto Marro, y con fotografía de su hermano, realiza *Dos guapos frente a frente* (1909), *Don Juan de Serrallonga* (1910), *La madre* (1911), *La fuerza del destino* (1913). Separado de Marro hace *La malquerida* (1914), primera adaptación de la obra homónima de Jacinto Benavente, que tiene gran éxito. En 1916 crea con su hermano la productora Royal Films, para la que realiza el resto de su obra, en la que destacan *El idiota de Sevilla* (1916), *Juan José* (1917), sobre el drama de Joaquín Dicenta, *Los arlequines de seda y oro* (1919) y *Don Juan Tenorio* (1921), una de las primeras versiones de la obra homónima de José Zorrilla. Posteriormente trabaja sólo como director de fotografía, pero realiza una última película, *El relicario* (1933), la única sonora de su filmografía.

BARDEM, J. A. *(Juan Antonio Bardem Muñoz. Madrid, 1922)*

Hijo de los actores de carácter Rafael Bardem y Matilde Muñoz Sampedro, termina la carrera de ingeniero agrónomo y en 1947 pasa a formar parte de la primera promoción del Instituto de Investigaciones y Experiencias Cinematográficas, pero no consigue licenciarse en dirección al no aprobar la práctica de fin de carrera. Crítico de cine de *La Hora* e *Índice* y fundador y colaborador de la revista especializada *Objetivo*, también es presidente de la productora Uninci y miembro destacado del partido comunista. Debuta como realizador con *Esa pareja feliz** (1951), que codirige con Luis G. Berlanga*, a la que siguen la excelente *Cómicos** (1953) y la fallida comedia *Felices Pascuas* (1954), pero sus grandes éxitos son *Muerte de un ciclista** (1955) y *Calle Mayor** (1956) que, a pesar de la fuerte presión de la censura del general Franco, tienen una importancia interior y exterior que el cine español sólo alcanza en contadas ocasiones. Prosigue con su cine de *mensaje,* característico de los años cincuenta, donde importa más qué quiere decirse que cómo se dice, con *La venganza** (1957), sobre

guión propio, y *Sonatas** (1959), adaptación de la obra de Ramón del Valle-Inclán, ambiciosos proyectos parcialmente frustrados, y con *A las cinco de la tarde* (1960), basada en una obra teatral de Alfonso Sastre, y *Los inocentes* (1962), sobre un guión de Antonio Eceiza* y Elías Querejeta*, que por razones de censura debe rodar en Argentina, que carecen de interés. Cansado de una lucha que no le conduce a ninguna parte, tras el fracaso comercial y crítico de *Nunca pasa nada** (1963), su mejor película, y alentado por el éxito de *Los pianos mecánicos* (1965), una coproducción con reparto internacional que es su primer trabajo de encargo, se lanza a la realización de un cine comercial sin atractivos. Y así rueda la producción bélica *El último día de la guerra* (1968), *Varietés* (1970), nueva y mala versión de *Cómicos** al servicio de Sara Montiel*, *La isla misteriosa* (1972), basada en la novela homónima de Jules Verne, y las irregulares historias policiacas *La corrupción de Chris Miller* (1972) y *El poder del deseo* (1975). Su problema estriba en que cuando, por la llegada de la democracia, puede volver a hacer el cine que le interesa, *El puente* (1976) y *Siete días de enero* (1978), los resultados demuestran que no sólo no ha evolucionado, sino que ya sólo le interesa el *mensaje,* pero cada vez con una mayor y menos sutil carga política. Por lo que tras rodar en Bulgaria *La advertencia* (Preduprezhdénie, 1982), sólo hace para televisión algún episodio y la serie *Lorca, muerte de un poeta* (1987).

BARDEM, Javier *(Javier Encinas Bardem, Las Palmas de Gran Canaria, 1969)*

Hijo de la actriz Pilar Bardem y sobrino del guionista y director J.A. Bardem*, tras hacer algunos papeles secundarios en series de televisión debuta en cine con mínimas intervenciones en *Las edades de Lulú* (1990), de Bigas Luna*; *Tacones lejanos** (1991), de Pedro Almodóvar*, y *Amo tu cama rica* (1991), de Emilio Martínez-Lázaro*. Le lanza el éxito de *Jamón, jamón** (1992), de Bigas Luna, donde hace su primer papel importante, a la que siguen ya como protagonista *Huevos de oro** (1993), de Bigas Luna; *El detective y la muerte* (1994), de Gonzalo Suárez*; *Boca a boca* (1995), de Manuel Gómez Pereira* y *Éxtasis* (1995), de Mariano Barroso.

BATALLÓN DE LAS SOMBRAS, EL *(1955)*

A partir de la frase «detrás de todo gran hombre hay una gran mujer», Manuel Tamayo* y Manuel Mur Oti* escriben las historias entrecruzadas de los inquilinos de un humilde edificio de la madrileña Arganzuela tratando de demostrarla. Braulio (Antonio Vico*), un actor sin trabajo; Enrique (Albert Lieven), un compositor; Carlos (Vicente Parra*), un humilde pintor; Pepe (José Suárez*), un inventor que siempre inventa lo ya inventado; y Damián (Albert Hehm), un cerrajero artista, subsisten gracias al apoyo de unas mujeres encarnadas por Alicia Palacios, Lida Baarova, Amparo Rivelles*, etcétera. Más allá de la moralizante historia de Maribel (Emma Penella*), una chica de alterne que se *convierte* al tratar a sus vecinos, comienza a fregar la escalera como si fuese una gran diversión y decide salir con Luis (Fernando Nogueras), el repartidor de la confitería donde le compraban bombones sus admiradores, la película interesa porque el fantasma del hambre y la tuberculosis revolotea sobre sus personajes. El pintor no tiene dinero para comer, se pone enfermo y muere de tuberculosis; cuando la mujer del inventor enferma, su marido la compra comida para que sane; y la comadrona (Amelia de la Torre) no sólo impide que la mujer del cerrajero aborte, sino que consigue alimentación extra a todos los niños. Bien y eficazmente rodada por Mur Oti*, los personajes son presentados por un narrador (Rolf Wanka), pero resulta moralizante en exceso y choca la presencia de tanto actor extranjero y que la mayoría de los españoles están doblados por dobladores profesionales.

Amparo Rivelles, José Suárez y Elisa Montés en *El batallón de las sombras,*
de Manuel Mur Oti

Director: *Manuel Mur Oti.* Guionistas: *Manuel Tamayo, Manuel Mur Oti.* Fotografía: *Juan Mariné.* Música: *Guillermo Cases.* Intérpretes: *Rolf Wanka, Tony Soler, Alicia Palacios, Antonio Vico, Albert Lieven, Lida Baarova, Elisa Montés, Vicente Parra, Amparo Rivelles, José Suárez, Emma Penella.* Producción: *Suevia Films-Cesáreo González.* Duración: *102 min.*

BATON ROUGE *(1988)*

Interesado por los melodramas con trasfondo policiaco y que dan lugar a brillantes interpretaciones femeninas, el atractivo y personal guionista Agustín Díaz Yáñez comienza su colaboración con el productor y realizador Eduardo Campoy* y la actriz Victoria Abril* con esta interesante película. Las relaciones entre los ambiciosos Isabel Harris (Carmen Maura*), Antonio (Antonio Banderas*) y la psicoanalista Ana Alonso (Victoria Abril*), llevan a los dos últimos a cometer un asesinato para quedarse con el dinero de la primera. A pesar de ciertos convencionalismos y, sobre todo, verse demasiado los orígenes norteamericanos de la historia, el resultado tiene interés y éxito, lo que no impide, por la caótica situación del cine español, que siga siendo la mejor película dirigida por Rafael Moleón.

Director: *Rafael Moleón.* Guionistas: *Agustín Díaz Yáñez, Rafael Moleón.* Fotografía: *Ángel Luis Fernández.* Música: *Bernardo Bonezzi.* Intérpretes: *Carmen Maura, Victoria Abril, Antonio Banderas, Ángel de Andrés, Laura Cepeda, Noel Molina.* Producción: *Eduardo Campoy para Modigil.* Duración: *94 min.*

BAUTISTA, Aurora *(Aurora Bautista Zumel. Villanueva de los Infantes, Valladolid, 1925)*
Estudia declamación con Marta Grau en el Instituto del Teatro en Barcelona. Debuta en 1944 con *La malquerida,* de Jacinto Benavente, en la compañía de Lola Membrives. Cuando el realizador Juan de Orduña* busca protagonista para el drama histórico *Locura de amor* (1948) la ve actuar en el Teatro Español de Madrid, no duda en elegirla y su éxito la lleva a firmar un contrato en exclusiva con Cifesa. Lo que le hace interpretar en la misma línea a Currita de Albornoz en *Pequeñeces* (1950) y a la protagonista de *Agustina de Aragón* (1950), ambas dirigidas por Orduña*. Tras hacer uno de sus

Aurora Bautista en *Condenados,* de Manuel Mur Oti

mejores papeles en el drama rural *Condenados* (1953), de Manuel Mur Oti*, y una curiosa intervención en *La gata* * (1956), de Margarita Alexandre y Rafael Torrecilla, cambia por completo de género para protagonizar junto a Alberto Sordi la coproducción con Italia *El marido* (1957), de Nanni Loy y Gianni Puccini. Sustituye a última hora a Lucía Bosé* en un papel que no le va en *Sonatas* * (1959), de J. A. Bardem*, y encarna a la protagonista en la acartonada y fuera de época *Teresa de Jesús* (1962), de Juan de Orduña*. La mejor interpretación de su tan corta como irregular carrera es la solterona de *La tía Tula* * (1964), de Miguel Picazo*, con quien vuelve a trabajar en un

papel secundario en *Extramuros* * (1985). Entre su actividad teatral tanto en España como en Latinoamérica, destacan sus intervenciones en *Divinas palabras* (1987), de José Luis García Sánchez*, y *Amanece, que no es poco* (1988), de José Luis Cuerda*.

BEARN O LA SALA DE LAS MUÑECAS *(1982)*

Fruto de la colaboración entre Televisión Española y el productor Alfredo Matas*, se trata de una cuidada adaptación de la novela homónima de Llorenç Villalonga. Narra cómo en Mallorca, en 1865, el joven capellán de la casa, Juan Mayol (Imanol Arias*), reconstruye la historia de la familia Bearn, per-

Juana Ginzo y Ángela Molina en *Bearn o la sala de las muñecas,* de Jaime Chávarri

teneciente a la antigua aristocracia rural mallorquina, después de celebrarse los funerales de los señores. El señor de Bearn (Fernando Rey*) huye a París con su sobrina Xima (Ángela Molina*); su mujer, doña María Antonieta (Amparo Soler Leal), le abandona durante quince años y cuando vuelven a vivir juntos hacen un viaje por Francia e Italia con su protegido, Juan Mayol. Sobre un sólido guión de Salvador Maldonado*, el hábil realizador Jaime Chávarri hace un minucioso relato, con buenos decorados de Gil Parrondo y excelente vestuario de Yvonne Blake.

Director: *Jaime Chávarri.* Guionista: *Salvador Maldonado.* Fotografía: *Hans Burmann.* Música: *Francisco Guerrero.* Intérpretes: *Fernando Rey, Ángela Molina, Amparo Soler Leal, Imanol Arias, Alfredo Mayo, Juana Ginzo.* Producción: *Alfredo Matas para Jet Films, Kaktus P. C.* Duración: *122 min.*

BELÉN, Ana *(María del Pilar Cuesta Acosta. Madrid, 1950)*

Tras ganar un concurso radiofónico de canciones, debuta en el cine como protagonista de *Zampo y yo* (1965), de Luis Lucia*, pero su fracaso comercial le impide seguir el camino de Marisol* y Rocío Dúrcal* y comienza a estudiar arte dramático en el Teatro Estudio de Madrid con Miguel Narros. Esto la conduce a trabajar simultáneamente dentro del terreno de la canción, el teatro, el cine y también la televisión. Frente a las anodinas películas que protagoniza al comienzo de su carrera, destaca el serio trabajo teatral en *Numancia*, de Miguel de Cervantes; *El rey Lear*, de William Shakespeare; o *Don Juan Tenorio*, de José Zorrilla, que hace bajo la dirección de Miguel Narros. Entre sus papeles destacan la maestra Aurora de *El amor del capitán Brando** (1974), de Jaime de Armiñán*, y la Amparo de *Tormento** (1974), de Pedro Olea*, pero sus mejores películas son *Sonámbulos** (1978) y *Demonios en el jardín** (1982), de Manuel Gutiérrez Aragón*. Logra un gran éxito personal con la serie de televisión *Fortunata y Jacinta* (1979), de Mario Camus*; la eficaz comedia *Sé infiel y no mires con quién**, de Fernando Trueba*; la adaptación de *La casa de Bernarda Alba** (1987), de Mario Camus*; el drama *La pasión turca** (1994), de Vicente Aranda*, adaptación de la novela de Antonio Gala, y el fresco épico *Libertarias* (1996), de Vicente Aranda*. Sin abandonar nunca el mundo de la canción, dirige la anodina comedia *Cómo ser mujer y no morir en el intento* (1991), adaptación de un gran éxito de ventas de la periodista Carmen Rico Godoy.

BELLE ÉPOQUE *(1992)*

El éxito de *El año de las luces** (1986), donde un joven

recibe una peculiar educación sentimental a cargo de cinco mujeres muy diferentes en un preventorio antituberculoso durante la más dura posguerra, lleva a Fernando Trueba* a rodar, con un equipo muy similar, otra historia en buena medida paralela. Narra cómo el desertor Fernando (Jorge Sanz*) durante los comienzos de la II República es recogido por el viejo pintor Manolo (Fernando Fernán-Gómez*), que vive en un gran caserón en mitad del campo, tiene diferentes experiencias eróticas con sus cuatro atractivas hijas y acaba formalizando su relación con la menor (Penélope Cruz*). Entre un principio y un final de gran brillantez, la parte central, que desarrolla las relaciones con las hermanas, resulta previsible, lo que no impide que se convierta en uno de los grandes éxitos del cine español e incluso gane un Óscar. Basada en un guión de Rafael Azcona* y el propio Trueba*, se desarrolla en un calculado clima de libertad republicana y encierra buenas interpretaciones de Penélope Cruz*, Fernando Fernán-Gómez* y Jorge Sanz*.

Director: *Fernando Trueba.* Guionistas: *Rafael Azcona, Fernando Trueba.* Fotografía: *José Luis Alcaine.* Música: *Antoine Duhamel.* Intérpretes: *Jorge Sanz, Fernando Fernán-Gómez, Maribel Verdú, Penélope Cruz, Ariadna Gil, Miriam Díaz Aroca.* Producción: *Cristina*

Huete para Fernando Trueba P. C. (Madrid), Lola Films (Barcelona), Animatografo Produçao de Filmes (Lisboa). Duración: *110 min.*

BELLMUNT, Francesc (*Francesc Bellmunt Moreno. Sabadell, Barcelona, 1947*)

Licenciado en filosofía y letras por la Universidad de Barcelona, escribe poesía y crítica de cine, toca la batería en un conjunto musical, publica chistes en las revistas *Por Favor* y *Muchas Gracias* y escribe y dirige cortometrajes. Pasa al largo con el episodio *Terror entre cristianos* de la película *Pastel de sangre* (1971), la fallida producción de aventuras *Robin Hood nunca muere* (1974) y los documentales sobre la canción catalana *Canet Rock* (1975) y *La nova cançó* (1976). Más interés tiene *L'orgia* (La orgia, 1978), no tanto por la película en sí, sino por inaugurar un tipo de comedia catalana que es ampliamente cultivada en los años ochenta y noventa por él y sus seguidores, y ser el debut de importantes actores, como Assumpta Serna* y Juanjo Puigcorbé*, que también colabora en el guión y en el de algunas producciones posteriores. En la misma línea se sitúan *Salut i força al canut* (Cuernos a la catalana, 1979), *Un parell d'ous* (Un par de huevos, 1984), *La radio folla* (Radio Speed, 1986), *Rateta, rateta* (Ratita, ratita, 1990), entre las que destaca por su éxito *La quinta del porro* (1980), sobre las relaciones entre las nuevas generaciones y el servicio militar, que incluso da origen a la continuación *La batalla del porro* (1981), de Joan Minguell. Su mejor película es la historia religiosa *Pa d'angel** (Pan de ángel, 1983), y en menor medida los policiacos *El complot dels anells* (El complot de los anillos, 1987), ambientada en los juegos olímpicos de Barcelona y con un trasfondo de ciencia ficción, y *Un negre amb saxo* (Un negro con saxo, 1988).

BELTENEBROS *(1991)*

En 1962, el capitán Darman (Terence Stamp), miembro del partido comunista español, llega a Madrid para matar al traidor Andrade (Simón Andreu), pero al igual que le ocurrió en 1946, al ejecutar una orden similar, se equivoca de hombre y conoce a la atractiva cantante de cabaret Rebecca (Patsy Kensit). Con esta historia, basada en la novela homónima de Antonio Muñoz Molina, la polifacética Pilar Miró* realiza la sexta y más sólida de sus películas. A pesar de una discutible recreación del Madrid de entonces, estar inexplicablemente rodada en inglés y carecer por completo de sentido del humor, tiene estupendas escenas, como la imitación de Rita Hayworth en *Gilda* (1946), de Charles Vidor, que hace Patsy Kensit al cantar *Put the Blame on*

Mame, y algunas eróticas. Destaca una excelente fotografía en Eastmancolor de Javier Aguirresarobe*.

Directora: *Pilar Miró.* Guionistas: *Mario Camus, Juan Antonio Porto, Pilar Miró.* Fotografía: *Javier Aguirresarobe.* Música: *José Nieto.* Intérpretes: *Terence Stamp, Patsy Kensit, José Luis Gómez, Geraldine James, Simón Andreu.* Producción: *Andrés Vicente Gómez para Iberoamericana Films Internacional (Madrid), Floradora Distributors (Haarlem, Holanda).* Duración: *117 min.*

BELTRÁN, José María *(José María Beltrán Ausejo. Zaragoza, 1898-Zaragoza, 1962)*

Aprende los secretos de la fotografía en el estudio profesional de su padre, estudia química en la Universidad de Zaragoza y en 1924 se traslada a Madrid para estudiar pintura con Julio Romero de Torres. Debuta como director de fotografía con *José* (1925), de Manuel Noriega, y durante la etapa final del período mudo también rueda, entre otras, *Del Rastro a la Castellana* (1926), de Eusebio Fernández Ardavín*, y *La hermana san Sulpicio** (1927), de Florián Rey*. Su mejor momento es la primera mitad de los años treinta, contratado por Filmófono, y con Luis Buñuel* como productor ejecutivo, hace la fotografía de *Don Quintín el amargao* (1935), de Luis Marquina*; *La hija de Juan Simón* (1935) y *¿Quién me quiere a mí?* (1936), de José Luis Sáenz de Heredia*; *¡Centinela,* *alerta!* (1936), de Jean Grémillon. Y también colabora en los famosos documentales de Carlos Velo y Fernando G. Matilla, *Felipe II y El Escorial* (1933), *Infinitos* (1933), *Almadrabas* (1934), *Castillos en Castilla* (1935). Durante la guerra española rueda algunos documentales para la II República, pero en 1938, tras pasar por París y Londres, acaba exiliándose en Argentina, donde rueda casi cuarenta películas. Después de trabajar en Venezuela y Brasil, regresa a España a mediados de los años cincuenta, pero sólo puede intervenir en tres producciones de muy segunda fila.

BELTRÁN, Pedro *(Pedro Beltrán Rentero. Cartagena, 1927)*

Poeta y torero por afición, hace papeles secundarios en cuarenta y tantas películas, especialmente en las dirigidas por Luis G. Berlanga* y Fernando Fernán-Gómez*. Colabora en los guiones de *El extraño viaje** (1964), *Bruja, más que bruja* (1977), *Mambrú se fue a la guerra* (1986), de Fernando Fernán-Gómez*; *El momento de la verdad* (1965), de Francesco Rosi; *El monosabio** (1977), de Ray Rivas, así como en algunos programas de televisión.

BERENGUER, Manuel *(Manuel Berenguer Bernabéu. Alicante, 1913)*

Su interés por el cine *amateur* le lleva a trabajar en los laboratorios cinematográficos alemanes de Lindau. Comienza como operador de noticiarios para U.F.A. y Fox. Durante la guerra española colabora con la productora catalana Laya Films, para la que rueda numerosos reportajes, y hace de segundo operador en *Sierra de Teruel** (1939), de André Malraux. Debuta como director de fotografía con *El 13.000* (1941), de Ramón Quadreny; durante la década de los cuarenta no interviene en ninguna de las grandes producciones nacionales y entre sus trabajos destacan *Cuando llegue la noche* (1946), de Jerónimo Mihura*; *Las inquietudes de Shanti Andía* (1947), de Arturo Ruiz-Castillo*; *Nada* (1947), de Edgar Neville*; y *Un hombre va por el camino* (1949), de Manuel Mur Oti*. Es uno de los primeros operadores españoles en trabajar asiduamente en color, pero sus mejores películas de los cincuenta siguen siendo en blanco y negro: *Cielo negro** (1951), *Condenados* (1953), *Fedra* (1956), de Manuel Mur Oti*; *Los ojos dejan huellas* (1952), de José Luis Sáenz de Heredia*; *¡Bienvenido, míster Marshall!** (1952), de Luis G. Berlanga*; *Cuerda de presos* (1956), de Pedro Lazaga; *El lazarillo de Tormes** (1959), de César Ardavín. Cuando a finales de los años cincuenta los productores norteamericanos comienzan a rodar superproducciones en España, trabaja asiduamente con ellos como director de la segunda unidad, generalmente de manera no acreditada; así ocurre en *Orgullo y pasión* (The Pride and the Passion, 1957), de Stanley Kramer; *El Cid* (1961), de Anthony Mann; *55 días en Pekín* (55 Days at Pekin, 1963), de Nicholas Ray; *Doctor Zhivago* (1965), de David Lean; *Nicolás y Alejandra* (Nicholas and Alexandra, 1971), de Franklin J. Schaffner; *Viajes con mi tía* (Travels with my Aunt, 1972), de George Cukor. Cada vez más alejado del cine español, monta un negocio de alquiler de materiales para rodaje, hace la fotografía de *¡Jo, Papá!* (1975), de Jaime de Armiñán*, y se retira.

BERLANGA, Luis G. *(Luis García Berlanga. Valencia, 1921)*

Abandona sus estudios de filosofía y letras y derecho para enrolarse en la División Azul. A su regreso comienza a pintar, dirigir cine-clubs y escribir crítica de cine en la revista *Acción* y el diario *Las Provincias*. En 1947 ingresa en la primera promoción del Instituto de Investigaciones y Experiencias Cinematográficas y dos años después se licencia en la especialidad de dirección. La primera parte de su obra, que se extiende desde *Esa pareja feliz** (1951), que codirige con J. A. Bardem*, hasta *Los jueves, milagro** (1957), una ambiciosa comedia religiosa destruida por la censura, es una síntesis y adaptación a la manera de ser española de las corrientes neorrealistas

italianas, la comedia inglesa y el ternurismo francés. Sus grandes éxitos de esa etapa son *¡Bienvenido, míster Marshall!** (1952), por la original y divertida crítica al plan de ayuda norteamericana a Europa que encierra, y *Calabuch** (1956), por ser la más italiana de sus comedias, pero su mejor película es *Novio a la vista** (1953), una visión sentimental y amarga de un verano de principios de siglo que entronca con el mejor cine de Edgar Neville*. La segunda parte de su obra se caracteriza por la colaboración con el guionista Rafael Azcona*, que hace que el ternurismo se convierta en humor negro, mientras el hábil montaje de planos cortos da paso a complejos planos largos, tanto en *Plácido** (1961) como en su gran película *El verdugo** (1963), un divertido y eficaz alegato contra la pena de muerte. La cada vez mayor presión de la censura del general Franco hace que durante los siguientes diez años se le prohíban varios guiones y sólo puede rodar *La boutique* (1967) en Argentina, su peor trabajo, y *¡Vivan los novios!* (1969) con dificultades de producción. Tras el paréntesis de *Tamaño natural** (1973), una chirriante fábula sobre las relaciones hombremujer que la censura le hace rodar con producción francesa, con la llegada de la democracia comienza la tercera parte de su obra, que entronca con la comedia más popular. Siempre con

Rafael Azcona* como coguionista, está integrada por la trilogía *La escopeta nacional** (1978), *Patrimonio nacional** (1980) y *Nacional III** (1982), que narra la transición de la dictadura a la democracia a través de las desventuras de la familia monárquica Leguineche, y tiene el mérito adicional de ser una de las pocas películas de estos años que tratan sobre la realidad española. Menos interés despiertan *La vaquilla** (1984), un viejo guión sobre la guerra española que puede realizar casi veinticinco años después de escribirlo con Azcona*, y *Moros y cristianos* (1987) pero *Todos a la cárcel* (1993) es uno de los mejores trabajos de la última parte de su filmografía, que escribe con su hijo, Jorge Berlanga. Profesor de dirección de la Escuela Oficial de Cinematografía y presidente de la Filmoteca Española, desde 1977 dirige la interesante colección de literatura erótica *La sonrisa vertical*.

BERNAOLA, Carmelo *(Carmelo Alonso Bernaola. Ochandiano, Vizcaya, 1929)*

Estudia con Julio Gómez en España y con Petrassi y Francesco Lavagnino en Italia. Es un buen clarinetista y entre sus obras sinfónicas cabe destacar *Las negaciones de Pedro, Superficies, Mixturas* y *Heterofonías*. Debuta como músico de cine a mediados de los años sesenta y entre sus primeras bandas sonoras sobresalen las de *Nueve cartas a Berta** (1965), de Basilio M. Patino*; *Juguetes rotos** (1966), de Manuel Summers*; y *Si volvemos a vernos* (1968), de Francisco Regueiro*. Hasta finales de la década de los setenta escribe la música de más de cincuenta películas, y sus mejores trabajos son para Roberto Bodegas*, *Españolas en París* (1971), *Vida conyugal sana* (1974) y *Los nuevos españoles* (1974), y Pedro Olea*, *Tormento** (1974), *Pim, pam, pum... ¡fuego!** (1975), *La Corea* (1977) y *Un hombre llamado «Flor de Otoño»** (1978), sin olvidar *La trastienda** (1976), de Jorge Grau*, y *Retrato de familia* (1977), de Antonio Giménez-Rico*. Posteriormente trabaja menos para el cine en la medida que cada vez se emplea menos música original frente a las canciones preexistentes o la música de archivo, y más para televisión, pero son buenas las bandas sonoras que escribe para *Los paraísos perdidos** (1985) y *Madrid** (1987), de Basilio M. Patino*. No obstante, y en poco menos de treinta años de trabajo, ha escrito la música de más de ochenta películas.

BETRIU, Francesc *(Francesc Betriu Cabecerán. Orgaño, Lérida, 1940)*

Durante el servicio militar, que hace en África, organiza una compañía teatral con soldados, monta varias obras y realiza una gira por diferentes cuarteles. Ingresa en la Escuela Oficial de

Cinematografía, crea la productora de cortometrajes In-Scram y dirige dos de ellos, *Gente de mesón* (1969) y *Bolero de amor* (1970). Redactor-jefe de la revista *Fotogramas*, también pertenece al consejo de redacción del *Noticiari* de Barcelona. Debuta en el largo con la trilogía formada por *Corazón solitario* (1972), basada en la estética de las fotonovelas; *Furia española* (1974), muy cortada por la censura del general Franco; y *La viuda andaluza* (1976), adaptación de la novela erótica clásica de Francisco Delicado, donde plantea un cine barato a medio camino entre el crudo realismo y el esperpento, pero no acaba de funcionar. Con *Los fieles sirvientes* (1980), sobre unos criados que pasan a ocupar

el lugar de sus señores, construye una parábola social sin mucho interés. Consigue sus mayores éxitos con *La plaça del diamant* (La plaza del diamante, 1982), adaptación de la novela de Mercè Rodoreda, y *Réquiem por un campesino español** (1985), sobre la novela homónima de Ramón J. Sender. Tras la serie de televisión *Vida privada* (1987), vuelve al cine con *Sinatra* (1988) en la que intenta un fallido regreso a la primera etapa de su obra.

BICICLETAS SON PARA EL VERANO, LAS *(1983)*

Tomando como punto de partida la obra teatral homónima de Fernando Fernán-Gómez*, convertida en eficaz guión por Salvador Maldonado*, el realizador

Gabino Diego, Amparo Soler Leal y Victoria Abril en *Las bicicletas son para el verano,* de Jaime Chávarri

Jaime Chávarri* hace una de sus más conocidas películas al narrar una de sus habituales historias familiares. En esta ocasión cuenta la historia de Luis (Agustín González), su mujer Dolores (Amparo Soler Leal), sus hijos Manolita (Victoria Abril*) y Luisito (Gabino Diego*) y su criada María (Patricia Adriani*), desde el comienzo del verano de 1936 hasta el final de la guerra española. Sin huir por completo de sus orígenes teatrales, la descripción de la vida cotidiana durante la guerra en Madrid tiene un profundo dramatismo, está bien estructurada y funciona con perfección gracias a escenas tan logradas como la de las lentejas.

Director: *Jaime Chávarri*. Guionista: *Salvador Maldonado*. Fotografía: *Miguel Ángel Trujillo*. Música: *Francisco Guerrero*. Intérpretes: *Amparo Soler Leal, Agustín González, Victoria Abril, Alicia Hermida, Patricia Adriani, Marisa Paredes, Gabino Diego*. Producción: *Alfredo Matas para Incine, Jet Films*. Duración: *103 min.*

¡BIENVENIDO, MÍSTER MARSHALL! *(1952)*

Planteada como una película de encargo con cinco canciones para el lanzamiento de la debutante quinceañera Lolita Sevilla, que posteriormente no vuelve a hacer nada con un mínimo interés, gracias a la imaginación, buen hacer y habilidad de sus guionistas, el realizador J. A. Bardem*, el dramaturgo Miguel Mihura* y el propio director Luis G. Berlanga*, se convierte en una divertida y eficaz sátira del Plan Marshall, la ayuda norteamericana a Europa tras la II Guerra Mundial. La historia del pueblo castellano de Villar del Río que, avisado de la llegada de una comisión del Plan Marshall, decide disfrazarse de andaluz para recibir a los espléndidos norteamericanos, según una idea de Manolo (Manolo Morán*), apoderado de la cantante Carmen Vargas (Lolita Sevilla), bien acogida por el alcalde don Pablo (José Isbert*), gran admirador suyo, es la primera película dirigida en solitario por Luis G. Berlanga*. Las ilusiones de todos, el hidalgo don Luis (Alberto Romea), la maestra Eloísa (Elvira Quintillá), el cura don Cosme (Luis Pérez de León) el médico don Simón (Félix Fernández) y sus restantes habitantes, quedan frustradas cuando los norteamericanos pasan de largo por Villar del Río. Esta parábola sobre la relación de España con el Plan Marshall esconde un claro *mensaje* que dice que la única forma de prosperar es trabajar. Presentada en el Festival de Cannes, tiene una buena acogida, pero no consigue ningún premio porque despierta las iras del actor norteamericano Edward G. Robinson, miembro del jurado. Resiste perfectamente el paso del tiempo, salvo los sueños que subrayan las ilusiones de las diferentes

José Isbert y Lolita Sevilla en *¡Bienvenido, míster Marshall!*, de Luis G. Berlanga

fuerzas vivas del pueblo, que con los años se han hecho demasiado caricaturescos.

Director: *Luis G. Berlanga*. Guionistas: *J. A. Bardem, Miguel Mihura, Luis G. Berlanga*. Fotografía: *Manuel Berenguer*. Música: *Jesús García Leoz*. Intérpretes: *Lolita Sevilla, Manolo Morán, José Isbert, Alberto Romea, Elvira Quintillá, Luis Pérez de León*. Producción: *Uninci*. Duración: *78 min.*

BIGAS LUNA *(José Juan Bigas Luna. Barcelona, 1946)*
Estudia arquitectura, funda diversas escuelas de diseño y da clases en alguna. Fotógrafo profesional, realiza diferentes y personales cortos y el largometraje *Tatuaje* (1976), anodina adaptación de una novela policiaca de Manuel Vázquez Montalbán. Su auténtica personalidad y la fuerza de su cine se muestran en *Bilbao** (1978) y *Caniche** (1978), producciones de bajo presupuesto rodadas con minuciosidad y a base de profusión de primeros planos. Tras el semifracaso de su aventura norteamericana, *Renacer* (Reborn, 1981), sobre las sec-

tas religiosas, vuelve a Barcelona para rodar el policiaco *Lola** (1985) y la brillante historia de terror ambientada en Estados Unidos *Angoixa* (Angustia, 1987). A pesar de su interés por el erotismo, resulta fallido el encargo de *Las edades de Lulú* (1990), sobre la novela homónima de Almudena Grandes. Mucho más interés tienen *Jamón, jamón** (1992), *Huevos de oro** (1993), y *La teta y la luna* (1994), que vuelve a hacer sobre guiones propios.

BILBAO *(1978)*

Las relaciones entre un extraño joven (Ángel Jové), que está liado con una mujer (María Martín) mucho mayor que él por razones familiares, económicas y sexuales, y una prostituta del barrio chino de Barcelona a la que todos llaman Bilbao (Isabel Pisano), está narrada en dos partes bastante diferenciadas. La primera describe la personalidad del protagonista con extremada minuciosidad a través de sus acciones más íntimas y banales, y la segunda cómo trata que la prostituta se convierta en otro más de los objetos con quienes convive y pueblan su casa. El resultado es una producción de bajo presupuesto y gran atractivo donde se mezclan a partes iguales el erotismo, lo subreal y el terror. Rodada con tanta minuciosidad como apasionamiento, a través de una elaborada sucesión de primeros planos, demuestra que Bigas Luna, a

Isabel Pisano en *Bilbao*, de Bigas Luna

pesar de ser tan sólo su segunda película, tiene una peculiar personalidad propia y sabe expresarla con corrección en cine.

Director y guionista: *Bigas Luna*. Fotografía: *Pedro Aznar*. Intérpretes: *María Martín, Ángel Jové, Isabel Pisano, Francisco Falcón*. Producción: *Pepón Coromina para Fígaro Films y Ona Films*. Duración: *85 min*.

BLANCA PALOMA, LA *(1989)*

Tomando como punto de partida un sólido guión original de Manuel Matji y el propio realizador, Juan Miñón hace la mejor de sus películas. Narra las relaciones eróticas entre Mario (Antonio Banderas*), un repartidor de refrescos, y Rocío (Emma Suárez*), la hija del dueño de un bar, pero con unas particularidades adicionales que les dan mucha fuerza. El bar se llama «La blanca paloma», está presidido por una imagen de la Virgen del Rocío y es un antiguo *tablao* flamenco donde se escucha y baila música andaluza, pero está situado en Bilbao, cerca de la siderurgia Altos Hornos de Vizcaya. Y, como es lógico, Mario es un duro *abertzale* que considera extranjeros a ella y su familia. Además, entre Rocío y su padre, Domingo (Francisco Rabal*), existe una intensa relación incestuosa, mientras la madre está enferma e intenta suicidarse más por lo que intuye que por lo que sabe. Esta acumulación de elementos dispersos está bien estructurada y desarrollada en un excelente guión, perfectamente narrado en imágenes por Juan Miñón. Gracias a la excelente interpretación de Antonio Banderas* y Emma Suárez*, la historia funciona bien y las escenas eróticas tienen morbo. Dentro de un cine español cada vez más alejado de la realidad, destaca esta historia sobre la situación del País Vasco por adentrarse en ella con tanta discreción como fuerza y tener un imprevisto y brutal final digno de una tragedia griega.

Director: *Juan Miñón*. Guionistas: *Juan Miñón, Manuel Matji*. Fotografía: *Jaume Percaula*. Música: *Louis Bague*. Intérpretes: *Antonio Banderas, Emma Suárez, Francisco Rabal, Mercedes Sampietro*. Producción: *Eduardo Campoy para Creativos Asociados de Radio y Televisión, Xaloc*. Duración: *100 min*.

BLANCO, Carlos *(Carlos Blanco Hernández. Gijón, 1917)*

A pesar de que adapta a Joaquín Calvo Sotelo en *Cuando llegue la noche* (1946), de Jerónimo Mihura*, a Armando Palacio Valdés en *Las aguas bajan negras* (1948), de José Luis Sáenz de Heredia*, y a Miguel de Cervantes en *Don Quijote cabalga de nuevo* (1972), de Roberto Gavaldón, es famoso por escribir guiones originales con un sólido contenido dramático que además desarrolla en solitario. Colaborador habitual de Sáenz de Heredia* en sus obras más ambiciosas, *Don Juan* (1950), *Los ojos dejan huellas* (1952), *Diez fusiles* *esperan* (1958) y *Los gallos de la madrugada* (1970), también dirigen sus guiones Francisco Rovira Beleta*, *39 cartas de amor* (1949), *La espada negra* (1976), y José Antonio Nieves Conde*, *Los peces rojos** (1955). Además colabora en los guiones de algunas de las grandes producciones de Cifesa como *La princesa de los Ursinos* (1947), de Luis Lucia*, y *Locura de amor** (1948), de Juan de Orduña*.

BLANCO, Enrique *(Enrique Blanco Pallarés. Madrid, 1897-Madrid, 1957)*

Periodista, impresor y fotograbador, es uno de los pioneros del cine español. En 1910 funda con su padre, Domingo Blanco, la productora y los laboratorios Iberia Films, para los que rueda gran cantidad de reportajes con la colaboración de Alberto Arroyo*, José Gaspar y Manuel Novoa. Durante el período mudo tiene una amplia actividad como director de fotografía en películas dirigidas por José Buchs*, *Expiación* (1919), *El dos de mayo* (1927); Manuel Noriega, *Problema resuelto* (1923), *Alma de Dios* (1923), *Madrid en el año 2000* (1925), *Brisas de Asturias* (1926); Fernando Delgado*, *Los granujas* (1924), *Las de Méndez* (1927), *¡Viva Madrid que es mi pueblo!* (1928), *48 pesetas de taxi* (1929), *El gordo de Navidad* (1929). A comienzos de los años treinta, con la llegada del sonoro, abandona los rodajes y crea y dirige los laboratorios Madrid Films. Incendiados a mediados de la década de los cincuenta, con ellos desaparece buena parte del cine español, pero son reconstruidos por su hijo, Enrique Blanco.

BODAS DE SANGRE *(1981)*

Al final de su larga etapa de colaboración con el productor Elías Querejeta*, que se extiende a lo largo de quince años y trece películas, Carlos Saura* rueda un ballet con coreografía de Antonio Gades sobre la obra homónima de Federico García Lorca y música de Emilio de Diego. Su irregular duración hace que incluya un documental sobre la preparación de los bailarines para poder alcanzar un mínimo minutaje que permita su explotación comercial. Realizado sin especial gracia —por ejemplo, rara vez se ve bien el trabajo de los bailarines— y en un pobre decorado único, su interés reside en convertirse, debido a la insistencia del productor Emiliano Piedra*, en la primera parte de la famosa trilogía musical de Saura*, también integrada por *Carmen** (1983) y *El amor brujo** (1986), rodada por el mismo equipo.

Director: *Carlos Saura.* Guionistas: *Alfredo Mañas, Carlos Saura, Antonio Gades.* Fotografía: *Teo Escamilla.* Música: *Emilio de Diego.* Intérpretes: *Antonio Gades, Cristina Hoyos, Juan Antonio Jiménez, Carmen Villena, Pilar Cárdenas.* Producción: *Emiliano Piedra P. C.* Duración: *71 min.*

BODEGAS, Roberto (*Roberto Bodegas Rojo. Madrid, 1933*)

Estudia marino mercante en Barcelona y filosofía y letras en Madrid. Comienza a trabajar en la Compañía Telefónica, pero pronto lo deja para irse a París y empezar una brillante carrera de ayudante de dirección. Tras ser el coguionista y realizador de la producción franco-portuguesa *O salto* (1967), de Christian de Chalonge, el productor José Luis Dibildos* le contrata para dirigir la trilogía de comedias formada por *Españolas en París* (1970), *Vida conyugal sana* (1973) y *Los nuevos españoles* (1974), escritas junto con José Luis Garci*, que inauguran la denominada *Tercera vía*. Más tarde rueda las más ambiciosas *La adúltera* (1975), sobre guión de Rafael Azcona*, y *Libertad provisional* (1976), con guión del novelista Juan Marsé, que también hace un pequeño papel, pero sus resultados son irregulares. Sus últimas películas son *Corazón de papel* (1982), una comedia de intriga en torno al funcionamiento de una agencia de noticias sensacionalistas, y *Matar al Nani* (1988), un policiaco basado en hechos reales, pero pasan desapercibidas.

BOLLAÍN, Icíar (*Icíar Bollaín Pérez-Mínguez. Madrid, 1968*)

Descubierta por Víctor Erice* cuando tiene quince años, le da el importante personaje de Estrella en *El sur** (1983). Mientras estudia bellas artes, su primo Juan Sebas-

tián Bollaín le ofrece el papel protagonista, junto a su hermana gemela, Marina Bollaín, de *Las dos orillas* (1986), y vuelve a trabajar con ambos en *Dime una mentira* (1992). Entre sus restantes películas destacan *Mientras haya luz* (1987) y *Un paraguas para tres** (1991), de Felipe Vega*; *Malaventura* (1988), de Manuel Gutiérrez Aragón*, y *Tierra y libertad* (1995), de Ken Loach. Debuta como directora con la comedia *Hola, ¿estás sola?* (1995).

BONEZZI, Bernardo (*Bernardo Bonezzi Nahón. Madrid, 1964*)

Lanzado por Pedro Almodóvar*, con quien colabora en *Laberinto de pasiones* (1982), *¿Qué he hecho yo para merecer esto?** (1984), *Matador** (1986), *Mujeres al borde de un ataque de nervios** (1988), no tarda en componer para otros directores, además de sus habituales trabajos para televisión y teatro. Entre sus restantes músicas destacan las de *Baton Rouge** (1988), de Rafael Moleón; *Mientras haya luz* (1988), de Felipe Vega*; y *Ovejas negras** (1990), de José María Carreño.

BOOM, BOOM (*1990*)

Dentro de la últimamente tan cultivada, pero aburrida «comedia catalana», la primera película de Rosa Verges ocupa una posición destacada, tanto por su falta de pretensiones como por su eficacia. Narra cómo la atractiva dentista Sofía (Viktor Lazlo) y el propietario de una zapatería Tristán (Sergi Mateu) deciden no volverse a enamorar, pero debido a que habitan en el mismo edificio y a un amigo y una amiga comunes, los cuatro acaban comprometidos sentimentalmente. Dentro de ciertas irregularidades, sobre todo marcadas por el trabajo de algunos actores secundarios, destaca la actuación de la cantante belga Viktor Lazlo y la actriz catalana Angels Gonyalons. Estrenada a comienzos de verano, pasa desapercibida, pero el éxito obtenido en diferentes festivales internacionales hace que sea repuesta y obtenga un merecido eco en otoño.

Directora: *Rosa Verges.* Guionistas: *Rosa Verges, Jordi Beltrán.* Fotografía: *Josep M. Civit.* Intérpretes: *Viktor Lazlo, Sergi Mateu, Fernando Guillén Cuervo, Angels Gonyalons, José Rubianes, Conrado San Martín, Bernardette Lafont.* Producción: *Rosa Romero para Arsenal (Barcelona), Lamy Films (Bruselas).* Duración: *92 min.*

BORAU, José Luis *(José Luis Borau Moradell. Zaragoza, 1929)*

Licenciado en derecho por la Universidad de Zaragoza y en dirección en el Instituto de Investigaciones y Experiencias Cinematográficas, da clases de guión en la Escuela Oficial de Cinematografía. La desilusión que le producen sus dos primeros largometrajes como director, *Brandy* (1963), un típico *spaghetti-western*, y *Crimen de doble filo** (1964), un desigual policiaco, dos encargos que rueda con cierta habilidad, le hace abandonar la realización hasta que pueda ser su propio productor y hacer sus proyectos personales. En 1967 crea la productora El Imán y durante unos años alterna el rodaje de *spots* publicitarios y la producción de películas ajenas, *Un, dos, tres, al escondite inglés* (1969), de Iván Zulueta, pero que firma él por problemas sindicales y *Mi querida señorita** (1972), de Jaime de Armiñán*, a las que posteriormente se suman *Adiós, Alicia* (1976), de Santiago San Miguel*; *Camada negra** (1977), de Manuel Gutiérrez Aragón*; y *El monosabio** (1977), de Ray Rivas, en cuyos guiones también colabora. Vuelve a dirigir con *Hay que matar a B* (1973), una peculiar mezcla de actores extranjeros, ambientación en un imaginario país latinoamericano y eficacia narrativa, dentro una historia que parece de acción, pero es intimista, y *Furtivos** (1975), un drama rural que se convierte en uno de los grandes éxitos del cine español. A partir de este momento sus películas se distancian y se convierten en complejas aventuras personales, tanto la coproducción con Suecia rodada en Andalucía *La sabina** (1979), como la historia fronteriza *Río abajo* (1984), que hace con grandes dificultades en Estados Unidos, y en menor medida la comedia personal *Tata mía** (1986), uno de sus mejores trabajos. Posteriormente hace para televisión la serie *Celia* (1992), basada en los cuentos infantiles de Elena Fortún. Tras diez años regresa al cine con la personal *Niño nadie* (1996).

BOSÉ, Lucía *(Milán, Italia, 1931)*

Gracias a ganar en repetidas ocasiones el título de Miss Italia, debuta en el cine como protagonista de *Non c'è pace tra gli ulivi* (1950), de Giuseppe de Santis, con quien vuelve a trabajar en *Roma, ore undici* (1951), e inmediatamente se convierte en una de las grandes actrices italianas de la época. Esto la lleva a protagonizar, entre otras, *Cronaca di un amore* (1950) y *La signora senza camelia* (1952), de Michelangelo Antonioni; *París siempre París* (Parigi è sempre Parigi, 1950) y *Tres enamoradas* (Le ragazze di piazza di Spagna, 1952), de Luciano Emmer; *Así es la aurora* (Cela s'apelle l'aurore, 1955), de Luis Buñuel*. Llega a España para protagonizar *Muerte de un ciclista** (1955), de J. A. Bardem, se queda a vivir y se retira. Vuelve al cine con *Nocturno 29** (1967), de Pere Portabella*, y en esta segunda etapa de su carrera trabaja alternativamente en España e Italia. Entre las películas españolas destacan *Del amor y otras soledades* (1969), de Basilio M. Patino*; *Un invierno en Mallorca** (1969), de Jaime Camino*; *La casa de las palomas* (1971), de Claudio Guerin; *Ceremonia sangrienta* (1972), de Jorge Grau*; y *Los viajes escolares* (1973), de Jaime Chávarri*; y entre las italianas *Satyricon* (1969), de Federico Fellini; *Metello* (1969), de Mauro Bolognini; y *Crónica de una muerte anunciada* (Cronaca di una morte anunciata, 1986), de Francesco Rosi. Es madre del cantante y actor Miguel Bosé.

BOSQUE ANIMADO, EL *(1987)*

Tomando como punto de partida la célebre novela homónima de Wenceslao Fernández Flórez, el eficaz guionista Rafael Azcona* escribe una excelente adaptación donde entremezcla con perfección sus múltiples personajes y sus más significativas anécdotas. En el bosque gallego de San Salvador de Cecebre, cercano a La Coruña, se suceden las historias del bandido Fendetestas (Alfredo Landa*), el pocero cojo Geraldo (Fernando Valverde) enamorado de la bella Hermelinda (Alejandra Grepi), la miserable Marica da Fame (Luma Gómez) con sus hijos Pilara (Laura Cisneros) y Fuco (José Esteban), el alma en pena de Fiz de Cotovelo (Miguel Rellán), etcétera. A partir de un sólido guión, el realizador José Luis Cuerda* hace un buen trabajo, pero deja escapar algunas de las posibilidades que le brindaba. Destaca el trabajo del veterano Alfredo Landa* y de la niña Laura Cisneros, así como la fotografía del siempre espléndido Javier Aguirresarobe*.

Director: *José Luis Cuerda.* Guionista: *Rafael Azcona.* Fotografía: *Javier Aguirresarobe.* Música: *José*

Prim, de José Buchs

Nieto. Intérpretes: *Alfredo Landa, Fernando Valverde, Alejandra Grepi, Miguel Rellán, Fernando Rey, María Isbert.* Producción: *Eduardo Ducay para Classi Film Produción.* Duración: *109 min.*

BRIGADA CRIMINAL *(1950)*

Durante los primeros años cincuenta se aglutina en torno a la productora catalana Emisora Films un cine policiaco cuyos mayores éxitos son *Apartado de correos 1001** (1950), de Julio Salvador*, y esta producción. Partiendo de la tendencia neorrealista de los rodajes en interiores y exteriores naturales, narra cómo un agente de policía recién salido de la academia comienza a investigar un complejo e importante robo y, aunque sus superiores consideran que no tiene la suficiente experiencia, consigue

descubrir y capturar a los culpables. Es una de las mejores películas del tan prolífico como irregular director, productor y distribuidor Ignacio F. Iquino*, y lanza al actor José Suárez.*

Director: *Ignacio F. Iquino.* Guionistas: *Juan Lladó, Manuel Bengoa, José Santugini.* Fotografía: *Pablo Ripoll, Pedro Rovira, Antonio García.* Música: *Augusto Algueró.* Intérpretes: *José Suárez, Manuel Gas, Soledad Lance, Alfonso Estela.* Producción: *Ignacio F. Iquino para Emisora Film.* Duración: *86 min.*

BUCHS, José *(José Buchs Echeandía. Santander, 1893-Madrid, 1973)*

Nieto de un famoso tenor, estudia en la Academia de Música y Declamación y debuta como actor de teatro. Tras intervenir como actor, ayudante de dirección y jefe de producción en *Los intereses creados* (1918), la versión cinematográfica que Jacinto Benavente dirige sobre su propia obra dramática, debuta como director con *La mesonera del Tormes*, *El regalo del rey* y *El fantasma del castillo*, que en 1919 hace a medias con Julio Roesset. Durante los años veinte, el mejor período de su carrera, realiza treinta películas, entre las que cabe citar las adaptaciones de zarzuelas *La verbena de la Paloma* (1921), *La reina mora* (1922), *El rey que rabió* (1929), las folclóricas *Rosario, la cortijera* (1923), *Diego Corrientes* (1924), *Una extraña aventura de Luis Candelas* (1926), siempre dentro de un cine muy popular hace tiempo desaparecido. Su trabajo durante la década de los treinta está marcado por el interés del drama histórico *Prim* (1930) y el melodrama *Carceleras* (1932), primera producción sonora española, del que ya había hecho una versión muda en 1922, pero la torpeza con que se mueve en el nuevo medio y la guerra española sólo le permiten hacer once irregulares producciones más. Continúa trabajando con cierta regularidad hasta 1957, pero las nueve películas que rueda en este último período de su obra carecen de interés. Padre del mediocre director Julio Busch García (1926-1973), que sobre todo durante los años sesenta rueda trece largometrajes entre los que sólo destaca la coproducción *Encrucijada para una monja* (1967).

BUEN AMOR, EL *(1963)*

Una mañana del mes de diciembre José Luis (Simón Andreu) y Carmen (María del Val), una pareja de universitarios enamorados, toman el tren en la madrileña estación de Atocha para irse a pasar el día a Toledo. Rodeados de El Greco, el barrio judío, las sinagogas, el Tajo, pero también de campesinos, guardias civiles y turistas, transcurre una jornada donde no ocurre nada especial. Esta primera película escrita y dirigida por Francisco Regueiro* es la mejor de su primera etapa, tiene una clara influencia neorrealista y no esconde su gran sencillez.

Director y guionista: *Francisco Regueiro*. Fotografía: *Juan Julio Baena*. Música: *M. Asins Arbó*. Intérpretes: *Simón Andreu, Marta del Val, Enriqueta Carballeira, Sergio Mendizábal*. Producción: *Alfredo Matas para Jet Films*. Duración: *85 min*.

BUÑUEL, Luis *(Luis Buñuel Portolés. Calanda, Teruel, 1900-Ciudad de México, México, 1983)*

Estudia el bachillerato en Zaragoza con los jesuitas y más tarde se traslada a Madrid para hacer la carrera de ingeniero de caminos. No es buen estudiante, sólo consigue ingresar en industriales, pero acaba dejándolo por ciencias naturales y en 1924 se licencia en la rama de historia de filosofía y letras. Tiene la suerte de hospedarse en la madrileña Residencia de Estudiantes, convivir con las grandes figuras de la generación del 27 y llegar a ser amigo íntimo de Sal-

Marta del Val y Simón Andreu en *El buen amor,* de Francisco Regueiro

vador Dalí y Federico García Lorca. Comienza a escribir, pero atraído por el cine simultanea esta actividad con la organización de los primeros cine-clubs en Madrid y el trabajo de ayudante de dirección de Jean Epstein en París. Sobre guión de Dalí y suyo, y con dinero de su madre, hace el cortometraje *Un perro andaluz* (Un chien andalou, 1928), que se convierte en el manifiesto cinematográfico de los surrealistas. Vuelve a colaborar con Dalí en *La edad de oro* (L'âge d'or, 1930), que realiza gracias al mecenazgo del vizconde de Noailles, provoca un gran escándalo en Francia y le vale una invitación de trabajo en Estados Unidos de Metro-Goldwyn-Mayer. Su primera película española es el mediometraje *Tierra sin pan* (1932), un documental sobre la miseria de Las Hurdes, rodado gracias al dinero ganado en la lotería por un amigo anarquista, y prohibido por el gobierno de la II República. Durante los últimos años de la República trabaja como productor ejecutivo en la empresa Filmófono en las películas *Don Quintín, el amargao* (1935), de Luis Marquina*; *La hija de Juan Simón* (1935) y *¿Quién me quiere a mí?* (1936), de José Luis Sáenz de Heredia*; y *¡Centinela alerta!* (1936), de Jean

Gremillon, que supervisa personalmente y con las que intenta hacer un cine popular digno. Durante la guerra española colabora en París en el montaje del documental *España leal en armas* (1938), de Roman Karmen, y luego es enviado a Hollywood como asesor de dos producciones a favor de la República que no llegan a rodarse. Después de la guerra es contratado por el Museo de Arte Moderno de Nueva York, pero en seguida es expulsado por *comunista*. Tras sobrevivir doblando documentales, viaja a México para rodar una versión de *La casa de Bernarda Alba*, de García Lorca, que no se hace nunca, pero se queda a vivir, acaba nacionalizándose mexicano y finalmente arranca su carrera como director. En poco menos de veinte años escribe y realiza veintiún largometrajes, entre los que destacan las muy personales *Los olvidados* (1950), *Él* (1952), *Abismos de pasión* (1953), *Ensayo de un crimen* (1955), *Nazarín* (1958), *La joven* (1960), *El ángel exterminador* (1962) y la incompleta *Simón del desierto* (1965). Su éxito le permite regresar a España para rodar *Viridiana** (1961), que le consagra internacionalmente al ganar la Palma de Oro del Festival de Cannes, pero es prohibida en España por sacrílega por la censura del general Franco durante dieciséis años. La última etapa de su carrera vuelve a desarrollarse en Francia entre la calidad de *Diario de una camarera* (Le journal d'une femme de chambre, 1964), *La vía láctea* (La voie lactée, 1969), *Ese oscuro objeto de deseo* (Cet obscur object du désir, 1977), y el éxito de *Bella de día* (Belle de jour, 1966), *El discreto encanto de la burguesía* (Le charme discret de la bourgeoisie, 1972), *El fantasma de la libertad* (Le fantôme de la liberté, 1974). Entre ellas rueda en España *Tristana** (1970), una excelente adaptación de una novelita de Benito Pérez Galdós. Como buen español de su época, en sus memorias *Mi último suspiro* (1982) habla de casi todo, menos de sexo y dinero. Escritas en colaboración con Jean-Claude Carrière, el coguionista de la última etapa francesa de su obra, dice preferir sus películas galas a las mexicanas o españolas, pero mitad por cortesía hacia su colaborador y mitad porque gana mucho más dinero con ellas.

BURMANN, Hans *(Hans Burmann Sánchez. Bod-Honnef, Alemania, 1937)*

Hijo del conocido decorador de teatro y cine Sigfrido Burmann, se educa en Madrid y desde 1953 trabaja en cine. Después de recorrer todo el escalafón, debuta como director de fotografía en *No desearás al vecino del quinto* (1970), de Ramón Fernández*, con quien vuelve a colaborar repetidamente. Desde entonces trabaja sin interrupción y entre su amplia producción destaca su colaboración con Mario Camus* en *La leyenda del alcalde de Zalamea* (1972), *Los pájaros de Baden-Baden* (1975), *La joven casada* (1975), *Los días del pasado*

(1977), *La colmena* * (1982), *Los santos inocentes* * (1984), *La vieja música* (1985), *La rusa* (1987); con Pilar Miró* en *La petición* (1976), *El crimen de Cuenca* * (1979), *Werther* (1986); con Jaime Chávarri en *Bearn o la sala de las muñecas* * (1983), *Las cosas del querer* * (1989); y con Eloy de la Iglesia* en *Colegas* * (1982), *El pico* * (1983). Sin olvidar *El rey pasmado* * (1991), de Imanol Uribe*, uno de sus mejores trabajos.

BUSCA, LA *(1966)*

En 1904 el gran novelista Pío Baroja publica su trilogía *La lucha por la vida*, integrada por *La busca, Mala hierba* y *Aurora roja*, un fresco agrio y descarnado sobre la vida en Madrid a principios de siglo. Tomando como punto de partida la primera de estas novelas, el debutante Angelino Fons* rueda la mejor y más personal de sus trece películas. A través de las andanzas de Manuel (Jacques Perrin), un joven que desde un perdido pueblo llega al Madrid de comienzos de siglo, narra la vida sombría de los desheredados de la villa y corte. Destaca el descarnado tono realista de la realización y la interpretación del protagonista Jacques Perrin.

Director: *Angelino Fons.* Guionistas: *Angelino Fons, Juan Cesarabea, Flora Prieto, Nino Quevedo.* Fotografía: *Manuel Rojas.* Música: *Luis de Pablo.* Intérpretes: *Jacques Perrin, Emma Penella, Sara Lezana, Hugo Blanco, Lola Gaos.* Producción: *Nino Quevedo para Surco Films.* Duración: *92 min.*

BWANA *(1966)*

A partir de la obra de teatro *La mirada del hombre oscuro,* de Ignacio del Moral, y sobre un hábil guión de Imanol Uribe*, Juan Potau y Francisco Pino, Imanol Uribe hace una tragicomedia con muy pocos elementos, pero aprovechados a la perfección, que se sitúa entre sus más logradas películas. Narra cómo durante un largo fin de semana el taxista Antonio (Andrés Pajares*), su mujer Dori (María Barranco) y sus hijos pequeños Iván (Alejandro Martínez) y Jessy (Andrea Granero) se van a una desierta playa de Almería a coger coquinas, pero la situación se va enrareciendo a medida que se encuentran con unos contrabandistas, unos neonazis alemanes y, sobre todo, el simpático negro Ombasi (Emilio Buale), que ha llegado a España en una patera en busca de una vida mejor. A medida que la acción avanza, Imanol Uribe, con la gran ayuda de los unos excelentes Andrés Pajares y María Barranco, convierte una divertida y realista comedia en una eficaz tragedia antirracista.

Director: *Imanol Uribe.* Guionistas: *Imanol Uribe, Juan Potau, Francisco Pino.* Fotografía: *Javier Aguirresarobe.* Música: *José Nieto.* Intérpretes: *Andrés Pajares, María Barranco, Emilio Buale, Alejandro Martínez, Andrea Granero, Miguel del Arco, Patricia López, Paul Berrando, César Vea.* Producción: *Antonio Cardenal para Aurum, Cartel y Origen P. C.* Duración: *90 min.*

DICCIONARIO DEL CINE ESPAÑOL

C

CABAL, Fermín *(Fermín Cabal Riera. León, 1948)*

Vinculado al teatro independiente, forma parte de algunos grupos como Los Goliardos y Tábano, también es miembro fundador de la Sala Cadarso y El Gayo Vallecano en Madrid. Entre su amplia producción teatral destacan *Tú estás loco, Briones, Fuiste a ver a la abuela???, Vade retro, Esta noche gran velada, Caballito del diablo, Travesía.* Colabora en los guiones de *El poderoso influjo de la luna* (1980), *Buscando a Perico* (1981), *Y del seguro... ¡líbranos Señor!* (1983), de Antonio del Real; *Tú estás loco, Briones* (1980), de Javier Maqua; *El pico II* (1984), de Eloy de la Iglesia. También dirige sobre guión propio *La reina del mate* (1985).

CADA VEZ QUE... *(1967)*

Con un título extraído de la frase de Brigitte Bardot «Cada vez que me enamoro creo que es para siempre», Carlos Durán hace una de las películas más características de la denominada *Escuela de Barcelona.* Frente al realismo a la italiana que caracteriza al mejor cine que se hace en Madrid, presenta una ligera historia a la francesa, cercana a los postulados de la *Nouvelle vague.* Las relaciones entre cuatro jóvenes amigos sirve para mostrar a unas atractivas mujeres, la italiana Serena Vergano* y la inglesa Irma Wallig, rodar algunas escenas *modernas* y narrar una historia demasiado intrascendente. Más dedicado a la producción que a la dirección, el debut en este terreno de Carlos Durán no alcanza mucho éxito, por lo que tras rodar la irregular *Liberxina 90* (1970), que tiene todo tipo de problemas con los censores del general Franco, se dedica en exclusiva a tareas de producción, en especial en películas de Vicente Aranda*.

Director: *Carlos Durán*. Guionistas: *Carlos Durán, Joaquín Jordá*. Fotografía: *Juan Amorós*. Música: *Marco Rossi*. Intérpretes: *Serena Vergano, Irma Wallig, Daniel Martín, Jaap Guyt*. Producción: *Jacinto Esteva para Filmscontacto*. Duración: *85 min.*

CALABUCH *(1956)*

Muy influenciada por el denominado «neorrealismo rosa», es la menos crítica de las películas dirigidas por Luis G. Berlanga*, pero encierra una entrañable descripción de un pueblecito mediterráneo y sus fuerzas vivas. A partir de la historia de Jorge (Edmund Gwenn), un sabio que ha colaborado en la invención de la bomba atómica y, asustado de lo que ha hecho, huye de Estados Unidos para refugiarse en el pueblecito de Calabuch, se narran sus relaciones con los principales personajes del pueblo, su afición a la pirotecnia y cómo realiza los mejores fuegos artificiales que se han visto en la región. Como es habitual en las películas de Berlanga*, destaca el hábil manejo de un importante grupo de actores, entre los que destacan los habituales Juan Calvo, José Isbert*, Félix Fernández, Nicolas Perchicot, Manuel Alexandre.

Director: *Luis G. Berlanga*. Guionistas: *Leonardo Martín, Florentino Soria, Ennio Flaiano, Luis G. Berlanga*. Fotografía: *Francisco Sempere*. Música: *Francesco Lavagnino*. Intérpretes: *Edmund Gwenn, Valentina Cortese, Juan Calvo, Franco Fabrizi,*

José Luis Ozores en *Calabuch*, de Luis G. Berlanga

José Isbert, José Luis Ozores, Félix Fernández, Nicolas Perchicot. Producción: *Águila Films (Madrid), Films Constellazione (Roma).* Duración: *93 min.*

CALLE MAYOR *(1956)*

La mejor obra de teatro escrita por Carlos Arniches es *La señorita de Trevélez,* que es objeto de dos versiones cinematográficas muy diferentes. En 1936 Edgar Neville* rueda la primera con el mismo título, que a pesar de sus irregularidades, es bastante fiel al original y constituye una de sus primeras películas importantes. Y veinte años después, un Bardem* en el mejor momento de su carrera, hace una imaginativa y personal adaptación. Con una clara influencia de *Los inútiles* (I vitelloni, 1953), de Federico Fellini, narra cómo Juan (José Suárez*), recién llegado de Madrid a una pequeña ciudad de provincias por razones de trabajo, finge estar enamorado de Isabel (Betsy Blair) como una broma más de su aburrido grupo de amigos, pero la solterona no sólo se lo cree, sino que se enamora a su vez de él. Con estos elementos, Bardem* hace una dura crítica de la cobardía de la clase media y el abandono de la vida provinciana, pero sobre todo un excelente retrato de una mujer de treinta y cinco años en la provinciana España de la época. Ganadora del premio de la crítica internacional en la Mostra de Venecia, debe gran parte de sus calidades al buen trabajo de la actriz norteamericana Betsy Blair. No demasiado atacada por la censura

Betsy Blair y José Suárez en *Calle Mayor,* de J. A. Bardem

dominante, que se limita a quitarle agresividad y cortar la escena donde Isabel repartía leche en polvo entre los niños de los suburbios al tiempo que les hablaba del misterio de la Santísima Trinidad, sin embargo la policía detiene a Bardem* una noche en Palencia, en pleno rodaje, y debe ponerle en libertad en seguida ante la presión internacional.

Director y guionista: *J. A. Bardem*. Fotografía: *Michael Kelber*. Música: *Joseph Kosma, Isidro B. Maiztegui*. Intérpetes: *Betsy Blair, José Suárez, Yves Massard, Luis Peña, Dora Doll, Alfonso Godá, Manuel Alexandre*. Producción: *Manuel J. Goyanes para Suevia Films-Cesáreo González (Madrid) y Play Art-Iberia Films (París)*. Duración: *95 min.*

CALLE SIN SOL, LA *(1948)*

Entre las dieciséis películas que Rafael Gil rueda durante los años cuarenta, que constituyen la mejor etapa de su carrera, destaca ésta, basada en su sólido guión de Miguel Mihura, que poco tiene que ver con sus tradicionales comedias llenas de peculiar humor, en la medida que transcurre en el Barrio Chino de Barcelona, su estilo recuerda al realismo poético francés de la preguerra y tiene un excelente decorado de Enrique Alarcón*. Narra los amores de Albert Legasse (Antonio Vilar*), un francés que llega a Barcelona huyendo de Francia, donde cree

haber matado a su mujer, y Pilar (Amparito Rivelles*), la hija del dueño de la casa de huéspedes donde se refugia, entre medias de una intriga policiaca y con un final feliz que nada tiene que ver con las películas francesas de los años treinta. Rodada con una cierta brillantez por Gil*, en su momento es un fracaso de público, pero no de crítica, y como es habitual en el cine de la época, encierra algunas incorrecciones dramáticas que se deben más a los poderosos censores que a sus creadores.

Director: *Rafael Gil*. Guionista: *Miguel Mihura*. Fotografía: *Alfredo Fraile*. Música: *Manuel Parada*. Intérpetes: *Antonio Vilar, Amparito Rivelles, Manolo Morán, Mary Delgado, José Nieto, Alberto Romea*. Producción: *Manuel J. Goyanes para Suevia Films-Cesáreo González*. Duración: *100 min.*

CALVO, Pablito *(Pablo Calvo. Madrid, 1946)*

Seleccionado entre cientos de niños de siete años para encarnar al protagonista de *Marcelino, pan y vino** (1954), su éxito nacional e internacional hace que la productora Chamartín le contrate para otras dos películas que también dirige Ladislao Vajda*, la excelente *Mi tío Jacinto** (1956) y la menos lograda *Un ángel pasó por Brooklyn** (1957). Posteriormente, y siempre doblado por una mujer, hace otras cinco películas sin el menor atractivo, la italiana *Totó y Pablito* (Totò e

Marcellino, 1958), de Antonio Musu; la coproducción con la República Federal Alemana *Juanito* (1960), de Fernando Palacios; la española *Alerta en el cielo* (1961), de Luis César Amadori; la coproducción con México *Dos años de vacaciones* (1962), de Emilio Gómez Muriel; y la coproducción con Argentina *Barcos de papel* (1962), de Román Viñoly Barreto. Apartado del cine, estudia ingeniería industrial y, posteriormente, se dedica a ejercerla.

CAMADA NEGRA *(1977)*

A través de una compleja estructura, característica de los relatos infantiles, donde un héroe debe realizar algunas pruebas para lograr sus propósitos, Manuel Gutiérrez Aragón* afronta una temática directamente política. Realiza la descripción de un grupo de fascistas, de los denominados *incontrolados,* durante la etapa de la transición política de la dictadura a la democracia, desde el punto de vista de un adolescente, lo que da a la historia unas tonalidades nada realistas y muy personales. El joven de quince años Tatín (José Luis Alonso) oscila entre la irracionalidad del violento grupo que le rodea, y en el que pretende entrar, y la encantadora Rosa (Ángela Molina*), que es el polo opuesto de este mundo, pero su comportamiento resulta un tanto forzado en cuanto sacrifica a la segunda en función de los primeros. Escrita por José Luis Borau*, que también se encarga de la producción, y el propio Gutiérrez Aragón*, en su momento desata una gran polémica, por tratar de la realidad cotidiana, a pesar de estar observada desde un prisma personal, es objeto de diferentes ataques por parte de los grupos *ultra* y en determinadas regiones de España nunca llega a estrenarse.

Director: *Manuel Gutiérrez Aragón.* Guionistas: *José Luis Borau, Manuel Gutiérrez Aragón.* Fotografía: *Magi Torruella.* Música: *José Nieto.* Intérpretes: *José Luis Alonso, María Luisa Ponte, Ángela Molina, Joaquín Hinojosa, Manuel Fadon.* Producción: *José Luis Borau para El Imán.* Duración: *89 min.*

CAMINO, EL *(1964)*

Adaptación de una de las primeras novelas de Miguel Delibes, realizada con tanta falta de pretenciosidad como eficacia por la actriz y directora Ana Mariscal*. Narra la vida cotidiana en un pueblo a través de un grupo de adolescentes cuya sexualidad comienza a despertar. Se trata de una de las primeras películas de Maribel Martín*, todavía en su etapa de *niña prodigio.* Tarda en estrenarse y luego pasa completamente desapercibida.

Directora: *Ana Mariscal.* Guionistas: *José Zamit, Ana Mariscal, Miguel Delibes.* Fotografía: *Valentín Javier.* Música: *Gerardo Gambau.* Intérpretes: *Julia Caba Alba, Joaquín*

Roa, Mari Delgado, Maruchi Fresno, Maribel Martín. Producción: *Ana Mariscal para Bosco Films.* Duración: *96 min.*

CAMINO, Jaime *(Jaime Camino Vega de la Iglesia. Barcelona, 1936)*

Licenciado en derecho, profesor de piano y armonía y crítico de cine de las revistas *Ínsula* y *Nuestro Cine.* Propietario de la marca Tibidabo Films, es coguionista y productor de casi todas sus películas y miembro de la denominada *Escuela de Barcelona,* aunque siempre intenta hacer un cine más comercial y menos estetizante que la mayoría de sus miembros. Desde *Los felices 60* (1963), que narra un tímido intento de adulterio durante un verano en Cadaqués, hasta *Las largas vacaciones del 36** (1975), personal visión de los años de la guerra española desde una perspectiva catalana, sus películas son alteradas por la censura del general Franco. Esto le quita fuerza a *Mañana será otro día* (1966), sobre las relaciones entre un aprendiz de delincuente y una prostituta; hace que *España otra vez* (1968), intento de visión crítica de la realidad nacional a través de los ojos de un antiguo miembro de las Brigadas Internacionales, gane el premio del Sindicato Nacional del Espectáculo, y que sea cortada *Un invierno en Mallorca** (1969), sobre la estancia en la isla de Federico Chopin y George Sand. La democracia le lleva al interesante documento *La vieja memoria** (1977) y a la fallida *La campanada* (1979), su peor trabajo con *Mi profesora particular* (1972) y las pretenciosas *El balcón abierto* (1984) y *Luces y sombras* (1988). A pesar de sus fallos de producción, tienen más interés *Dragon Rapide** (1986) y *El largo invierno* (1991), donde vuelve a tratar el tema de la guerra española.

CAMPOY, Eduardo *(Eduardo Campoy Sanz. León, 1955)*

Tras producir un importante número de cortometrajes, algunos de los que también dirige, para la marca Cinema del Callejón, realiza uno de los dos episodios que integran la irregular *Copia Cero* (1981). Tras adquirir una sólida experiencia como productor de largometrajes, escribe a medias con Agustín Díaz Yáñez, produce y dirige los interesantes y melodramáticos policiacos *A solas contigo* (1990) y *Demasiado corazón* (1992), al tiempo que se dedica a la producción de películas dirigidas por otros.

CAMUS, Mario *(Mario Camus García. Santander, 1935)*

Estudia derecho y se diploma en dirección en la Escuela Oficial de Cinematografía. Entre las películas realistas *Los farsantes* (1963), *Young Sánchez** (1963) y *Con el viento solano* (1965), las dos ultimas basadas en relatos de Ignacio Aldecoa, rueda las comedias intrascendentes *Muere una mujer* (1964), y *La visita que no* *tocó el timbre* (1964). Posteriormente hace cuatro musicales de encargo sin interés, *Cuando tú no estás* (1966), *Al ponerse el sol* (1967) y *Digan lo que digan* (1968), al servicio del cantante Raphael, y *Esa mujer* (1969), a mayor gloria de Sara Montiel*, y un *spaghetti-western* con pretensiones, *La cólera del viento* (1970). Bastante más atractiva es la trilogía sobre diferentes historias de amor integrada por *Los pájaros de Baden-Baden* (1975), su última adaptación de Aldecoa, *La joven casada* (1976) y *Los días del pasado* (1977), que pasa demasiado desapercibida. Tras una larga actividad paralela en televisión, con la serie *Fortunata y Jacinta* (1979), sobre la novela homónima de Benito Pérez Galdós, comienza un sólido trabajo como adaptador, que abarca las películas *La colmena** (1982), sobre la novela de Camilo José Cela; *Los santos inocentes** (1984), sobre la de Miguel Delibes; *La casa de Bernarda Alba** (1987), sobre el drama teatral de Federico García Lorca; *La rusa* (1987), sobre una novela del periodista Juan Luis Cebrián, y *Adosados* (1996), sobre la narración de Félix Bayón. Su mejor y más personal cine es el que, sobre guiones propios, conduce desde *Volver a vivir* (1967) a través de *La vieja música* (1985) hasta *Después del sueño** (1992) y *Amor propio* (1994), pero sobre todo a *Sombras en una batalla** (1993). Aparte de colaborar en la mayo-

ría de sus guiones también interviene en los de *Los golfos** (1959) y *Llanto por un bandido* (1964), de Carlos Saura; *Truhanes* (1983) y *Marbella* (1985), de Miguel Hermoso; *Luces de bohemia* (1985), de Miguel Ángel Díez; *Werther* (1986), *Beltenebros** (1991) y *El pájaro de la felicidad** (1993), de Pilar Miró*.

CANALEJAS, Lina *(Concepción Álvarez Canalejas. Madrid, 1932)*
Después de estudiar ballet y baile clásico, entra a formar parte de una compañía folclórica con la que recorre España, para más tarde trabajar en revistas. A principios de los años cincuenta empieza a hacer teatro y debuta en cine con un papel importante en *Así es Madrid* (1953), de Luis Marquina*. Comienza así una irregular carrera cinematográfica, que lo mismo la lleva a hacer papeles secundarios en producciones de un cierto interés, *Un día perdido* (1954), de José María Forqué*; *Mi calle** (1960), de Edgar Neville*; *La venganza de don Mendo* (1961), de Fernando Fernán-Gómez*; *El love feroz* (1973), de José Luis García Sánchez*; *Padre nuestro** (1985) y *MadreGilda** (1993), de Francisco Regueiro; *Amo tu cama rica** (1992), de Emilio Martínez-Lázaro, que a protagonizar *El pequeño ruiseñor* (1956), de Antonio del Amo; *El mundo sigue** (1963), donde realiza su mejor trabajo, y *El extraño viaje** (1964), de Fernando Fernán-Gómez; *De cuerpo

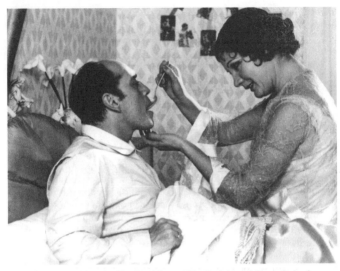

José Luis López Vázquez y Lina Canalejas en *El jardín de las delicias,* de Carlos Saura

presente (1965), de Antonio Ecei-za*; *El jardín de las delicias* (1970) y *La prima Angélica** (1973), de Carlos Saura. Hermana del actor y realizador José Cana-lejas, interpreta bajo su dirección las poco atractivas *El último pro-ceso de París* (1974) y *El in...moral* (1974), protagonizadas por los hermanos Calatrava.

CANCIONES PARA DESPUÉS DE UNA GUERRA *(1971)*

El fracaso de su segunda pelí-cula de ficción, *Del amor y otras soledades* (1969), y su interés por las técnicas de montaje, llevan a Basilio M. Patino* a realizar durante la primera mitad de los años setenta, y de forma clandesti-na, una interesante trilogía de documentales. Frente al clasicis-mo de *Caudillo** (1975) y el apoyo en el denominado *cinema-verité* de *Queridísimos verdugos** (1973), destaca la novedad y fres-cura de esta historia del franquis-mo desde el final de la guerra española hasta la firma del primer tratado con Estados Unidos en 1953. A través de una excelente mezcla de documentales de la época, fotos y canciones del momento, y dividida en capítulos, se narra la victoria de los insurrec-tos en la guerra, la historia de la División Azul, la influencia del final de la II Guerra Mundial, los trabajos de Auxilio Social y Regiones Devastadas, las películas

Canciones para después de una guerra, de Basilio M. Patino

históricas de Cifesa, la influencia de la radio, las cartillas de racionamiento, el estraperlo, la fuerza de la lotería, la llegada de los norteamericanos. Patino* demuestra ser un maestro del montaje, pero la película no sólo es prohibida por la censura, sino que indigna al mismísimo almirante Carrero Blanco y permanece secuestrada hasta el final de la dictadura del general Franco. Estrenada cinco años después, alcanza el merecido éxito, tanto la película en sí como su rica banda sonora.

Director y guionista: *Basilio M. Patino*. Producción: *José Luis García Sánchez para Turner Films*. Duración: *110 min.*

CANICHE *(1979)*

Los hermanos Bernardo (Ángel Jové) y Eloísa (Consol Turá) viven en medio de una total decadencia en una gran villa en los alrededores de Barcelona, único resto de su pasado esplendor, con su caniche Dany, conocedor de todas sus miserias, hasta que una inesperada herencia les permite cambiar de vida, pero no dejar de practicar sus sórdidas costumbres. Con estos elementos Bigas Luna* escribe y dirige una de sus más personales y olvidadas películas. Rodada con muy escasos medios, brilla por la minuciosa descripción de la completa ruina en que han caído los hermanos y el empleo sistemático de primeros planos.

Director y guionista: *Bigas Luna*. Fotografía: *Pedro Aznar*. Intérpretes: *Ángel Jové, Consol Turá, Linda Pérez Gallardo, Cruz Tovar*. Producción: *Pepón Coromina para Fígaro Films*. Duración: *90 min*.

CANTUDO, María José *(María Purificación Cantudo Porcel. Andújar, Jaén, 1951)*

Desde los quince años trabaja como secretaria, modelo, intérprete de fotonovelas y presentadora de televisión. Debuta en cine haciendo una pequeña aparición en *El espanto surge de la tumba* (1972), de Carlos Aured, y tras algunos irrelevantes papeles secundarios se convierte en una celebridad nacional al ser la primera mujer que aparece completamente desnuda en una película española, al encarnar a la seductora enfermera Juana Ríos en *La trastienda** (1975), de Jorge Grau*. Su poca habilidad, su nula fuerza dramática y su mala voz, que hace que siempre sea doblada por una dobladora profesional, la llevan a volver a irrelevantes papeles secundarios, después de protagonizar *El secreto inconfesable de un chico bien* (1975), de Jorge Grau*, y *Las delicias de los verdes años* (1976), de Antonio Mercero*, todas producidas por José Frade*, abandonar el cine a comienzos de los años ochenta y dedicarse en exclusiva a espectáculos musicales en teatro y televisión.

CAPITÁN VENENO, EL *(1950)*

Tomando como punto de partida la novela homónima de Pedro Antonio de Alarcón, y sin apartarse demasiado del original, Luis Marquina* rueda la más popular de sus películas. Sobre guión suyo y del novelista Wenceslao Fernández Flórez, narra las desventuras del malhumorado soldado Jorge de Córdoba en un conseguido tono de comedia. Destaca la labor interpretativa de Fernando Fernán-Gómez* en uno de sus mejores y más divertidos papeles de la década de los cincuenta.

Director: *Luis Marquina*. Guionistas: *Luis Marquina, Wenceslao Fernández Flórez*. Fotografía: *Juan Mariné*. Música: *Cristóbal Halffter*. Intérpretes: *Fernando Fernán-Gómez, Sara Montiel, Manolo Morán, Julia Caba Alba*. Producción: *Octavio Fernández Roces para Roptence, S. A.* Duración: *94 min*.

CARMEN *(1983)*

Después del éxito alcanzado con el ensayo musical *Bodas de sangre** (1981) y aprovechando que los derechos de la ópera de George Bizet han quedado libres, el productor Emiliano Piedra* convence al realizador Carlos Saura* y al bailarín Antonio Gades para que vuelvan a colaborar en un musical. El resultado tiene una gran resonancia, más internacional que nacional, supone el lanzamiento de Laura del Sol* y la confirmación de que Antonio Gades es tan buen baila-

Laura del Sol y Cristina Hoyos en *Carmen*, de Carlos Saura

rín y coreógrafo como mal actor. Frente a números realmente espléndidos, como el baile de las cigarreras entre Laura del Sol y Cristina Hoyos con toda la compañía, hay momentos dramáticos que quedan cerca del ridículo. Mejor que la película es la versión teatral, cuya dirección firman conjuntamente Gades* y Saura*, que la compañía del bailarín interpreta por medio mundo con enorme éxito. La trilogía musical de Saura* se cierra con *El amor brujo* (1986), que vuelve a hacer con el mismo equipo.

Director: *Carlos Saura*. Guionistas: *Carlos Saura, Antonio Gades*. Fotografía: *Teo Escamilla*. Música: *Paco de Lucía, George Bizet*. Intérpretes: *Antonio Gades, Laura del Sol, Paco de Lucía, Cristina Hoyos, Juan Antonio Jiménez*. Producción: *Emiliano Piedra P. C*. Duración: *102 min.*

CARNE DE HORCA *(1953)*

Entre las dieciséis películas rodadas en España por el realizador húngaro Ladislao Vajda* destaca esta producción sobre el tema del bandolerismo andaluz por su particular dureza. Rodada en coproducción con Italia y sobre un guión de José Santugini*, narra cómo el señorito andaluz Juan Pablo de Osuna (Rossano Brazzi), simula el secuestro de su padre por el terrible bandido Lucero (Fosco Giachetti) para conseguir un dinero con que pagar deudas de juego. Realmente el bandolero le secuestra y mata al no recibir el rescate, y desesperado Juan Pablo de Osuna se introduce en su grupo, gana su confianza y consigue destruirle. Contada como si fuese un romance popular, gana un premio en la Mostra de Venecia.

Director: *Ladislao Vajda*. Guionista: *José Santugini*. Fotografía: *Otelo Martelli*. Música: *José Muñoz Molleda*. Intérpretes: *Rossano Brazzi, Emma Penella, Fosco Giachetti, José Nieto, Luis Prendes, Félix Dafauce*. Producción: *Chamartín (Madrid), Falcó Film (Roma)*. Duración: *85 min*.

CARVAJAL, Pedro *(Pedro Carvajal Urquijo. Madrid, 1944)*

Licenciado en filosofía y letras por la Universidad de Madrid y en guión por la Escuela Oficial de Cinematografía, estudia teatro con William Layton y monta y dirige el Teatro Experimental Independiente. Escribe y produce *Flor de santidad* (1972), de Adolfo Marsillach*, una interesante adaptación de Ramón del Valle-Inclán destrozada por la censura del general Franco. Más tarde también interviene como guionista y/o director artístico en *Clara es el precio* (1974) y *Cambio de sexo* (1976), de Vicente Aranda*, *El puente* (1976), de J. A. Bardem, *Memorias de Leticia Valle* (1979), de Miguel Ángel Rivas y *Manuel y Clemente* (1985), de Javier Palmero. Tras participar

durante los años ochenta en la creación y funcionamiento de la distribuidora Arte 7, debuta como realizador con el documental de largometraje *El tiempo de Neville* (1991), que hace a medias con Javier Castro, sobre la polifacética figura de Edgar Neville*. Siempre interesado por los ritos y costumbres gallegas, se plantea una atractiva trilogía sobre las relaciones entre los vivos y los muertos, de la que hasta ahora sólo ha realizado la primera parte, *Martes de Carnaval* (1991), codirigida con Fernando Bauluz, y la segunda, *El baile de las ánimas* (1993), la primera película que rueda en solitario.

CASA DE BERNARDA ALBA, LA *(1987)*

Las tantas veces anunciada adaptación de la obra homónima de Federico García Lorca, es la oferta de trabajo que hace que a mediados de los años cuarenta Luis Buñuel* deje Estados Unidos y se vaya a vivir a México, aunque acaba dirigiéndola el gran especialista en adaptar obras de autores españoles contemporáneos Mario Camus*, en su única incursión en el terreno teatral. Respetando al máximo el original y su tono teatral, narra el duro luto que se imponen las Alba a la muerte de su padre y el drama que desencadena la sombra de Pepe el Romano, el único hombre que entra en una casa habitada exclusivamente por mujeres. Des-

Antonio Casal y Rosita Yarza en *El hombre que se quiso matar,* de Rafael Gil

taca la sobriedad narrativa y el amplio y bien conjuntado reparto exclusivamente femenino.

Director: *Mario Camus.* Guionistas: *Mario Camus, Antonio Larreta.* Fotografía: *Fernando Arribas.* Intérpretes: *Irene Gutiérrez Caba, Ana Belén, Florinda Chico, Enriqueta Carballeira, Victoria Peña, Aurora Pastor, Rosario García Ortega.* Producción: *Paraíso Films.* Duración: *104 min.*

CASAL, Antonio *(Antonio Casal Rivadulla. Santiago de Compostela, 1910-Madrid, 1974)*

Abandona sus estudios de maquinista de la armada y de comercio para trasladarse a Madrid y debutar como actor de teatro. No tarda mucho en hacerse un nombre, actuar también como cantante y llegar a ser primer actor cómico en la compañía de María Fernanda Ladrón de Guevara. Debuta en cine con *Pepe Conde* (1941), de José López Rubio*, y se convierte en un eficaz galán cómico durante la década de los cuarenta y cincuenta de la mano de Rafael Gil* en *El hombre que se quiso matar* (1942), *Viaje sin destino* (1942), *Huella de luz** (1942), *El fantasma y doña Juanita* (1944), *Camarote de lujo* (1957); de Ladislao Vajda* en *Doce lunas de miel* (1943), *Te quiero para mí* (1944), *Cinco lobitos* (1945), *Doña Francisquita* (1952); de Edgar Neville* en *La torre de los siete jorobados** (1944). Alcanza una gran popularidad con *Botón de ancla* (1947) y *La trinca del aire* (1951), de Ramón Torrado*. Durante los años cincuenta se dedica especialmente a la revista al formar primero compañía con Ángel de Andrés y luego propia, para trabajar sobre todo como director y empresario teatral durante los sesenta. Continúa con el cine, pero sólo en papeles secundarios, y alcanza su último éxito al encarnar al jefe de policía de Tomelloso en la serie de televisión *Plinio* (1972), que dirige Antonio Giménez-Rico* sobre el personaje creado por el novelista Francisco García Pavón.

CASANOVA, Vicente *(Vicente Casanova Giner. Valencia, 1908-Biarritz, Francia, 1995)*
Alma de Cifesa, Compañía Industrial Film Español Sociedad Anónima, la productora fundada en 1932 por su padre, Manuel Casanova Llopis, la única que funciona en España de la misma forma que las grandes de Hollywood en sus años dorados, con actores, directores y técnicos contratados por largos períodos, no sólo para una o dos películas. En su primer período produce algunos de los grandes éxitos del cine de la II República, *La hermana san Sulpicio** (1934), *Nobleza baturra** (1935) y *Morena Clara** (1936), de Florián Rey*, y *La verbena de la Paloma** (1936), de Benito Perojo*. En su segundo período, tras la guerra española, se convierte en la máxima representante del cine del general Franco, aunque sus relaciones con el poder no son buenas, lo que la lleva a desaparecer a comienzos de los años cincuenta. Produce películas de directa propaganda política, *Harka* (1941), de Carlos Arévalo; *¡A mí la legión!* (1942), de Juan de Orduña*; acartonadas producciones históricas, *Locura de amor** (1948), *Agustina de Aragón* (1950), *La leona de Castilla* (1951) y *Alba de América* (1951), de Juan de Orduña*; historias folclóricas, *Currito de la Cruz* (1948) y *Lola la piconera* (1951), de Luis Lucia*. Aunque también financia curiosas comedias, *Malvaloca** (1942), de Luis Marquina*; *Viaje sin destino* (1942), de Rafael Gil*; *Ella, él y sus millones** (1944), de Juan de Orduña*. Durante sus veinte años de existencia también funciona como distribuidora, tanto de películas españolas, que financia total o parcialmente, como extranjeras. En su etapa inicial distribuye las películas norteamericanas de los estudios Columbia.

CASTILLO DE NAIPES *(1943)*
La segunda película dirigida por Jerónimo Mihura*, pero la primera donde colabora en el guión su hermano Miguel Mihura*, es una comedia intrascendente, realizada con pocos medios, pero que funciona bien y demuestra la habilidad de la pareja para el género. Narra el enfrentamiento entre el arquitecto Luis Guzmán (Raúl Cancio) y la atractiva joven Carmen (Blanca de Silos) por la propiedad del castillo de Piedrasalvas, que el prime-

ro quiere convertir en un moderno hotel y la segunda conservar como está, finalmente arreglado por una oportuna boda entre ambos. Destacan los diálogos de Miguel Mihura* apoyados en el absurdo y la agilidad de la dirección de Jerónimo Mihura*.

Director: *Jerónimo Mihura.* Guionistas: *Antonio de Obregón, Miguel Mihura.* Fotografía: *Michel Kelber.* Música: *Juan Quintero.* Intérpretes: *Blanca de Silos, Raúl Cancio, Manolo Morán, Camino Garrigó, Joaquín Roa.* Producción: *Montagu Marks para Vulcano.* Duración: *92 min.*

CAUDILLO *(1975)*

En contra de lo que su título hace pensar, no se trata de un análisis de la figura del único vencedor de la guerra española y el dictador que somete a su pueblo bajo su voluntad durante cuarenta años, sino de una película de montaje más sobre la guerra donde se presta especial atención al general Franco. A través de todo tipo de imágenes del período, empezando por el denominado «Alzamiento Nacional» y finalizando por el llamado «Primer Desfile de la Victoria», con una banda sonora donde se entremezclan las más características músicas de la época, especialmente marchas militares, con comentarios de personas anónimas, se da una visión, desde sus respectivas ideologías, de los principales hechos ocurridos en el período 1936-1939 en ambos bandos contendientes, con especial incidencia sobre la figura del futuro dictador. Por un exceso de ambigüedad, seguramente debido a que cuando se comenzó a hacer todavía estaba vivo el biografiado, la visión que da de la guerra parece pensada para contentar a todos los contendientes y la crítica sobre el general Franco pierde eficacia por estar demasiado apoyada en los elementos que se emplean para glorificarle durante su largo mandato. A pesar de ser la parte menos lograda y original de la trilogía de personales documentales realizados por Basilio M. Patino* en la clandestinidad a comienzos de los años setenta —los otros son *Canciones para después de una guerra** (1971) y *Queridísimos verdugos** (1973)—, tiene momentos conseguidos, donde muestra su gran capacidad para el montaje.

Director y guionista: *Basilio M. Patino.* Fotografía adicional: *Alfredo Mayo.* Producción: *José María González Sinde para Retasa.* Duración: *110 min.*

CAZA, LA *(1965)*

En esta primera colaboración entre el realizador Carlos Saura* y el productor Elías Querejeta*, ya aparece el análisis de la sociedad española y el simbolismo que caracteriza la práctica totalidad de las trece películas que ruedan juntos hasta comienzos de la década de los ochenta. Narra cómo un caluroso domingo de verano cua-

Emilio Gutiérrez Caba, Alfredo Mayo, Ismael Merlo y José María Prada en *La caza*, de Carlos Saura

tro hombres, los cincuentones José (Ismael Merlo), Paco (Alfredo Mayo*) y Luis (José María Prada) y el veinteañero Enrique (Emilio Gutiérrez Caba*), llegan a un desolado coto de Castilla para cazar conejos, un lugar donde los tres primeros habían combatido durante la guerra española; a lo largo de la jornada van apareciendo sus frustraciones y al final explota la violencia entre ellos, lo que hace que el más joven huya asustado. Rodada con tanta habilidad como economía de medios y exceso de simbolismo, su perfecto acabado técnico, al que colabora decisivamente la excelente fotografía en blanco y negro de Luis Cuadrado*, marca un punto y aparte dentro de la historia del cine español.

Director: *Carlos Saura*. Guionistas: *Angelino Fons, Carlos Saura*. Fotografía: *Luis Cuadrado*. Música: *Luis de Pablo*. Intérpretes: *Ismael Merlo, Alfredo Mayo, José María Prada, Emilio Gutiérrez Caba, Fernando Sánchez Polack*. Producción: *Elías Querejeta P. C*. Duración: *91 min*.

CHAPLIN, Geraldine *(Geraldine Chaplin O'Neill. Hollywood, California, 1944)*

Hija del famoso actor, productor y realizador Charles Chaplin y nieta del gran dramaturgo Eugene O'Neill, se educa en Inglaterra y Suiza. Estudia ballet y debuta con *La Cenicienta* en la compañía de los Champs-Elysées. Tras una breve aparición en *Candilejas* (Limelight, 1952), de Charles Chaplin, viene a España a rodar las producciones extranjeras *Secuestro bajo el sol* (Par un beau matin d'été, 1964), de Jacques Deray, y *Doctor Zhivago* (1965), de David Lean, y se queda a vivir y trabajar. Esto le lleva a desarrollar una amplia colaboración con Carlos Saura* en *Peppermint frappé* (1967), *Stress es tres, tres* (1968), *La madriguera* (1969), en cuyo guión también interviene, *Ana y los lobos* (1972), *Cría cuervos...* (1975), *Elisa, vida mía* (1977), *Los ojos vendados* (1978). Mientras, de forma paralela prosigue su carrera internacional y rueda con Richard Lester, *Los tres mosqueteros* (The Three Musketeers, 1973); Robert Altman, *Nashville* (1975); Jacques Rivette, *Noroit* (1977); James Ivory, *Roseland* (1977); Alan Rudolph, *Recuerda mi nombre* (Remember my Name, 1978). En España también trabaja en *La casa sin fronteras* (1971), de Pedro Olea*; *¿Y el prójimo?* (1974), de Ángel del Pozo*; *In memoriam* (1977), de Enrique Brasó. Entre sus películas posteriores cabe destacar *Le voyage en douce* (1979), de Michel Deville; *La vie est un roman* (1983), de Alain Resnais; *L'amour par terre* (1984), de Jacques Rivette.

CHÁVARRI, Jaime *(Jaime Chávarri de la Mora. Madrid, 1943)*

Licenciado en derecho, ingresa en la Escuela Oficial de Cinematografía y simultáneamente desarrolla un amplio trabajo en el terreno del super-8, donde destacan los largometrajes *Run, Blancanieves, Run* (1967) y *Ginebra en los infiernos* (1969). Colabora como ambientador o ayudante de dirección en varias producciones, realiza algunos cortometrajes y programas de televisión y un episodio del largo *Pastel de sangre* (1971). Su primer largometraje comercial es *Los viajes escolares* (1973), una ambiciosa y compleja narración con una fuerte carga autobiográfica, pero que no tiene éxito y sólo continúa en *El río de oro* (1985). Entre medias desarrolla una interesante etapa de colaboración con el productor Elías Querejeta* sobre guiones originales escritos entre ambos, integrada por el insólito documento *El desencanto* (1976), el fascinante ensayo sobre la soledad *A un Dios desconocido* (1977) y la desconcertante *Dedicatoria* (1980). Y otra etapa con el productor Alfredo Matas* sobre adaptaciones de obras preexistentes que escribe con Salvador Maldonado*, formada por *Bearn o la sala de las muñecas* (1982), sobre la novela de Llorenç Villalonga; *Las bicicletas son para el verano* (1983), adaptación de la obra teatral de Fernando Fernán-Gómez*; y *Tierno verano de lujurias y azoteas* (1993), basada en una novela de Pablo Solozábal, que alcanza gran éxito. Dentro de la misma línea de encargos también rueda los musicales *Las cosas del querer** (1989) y *Las cosas del querer 2* (1995), para el productor Luis Sanz, que constituyen sus mayores éxitos.

CHICOS, LOS *(1959)*

De la trilogía rodada en España por el italiano Marco Ferreri*, siempre se considera esta producción como la menos interesante, tal vez por no tener nada que ver con el humor negro que caracteriza a las otras dos, ni estar escrita por Rafael Azcona*, pero con el tiempo se ha convertido en un atractivo documento sobre la época con la misma o mayor fuerza que *El pisito** (1958) o *El cochecito** (1960). Narra la vida de cuatro amigos del barrio en torno a un kiosco de periódicos de la madrileña avenida de Felipe II. Carlos (Alberto Jiménez) estudia, está obsesionado por la *vedette* que vive en el piso de arriba y tiene una hermana que quiere invitar a sus amigas a merendar a su casa; El Negro (Joaquín Zarzo) trabaja como mecánico en un taller de automóviles, está preocupado porque su madre tiene una aventura y sale con una chica; Andrés (José Sierra) es botones de un hotel y sueña con ser torero; y El Chispa (José Luis García) regenta el kiosco de periódicos y está enamorado de la hermana de Carlos. Todos viven con sus familias, salvo El Chispa que vive con el propietario del kiosco, y nunca

logran realizar sus mínimas ilusiones: ni ir al cine porque la película no es tolerada para menores, ni entrar en el teatro de La Latina a verle las piernas a la vecina *vedette,* ni tirarse al ruedo de espontáneo porque la corrida se suspende por la lluvia. Tienen que contentarse con bailar en la verbena con sus amigas del barrio, dar clases de tauromaquia y pedirle una foto dedicada a la *vedette.* Con una clara influencia del cine italiano de episodios, está rodada en largos planos y Ferreri* muestra una dura visión de la desolación de estos años de posguerra. La tristeza que desprende el relato se contrapone con la utilización humorística de personajes de segundo plano que jalonan la narración.

Director: *Marco Ferreri.* Guionistas: *Leonardo Martín, Marco Ferreri.* Fotografía: *Francisco Sempere.* Música: *Miguel Asins Arbó.* Intérpretes: *Alberto Jiménez, Joaquín Zarzo, José Sierra, José Luis García, Maricarmen Aymat, Irene Daina.* Producción: *Época Films, Tecisa, Procusa.* Duración: *90 min.*

CHOMÓN, Segundo de *(Segundo Chomón Ruiz. Teruel, 1871-París, 1929)*

Tras realizar estudios secundarios en su ciudad natal, llega a París en 1895, el año que los hermanos Lumière dan a conocer el cinematógrafo, y tras algunas aventuras personales empieza a trabajar en el coloreado a mano de películas para Georges Méliès

El hotel eléctrico, de Segundo de Chomón

y Pathé Frères. Una vez que domina la técnica, a principios de siglo se instala en Barcelona como representante de Pathé Frères, monta un pequeño taller y comienza a experimentar, lo que le lleva a especializarse en la creación de ingeniosos trucos, al tiempo que rueda documentales e historias de ficción. Su fama le devuelve a París entre 1905 y 1909 con un buen contrato con Pathé Frères que no sólo le permite colaborar en producciones ajenas, sino dirigir unas setenta y cinco películas de breve duración que se sitúan entre sus mejores trabajos. De nuevo en Barcelona, crea unos estudios en el centro de la ciudad y en dos años realiza cuarenta y ocho películas de variados géneros, pero dedicando siempre especial atención a las basadas en trucos. En 1912 es contratado por la importante productora Itala Film de Turín, lo que le hace crear los trucajes de la famosa superproducción *Cabiria* (1914), de Giovanni Pastrone; fotografiar *El fuego* (Il fuoco, 1915), de Gabriele D'Annunzio; y rodar la historia de muñecos animados *La guerra e il sogno di Momi* (1916), que firma a medias con Pastrone. Convertido en un excelente profesional de amplia reputación, pasa el resto de su vida en París realizando los trucajes de muy diferentes producciones, entre las que destacan *El negro que tenía el alma blanca* (1926), de Benito Perojo*, y

Napoleón (1927), de Abel Gance. A pesar de que la mayoría de sus más de ciento cincuenta películas se ha perdido, las pocas que quedan no sólo le convierten en el gran pionero del cine español, sino en uno de los mejores directores de todos los tiempos.

CIELO NEGRO *(1951)*

Tomando como punto de partida el relato *Miopita,* de Antonio Zozaya, el realizador Manuel Mur Oti* rueda la más prestigiosa de sus películas. Se trata de un pequeño melodrama en torno a las desgracias que sufre Emilia (Susana Canales), una guapa muchacha que debe utilizar gafas por ser miope, se queda sin novio por tener que cuidar a su madre viuda (Inés Pérez Idarte), le echan de su trabajo de modista por estropear el traje que toma prestado para ir una noche a la verbena y las que creía sus amigas se burlan de ella, rematado porque su madre se muere y le dicen que está a punto de quedarse ciega. La situación no está muy bien desarrollada dramáticamente, como muestra que pierda las gafas en la verbena y no vuelva a acordarse de sus ojos hasta que al final va al oculista, y lo que mejor funciona es el ampuloso final, un tanto en desacuerdo con la sencillez narrativa del resto de la historia. Cuando Emilia va a tirarse por el Viaducto madrileño, comienzan a sonar las campanas y, precedida de un largo *travelling,* corre bajo la lluvia hacia la iglesia de San Francisco el Grande, entra y se arrepiente de su pecado.

Director y guionista: *Manuel Mur Oti.* Fotografía: *Manuel Berenguer.* Música: *Jesús García Leoz.* Intérpretes: *Susana Canales, Fernando Rey, Luis Prendes, Teresa Casal.* Producción: *Joaquín Romero-Marchent para Intercontinental Films.* Duración: *110 min.*

CLARASÓ, Noél *(Noél Clarasó Serrat. Alejandría, Egipto, 1904-Barcelona, 1985)*

A principios de los años cincuenta empieza a escribir guiones, como los de *El diablo toca la flauta* (1953) y *Un día perdido* (1954), de José María Forqué*, pero su aportación más importante es la que hace a medias con José Luis Dibildos*, con una clara influencia de la «comedia a la italiana», para su recién creada productora Ágata Films, *Viaje de novios* (1956), de León Klimovsky*; *Las muchachas de azul* (1957); y *Ana dice sí* (1958), de Pedro Lazaga*. Aparte de otros muchos guiones, especialmente de películas rodadas en Barcelona, también interviene en los de *¿Pena de muerte?* (1962), de Josep María Forn, y *Confidencias de un marido* (1963), de Francisco Prosper, para luego comenzar a escribir en exclusiva para televisión a mediados de los años sesenta. También publica algunos libros de humor y de jardinería.

Francisco Rabal y Rogelio Madrid en *Los clarines del miedo,* de Antonio Román

CLARINES DEL MIEDO, LOS
(1958)

Tomando como punto de partida la novela homónima de Ángel María de Lera, el irregular y tosco Antonio Román* hace uno de sus mejores trabajos. Los motivos por los que dos toreros desconocidos, el mayor y desencantado Aceituno (Francisco Rabal*) y el joven e ilusionado Filigranas (Rogelio Madrid), van a torear una triste corrida en un olvidado pueblo castellano, narrados en la primera parte, y la corrida en sí y lo que la rodea, contada en la segunda, sirven para dar una negra visión de este tradicional espectáculo. Destaca el trabajo de Francisco Rabal* en uno de los mejores toreros que encarna en su dilatada carrera.

Director: *Antonio Román.* Guionistas: *Antonio Vich, A. M. de Lera.* Fotografía: *Antonio L. Ballesteros.* Música: *Manuel Parada.* Intérpretes: *Francisco Rabal, Rogelio Madrid, Silvia Solar, Manuel Luna.* Producción: *Procusa.* Duración: *91 min.*

CLOSAS, Alberto *(Alberto Closas Lluró. Barcelona, 1921-Madrid, 1994)*

Al terminar el bachillerato la guerra española le hace emigrar con su familia a Argentina. Estudia arte dramático, llega a ser primer actor en la compañía de Margarita Xirgu y más tarde tiene compañía propia, con la que recorre Latinoamérica. Debuta en cine en la producción chilena *El renegado de Pichitún* (1943), de José Bohr, y durante los doce años siguientes interviene en un total de veinticuatro películas, la mayoría argentinas, entre las que cabe citar *El pecado de Julia* (1947), *Tierra de fuego* (1948) y *La dama del mar* (1953), de Mario Soffici, e *Historia de una mala mujer* (1948), de Luis Saslavsky. Regresa a España para encarnar con gran éxito al profesor universitario Juan en *Muerte de un ciclista* * (1955), de J. A. Bardem, al que siguen los protagonistas de *Todos somos necesarios* * (1956), de José Antonio Nieves Conde*; *Distrito quinto* * (1957), de Julio Coll*; y *María, matrícula de Bilbao* (1960), de Ladislao Vajda*. Mientras tanto también monta una compañía propia y repite en cine algunas de sus creaciones teatrales, *La vida en un bloc* (1956), de Luis Lucia*; *Una muchachita de Valladolid* (1958), de Luis César Amadori*; *El baile* * (1959), de Edgar Neville*; *Usted puede ser un asesino* (1961), de José María Forqué*; y *Operación embajada* (1963), de Fernando Palacios*.

Mientras dirige el madrileño teatro Marquina y el Globo de Buenos Aires durante algunas temporadas, pasa a hacer papeles secundarios en cine y alcanza gran popularidad con la serie *La gran familia* (1962), *La familia... y uno más* (1965), de Fernando Palacios*, y *La familia bien, gracias* (1979), de Pedro Masó*. Sin abandonar nunca el cine y el teatro, también interviene en televisión, como en la serie *Gatos en el tejado* (1988), de Alfonso Ungría*.

COCHECITO, EL *(1960)*

El italiano Marco Ferreri* comienza su larga y brillante carrera de realizador con tres interesantes películas españolas, que con su mezcla de neorrealismo y humor negro marcan un nuevo estilo dentro del cine nacional. Tras *El pisito* * (1958), basada en una novela de Rafael Azcona* y con guión de ambos, vuelven a colaborar, en esta ocasión a partir del segundo de los tres cuentos que integran el volumen *Pobre, paralítico y muerto*, también de Azcona*. Narra cómo don Anselmo (José Isbert*), un viejo jubilado, lucha contra su familia para conseguir que le compren un cochecito de paralítico motorizado, como el que tienen sus amigos, para poder acompañarles en sus excursiones y, una vez que lo consigue, decide envenenarles para que no le pongan inconvenientes y poderse ir donde quiera. Presentada en su

José Luis López Vázquez, José Isbert y José Álvarez «Lepe» en *El cochecito*, de Marco Ferreri

versión íntegra en la Mostra de Venecia, consigue ganar algún premio importante, pero para estrenarse en España deben escribir y rodar otro final, donde don Anselmo, arrepentido, llama a su familia para decirles que ha puesto veneno en la comida, aunque es igualmente detenido por dos guardias civiles en bicicleta mientras trata de huir en su cochecito. Narrada en largos y complejos planos, da una dura y realista visión del Madrid de la época, teñida de un eficaz humor negro. Ambas películas son origen del cine que durante los años sesenta realiza Luis G. Berlanga*, sobre guiones de Azcona* y suyos, y en menor medida del que en la primera mitad de la década rueda Ferreri* en Italia, también sobre guiones de Azcona* y suyos. Entre ambas películas, Ferreri* también rueda en España *Los chicos* (1959), que a pesar de estar lejos del humor negro y no colaborar Azcona* en el guión, también tiene un gran atractivo.

Director: *Marco Ferreri*. Guionistas: *Rafael Azcona, Marco Ferreri*. Fotografía: *Juan Julio Baena*. Música: *Miguel Asins Arbó*. Intérpretes: *José Isbert, Pedro Porcel, María Luisa Ponte, José Luis López*

Vázquez, José Álvarez «Lepe», Antonio Riquelme. Producción: *Pedro Portabella para Films 59.* Duración: *88 min.*

COELLO, Vicente *(Vicente Coello Girón. Valencia, 1915)*

Licenciado en derecho, escribe crítica de cine en el diario *Las Provincias* de su ciudad natal y en 1946 forma parte del grupo fundador de la revista *Triunfo*. Aunque colabora en guiones desde principios de los años cuarenta, su actividad sólo se intensifica durante los cincuenta. A pesar de escribir con Vicente Escrivá* y el propio realizador el de *Pequeñeces* (1950), de Juan de Orduña*, sobre la novela homónima del padre Coloma, colaborar en los de *Once pares de botas* (1953) y *Expreso de Andalucía* (1956), de Francisco Rovira Beleta*, lo suyo es la comedia. Su primer éxito en este terreno es *Recluta con niño* (1956), que escribe con Vicente Escrivá* y dirige Pedro L. Ramírez, lo que hace que vuelva a colaborar con ambos en *Los ladrones somos gente honrada* (1956), sobre la comedia teatral de Enrique Jardiel Poncela, y *La Cenicienta y Ernesto* (1957). A comienzos de los años sesenta, y siempre con la colaboración de Pedro Masó*, escribe para José María Forqué* *091, policía al habla* (1960), *Accidente 703* (1962), *El juego de la verdad* (1963) y *Vacaciones para Ivette*

(1964), pero su mejor trabajo en común es la divertida comedia *Atraco a las tres** (1962). Siempre formando pareja con Masó* escribe *Tres de la Cruz Roja* (1961), *Vuelve san Valentín* (1962), *Operación embajada* (1963), *Búsqueme a esa chica* (1964) y *La familia... y uno más* (1965), de Fernando Palacios*, típicas comedias de la época. Ya con Pedro Masó convertido en productor siguen escribiendo juntos, pero el enorme éxito de *La ciudad no es para mí* (1965) hace que Pedro Lazaga se convierta en el director de las muchas comedias que hacen durante la segunda mitad de la década de los sesenta, y Francisco Martínez Soria* en el protagonista de las que con otros colaboradores escribe durante los años setenta. Colabora en más de setenta y cinco guiones, pero con el tiempo sus prometedores trabajos de la primera mitad de la década de los sesenta, el mejor momento de su carrera, no sólo dejan de tener correspondencia con los posteriores, sino que se degradan, carecen de atractivos.

COLEGAS *(1982)*

La historia de cómo José (José Luis Manzano) deja embarazada a Rosario (Rosario González) y su hermano Antonio (Antonio González) les ayuda a buscar dinero para que aborte, es una de las más características escritas por Eloy de la Iglesia* y Gonzalo

Goicoechea*. Las andanzas de estos tres jóvenes delincuentes por los barrios obreros de Madrid dan lugar a un relato excesivo, siempre al borde del melodrama, pero que Eloy de la Iglesia* domina con perfección. Su tono realista, casi naturalista, hace que con el tiempo se haya convertido en un eficaz y peculiar cuadro del Madrid de la época. Marca el afortunado debut de Rosario y Antonio González, hijos de la famosa folclórica Lola Flores*.

Director: *Eloy de la Iglesia.* Guionistas: *Gonzalo Goicoechea, Eloy de la Iglesia.* Fotografía: *Hans Burmann, Antonio Cuevas.* Música: *Miguel Botafogo.* Intérpretes: *Rosario González, José Luis Manzano, Antonio González, Enrique San Francisco, Queta Ariel, Juan Manuel Cervino.* Producción: *Ópalo Films.* Duración: *92 min.*

COLINA, José Luis (*José Luis Colina Jiménez. Valencia, 1922*)

Comienza a trabajar como periodista, pero no tarda en convertirse en el guionista habitual de Luis Lucia* durante veinte años a lo largo de *Gloria Mairena* (1952), *La hermana san Sulpicio* (1952), *Aeropuerto* (1953), *Jeromín* (1953), *La hermana Alegría* (1954), *Morena Clara* (1954), *Un caballero andaluz* (1954), *El Piyayo* (1955), *Esa voz es una mina* (1955), *La lupa* (1955), *La vida en un bloc* (1956), *Ha llegado un ángel* (1961), *Tómbola* (1962), *La novicia rebelde* (1971) y *Entre dos amores* (1973). Aunque también es coguionista de otros directores, como Antonio Román*, *Congreso en Sevilla* (1955), *La fierecilla domada* (1956), *Dos novias para un torero* (1956) y *El sol en el espejo* (1962); Francisco Rovira Beleta*, *Familia provisional* (1957); o Ladislao Vajda*, *Doña Francisquita* (1952), sus mejores trabajos los hace para Luis G. Berlanga*, *Novio a la vista* (1952), *Los jueves, milagro* (1957), *Plácido* (1961). A comienzos de la década de los sesenta empieza a trabajar como ejecutivo en Televisión Española y progresivamente abandona la escritura de guiones.

COLL, Julio (*Julio Coll Claramunt. Camprodón, Girona, 1919*)

Profesor mercantil, crítico de teatro de la revista *Destino* y de jazz de *Cine en siete días*, escribe otras de teatro, *No hay botas de siete leguas* y *En el sueño está la noche*, y publica novelas, *Las columnas de Cyborg* y *Siete celdas*. Contratado por la productora Emisora Films, colabora en más de cuarenta guiones, entre los que destacan el de *Apartado de correos 1001* (1950), de Julio Salvador*, y los de sus propias películas. Siempre interesado por la problemática social, sus mejores trabajos como realizador los efectúa al comienzo de su carrera, *Nunca es demasiado tarde* (1955), *La cárcel de cristal* (1956), *Distrito quinto* (1957), *Un vaso de whisky* (1958) y *Los* *cuervos* (1961), donde aparece entremezclada con elementos policiacos sobre una sólida base dramática. Productor o coproductor de la mayoría de sus películas desde que en 1958 crea la marca Juro Films, el resto de sus dieciséis obras tiene poco interés, desde la policiaca *La cuarta ventana* (1961), donde por primera y única vez trabajan juntas las hermanas Emma Penella*, Elisa Montés y Terele Pávez, hasta la histórica *La araucana* (1971), que cierra su filmografía, pasando por la historia de terror *Fuego* (1963), coproducción con Estados Unidos. Subdirector de la Escuela Oficial de Cinematografía y profesor de teoría y técnica de la dirección e interpretación, también trabaja ampliamente para televisión como guionista y realizador.

COLMENA, LA *(1982)*

Para adaptarse a los tiempos y cerrar su larga etapa, casi treinta años, como guionista y productor al frente de la marca Ágata Films, José Luis Dibildos* se plantea la adaptación de la mejor novela de Camilo José Cela. Sobre guión suyo y tras varios cambios de realizador, acaba dirigiéndola el especialista Mario Camus*. A través de un microcosmos integrado por unos sesenta personajes, cuyo eje es el típico café La Delicia, donde se reúnen muchos de ellos huyendo del hambre y el frío, se da una dura visión del invierno de 1942 en Madrid, al comienzo de la dura posguerra, en la época de las restricciones y las cartillas de racionamiento. Gracias a un impecable guión, una ajustada realización y a un extenso reparto de primeras figuras, no sólo gana el Oso de Oro del Festival de Berlín, sino que tiene gran éxito de público.

Director: *Mario Camus.* Guionista: *José Luis Dibildos.* Fotografía: *Hans Burmann.* Música: *Antón García Abril.* Intérpretes: *Victoria Abril, Ana Belén, Luis Escobar, Fiorella Faltoyano, Charo López, José Luis López Vázquez, Francisco Rabal, José Sacristán, José Sazatornil «Saza», Concha Velasco.* Producción: *José Luis Dibildos para Ágata Films.* Duración: *112 min.*

COLOMO, Fernando *(Fernando Colomo Gómez. Madrid, 1946)*

Licenciado en arquitectura y decoración en la Escuela Oficial de Cinematografía, rueda algunos cortometrajes, entre los que destaca *Pomporrutas imperiales* (1976), antes de pasar al largo. Con la renovadora *Tigres de papel** (1977), la irregular *¿Qué hace una chica como tú en un sitio como este?* (1978) y la policiaca *La mano negra** (1980) sienta las bases de la denominada «comedia madrileña» y su éxito resucita los rodajes con sonido directo. Dentro del mismo estilo funcionan peor *Estoy en crisis** (1982) por pretenciosa, *La línea del cielo* (1983) por estar rodada en Nueva York con un presupuesto demasiado bajo y *El caballero* *del dragón* (1985) por intentar ser también una brillante historia de ciencia ficción. Su mayor éxito es *La vida alegre** (1987), donde intenta volver a sus orígenes con más oficio, pero menos espontaneidad. Productor o coproductor de todas estas películas, su línea se tuerce cuando trabaja para otros en *Miss Caribe* (1988), un fallido intento de comedia tropical realizado para aprovechar el galeón construido para el rodaje de *El Dorado** (1987), de Carlos Saura*, o *Bajarse al moro** (1988), adaptación del sainete de éxito de Alonso de Santos. Tras la larga serie de televisión *Chicas de hoy en día* (1991), vuelve al cine con *Rosa, Rosae* (1993), una comedia basada en el enfrentamiento entre dos mujeres, y *Alegre ma non troppo* (1994), uno de sus mejores trabajos con *El efecto mariposa* (1995).

CÓMICOS *(1953)*

Para su primera película dirigida en solitario, tras rodar con Luis G. Berlanga* *Esa pareja feliz** (1951), J. A. Bardem* parte de la famosa producción norteamericana *Eva al desnudo* (All About Eve, 1950), de Joseph L. Mankiewicz, y de sus conocimientos directos del mundillo teatral, por ser hijo de cómicos. Si Eve Harrington (Anne Baxter) es una arribista y lo que cuenta Mankiewicz es su historia, las artimañas de las que se vale para triunfar en Broadway, Ana Ruiz (Christian Galvé) es una joven actriz que trata de abrirse camino en el teatro español de la época y lo que narra Bardem* es la historia de su toma de conciencia profesional. Contada a través de una profusión de eficaces primeros planos, con el paso de los años se ha convertido en un excelente documento sobre el mundo teatral español de la posguerra, y su lado dogmático se ha atenuado hasta desaparecer, por lo que es una de las mejores películas de su autor. Por motivos puramente alimenticios, en 1970 J. A. Bardem* escribe y dirige una nueva versión al servicio de Sara Montiel*, que no sólo carece de interés, sino que es una burla de su primera película, bajo el título *Varietés*.

Director y guionista: *J. A. Bardem.* Fotografía: *Ricardo Torres.* Música: *Isidro B. Maiztegui, Jesús Franco.* Intérpretes: *Christian Galvé, Fernando Rey, Emma Penella, Carlos Casaravilla, Mariano Asquerino, Rosario García Ortega, Rafael Alonso.* Producción: *Eduardo Manzanos para Unión Films.* Duración: *88 min.*

CONQUISTA DE ALBANIA, LA *(1983)*

Dentro de la tan corta como peculiar filmografía de Alfonso Ungría*, esta producción de época, que narra un hecho histórico bastante insólito, ocupa una posición especial, pero que enlaza a la perfección con sus restantes películas. Carlos II «el Malo», rey de Navarra, envía a la Gran Compañía de Navarra para ayudar a su hermano Luis en la conquista de

Albania, territorio que le pertenece por su boda con Juana de Anjou, lo que da lugar a una compleja y desgraciada expedición guerrera. Temas como el honor militar, la eficacia guerrera, la muerte, la cobardía y la locura, son manejados con habilidad por Ungría* para hacer una narración muy personal, a la que consigue dar la vuelta para que sea todo lo contrario de lo que pretende ser.

Director: *Alfonso Ungría*. Guionistas: *Arantxa Urretavizcaya, Ángel Amigó, Alfonso Ungría*. Fotografía: *Alfredo Mayo*. Música: *Alberto Iglesias*. Intérpretes: *Xabier Elorriaga, Chema Muñoz, Klara Badiola, Walter Vidarte, Miguel Arribas, Alicia Sánchez, Patxi Bisquert*. Producción: *Ángel Amigo para Frontera Film*. Duración: *120 min.*

CORAZÓN DEL BOSQUE, EL
(1978)

A finales de los años setenta, Manuel Gutiérrez Aragón* realiza tres películas muy personales, de complicada estructura, que obtienen poco favor del público pero gran éxito de crítica, hasta el punto de convertirle en el director más respetado de su generación. Tras la excesivamente politizada *Camada negra** (1977) y la tan desigual como fascinante *Sonámbulos** (1978), rueda esta producción, la más extraña de su filmografía. Con ella comienza su colaboración, como coguionista y productor, con Luis Megino*, que resulta de lo más fructífera y se extiende a lo largo de seis películas y diez años.

Con la habitual estructura de tela de araña que caracteriza estas películas, narra las complejas relaciones entre Amparo (Ángela Molina*), una bella muchacha que vive en un perdido pueblo cercano a un intrincado bosque, y el viejo, perdedor y apolillado maqui el Andarín (Luis Politti), entre los que se interponen su novio Suso (Víctor Valverde) y el hermano de ella Juan (Norman Briski). Una historia tan confusa como la carga política que esconde, pero que está llena de fascinantes imágenes.

Director: *Manuel Gutiérrez Aragón*. Guionistas: *Manuel Gutiérrez Aragón, Luis Megino*. Fotografía: *Teo Escamilla*. Intérpretes: *Norman Briski, Ángela Molina, Luis Politti, Víctor Valverde, Santiago Ramos*. Producción: *Luis Megino para Arándano*. Duración: *100 min.*

COROMINA, Pepón *(Josep Coromina Farreny. Barcelona, 1946-Barcelona, 1987)*

Comienza a estudiar económicas en la Universidad de Barcelona, pero no tarda en abandonar sus estudios para montar negocios de moda juvenil, como Chat, Zoom y Orange Difusion. Interesado por el cine produce *La oscura historia de la prima Montse* (1977), de Jordi Cadena, fallida versión de la novela homónima de Juan Marsé, pero sus positivos resultados económicos le ayudan a crear la marca Fígaro Films para la que hace la mayoría de sus diecinueve largometrajes. Entre ellos destacan los dirigidos por Bigas Luna*, *Bilbao*

(1978), *Caniche** (1979) y *Angoi- xa** (Angustia, 1987); Gonzalo Herralde*, *El asesino de Pedralbes* (1978) *y Últimas tardes con Teresa* (1983), una nueva adaptación de Juan Marsé; Eloy de la Iglesia*, *El diputado** (1978) y *Navajeros** (1980); Francesc Betriu*, *La plaça del diamant* (La plaza del diaman- te, 1981), sobre la novela homóni- ma de Mercè Rodoreda.

COSAS DEL QUERER, LAS *(1989)*

Tomando como punto de par- tida los últimos años de estancia en España, antes de tener que emigrar a Argentina, del célebre cantante popular Miguel de Moli- na, el realizador Jaime Chávarri* hace una de sus más comerciales películas. Narra las aventuras y desventuras, durante los años de la más negra posguerra, del trío integrado por el cantante homo- sexual Mario (Manuel Bandera), el pianista Juan (Ángel de Andrés) y la cantante Pepita (Ángela Molina*). Sobre una trama quizá excesivamente lige- ra, pero con buenas escenas, como la de la fiesta de sociedad, por culpa de un exceso de nú- meros musicales, destacan las nuevas versiones de las viejas melodías de Quintero, León y Quiroga, y el excelente trabajo como cantante de Ángela Mo- lina*. Su éxito es origen de *Las cosas del querer 2* (1995), que hace el mismo equipo.

Director: *Jaime Chávarri*. Guio- nistas: *L. Irazábal, Fernando Colo-

mo, Jaime Chávarri*. Fotografía: *Hans Burmann*. Música: *Gregorio García Segura*. Intérpretes: *Ángela Molina, Ángel de Andrés, Manuel Bandera, María Barranco, Amparo Baró, Mari Carmen Ramírez, Diana Peñalver*. Producción: *Luis Sanz para Lince Films*. Duración: *100 min*.

COSTA, Pedro *(Pedro Costa Musté. Barcelona, 1941)*

Estudió económicas en la Uni- versidad de Barcelona, pero le interesan más las actividades del T.E.U. y el cine-club. Diplomado en dirección en 1968 en la Escue- la Oficial de Cinematografía, comienza a trabajar como redac- tor en el semanario de sucesos *El Caso*, para luego colaborar en *Cambio 16, Posible, Interviú*. Produce para Televisión Española la serie de ficción basada en crí- menes reales *La huella del cri- men*, en cuya primera entrega rea- liza el episodio titulado *El caso del procurador enamorado* (1984) y en la segunda *El caso de Carmen Broto* (1990). A través de esta serie entra en contacto con el guionista Álvaro del Amo* y el director Vicente Aranda*, con cuya colaboración posteriormente produce *Amantes** (1991) e *Intru- so** (1993), que tienen gran éxito y ganan diversos premios interna- cionales. También dirige las pelí- culas *El caso Almería* (1984), *Redondela* (1987), *Una casa en las afueras* (1995) y *El crimen del cine Oriente* (1996), siempre den- tro de la crónica de sucesos, que es lo que realmente le interesa.

COTO DE CAZA *1983)*

La historia de Adela (Assumpta Serna*), una abogada especializada en la defensa de marginados, que tras sufrir cómo una banda de malhechores roba en su casa, más tarde mata a su marido y termina por violarla salvajemente ante sus propios hijos, decide tomarse la justicia por su mano y emprender una terrible venganza, da lugar a una película de una gran violencia. Bien y eficazmente rodada por Jorge Grau*, tiene un tono doctrinario a favor de la venganza, en apoyo de la violencia, que resulta excesivo.

Director: *Jorge Grau.* Guionistas: *Jorge Grau, Manuel Summers.* Fotografía: *Antonio Cuevas.* Música: *Carlos Vizziello.* Intérpretes: *Assumpta Serna, Víctor Valverde, Luis Hostalot, Montserrat Salvador, Paloma Lorena.* Producción: *Kalender Films, Paraguas Films, Anem Films, Estela Films.* Duración: *109 min.*

CRACK, EL *(1981)*

Después del éxito obtenido con la trilogía político-sentimental integrada por *Asignatura pendiente* (1977), *Solos en la madrugada* (1978) y *Las verdes praderas* (1979), José Luis Garci* cambia de género y se pasa al policiaco. Como en las mejores películas norteamericanas, Germán Areta, el protagonista, es un detective privado que antes fue inspector de policía, pero está interpretado por Alfredo Landa*, la acción transcurre en Madrid y está llena de tipos de lo más castizo. No obstante, resulta tan convincente el personaje como el caso que le encargan, la búsqueda de la hija de dieciséis años de un importante financiero, desaparecida hace tiempo y cuya resolución le lleva hasta Nueva York. Su éxito hace que el mismo equipo ruede *El crack II* (1983), donde el mismo detective, Germán Areta, investiga un nuevo caso, pero sus resultados no son tan convincentes.

Director: *José Luis Garci.* Guionistas: *José Luis Garci, Horacio Valcárcel.* Fotografía: *Manuel Rojas.* Música: *Jesús Gluck.* Intérpretes: *Alfredo Landa, María Casanova, Manuel Tejada, Miguel Ángel Rellán, José Bódalo.* Producción: *José Esteban Alenda y José Hueva para Nickel Odeón y Acuarius Films.* Duración: *130 min.*

CRÍA CUERVOS... *(1975)*

Este primer largometraje dirigido y escrito en solitario por Carlos Saura*, que ocupa el número diez de su filmografía para el productor Elías Querejeta*, se basa en el enfrentamiento interpretativo entre la fascinante niña Ana Torrent*, descubierta por Víctor Erice* en *El espíritu de la colmena** (1973), y Geraldine Chaplin*, su musa particular en esta etapa de su carrera. En el ambiente opresivo de una familia de militares que vive en un gran caserón en el centro de Madrid, narra cómo Ana (Ana Torrent*), una niña de nueve años, segunda

Ana Torrent y Geraldine Chaplin en *Cría cuervos...*, de Carlos Saura

de las tres hijas de un mujeriego militar, ex combatiente de la guerra española, y de María (Geraldine Chaplin*), una inglesa muerta recientemente tras una penosa enfermedad, cree tener poder sobre la vida y la muerte en sus juegos fantásticos. Tanto para hablar con su madre muerta e imaginar que será como ella de mayor, como para haber envenenado a su padre (Héctor Alterio) con unos inofensivos polvos e intentar deshacerse de la tía Paulina (Mónica Randall). A pesar de que la historia no tiene mucho atractivo, de que Saura*, tal como hace en *La prima Angélica** (1973), su anterior película, vuelve a jugar con los recuerdos y la estructura narrativa, el resultado tiene una gran fuerza por la descripción del ambiente familiar, la compleja personalidad de la niña protagonista y estar narrada desde su particular punto de vista. Gana el Premio del Jurado del Festival de Cannes y tiene mayor repercusión internacional que nacional. Convierte en un éxito la canción *Por qué te vas,* de José Luis Perales, cantada por Jeanette, que ocupa una importante posición en la historia.

Director y guionista: *Carlos Saura.* Fotografía: *Teo Escamilla.* Intérpretes: *Ana Torrent, Geraldine Chaplin, Conchi Pérez, Mónica Randall, Maite Sánchez, Florinda Chico, Germán Cobos, Héctor Alterio.* Producción: *Elías Querejeta P. C.* Duración: *112 min.*

CRIMEN DE CUENCA, EL *(1979)*

En 1910, en el pueblo de Osa de la Vega, provincia de Cuenca, desaparece el pastor José María Grimaldos, su familia denuncia el hecho y acusa a sus compañeros Gregorio Valero y León Sánchez de matarle para robarle el importe de la venta de unas ovejas. El juez de instrucción da por sobreseído el sumario por falta de pruebas, pero en 1913 un nuevo juez, presionado por la derecha, lo abre, los acusados son detenidos y, bajo torturas, se declaran autores del crimen, aunque nunca aparece el cuerpo de la presunta víctima. En 1918 se celebra el juicio, son condenados a muerte, pero consiguen que se les conmute la pena por dieciocho años de prisión. Una vez que uno se ha suicidado y el otro ha fallecido de muerte natural, en 1926 aparece el muerto, que se había ido a vivir a un pueblo de al lado. Sobre estos hechos auténticos, el escritor Ramón J. Sender escribe la novela *El lugar de un hombre* (1939) y la realizadora Pilar Miró* hace una polémica película sobre guión de Salvador Maldonado*. La minuciosidad con que están narradas las torturas realizadas por la guardia civil hace que el gobierno de Unión de Centro Democrático se asuste, ponga la película a disposición militar, sea secuestrada durante más de año y medio y su realizadora objeto de un proceso militar. Finalmente estrenada a mediados de agosto de 1981, el hecho de ser la única película española prohibida desde

Daniel Dicenta y José Manuel Cervino en *El crimen de Cuenca,* de Pilar Miró

la desaparición de la censura a principios de 1977, la convierte en un gran éxito. A pesar de que se estrena bajo el anagrama restrictivo «S», ser demasiado efectista y no situarse entre las mejores películas de Pilar Miró*.

Directora: *Pilar Miró*. Guionistas: *Salvador Maldonado, Pilar Miró*. Fotografía: *Hans Burmann*. Música: *Antón García Abril*. Intérpretes: *Amparo Soler Leal, Héctor Alterio, Fernando Rey, Daniel Dicenta, José Manuel Cervino*. Producción: *Alfredo Matas para Incine-Jet Films*. Duración: *91 min.*

CRIMEN DE DOBLE FILO *(1964)*

La carrera como realizador de José Luis Borau* comienza con dos películas de género, dos encargos cuyo resultado poco le satisface y le llevan a apartarse de la dirección durante ocho años y volver únicamente cuando no sólo trabaja sobre guiones propios, sino que además es su propio productor. La primera es el *spaghetti-western* sin interés *Brandy* (1963) y la segunda este policiaco no exento de atractivos. Narra cómo Andrés (Carlos Estrada), hijo de un famoso pianista, descubre el cadáver de un afinador asesinado en su tienda, situado en los bajos de su casa, ve salir de ella a un sospechoso, pero ante el temor de posibles represalias no se lo dice a la policía, sólo a su mujer, Laura (Susana Campos). A partir de este momento Andrés se siente amenazado, perseguido, hasta que un día, aterrorizado, mata al sospechoso, que le ha seguido hasta el rellano

de su propia casa, pero ahora la policía no cree su versión de los hechos. La habilidad narrativa de Borau* consigue paliar algunas debilidades del guión para conseguir un policiaco con interés desarrollado en ambientes musicales.

Director: *José Luis Borau*. Guionistas: *Juan Miguel Lamet, Rodrigo Rivero, José Luis Borau*. Fotografía: *Enrique Torán*. Música: *Luis de Pablo*. Intérpretes: *Susana Campos, Carlos Estrada, José María Prada, Antonio Casas*. Producción: *Eco Films*. Duración: *90 min.*

CRIMEN DE LA CALLE DE BORDADORES, EL *(1946)*

De los tres policiacos escritos, parcialmente producidos y dirigidos por Edgar Neville* a mediados de la década de los cuarenta, destacan este y *Domingo de carnaval** (1945) por su tono realista frente al tono fantástico que caracteriza *La torre de los siete jorobados** (1944). Ambientados en Madrid en diferentes épocas, lo mejor es lo bien que engranan la trama policiaca con la descripción de ambientes y la crónica de costumbres. La narración gira en torno al asesinato de una acaudalada viuda, del que son sospechosos la vendedora de lotería Lola (Mary Delgado), el galán juerguista Miguel (Manuel Luna*) y la criada Petra (Antonia Plana). Los madrileños se dividen entre los que creen que el asesino ha sido el juerguista por dinero y los que piensan que es la lotera por celos, pero la policía detiene a la criada por encontrarla en el lugar del crimen. Sólo se conocerá la verdad durante el juicio, cuando la criada finalmente se decida a hablar. Un buen entramado de personajes, una perfecta estructura narrativa y un logrado tono melodramático, del que en ningún momento está exento el humor, la convierten en una de las mejores películas de Edgar Neville*.

Director y guionista: *Edgar Neville.* Fotografía: *Enrique Barreyre.* Música: *José Muñoz Molleda.* Intérpretes: *Manuel Luna, Mary Delgado, Antonia Plana, Julia Lajos, Rafael Calvo, José Prada.* Producción: *Manuel del Castillo.* Duración: *93 min.*

CRIMEN IMPOSIBLE *(1954)*

Tomando como punto de partida el clásico esquema del crimen cometido en un lugar cerrado, en este caso el lujoso piso donde vive el extraño escritor Eugenio Certal (Gérard Tichy), César Ardavín* escribe y dirige un pretencioso policiaco que se desarrolla casi íntegramente en un mismo decorado para recalcar el lado literario de la historia. Narra cómo el inspector Basante (José Suárez*) a través de los interrogatorios —que dan lugar a una sucesión de *flash-back*— a una serie de sospechosos, como el portero de la finca (Félix Fernández), su sobrina (Silvia Morgan), un camarero (Francisco Arenzana) y el periodista Luis Escobedo (Ángel Picazo), descubre que increíblemente la asesina es su novia Isabel (Nani Fernán-

dez) y cometió el crimen a través de la mirilla de la puerta. Unos desafortunados diálogos, el irregular desarrollo dramático de la trama, la demasiado literaria y tonta personalidad del escritor a quien sus personajes no dejan vivir tranquilo, y una realización torpe, tanto en lo referente a planificación como a dirección de actores, desacreditan la injusta fama de esta producción.

Director y guionista: *César F. Ardavín.* Fotografía: *Manuel Berenguer.* Música: *Charles Williams.* Intérpretes: *José Suárez, Nani Fernández, Gérard Tichy, Silvia Morgan.* Producción: *Antonio Abad Ojuel para Clave Films, Cinesol.* Duración: *98 min.*

CRUELES, LAS *(1969)*

A finales de los años sesenta se hacen cuatro películas sobre narraciones de Gonzalo Suárez*. Antonio Eceiza* rueda *De cuerpo presente* (1965) para el productor Elías Querejeta*, el propio Suárez* escribe, produce y dirige *Ditirambo* (1967) y Vicente Aranda* realiza *Fata Morgana* (1966) y esta, las únicas que logran la buscada mezcla entre realismo y fantasía. Basada en el cuento *Bailando con Parker* y originalmente titulada *El cadáver exquisito,* narra con un subrayado tono policiaco cómo la olvidada relación entre un hombre (Carlos Estrada) y la joven Ester (Judy Matheson) surge del pasado a través de los macabros envíos que comienza a hacerle la sofisticada Parker (Capucine). Cortada por la implacable censura de la época, es la única de las cuatro que tiene un cierto éxito, en buena medida debido a aparecer al frente del reparto el argentino Carlos Estrada, la inglesa Judy Matheson y la norteamericana Capucine, pero el paso de los años no la ha favorecido demasiado. Además, resulta muy elemental comparada con las más recientes y mucho mejores películas de Vicente Aranda*.

Director: *Vicente Aranda.* Guionistas: *Vicente Aranda, Antonio Rabinad.* Fotografía: *Juan Amorós.* Música: *Marco Rossi.* Intérpretes: *Capucine, Carlos Estrada, Judy Matheson, Teresa Gimpera.* Producción: *José López Moreno para Films Montana.* Duración: *108 min.*

CRUZ, Penélope *(Penélope Cruz Sánchez, Madrid, 1974)*

Desde muy joven estudia ballet clásico, baile español y arte dramático. Comienza a trabajar como presentadora de un programa juvenil de televisión y a los 18 años debuta como actriz de cine en un papel secundario en *El laberinto griego* (1992), de Rafael Alcázar. Poco después se da a conocer gracias a *Belle époque** (1992), de Fernando Trueba*, y *Jamón, jamón** (1992), de Bigas Luna*. El éxito de esta última en Italia la lleva a protagonizar *La ribelle* (1993), de Aurelio Grimaldi, y *Per amore, solo per amore* (1993), de Giovanni Veronesi. De nuevo en España, destaca en *Alegre ma non troppo* (1993), de Fernando Colomo*, y *Entre rojas* (1995), de

Azucena Rodríguez, mientras también interviene en películas de menor interés como *Todo es mentira* (1994) y *Brujas* (1996), de Álvaro Fernández Armero.

CUADRADO, Luis *(Luis Cuadrado Encinar. Toro, Zamora, 1934-Madrid, 1980)*

Abandona los estudios de medicina para ingresar en 1955 en la Escuela Oficial de Cinematografía, donde se diploma en fotografía en 1962. Director de fotografía de las películas producidas por Elías Querejeta*, debuta con *De cuerpo presente* (1965), de Antonio Eceiza*; rueda con Carlos Saura* *La caza** (1965), *Peppermint frappé** (1967), *Stress es tres, tres* (1968), *La madriguera* (1969), *El jardín de las delicias* (1970), *Ana y los lobos** (1972) y *La prima Angélica** (1973); con Manuel Gutiérrez Aragón* *Habla, mudita* (1973); con Víctor Erice* *El espíritu de la colmena** (1973); con Ricardo Franco* *Pascual Duarte** (1975), Esto le lleva a convertirse en el mejor y más innovador director de fotografía español desde mediados de los años sesenta hasta mediados de los setenta. Y también a hacer la fotografía de *Nocturno 29** (1968), de Pere Portabella*; *Mi querida señorita** (1971) y *El amor del capitán Brando** (1974), de Jaime de Armiñán*; *Hay que matar a B* (1973) y *Furtivos** (1975), de José Luis Borau*. Durante el rodaje de *Emilia, parada y fonda* (1976), de Angelino

Fons*, se queda ciego y debe abandonar la profesión.

CUERDA, José Luis (*José Luis Cuerda Martínez. Albacete, 1947*)

Estudia derecho y en 1968 comienza a trabajar en Televisión Española. Después de dirigir diferentes programas informativos y culturales, también realiza algunos dramáticos, entre los que destaca *Mala racha* (1985). Debuta como director de cine con *Pares y nones** (1982), que se encuadra dentro de la denominada «comedia madrileña», a la que años después sigue *El bosque animado** (1987), con un excelente guión de Rafael Azcona* basado en la novela homónima de Wenceslao Fernández Flórez. Su película más personal es *Amanece, que no es poco* (1988), donde por primera y única vez expone sin ninguna traba su peculiar sentido del humor. Durante la década de los noventa realiza el fallido drama *La viuda del capitán Estrada* (1990) y las muy irregulares comedias *La marrana* (1992), personal aportación escatológica a las celebraciones del V Centenario del Descubrimiento de América, y *Tocando fondo* (1993), que quiere ser una farsa sobre la crisis económica, pero no lo es.

CUERPO A CUERPO (*1982*)

Tras el experimental *Contactos* (1970) y el más comercial y menos conseguido *Con uñas y dientes* (1978), Paulino Viota hace su mejor trabajo en este tercer y último largometraje de su breve filmografía. A través de las relaciones sentimentales de diferentes personas de edades distintas, consigue una obra llena de espontaneidad, apoyada en largas escenas con buenos diálogos, que parece fruto de una controlada improvisación, pero que falla por su irregular estructura dramática. Uno de sus mayores alicientes es el eficaz trabajo de un grupo de actores, poco o nada conocidos, que también firma el guión, a cuya cabeza se sitúa Ana Gracia.

Director: *Paulino Viota*. Guionistas: *Palino Viota, Francisco Ors y los intérpretes*. Fotografía: *Federico Ribes, Carles Gusi, Julio Madurga*. Intérpretes: *Ana Gracia, Pilar Marco, Guadalupe G. Güemes, Julieta Serrano, Fabio León, Iñaki Miramón, Fidel Almansa*. Producción: *Paulino Viota para Piquio Films*. Duración: *109 min.*

CUNILLÉS, José María (*José María Cunillés Nogue. Tarragona, 1943*)

Licenciado en producción en 1969 en la Escuela Oficial de Cinematografía, trabaja con asiduidad para diferentes marcas ajenas o propias. Entre las películas que produce destacan *Los restos del naufragio** (1978), de Ricardo Franco*; *El caso Almería* (1984), de Pedro Costa*; *Crimen en familia* (1984), de Santiago San Miguel*; *El Lute, camina o revienta** (1987) y *El Lute II, mañana seré libre* (1988), de Vicente Aranda*; *Solo o en compañía de otros* (1990), de Santiago San Miguel*.

**DANTE NO ES ÚNICAMENTE
SEVERO** *(1967)*

En la segunda mitad de los años sesenta, y dentro del denominado *Nuevo cine español*, aparece la llamada *Escuela de Barcelona*, que intenta crear un cine independiente del producido en Madrid y busca un nuevo camino hacia el realismo, un cine de la destrucción frente al cine de la desesperación que se ha establecido entre el cine de

Serena Vergano en *Dante no es únicamente severo,* de Joaquín Jordá y Jacinto Esteva

calidad. Según frase de Joaquín Jordá*: «Dado que no nos dejan hacer Víctor Hugo, hacemos Mallarmé.» Esta es la película de presentación, en la medida que está dirigida entre el productor más importante, Jacinto Esteva*, y el teórico del grupo, Joaquín Jordá*. Integrada por una sucesión de desiguales episodios, a los que el paso del tiempo no ha sentado nada bien, no tiene ni argumento ni hilo conductor. Más allá de su valor puramente testimonial, es un fracaso de público, pero también de crítica.

Directores y guionistas: *Jacinto Esteva, Joaquín Jordá*. Fotografía: *Juan Amorós*. Música: *Marco Rossi*. Intérpretes: *Serena Vergano, Enrique Irazoqui, Carmen Romero*. Producción: *Jacinto Esteva para Filmscontacto*. Duración: *78 min*.

DE TRIPAS CORAZÓN *(1985)*

Las relaciones entre el abogado cuarentón Jaime (Juan Diego*), su compañera y atractiva modelo Rocío (Patricia Adriani*) y el joven delincuente habitual El Chirlo (José Luis Fernández «Pirri») dan lugar a un curioso e irregular triángulo sentimental que se desarrolla en un caluroso agosto madrileño. Las esperanzas despertadas por este primer largometraje de Julio S. Valdés no se han cumplido en la medida que, por la dura crisis atravesada por el cine español desde los finales de los ochenta, sólo ha podido rodar otra película, *Luna de lobos* (1987), una ambiciosa historia de maquis, parcialmente frustrada, basada en una novela de Julio Llamazares.

Director: *Julio S. Valdés*. Guionistas: *Julio S. Valdés, Manolo Marinero, Isabel D'Olhaberriague, Fernando Trueba*. Música: *Diego Cortés, Josep Romaguera, Joan Albert*. Intérpretes: *Juan Diego, Patricia Adriani, José Luis Fernández «Pirri», Sancho Gracia, Alicia Sánchez*. Producción: *Julio Sánchez Valdés P. C., Ópera Films, C. B. Films*. Duración: *87 min*.

DEL ROSA AL AMARILLO *(1963)*

Siempre interesado por los amores infantiles o juveniles, Manuel Summers* los trata con amplitud y desigual fortuna en su obra. Su mejor película sobre el tema es *Me hace falta un bigote** (1986) donde, al igual que aquí, pero con mayor imaginación, narra el primer amor entre dos niños en el Madrid de la posguerra. En esta ocasión cuenta los amores de Guillermo (Pedro Díaz del Corral) y Margarita (Cristina Galbó), dos niños de doce y trece años respectivamente pertenecientes a la burguesía media, y los de Valentín (José Cerrudo) y Josefa (Lina Onesti), dos ancianos de ochenta y cinco y setenta y tres años respectivamente que viven en un asilo, planteados como dos episodios autónomos, pero igualmente sazonados de chistes. En su momento tiene una regular repercusión en el público, pero grande en la crítica que, exageradamente, ve en esta primera película de

Pedro Díaz del Corral en *Del rosa al amarillo,* de Manuel Summers

Summers* la gran esperanza del cine español del momento, lo que sólo se cumple de manera mínima y en la primera parte de su obra.

Director y guionista: *Manuel Summers.* Fotografía: *Francisco Fraile.* Música: *Antonio Pérez-Olea.* Intérpretes: *Cristina Galbó, Pedro Díaz del Corral, Lina Onesti, José Cerrudo.* Producción: *Francisco Lara y Manuel Summers para Impala, Eco Films.* Duración: *88 min.*

DELGADO, Fernando *(Fernando Delgado Valverde. Madrid, 1891-Madrid, 1950)*

Hijo del dramaturgo y periodista Sinesio Delgado, comienza la carrera de derecho, pero su vocación de actor le hace abandonar sus estudios. En 1909 debuta como actor de teatro y en 1916 como actor de cine y dos años después empieza a trabajar además como ayudante de dirección de Jacinto Benavente. Tras intervenir en la creación de los laboratorios Madrid Films, debuta como director con *Los granujas* (1924), realiza lo mejor de su obra durante el período mudo y entre sus películas destacan por

Manuel González, Elisa Ruiz Romero, Elisa Sánchez, Faustino Bretaño, Jesús Tordesillas y Rafael Calvo en *Currito de la Cruz*, de Fernando Delgado

su éxito *Las de Méndez* (1927), *¡Viva Madrid que es mi pueblo!* (1928), *Cuarenta y ocho pesetas de taxi* (1929), *El gordo de Navidad* (1929). La llegada del sonoro le aparta temporalmente del cine, pero cuando parece que su carrera vuelve a afianzarse tras el éxito de la primera versión sonora de *Currito de la Cruz* (1936), la insurrección militar que origina la guerra española interrumpe el rodaje de *El genio alegre* (1939), que sólo se finaliza con dobles tres años después, y marca el principio del fin de su carrera. Hasta 1947 rueda otra media docena de películas, pero cada vez más lejos del atractivo que tienen sus mejores trabajos mudos. Padre del también realizador Luis María Delgado Cebrián (Madrid, 1926), que tras codirigir algunas películas y trabajar como director de la segunda unidad de varias superproducciones norteamericanas rodadas en España, emprende una tan prolífica como poco atractiva carrera como director.

DEMASIADO CORAZÓN *(1992)*

Después de *Baton Rouge** (1988), de Rafael Moleón, que escribe Agustín Díaz Yáñez en colaboración con el director y produce Eduardo Campoy*, y *A solas contigo* (1990), que dirige y produce Eduardo Campoy*

sobre un guión de Agustín Díaz Yáñez y Eduardo Calvo, vuelven a encontrarse en esta producción, que al igual que las otras dos también protagoniza Victoria Abril*. De nuevo es un melodrama con trasfondo policiaco, pero salvados los escollos de los otros dos, tanto de excesiva fidelidad a sus orígenes norteamericanos, como de verosimilitud de la historia policiaca, se convierte en su mejor trabajo. Narra cómo dos gemelas monozigóticas, Ana y Clara Alonso (Victoria Abril*), muy compenetradas, que siempre han vivido juntas hasta que Clara decide casarse por dinero, acaban enamorándose del mismo hortera de playa, Antonio (Manuel Bandera), un hombre cuya máxima ilusión en la vida es convertirse en una especie de *Padrino*. Sobre ciertas pérdidas de ritmo destaca la perfección de algunas complejas escenas, como por ejemplo la comida dònde Clara conoce a la familia de Antonio, que encierra una brillante y efectiva planificación de un difícil juego de miradas, u otra, en tono de comedia, donde Ana, Clara, Antonio y su hermana beben *coscorrones* y descubren la afición de una de ellas a comer bolitas de pan, tan compleja como bien resuelta. Sobresale el brillante trabajo de Victoria Abril* al encarnar a las gemelas Ana y Clara, pero no por el método habitual de que sean lo más diferentes posibles, sino

por el más difícil y mejor de que sean exactas en todo.

Director: *Eduardo Campoy*. Guionista: *Agustín Díaz Yáñez*. Fotografía: *Alfredo Mayo*. Música: *Marco de Benito*. Intérpretes: *Victoria Abril, Manuel Bandera, Pastora Vega, Mónica Molina*. Producción: *Eduardo Campoy para Sogetel, Creativos Asociados de RTV, Flamenco Films*. Duración: *101 min*.

DEMICHELI, Tulio (*Armando Bartolomé Demicheli. Tucumán, Argentina, 1914*)

Tras una etapa como guionista, en especial del prestigioso Mario Soffici, debuta como director con *Arrabalera* (1949). Como consecuencia de los problemas surgidos con la censura del general Perón por su película *Dock Sud* (1952), emigra a México, donde realiza catorce más. El éxito de la producción española *La herida luminosa* (1956), su versión de la obra teatral de José María de Segarra, le anima a instalarse en España, nacionalizarse, fundar una productora y rodar el resto de su obra. Las treinta y tantas películas que hace en España entre 1958 y 1977 están marcadas por una comercialidad que sólo en raras ocasiones llega a conseguir, carecen de cualquier atractivo y entre ellas cabe citar *Carmen, la de Ronda* (1959), musical al servicio de Sara Montiel*; *El hijo del capitán Blood* (1962), aventuras protagonizadas por el hijo de Errol Flynn; o *Desafío en Río Bravo* (1965), un *spaguetti-wes-*

tern más. Vuelve a su país para hacer su última película, el documental *El misterio de Eva Perón* (1984), tras unos años dedicado en España a la producción de subproductos.

DEMONIOS EN EL JARDÍN *(1982)*

De las seis películas que escriben juntos Manuel Gutiérrez Aragón* y Luis Megino*, y luego dirige el primero y produce el segundo, las mejores y más comerciales son esta y *La mitad del cielo** (1986). A través de los ojos de Juanito (Álvaro Sánchez-Prieto), un niño enfermo durante los años de la más dura posguerra, mimado por su abuela Gloria (Encarna Paso), dueña de una tienda de ultramarinos y enriquecida por el estraperlo, y protegido por su madre, Ángela (Ángela Moli-na*), y su tía Ana (Ana Belén*), se narra un complejo drama familiar y se hace un buen dibujo de la sórdida España de la época. El peculiar humor de Gutiérrez Aragón* da un giro adicional a la historia y hace que resulten especialmente convincentes escenas como aquella donde el general Franco, el omnipotente protagonista del NO-DO, va a inaugurar un cercano pantano y entre su numeroso séquito se encuentra Juan (Imanol Arias*), el padre de Juanito. Además el pequeño protagonista es un importante cinéfilo en ciernes y va al cine no sólo a ver el NO-DO para conocer al general Franco y a su padre, sino también para ver bailar a Silvana Mangano el mítico *bayón* de la película *Ana* (Anna, 1952), de Alberto Lattuada, sin olvidar que su tía

Ángela Molina e Imanol Arias en *Demonios en el jardín,* de Manuel Gutiérrez Aragón

Ana le cuenta alguna de las películas que ve. Destaca la fotografía en Eastmancolor de José Luis Alcaine* y el enfrentamiento interpretativo entre Ángela Molina* y Ana Belén*.

Director: *Manuel Gutiérrez Aragón*. Guionistas: *Manuel Gutiérrez Aragón, Luis Megino*. Fotografía: *José Luis Alcaine*. Música: *Javier y Pedro Iturralde*. Intérpretes: *Ángela Molina, Ana Belén, Encarna Paso, Imanol Arias, Eusebio Lázaro, Francisco Merino*. Producción: *Luis Megino P. C.* Duración: *105 min.*

DEPRISA, DEPRISA *(1980)*

En un momento de crisis, al final de su larga colaboración con el productor Elías Querejeta*, el realizador Carlos Saura* vuelve al tema de su primera película, *Los golfos** (1959), para narrar una historia muy similar, pero cuyos resultados son muy diferentes. Dentro del tema de los nuevos delincuentes surgido con la transición política de la dictadura a la democracia, y junto a *Perros callejeros* (1977), de José Antonio de la Loma*, *Navajeros** (1980), de Eloy de la Iglesia*, y *Maravillas** (1980), de Manuel Gutiérrez Aragón, Saura* narra la escalada delictiva de un grupo de amigos: cómo Ángela (Berta Socuéllamos) pasa a formar parte de la banda junto a Pablo (José Antonio Valdelomar), Sebas (José María Heras) y Meca (Jesús Arias), y todos mueren menos ella en un fallido atraco a un banco. A pesar de su fuerte realismo —alguno de

los protagonistas morirá luego en trágicas circunstancias, como sus personajes—, resulta mucho más convencional y carece de la enorme fuerza y sinceridad que encierra *Los golfos**.

Director y guionista: *Carlos Saura*. Fotografía: *Teo Escamilla*. Intérpretes: *Berta Socuéllamos, José Antonio Valdelomar, Jesús Arias, José María Heras, María del Mar Serrano*. Producción: *Elías Querejeta P. C. (Madrid), Les Films Molière (París), Consortium Pathé (París)*. Duración: *100 min.*

DESENCANTO, EL *(1976)*

Durante el período de transición política de la dictadura del general Franco a la democracia del rey Juan Carlos I, se rueda un buen número de documentales para tratar de reflejar en la pantalla la realidad prohibida durante décadas. El mejor es esta disección, más que análisis, de lo que pudiera ser una típica familia española del antiguo régimen. Nacida con la intención de ser un cortometraje, pero convertido en un largo al apreciar, tanto el productor Elías Querejeta* como el realizador Jaime Chávarri*, cómo crecían las posibilidades del tema, su título se convierte en una palabra emblemática, representativa de un sentimiento colectivo ante los nuevos tiempos. La viuda y los tres hijos del poeta falangista Leopoldo Panero, fallecido en Astorga de un ataque al corazón en el mes de agosto de 1962, entrelazan sus

Michi, Juan Luis y Leopoldo Panero en *El desencanto,* de Jaime Chávarri

recuerdos, hablan de sus relaciones familiares y de ellos mismos, hasta crear un minucioso y eficaz cuadro de la decadencia. Obra en gran medida colectiva, donde pesa tanto la habilidad narrativa de Jamie Chávarri* como la malicia de Michi Panero, el cerebro gris de la familia, el naturalismo del poeta Leopoldo Panero, la cultura de Juan Luis Panero y la peculiar personalidad de la madre, Felicidad Blanc. Convertida en uno de los pocos clásicos del documental español, dicisiete años después, desaparecida la madre, Ricardo Franco* presenta en 1994 con los tres hermanos otro documental sobre sus vidas bajo el título *Después de tantos años.*

Director: *Jaime Chávarri.* Fotografía: *Teo Escamilla.* Música: *Franz Schubert.* Intérpretes: *Felicidad Blanc, Juan Luis Panero, Leopoldo Panero, Michi Panero.* Producción: *Elías Querejeta P. C.* Duración: *97 min.*

DESPUÉS DEL DILUVIO *(1968)*

Las violentas relaciones entre Pedro (Francisco Rabal*), un maduro actor de teatro, y Mauricio (Francisco Viader), un joven universitario, que viven en una casa campesina en medio de un bosque quemado, se complican cuando aparece la sofisticada francesa Patricia (Mijanou Bardot) y se queda a vivir con ellos. Escrita, producida y dirigida por Jacinto Esteva*, esta desigual parábola de contradictorio *mensaje* es la mejor de sus películas, pero al igual que las restantes no tiene éxito ni de crítica ni de público.

Director y guionista: *Jacinto Esteva*. Fotografía: *Juan Amorós*. Música: *Joan Manuel Serrat, Tete Montoliú*. Intérpretes: *Francisco Rabal, Mijanou Bardot, Francisco Viader, Luis Ciges, Romy*. Producción: *Ricardo Muñoz Suay para Filmscontacto*. Duración: *95 min.*

DESPUÉS DEL SUEÑO *(1992)*

En la línea más personal de la obra de Mario Camus* aparece regularmente el tema del regreso, del hombre que vuelve a su Santander natal después de haber vivido largos años lejos y desencadena ciertas pasiones, remueve viejas historias y genera algunas tristezas. Así ocurre en *Volver a vivir* (1967) y *La vieja música* (1985), fallidas por diferentes razones, y también en esta película, que puede considerarse su mejor trabajo en esta dirección. Esta vez es Antonio Lanza (Vaclav Vodak), un exiliado en Rusia tras la guerra española, quien regresa tras cincuenta años de ausencia para ver a su hermano Ramiro (Fernando Rey*), intentar conocer a su sobrino, Amos Carro (Carmelo Gómez), y morir en su añorada Santander. Y lo que desencadena es la compleja búsqueda de un cuadro por parte de sus más jóvenes parientes, que no sólo remueve el pasado, sino que da lugar a intrigas, mentiras, influencias y amores dentro de una compleja historia

Francisco Viader y Francisco Rabal en *Después del diluvio,* de Jacinto Esteva

con múltiples personajes, bien resuelta y que se sigue con interés. Da la impresión de que Mario Camus* llevaba años dando vueltas en su cabeza a esta producción, que sus intentos anteriores en esta dirección sólo eran borradores de ella y sus restantes películas ejercicios para dominar la técnica narrativa para hacerla, y que ha logrado lo que se proponía. No obstante, tiene una débil carrera comercial y no es bien recibida por la crítica.

Director y guionista: *Mario Camus*. Fotografía: *Jaime Peracaula*. Intérpretes: *Carmelo Gómez, Antonio Valero, Ana Belén, Vaclav Vodak, Fernando Rey, Judit Mascó, Eulalia Ramón*. Producción: *José Luis Olaizola, Fernando Garcillán para Sogetel, Antea Films*. Duración: *110 min.*

DESTINO SE DISCULPA, EL *(1944)*

Entre las producciones de propaganda política y los melodramas moralizantes que escribe y dirige José Luis Sáenz de Heredia* durante la década de los cuarenta, destaca esta adaptación de una novela de Wenceslao Fernández Flórez. Tanto por conseguir una divertida e insólita comedia como por respetar el tono fantástico del original. Narra cómo Ramiro (Fernando Fernán-Gómez) se traslada desde su pequeño pueblo a Madrid y, gracias a una inesperada herencia, en poco tiempo pasa de ser locutor de radio a millonario, pero cuando su inseparable amigo Teófilo (Rafael Durán) muere, se con-

vierte en su conciencia, en un fantasma que le avisa de los peligros que se le avecinan. Destaca la eficaz interpretación de Fernando Fernán-Gómez*, bien arropado por un amplio y eficaz grupo de secundarios.

Director: *José Luis Sáenz de Heredia*. Guionistas: *José Luis Sáenz de Heredia, Wenceslao Fernández Flórez*. Fotografía: *Hans Scheib*. Música: *Manuel Parada*. Intérpretes: *Fernando Fernán-Gómez, Rafael Durán, María Esperanza Navarro, Milagros Leal, Mary Lamar, Manolo Morán*. Producción: *José Luis Sáenz de Heredia para Chapalo Films*. Duración: *105 min.*

DÍA DE LA BESTIA, EL *(1995)*

El jesuita Ángel Berriatúa (Alex Angulo), catedrático de teología en la Universidad de Deusto, llega a Madrid la mañana del 24 de diciembre de 1995 para impedir el nacimiento del Anticristo. Logra sus propósitos con la ayuda de José María (Santiago Segura), el joven dependiente de la tienda de música, y el profesor Galvan (Armando de Razza), el presentador italiano del programa de televisión «Zona oscura». En una ciudad lluviosa, sucia, oscura, llena de barro, casas apuntaladas y adornos navideños, asolada por una banda de asesinos fascistas que bajo el lema «Limpia Madrid», pretende matar a las putas, los negros y los drogadictos que la ensucian, el jesuita, el amante de la música *heavy metal* y el presentador de televisión descubren que el Anticristo va a nacer bajo el diabólico signo formado por las torres de la Puerta de Europa. Tras la fallida *Acción mutante* (1992), su primer largometraje, donde Alex de la Iglesia cae en las trampas que plantea una película basada en las historietas gráficas y el cine norteamericano, consigue superarlos, aclimatarlos a la realidad española y obtener un producto desigual, pero brillante y divertido, que le muestra como uno de los más curiosos realizadores del cine español.

Director: *Alex de la Iglesia*. Guionistas: *Jorge Guerricaechevarría, Alex de la Iglesia*. Fotografía: *Flavio Martínez Labiano*. Música: *Battista Lena*. Intérpretes: *Alex Angulo, Armando de Razza, Santiago Segura, Terele Pávez, Nathalie Seseña, Jaime Blanch, Maria Grazia Cucinotta, Gianni Ippoliti*. Producción: *Andrés Vicente Gómez para Sogetel (Madrid), Iberoamericana Films Producción (Madrid), M. G. SRL (Roma)*. Duración: *130 min*.

DÍA TRAS DÍA *(1951)*

Tras dirigir algunos melodramas sobre guiones de Manuel Mur Oti*, y antes de enriquecerse haciendo musicales al servicio del niño cantante Joselito*, el poco atractivo productor y director Antonio del Amo* hace una trilogía de curiosas películas realistas. Tanto *El sol sale todos los días* (1955), *Sierra maldita** (1954) y esta, la mejor de las tres, son modestas producciones que muestran la influencia del neorrealismo italiano en España. Narra las andanzas de dos amigos por el madrileño Rastro, Ernesto (Mario Berriatúa), un pintor que vive con su madre viuda, no le gusta trabajar y sólo piensa en viajar, y Anselmo (Manuel Zarzo) es un golfillo cojo sin familia, y cómo ambos se ven implicados en un absurdo robo. Frente a un buen documental del Rastro y un guión dramáticamente confuso, destaca el tono moralizante impuesto por el padre José (José Prada), el cura de la zona, que no sólo es el narrador de la historia, sino que se dirige directamente a los espectadores para hacerles cómplices de lo que están viendo. Destaca el trabajo de Manuel Zarzo, entonces un joven de diecinueve años, en su primera actuación ante la cámara.

Director: *Antonio del Amo*. Guionistas: *Juan Bosch, Antonio del Amo, Manuel Pombo Angulo*. Fotografía: *Juan Mariné*. Música: *Jesús García Leoz*. Intérpretes: *Mario Berriatúa, Marisa de Leza, José Prada, Manuel Zarzo, Jacinto San Emeterio*. Producción: *Antonio del Amo y Juan Mariné para Altamira*. Duración: *83 min*.

DIARIO DE INVIERNO *(1988)*

La tercera película que Francisco Regueiro* hace sobre un guión de Ángel Fernández-Santos* y suyo, tras la desconcertante *Las bodas de Blanca* (1975) y la excelente *Padre nuestro* (1985), es una dura fábula sobre el enfrentamiento entre Caín y Dios, pero llena de demasiadas cosas. Dios es el padre (Fernando Rey*), un viejo curandero que exhibe películas de pueblo en pueblo, en especial *Capitanes intrépidos* (Captains Courageuos, 1937), de Victor Fleming, enamorado de una prostituta (Terele Pávez), y tiene dos hijos, Caín, un comisario de policía a quien todos llaman León (Eusebio Poncela*), y Abel, apodado Culebrero (Francisco Algora). Unidos y separados por un incendio y un parricidio, el hijo comisario de policía persigue al padre convertido en misterioso delincuente, rodeados de los restantes personajes. A pesar de su indudable interés, de escenas excelentes, como un largo diálogo entre el padre y la abuela (Lilí Murati) en el prostíbulo que regenta, el resultado es largo y desigual.

Director: *Francisco Regueiro*. Guionistas: *Ángel Fernández-Santos, Francisco Regueiro*. Fotografía: *Juan Amorós*. Intérpretes: *Fernando Rey, Eusebio Poncela, Francisco Algora, Terele Pávez, Rosario Flores, Lilí Murati*. Producción: *Ángel Somolinos para Castor Films*. Duración: *104 min.*

DÍAS CONTADOS *(1994)*

A partir de la novela policiaca homónima de Juan Madrid, sobre el submundo de los drogadictos madrileños, Imanol Uribe* la mezcla con habilidad con la historia de tres miembros de la organización terrorista ETA, del denominado «Comando Madrid», desplazados a la capital de España para realizar algunos atentados. El resultado es una explosiva, terrible y dramática historia de amor entre Antonio (Carmelo Gómez*), un hombre de treinta años atrapado en una espiral de destrucción y muerte en la que hace tiempo que no cree, y Charo (Ruth Gabriel), una joven de 18 años metida en un sórdido ambiente de prostitución y drogas. Narrada con tanta minuciosidad como eficacia, destaca la sabiduría como guionista y director de Imanol Uribe, el descubrimiento de las actrices debutantes Ruth Gabriel, Candela Peña y Elvira Mínguez, así como la siempre excelente fotografía de Javier Aguirresarobe* y la inspirada música de percusión de José Nieto*.

Director y guionista: *Imanol Uribe*. Fotografía: *Javier Aguirresarobe*. Música: *José Nieto*. Intérpretes: *Carmelo Gómez, Ruth Gabriel, Candela Peña, Karra Elejalde, Elvira Mínguez, Joseba Apaolaza, Javier Bardem*. Producción: *Andrés Santana e Imanol Uribe para Aiete Films, Ariane Films, Sogepag*. Duración: *93 min.*

DÍAZ GIMENO, Rosita *(Rosa Díaz Gimeno. Madrid, 1911-Nueva York, Estados Unidos, 1986)*

Abandona sus estudios de música en el Conservatorio Nacional y de medicina en la Universidad de Madrid para debutar en la compañía de Gregorio Martínez Sierra. Debuta en cine en las versiones castellanas de las producciones norteamericanas que se ruedan en los estudios Paramount de Joinville, cerca de París. Tiene éxito con sus primeras películas españolas, *El hombre que se reía del amor*

(1932), *Susana tiene un secreto* (1933), *Se ha fugado un preso* (1933), de Benito Perojo*, y *Sierra de Ronda* (1933), de Florián Rey*. Viaja a Hollywood para protagonizar dos de las películas que se ruedan directamente en castellano a comienzos de los años treinta, la excelente *Angelina o el honor de un brigadier* (1935), de Louis King, sobre la obra homónima de Enrique Jardiel Poncela, y *Rosa de Francia* (1935), de Gordon Wiles. Durante el rodaje de *El genio alegre* (1936), de Fernando Delgado*, se produce la insurrección militar que desencadena la guerra española, es arrestada por los rebeldes por estar casada con Juan Negrín, hijo del último jefe de gobierno de la II República, pero logra escapar y llegar a Francia; la película sólo se termina en la posguerra con la intervención de dobles, pero su nombre no aparece ni en los títulos ni en la publicidad. Instalada en Nueva York y nacionalizada norteamericana, sólo interviene en tres películas mexicanas en la posguerra, mientras trabaja con una cierta intensidad en teatro.

DIBILDOS, José Luis *(José Luis Dibildos Alonso. Madrid, 1929)*

Licenciado en derecho, debuta como guionista en *Hombre acosado* (1950), de Pedro Lazaga*. Entre sus primeros guiones, que suele escribir con el más tarde prolífico y conocido dramaturgo Alfonso Paso*, destacan los de *Felices pascuas* (1954), de

J. A. Bardem*, y *Sierra maldita** (1954), de Antonio del Amo*. En 1956 funda la productora Ágata Films, para la que trabaja en exclusiva durante treinta años a lo largo de más de cuarenta películas. Con *Viaje de novios* (1956), dirigida por el argentino Leon Klimovsky*, lanza un tipo de comedia sentimental basada en el modelo de la «comedia a la italiana», que no sólo produce y escribe en colaboración con Noël Clarasó*, sino que tiene una cierta continuidad a lo largo de *Las muchachas de azul** (1957), *Ana dice sí* (1958) y *Luna de verano* (1958), de Pedro Lazaga* y con Fernando Fernán-Gómez* y Analía Gadé*. Durante la primera mitad de los años sesenta coproduce algunas películas en cuyos guiones no interviene: *Los dinamiteros** (1963), de Juan G. Atienza; *Llanto por un bandido* (1963), de Carlos Saura*; *Madame Sans Gene* (1962), de Christian-Jaque; *Cyrano y D'Artagnan* (1964), de Abel Gance; y *El tulipán negro* (1964), de Christian-Jaque, en su casi totalidad historias de aventuras muy alejadas de su cine habitual. Tras el fallido intento dramático *Lola espejo oscuro* (1956), adaptación de la novela homónima de Darío Fernández Flórez que dirige el debutante Fernando Merino*, vuelve a las comedias, que escribe con diferentes colaboradores y dirigen José María Forqué*, *Las que tienen que servir* (1967), sobre la comedia de Alfonso Paso*; Fernando Merino*, *La dinamita está servida* (1968); y Javier Aguirre*, *Pierna creciente, falda menguante* (1970). Después de participar en la coproducción *Simón Bolívar* (1970), de Alessandro Blasetti, inventa lo que la crítica denomina *tercera vía*, comedias con un cierto trasfondo social, que vuelve a escribir en colaboración con José Luis Garci* o sus nuevos directores, Roberto Bodegas*, *Españolas en París* (1970), *Vida conyugal sana* (1973), *Los nuevos españoles* (1974), y Antonio Drove*, *Tocata y fuga de Lolita* (1974), *Mi mujer es muy decente dentro de lo que cabe* (1974). Lo que no le impide volver a contratar a Pedro Lazaga* para que dirija *Hasta que el matrimonio nos separe* (1976) y *Vota a Gundisalvo* (1977), dentro de su línea más tradicional. Su mejor película como productor y guionista es *La colmena** (1982), de Mario Camus, adaptación de la novela homónima de Camilo José Cela, realizada con un amplio reparto, que gana el Oso de Oro del Festival de Berlín. Su gran éxito le anima a producir y escribir con el también productor José María González Sinde*, que a su vez se encarga de la dirección, *A la pálida luz de la luna** (1985), que marca su despedida del cine.

DIEGO, Gabino *(Gabino Diego Solís. Madrid, 1966)*

Descubierto por Jaime Cháva-

rri* entre más de doscientos aspirantes al papel de Luisito en *Las bicicletas son para el verano** (1983), comienza a estudiar arte dramático mientras hace papeles secundarios en diferentes producciones. El éxito obtenido en *El viaje a ninguna parte** (1986) y *El mar y el tiempo** (1989), de Fernando Fernán-Gómez*, le lanza a papeles de mayor longitud y peso en *Ovejas negras** (1989), de José María Carreño; *¡Ay, Carmela!** (1990), de Carlos Saura*; *El rey pasmado** (1991), de Imanol Uribe*; *La noche más larga** (1991), de José Luis García Sánchez*; *Tierno verano de lujurias y azoteas** (1993), de Jaime Chávarri*, y *Los peores años de nuestra vida* (1994), de Emilio Martínez-Lázaro*.

DIEGO, Juan *(Juan Diego Ruiz Montero. Bermujos, Sevilla, 1942)*

Debuta en teatro a finales de los años sesenta, mientras comienza a trabajar en televisión y cine. Hace importantes personajes en *Fantasía... 3* (1966) y *Algo amargo en la boca* (1968), de Eloy de la Iglesia*. Prosigue haciendo papeles secundarios, salvo destacadas intervenciones en *Colorín colorado* (1976), de José Luis García Sánchez*, o *La criatura* (1977), de Eloy de la Iglesia*, hasta que el éxito de *Los santos inocentes** (1983), de Mario Camus*, le lleva a personajes de mayor envergadura y extensión en *De tripas corazón** (1984), de Julio S. Valdés*; *Los paraísos perdidos** (1985), de

Basilio M. Patino; y *La corte de Faraón* (1985), de José Luis García Sánchez*. Tras ser el primer actor que encarna al general Franco, en *Dragon Rapide** (1986), de Jaime Camino*, realiza sus mejores trabajos en *El viaje a ninguna parte** (1986), de Fernando Fernán-Gómez; *Los negros también comen* (1987), de Marco Ferreri*; *La noche oscura* (1988), de Carlos Saura*; *Cabeza de Vaca* (1990), de Nicolás Echevarría; *La noche más larga** (1990), de José Luis García Sánchez*; y *El rey pasmado** (1991), de Imanol Uribe*.

DIFERENTE *(1961)*

Dentro del tímido cine musical realizado en España tras el éxito de *El último cuplé* (1957), de Juan de Orduña*, esta producción ocupa una posición muy destacada. No por el irregular trabajo como coreógrafo, bailarín y actor del argentino Alfredo Alaria, ni por la calidad de números como el *Baile de las espuelas, Baile de los floretes* o *La taberna,* sino por lo insólito que resulta para el lugar y la época el tema que se esconde, sin ningún tapujo, tras los *ballets.* Lo que hace *diferente* al protagonista, lo que le aparta de los demás, es su calidad de homosexual, algo completamente insólito en el cine español de estos años, subrayado en escenas como la del compresor, y que resulta difícil de entender por qué no es obstaculizado por la férrea censura de la época. Frente a esto, los citados números, la mejor o peor calidad de la música de Adolfo Waitzman*, o la eficaz dirección de Luis María Delgado tienen una importancia relativa.

Director: *Luis María Delgado.* Guionistas: *Alfredo Alaria, Luis María Delgado, Jesús Saiz, J. Griñán.* Fotografía: *Antonio Macasoli.* Música: *Adolfo Waitzman.* Intérpretes: *Alfredo Alaria, Sandra Le Brocq, Manuel Monroy, Manuel Barrio, Mara Laso, Julia Gutiérrez Caba.* Producción: *Jesús Saiz para Águila Films.* Duración: *87 min.*

DINAMITEROS, LOS *(1963)*

El único largometraje de ficción dirigido por Juan G. Atienza narra cómo don Benito (José Isbert*), doña Pura (Sara García) y don Augusto (Carlo Pisacane), tres ancianos que malviven con sus pensiones, planean y realizan el robo de la caja fuerte de la mutualidad, pero una vez con el dinero en sus manos, la viejecita lo olvida. A pesar de su indudable interés, este sainete lleno de humor negro y con un gran influencia de la «comedia a la italiana», tiene un desarrollo irregular donde brillan sus tres protagonistas, el italiano Pisacane, la mexicana García y el español Isbert*.

Director: *Juan G. Atienza.* Guionistas: *Juan G. Atienza, Luis Ligero.* Fotografía: *Juan Mariné.* Música: *Pigro Umiliani.* Intérpretes: *José Isbert, Sara García, Carlo Pisacane, Manuel Peiró, Xan Das Bolas, Luis Heredia.* Producción: *José Luis*

Dibildos para Ágata Films (Madrid), Films Columbus (Roma). Duración: *88 min.*

DIPUTADO, EL *(1978)*

Dentro del desgarrado y melodramático cine de Eloy de la Iglesia* ocupa una posición muy especial la historia del diputado comunista y homosexual Roberto Orbea (José Sacristán*). Con un brillante pasado antifascista y cuando está a punto de ser elegido secretario general de su partido, un grupo de extrema derecha le tiende una trampa a través de un atractivo jovencito, pero al surgir el amor entre ambos, le matan e involucran al diputado en el escándalo. Ante la duda de ceder al chantaje o revelar su homosexualidad, mientras canta «La Internacional» y recuerda sus años de lucha política, decide confesar la verdad. A pesar de no situarse entre sus películas más logradas, sí se trata de las que llegan más lejos temáticamente.

Director: *Eloy de la Iglesia.* Guionistas: *Gonzalo Goicoechea, Eloy de la Iglesia.* Fotografía: *Antonio Cuevas.* Música: *Manuel Gerena.* Intérpretes: *José Sacristán, María Luisa San José, José Luis Alonso, Ángel Pardo, Agustín González, J. A. Bardem.* Producción: *J. A. Pérez Giner para Fígaro Films, Prozesa, Ufesa.* Duración: *110 min.*

DISPARA *(1993)*

Tomando como punto de partida una novela policiaca del especialista italiano Giorgio Scerbanenco, y sobre un guión donde interviene mínimamente, Carlos Saura* hace la primera película de género de su larga carrera. Narra con una gran habilidad cómo la actriz circense italiana Anna (Francesca Neri), que hace un número de disparos a caballo, es salvajemente violada durante la estancia de su circo en Madrid; mientras se desangra sale en busca de sus agresores, les encuentra y mata, y en la posterior huida asesina a dos policías de tráfico y acaba muriendo en una casa perdida en el campo mientras mantiene secuestrada a una familia campesina y la policía la tiene rodeada. El principal defecto de la historia es que no sólo está contado desde el punto de vista de ella, lo que daría mucha más consistencia a la venganza y huida, sino también desde el de Marcos (Antonio Banderas*), un periodista del diario *El País* con quien mantiene una casual relación sentimental, que dispersa la atención. A este desequilibrio se une que mientras Francesca Neri está espléndida en su actuación, tanto por su físico como por hablar con su irregular castellano lleno de palabras italianas, Antonio Banderas* ni siquiera logra que resulte creíble su inconsistente personaje. No obstante, es una de las películas mejor rodadas de Saura*, tiene una buena primera parte y una gran fotografía en Scope de Javier Aguirresarobe*.

Director: *Carlos Saura*. Guionistas: *Enzo Monteleone, Carlos Saura*. Fotografía: *Javier Aguirresarobe*. Intérpretes: *Francesca Neri, Antonio Banderas, Walter Vidarte, Eulalia Ramón*. Producción: *Jaime Comas y Galliano Juso para Arco Films (Madrid), 5 Films (Madrid), Metro Film (Roma)*. Duración: *100 min*.

DISPUTADO VOTO DEL SEÑOR CAYO, EL *(1986)*

Tomando como punto de partida la novela homónima de Miguel Delibes, y sobre guión de Manuel Matji* y el propio realizador, Antonio Giménez-Rico* narra el encuentro de tres miembros del partido socialista con el señor Cayo (Francisco Rabal*), un viejo campesino, lleno de sabiduría popular, que vive prácticamente solo en un olvidado pueblo castellano, durante la campaña electoral de las elecciones legislativas de 1977. Para darle mayor coherencia y actualidad a la novela, los guionistas han inventado un prólogo y un epílogo, ambientados en 1986, rodados en blanco y negro para darles un tono demasiado explícito, que se distancia demasiado del conjunto.

Director: *Antonio Giménez-Rico*. Guionistas: *Manuel Matji, Antonio Giménez-Rico*. Fotografía: *Alejandro Ulloa*. Intépretes: *Francisco Rabal, Juan Luis Galiardo, Iñaki Miramón, Lydia Bosch*. Producción: *P. C. Penélope*. Duración: *98 min*.

DISTRITO QUINTO *(1957)*

Situada la acción casi íntegramente en un destartalado piso convertido en modesta academia de baile, narra cómo un pequeño grupo de maleantes, mientras espera a su nuevo jefe para repartirse el botín del último golpe, comienzan a hablar sobre él, ponerse nerviosos y entrecruzar la información que posee sobre él. Basada en la novela *Es peligroso hacerse esperar*, de José María Espina, se trata de una de las mejores películas escritas y dirigidas por Julio Coll*. Con una evidente carga teatral, tiene una lograda atmósfera y una buena interpretación donde destacan Alberto Closas* y Arturo Fernández*.

Director: *Julio Coll*. Guionistas: *José Huici, Luis Camerón, Jorge Illa, Julio Coll*. Fotografía: *Salvador Torres*. Música: *Xabier Montsalvatge*. Intérpretes: *Alberto Closas, Montserrat Salvador, Arturo Fernández, Jesús Colomer, Carlos Mendy*. Duración: *89 min*.

DOLORES *(1980)*

Entre los muchos documentales que se hacen durante la etapa de transición entre la dictadura y el socialismo, destaca este sobre Dolores Ibárruri (1895-1989), llamada «Pasionaria», presidenta del Partido Comunista de España. Narra su vida, desde su infancia a finales del siglo XIX hasta su regreso a España en 1977. A través de los recuerdos de sus años escolares, sus primeras huelgas, el nacimiento de sus hijos, sus actividades clandestinas en el partido comunista durante la dictadura del general Primo de Rivera, su encarcelamiento durante la II República, su trabajo como diputada por Asturias durante el Frente Popular, su visión de la guerra, su exilio a Francia y la Unión Soviética y su vuelta a España tras la muerte del general Franco. Está integrado por entrevistas con ella, fragmentos de montaje sobre hechos concretos, poemas de César Vallejo y Antonio Agraz recitados por Juan Diego y un texto algo excesivo leído por Francisco Umbral con su engolada voz.

Directores y guionistas: *José Luis García Sánchez, Andrés Linares.* Fotografía: *Luis Cano.* Música: *Canciones de Juanita Reina, Ana Belén, Rosa León y populares.* Producción: *Andrés Linares P. C.* Duración: *91 min.*

DOMINGO DE CARNAVAL *(1945)*

De la trilogía de películas policiacas, también integrada por *La torre de los siete jorobados** (1944) y *El crimen de la calle de Bordadores** (1946), escrita, parcialmente producida y dirigida por Edgar Neville*, esta es una de las mejores. No sólo por su intriga policiaca, sino por encontrar el tono justo para su desarrollo entre la comedia de costumbres y la descripción de una de las zonas más características de Madrid. Narra cómo una mañana, en pleno car-

naval, se descubre el cadáver de una avarienta prestamista en su casa situada en pleno Rastro. El joven comisario (Fernando Fernán-Gómez*) que lleva la investigación averigua que la víspera la muerta mantuvo una agria discusión con un charlatán de la zona por motivos económicos y le hace detener, pero su hija (Conchita Montes*), convencida de la inocencia de su padre, comienza a indagar por su cuenta, se encuentra con un turbio asunto de drogas, que hace peligrar su vida, y llega a esclarecer los hechos y detener a los culpables con la ayuda del comisario. Dentro de la pobre historia del cine policiaco nacional, ocupa una posición de honor por conseguir que sin dejar de ser muy madrileña, muy española, siga teniendo una intriga criminal, también funcione como policiaco.

Director y guionista: *Edgar Neville.* Fotografía: *Enrique Barreyre.* Música: *José Muñoz Molleda.* Intérpretes: *Conchita Montes, Fernando Fernán-Gómez, Guillermo Marín, Julia Lajos.* Producción: *Edgar Neville.* Duración: *83 min.*

DONDE TÚ ESTÉS *(1964)*

Como todas las películas escritas, producidas y dirigidas por Germán Lorente*, narra las relaciones sentimentales entre un intelectual en crisis, en este caso el escritor francés Paul Vallier (Maurice Ronet), y la atractiva hija de un rico hombre de negocios, en esta ocasión la alemana Lisa Oldstein (Claudia Mori), sobre el fondo de una playa de moda, ahora la Costa del Sol. A pesar de sus tópios y lugares comunes, es la mejor de las producciones donde interviene Lorente*, tanto por el trabajo de sus protagonistas, como por colaborar en el guión los escritores Juan García Hortelano y Juan Marsé.

Director: *Germán Lorente*. Guionistas: *Juan García Hortelano, Germán Lorente, Juan Marsé, Ángel G. Gauna, Enrique Josa, José María Nunes*. Fotografía. *Massimo Dallamano*. Música: *Luis Enrique Bacalov*. Intérpretes: *Maurice Ronet, Claudia Mori, Ángel Aranda, María Asquerino, Helga Liné, Luis Dávila*. Producción: *P. C. Vértice (Barcelona), International Film Service, Euram Films (Roma), Dicifrance (París)*. Duración: *86 min.*

DRAGON RAPIDE *(1986)*

Este es el nombre del avión británico De Havilland que a mediados de julio de 1936 vuela en secreto desde Londres a Las Palmas de Gran Canaria para recoger al general Franco y llevarle hasta Tetuán para ponerse al frente de las tropas españolas en África y alzarse en armas contra el gobierno de la II República. Bajo este título se esconde la crónica de los quince días anteriores al 18 de julio, la pequeña historia que lleva al fallido golpe de estado que degenera en una larga y sangrienta guerra, pero por culpa de una excesiva falta de presupuesto, que hace que la mayoría de las escenas se desarrollen en interiores y las restantes sean demasiado pobres, las buenas intenciones de Jaime Camino* resultan bastante fallidas. Su máximo interés reside en que por primera vez en una película aparezcan Francisco Franco y Carmen Polo encarnados por actores, aunque el trabajo de Juan Diego* y Victoria Peña, quizá por el excesivo costumbrismo del guión, no es todo lo convincente que debiera.

Director: *Jaime Camino*. Guionistas: *Jaime Camino, Román Gubern*. Fotografía: *Juan Amorós*. Música: *Xabier Montsalvatge*. Intérpretes: *Juan Diego, Victoria Peña, Francisco Casares, Pedro Díez del Corral, Santiago Ramos, Miguel Molina*. Producción: *Jaime Camino para Tibidabo Films*. Duración: *105 min.*

DROVE, Antonio *(Antonio Drove Shaw. Madrid, 1942)*

Interrumpe sus estudios de ingeniería industrial cuando ingresa en la especialidad de dirección en la Escuela Oficial de Cinematografía, donde se gradúa con la controvertida práctica *La caza de brujas* (1967). El éxito de su interesante mediometraje *¿Qué se puede hacer con una chica?* (1969) le lleva a trabajar para televisión en documentales y obras de ficción. Coguionista de *La leyenda del alcalde de Zalamea* (1972), de Mario Camus*; *Al* *diablo con amor* (1973), de Gonzalo Suárez*; y *Hay que matar a B* (1973), de José Luis Borau*, es contratado por José Luis Dibildos* para dirigir las irregulares comedias de la denominada *tercera vía Tocata y fuga de Lolita* (1974) y *Mi mujer es muy decente dentro de lo que cabe* (1974), a las que sigue en la misma dirección *Nosotros que fuimos tan felices* (1976), que hace para el productor Alfredo Matas*. Sus mejores trabajos son dos personales adaptaciones, *La verdad sobre el caso Savolta** (1978), basada en la primera novela de Eduardo Mendoza, que logra finalizar tras un conflictivo rodaje, y *El túnel** (1987), sobre la novela homónima de Ernesto Sábato, que rueda en inglés con actores extranjeros.

DUCAY, Eduardo *(Eduardo Ducay Berdejo. Zaragoza, 1926)*

Interesado por el cine desde joven, en 1945 funda el Cineclub de Zaragoza. Crítico de cine en las revistas *Ínsula, Índice, Revista Internacional del Cine, Objetivo,* la italiana *Bianco e nero* y la norteamericana *Texas Quarterly,* y en el tercer programa de Radio Nacional de España. Diplomado en dirección en el Instituto de Investigaciones y Experiencias Cinematográficas, trabaja como ayudante de dirección y producción. Pertenece al grupo fundador de la productora Época Films, a finales de los años cincuenta colabora en el departamento de guiones de Estudios Moro y posteriormente es director de producción de Movierecord. Entre las películas que produce con diferentes marcas hay que destacar *Los chicos** (1959), de Marco Ferreri*; *Tiempo de silencio* (1964), de Julio Diamante; *Tristana** (1970), de Luis Buñuel*; *Padre nuestro** (1985), de Francisco Regueiro*; y *El bosque animado** (1987), de José Luis Cuerda*.

DUENDE Y MISTERIO DEL FLAMENCO *(1952)*

El interés del guionista, productor y realizador Edgar Neville* por el baile flamenco le lleva a realizar esta especie de historia de su peculiar cante y baile. Con una voz en *off* de Fernando Rey*, que va explicando las diferentes características de cada baile, se suceden siguiriyas, soleares, serranas, livianas, tarantas, alegrías, caracoles, boleros, panaderos, zapateados, fandangos, verdiales, granaínas, bulerías, martinetes, etc. A pesar de reducirse a una selección de diferentes números, por la fuerza y calidad de sus intérpretes y estar bien rodados en largos planos generales que permiten apreciar la belleza del baile, el resultado tiene un indudable interés. Frente a los números rodados en interiores, destacan los realizados en exteriores, sobre una plataforma situada ante un bello fondo, como ocurre con los que baila una joven y debutante María Luz Galicia y los de Antonio ante el

Antonio en *Duende y misterio del flamenco,* de Edgar Neville

monasterio de San Lorenzo de El Escorial. Rodada por el sistema de patente española Cinefotocolor, el paso de los años, como ocurre con todas las películas realizadas con este procedimiento, le ha hecho perder mucha calidad a la fotografía.

Director y guionista: *Edgar Neville.* Fotografía: *Enrique Guerner.* Música: *Albéniz, Chueca, Granados, Soler, etc.* Intérpretes: *Antonio, Pilar López, Rosario Ximénez, Alejandro Vega, Manolo Vargas, Alberto Lorca.* Producción: *Edgar Neville para Suevia Films (Cesáreo González).* Duración: *85 min.*

DULCES HORAS *(1981)*

Última de las trece películas escritas y dirigidas por Carlos Saura* para el productor Elías Querejeta*, aparece como una síntesis de los temas intimistas desarrollados en ellas, pero no se sitúa entre las mejores, es una obra claramente menor. Narra cómo Juan (Iñaki Ayerra), tras volver a releer la correspondencia entrecruzada con su hermana cuando eran niños y atraído por el parecido que tiene la actriz Berta (Assumpta Serna*) con su madre, decide reconstruir los momentos más significativos de su vida, relacionados con la guerra española o la inmediata posguerra. A pesar de la eficacia de algunas escenas, la argucia argumental resulta demasiado forzada y algunos actores, en especial el protagonista Iñaki Ayerra, no funcionan como debieran.

Director y guionista: *Carlos Saura*. Fotografía: *Teo Escamilla*. Intérpretes: *Assumpta Serna, Iñaki Ayerra, Álvaro de Luna, Jacques Lalande, Alicia Sánchez, Alicia Hermida*. Producción: *Elías Querejeta para Elías Querejeta P. C. (Madrid), Les productions J. Roitfeld (París)*. Duración: *106 min.*

DURÁN, Rafael *(Rafael Durán Espayaldo. Madrid, 1911-Sevilla, 1994)*
Abandona los estudios de ingeniería civil para dedicarse al baile. Después de trabajar en destacadas compañías teatrales y pertenecer a la plantilla de doblaje de Metro-Goldwyn-Mayer, debuta como actor de cine en *Rosario, la cortijera* (1936), de

León Artola. El gran éxito de su segunda película, *La tonta del bote* (1939), de Gonzalo Delgrás, le hace formar pareja con Josita Hernán en las cada vez más irregulares comedias *Muñequita* (1940) y *El 13.000* (1941), de Ramón Quadreny; *Pimentilla* (1941), de Juan López de Valcárcel; *Un viaje de novios* (1947), de Gonzalo Delgrás; y también crear una compañía de teatro propia. Se convierte en uno de los galanes más solicitados a través de su trabajo en las comedias *Eloísa está debajo de un almendro* (1943), de Rafael Gil; *Ella, él y sus millones** (1944), de Juan de Orduña*; *El destino se disculpa** (1945), de José Luis Sáenz de Heredia*; *La vida en un hilo** (1945), de Edgar Neville*; y en los dramas *El clavo* (1944), *La*

Rafael Durán y Amparo Rivelles en *El clavo*, de Rafael Gil

pródiga (1946), *La fe* (1947) y *El gran galeoto* (1951), de Rafael Gil*. Durante los años cincuenta pasa a hacer papeles secundarios en producciones de menor entidad, como *Esa voz es una mina* (1955), de Luis Lucia*; *La rebelión de los gladiadores* (1958), de Vittorio Cottafavi; o *La máscara de Scaramouche* (1963), de Antonio Isasi*, pero trabaja con regularidad hasta que se retira a mediados de los años sesenta.

DÚRCAL, Rocío *(María Ángeles de las Heras Ortiz. Madrid, 1945)*
Descubierta por el productor Luis Sanz cuando participa en el concurso de cantantes noveles *Primer aplauso* de Televisión Española, debuta en cine con gran éxito en *Canción de juventud* (1962) y *Rocío de la Mancha* (1962), de Luis Lucia*, que siguen el esquema de las películas protagonizadas por Deanna Durbin en Hollywood a finales de los años treinta. Entre alguna esporádica incursión teatral, el argentino Luis César Amadori* la dirige en *Más bonita que ninguna* (1965), *Acompáñame* (1966), *Buenos días, condesita* (1966), *Amor en el aire* (1967) y *Cristina Guzmán* (1968). Tras las más directamente musicales *Las leandras* (1969), de Eugenio Martín*, y *La novicia rebelde* (1971), de Luis Lucia*, cuarta versión de la novela de Armando Palacio Valdés *La hermana san Sulpicio*, intenta cambiar de estilo con la adaptación de Benito Pérez Galdós *Marianela* (1972), de Angelino Fons*, la coproducción con Francia *Díselo con flores* (1974), de Pierre Grimbalt, y la historia de lesbianas *Me siento extraña* (1977), de Enrique Martí Maqueda, pero no lo consigue y decide dedicarse en exclusiva al mundo de la canción.

ECEIZA, Antonio *(Antxón Eceiza Sansinenea. San Sebastián, 1935)*

Licenciado en derecho, ingresa en el Instituto de Investigaciones y Experiencias Cinematográficas y colabora en las revistas especializadas *Cinema Universitario* y *Nuestro Cine*. Durante finales de los años cincuenta y comienzos de los sesenta escribe en colaboración algunos guiones, entre los que destacan los de *Los inocentes* (1962), de J. A. Bardem*, y *Los cien caballeros* (1965), de Vittorio Cottafavi. Tras escribir y dirigir los cortos *A través de San Sebastián* (1961) y *A través del fútbol* (1963) con Elías Querejeta*, éste le produce cuatro diferentes e irregulares largometrajes: *El próximo otoño* (1963), *De cuerpo presente* (1965), basado en la novela homónima de Gonzalo Suárez, *Último encuentro* (1966) y *Las secretas intenciones** (1969) sobre un guión escrito en colaboración con Rafael Azcona*. Posteriormente se exilia en París por motivos polí-

ticos, para finalizar en México donde rueda *Mina, viento de libertad* (1976) y *El complot mongol* (1977). Regresa a España a finales de los años setenta y, tras rodar unos cuantos cortometrajes, dirige el largo *Días de humo* (1989), mal reflejo de la conflictiva situación política que vive el País Vasco.

ECHANOVE, Juan *(Juan Echanove Labanda. Madrid, 1961)*

Abandona la carrera de derecho para estudiar arte dramático. Debuta como actor de cine en *El caso Almería* (1983), de Pedro Costa*, casi al tiempo que también lo hace en teatro y televisión. El éxito de la serie de televisión *Turno de oficio* (1985), de Antonio Mercero*, y de la película *Tiempo de silencio** (1986), de Vicente Aranda*, le conduce a papeles de mayor importancia en *Divinas palabras* (1987), de José Luis García Sánchez*; *Bajarse al moro** (1988), de Fernando Colomo*; *A solas contigo** (1990), de

Eduardo Campoy*; *La noche más larga** (1991), de José Luis García Sánchez*; *La flor de mi secreto* (1995), de Pedro Almodóvar*. Con su trabajo en *MadreGilda** (1993), de Francisco Regueiro, se convierte en el tercer intérprete cinematográfico del general Franco. Protagoniza la comedia esperpéntica *Suspiros de España (y Portugal)* (1995), de José Luis García Sánchez.

EL DORADO *(1988)*

La historia del fracaso de la expedición que el 27 de septiembre de 1560 parte del puerto de Lamas al mando de Pedro de Ursúa, integrada por más de seiscientos hombres, para conquistar las míticas tierras de El Dorado, ha dado lugar a múltiples obras. Su atractivo reside en la insurrección de los capitanes, que finaliza con el asesinato de Ursúa el 1 de enero de 1561, la toma del poder por Lope de Aguirre, que se coloca al frente de los rebeldes y se subleva contra la Corona de España, y los sanguinarios hechos que se suceden, entre los que destacan el asesinato de su hija Elvira y la propia muerte de Aguirre. Entre ellas cabe citar la espléndida novela de Ramón J. Sender, *La aventura equinocial de Lope de Aguirre;* la película de Werner Herzog, *Aguirre, la cólera de Dios* (Aguirre, der Zorn Gottes, 1972), y la de Carlos Saura*, que sigue siendo la más cara realizada por el cine español. Muy lejos del cine intimista que caracteriza buena

parte de su producción, Saura no logra sacar mucho partido de esta apasionante historia, condicionado además por un montaje para cine demasiado corto y otro para televisión demasiado largo.

Director y guionista: *Carlos Saura.* Fotografía: *Teo Escamilla.* Música: *Alejandro Massó.* Intérpretes: *Omero Antonutti, Lambert Wilson, Eusebio Poncela, Gabriela Roel, Inés Sastre.* Producción: *Andrés Vicente Gómez para Compañía Iberoamericana de Televisión.* Duración: *151 min.*

ELÍAS, Francisco *(Francisco Elías Riquelme. Huelva, 1890-Barcelona, 1977)*

A los diecinueve años comienza a trabajar como redactor e impresor de intertítulos de películas mudas en los estudios Gaumont y Eclair de París. En 1914 se instala en Barcelona, como representante de los estudios Eclair, y funda la empresa Manufactura de Films, mientras comienza a rodar algunos documentales. La presión de la Gran Guerra y el éxito de su empresa le llevan a Nueva York en 1916 para crear la Elías Press Inc., especializada en la realización de intertítulos para documentales, que funciona hasta el final del período mudo, y para la que sigue haciendo cortometrajes. En 1928 regresa a España y realiza los largos *El fabricante de suicidios* (1928) y *El misterio de la puerta del Sol* (1928), una de las primeras películas sonoras españolas, pero su deficiente sonido la

Carmen Amaya en *María de la O*, de Francisco Elías

hace fracasar y vuelve a París. Después de realizar tres películas francesas, regresa a Barcelona para participar en la creación de los estudios Orphea, los primeros que se construyen en España para el rodaje de películas sonoras, y dirigir en ellos varias irregulares producciones: *Pax* (1932), *Rataplán* (1935) y *María de la O* (1936). Durante la guerra española es el encargado de cinematografía de la Generalidad, realiza *Bohemios* (1937) y *¡No quiero... no quiero!* (1938), y al final de la contienda debe exiliarse a México por motivos políticos, donde rueda otras ocho películas. En 1954 vuelve a España, crea la productora Amílcar Films y dirige *Marta* (1954), pero su fracaso económico le hace apartarse definitivamente de la realización y poco a poco de la producción. Mucho más importante como empresario que como director y guionista, tanto por los temas como por la realización de sus películas, es uno de los pioneros del cine sonoro en España.

ELISA, VIDA MÍA *(1977)*

Al final de la dictadura, Carlos Saura* escribe, por primera vez en solitario, y dirige una importante trilogía para el productor Elías Querejeta*, que se sitúa entre sus mejores trabajos. Entre *Cría cuervos...* * (1975), que da una peculiar versión del mundo

Fernando Rey y Geraldine Chaplin en *Elisa, vida mía*, de Carlos Saura

infantil, y *Los ojos vendados**
(1978), que hace un personal análisis en torno a la tortura, se sitúa
esta interesante producción, sobre
las relaciones paterno-filiales.
Retomando de sus anteriores
obras una personal estructura
narrativa, cuenta cómo Elisa
(Geraldine Chaplin*), una mujer
con problemas matrimoniales, va
a visitar a Luis (Fernando Rey*),
su padre, un viejo profesor que
vive retirado en una perdida casi-
ta en la provincia de Segovia, se
queda a pasar una temporada con
él y mientras el profesor trata de
finalizar sus memorias, que a
veces parecen las de su hija, y se
pone enfermo, ésta recuerda el
pasado en común y se estabilizan

las relaciones entre ellos. De las
múltiples películas donde Saura*
trata sobre la burguesía española
de la época, en general, e indaga
sobre los recuerdos de sus personajes, en concreto, ésta es la
mejor, tanto por su apropiada
estructura narrativa como por la
complejidad de las relaciones que
analiza. Destaca la originalidad y
belleza de las localizaciones en la
provincia de Segovia, donde se
desarrolla más de una película de
esta época de Saura*, y el juego
interpretativo de Fernando Rey*,
que le vale el premio de Interpretación del Festival de Cannes.

Director y guionista: *Carlos Saura*.
Fotografía: *Teo Escamilla*. Música:
Erik Satie, J. P. Rameau, Giorgio

Mainiero. Intérpretes: *Geraldine Chaplin, Fernando Rey, Isabel Mestres, Norman Briski, Joaquín Hinojosa, Ana Torrent.* Producción: *Elías Querejeta P. C.* Duración: *125 min.*

ELLA, ÉL Y SUS MILLONES *(1944)*

Entre las dieciocho películas rodadas por el actor y realizador Juan de Orduña* durante los años cuarenta, destaca esta intrascendente, pero lograda comedia. Tomando como punto de partida la obra teatral *Cuento de hadas,* de Honorio Maura, narra la historia del millonario Arturo Salazar (Rafael Durán*) que encarga a un amigo aristócrata, el marqués de Minares (Roberto Rey*), que le busque una mujer de sangre azul para casarse con ella. Sabiendo la mala situación económica en que se encuentra su suegro, recurre a sus cuñadas y no encuentra dificultades porque una de ellas, Diana (Josita Hernán*), acepta encantada. Una vez celebrado el matrimonio, ella recurre a un viejo amigo para conseguir el amor de él. Entre el numeroso y eficaz reparto hay que señalar la presencia del siempre excelente José Isbert* en el papel de duque de Hinojares.

Director: *Juan de Orduña.* Guionistas: *Manuel Tamayo, Alfredo Echegaray.* Fotografía: *Guillermo Goldberger.* Música: *Juan Quintero.* Intérpretes: *Rafael Durán, Josita Hernán, Roberto Rey, Luchy Soto, Luis Peña, Raúl Cancio.* Producción: *Cifesa.* Duración: *99 min.*

ELORRIAGA, Xabier *(Xabier González Elorriaga. Maracaibo, Venezuela, 1944)*

Hijo de exiliados republicanos, nace en Venezuela y estudia ingeniería y marina mercante en Chile. A los veinticinco años llega a España, comienza a estudiar derecho en Bilbao y periodismo en Barcelona, al tiempo que debuta como actor de teatro y posteriormente ejerce como profesor en la Universidad de Bellaterra. En cine debuta en un papel protagonista en *La ciutat cremada* (La ciudad quemada, 1975), de Antoni Ribas*, y entre sus posteriores intervenciones destacan las que realiza en *A un Dios desconocido* (1977), de Jaime Chávarri; *El hombre de moda* (1980), de Fernando Méndez-Leite*; *La fuga de Segovia* (1981), de Imanol Uribe*; *La conquista de Albania* (1983), de Alfonso Ungría*; *La muerte de Mikel* (1983), de Imanol Uribe*; *Tata mía* (1986), de José Luis Borau*. Estrechamente ligado al cine vasco, también trabaja como profesor de doblaje en euskera, guionista y director de cortometrajes. En la segunda mitad de los años ochenta comienza a alejarse progresivamente de la interpretación para realizar trabajos directivos en Euskal Telebista.

ELORRIETA, Javier *(Javier Elorrieta Pérez de Diego. Madrid, 1950)*

Hijo del tan prolífico como irregular director José María Elorrieta (Madrid, 1921-Madrid, 1974), que en veintiséis años de profesión rueda cuarenta y cinco largometrajes, se interesa especialmente por un cine de acción que no acaba de funcionar. Tras la personal y fallida *La larga noche de los bastones blancos* (1978), una historia de ciegos que no tiene éxito, rueda la violenta *La noche de la ira* (1986). Contratado por el productor José Frade*, sobre guión de Rafael Azcona* y Ricardo Franco* realiza *Sangre y arena* (1989), enésima versión de la novela de Vicente Blasco Ibáñez, rodada con amplitud de medios, que constituye su mejor trabajo. Posteriormente hace *Los gusanos no llevan bufanda* (1991), torpe comedia de acción, y el moralizante policiaco *Cautivos del deseo* (1993).

EN SEPTIEMBRE *(1981)*

Con motivo de la venta del viejo edificio que alberga al liberal colegio Ateneo, la directora organiza una comida de antiguos alumnos. Tras veinte años sin apenas verse, los más entusiastas deciden volver a realizar la excursión de fin de curso que anualmente hacían por la madrileña sierra de Guadarrama. Sólo se presentan nueve, cinco mujeres y cuatro hombres, que mientras recorren la vieja ruta hablan de sus frustraciones, intentan revivir un tiempo perdido, tratan de dar un nuevo significado a su vida. Dentro de las comedias de costumbres que habitualmente escribe y dirige Jaime de Armiñán*, ocupa una posición destacada por las dificultades que entraña el desarrollo de una historia coral y el buen trabajo interpretativo de la mayoría de sus actores.

Director: *Jaime de Armiñán.* Guionistas: *Jaime de Armiñán, Ramón de Diego.* Fotografía: *Teo Escamilla.* Música: *Jesús Aranguren.* Intérpretes: *Carmen de la Maza, Amparo Baró, María Massip, María Luisa Merlo, Paula Martel, Agustín González, Álvaro de Luna, José Moratalla.* Producción: *A Punto P. C.* Duración: *107 min.*

EPÍLOGO *(1984)*

Tras quince años de hacer películas fallidas o de encargo, el escritor Gonzalo Suárez* vuelve a los personajes de su novela *Rocabruno bate a Ditirambo* para conseguir por primera vez en cine lo que hace tiempo logró en literatura. A través de las discusiones entre los escritores Ditirambo (José Sacristán*) y Rocabruno (Francisco Rabal*), donde el primero intenta convencer al segundo de que colaboren en una última historia, ante la presencia de la bella Laína (Charo López*), Gonzalo Suárez* vuelve a tratar su tema favorito, los escritores y la escritura. Todo funciona bien, resulta una novedad, en especial el homenaje a la vieja máquina de escribir, salvo las dos historias que construyen entre los tres, cuando vuelven a escribir juntos.

Francisco Rabal y Charo López en *Epílogo,* de Gonzalo Suárez

Extraídas de su libro de cuentos *Gorila en Hollywood,* ni *El auténtico caso del joven Hamlet* ni *Combate* alcanzan la altura del conjunto, parecen añadidos posteriores porque la película quedaba corta, no están bien visualizadas, se diría extraídas de otra producción. Destacan unos diálogos buenos, a veces demasiado brillantes, literarios en el peor sentido de la palabra, y la fotografía de Carlos Suárez*.

Director y guionista: *Gonzalo Suárez.* Fotografía. *Carlos Suárez.* Música: *Juan José García Caffi.* Intérpretes: *Francisco Rabal, José Sacristán, Charo López, Manuel Zarzo, Sandra Toral, Cyra Toledo.* Producción: *Gonzalo Suárez para*

Ditirambo Films, La Salamandra. Duración: *90 min.*

ERICE, Víctor *(Víctor Erice Aras. Carranza, Vizcaya, 1940)*

Licenciado en ciencias políticas, ingresa en el Instituto de Investigaciones y Experiencias Cinematográficas y se diploma en dirección con la práctica *Los días perdidos* (1963). Crítico de cine en diferentes publicaciones, pero sobre todo en la especializada *Nuestro Cine,* participa en los guiones de *El próximo otoño* (1963), de Antonio Eceiza*, y *Oscuros sueños de agosto* (1967), de Miguel Picazo*. Debuta como realizador con la irregular producción de Elías

Querejeta* sobre la violencia *Los desafíos* (1969), pero ni los otros dos episodios, dirigidos respectivamente por Claudio Guerín y José Luis Egea, ni el suyo tienen interés. A pesar de que el productor Querejeta* sólo le permite rodar una semana menos de las previstas, *El espíritu de la colmena** (1973) es una gran película que tiene una buena repercusión nacional e internacional. Tras diez años dedicado a la publicidad rueda *El sur** (1983), a partir de un relato de Adelaida García Morales, de nuevo sobre unas complejas relaciones hija-padre en la triste realidad nacional de los años cuarenta, pero aunque vuelve a tener problemas con Querejeta*, que sólo le permite rodar la primera parte del excelente guión suyo y de Ángel Fernández-Santos*, es una obra maestra. Después de otra larga etapa dedicada a la publicidad, y alargando el primitivo episodio de una serie de televisión, rueda *El sol del membrillo** (1992), que gana un premio en el Festival de Cannes, un minucioso, perfecto y atractivo documental donde el pintor realista Antonio López trata de pintar un membrillero durante dos horas y no lo consigue.

ESA PAREJA FELIZ *(1951)*

Sólidamente apoyados en la mejor comedia francesa e inglesa, más que italiana, de la posguerra, Luis G. Berlanga y J. A. Bardem se enfrentan a su primera película. Narra las relaciones entre Juan (Fernando Fernán-Gómez*), un electricista que sólo cree en sí mismo, y no demasiado, trabaja en unos estudios cinematográficos y estudia radio por correspondencia, y su mujer, Carmen (Elvira Quintillá), una costurera que trabaja en su casa para fuera y cree en la suerte, en el duro Madrid de la inmediata posguerra. Tras una excelente primera parte, donde se expone su vida como realquilados, hay una segunda más desigual, en que ganan el concurso radiofónico «Un día feliz para una pareja feliz», para llegar a un doctrinario final, que dice que la felicidad sólo está en ellos y su trabajo y no puede venirles desde fuera. Frente a la interpretación de ambos protagonistas, Fernando Fernán-Gómez* y Elvira Quintillá, destaca la de un excelente número de secundarios. Su interés también radica en marcar un profundo giro, a pesar de su mínimo éxito, dentro del cine realizado bajo el general Franco, y ser la primera película de dos directores fundamentales para la historia del cine español.

Directores y guionistas: *Luis G. Berlanga, J. A. Bardem.* Fotografía: *Guillermo Golberger.* Música: *Jesús García Leoz.* Intérpretes: *Fernando Fernán-Gómez, Elvira Quintillá, José Luis Ozores, Félix Fernández, Matilde Muñoz Sampedro, José Franco.* Producción: *Altamira.* Duración: *90 min.*

ESCAMILLA, Teo *(Teodoro Escamilla Serrano. Sevilla, 1940)*

Comienza como reportero gráfico, operador de televisión y auxiliar de cámara. Después de trabajar diez años como segundo operador, cuando Luis Cuadrado* debe retirarse por enfermedad, le sustituye en el equipo habitual del productor Elías Querejeta*. Trabaja activamente desde mediados de los setenta hasta finales de los ochenta y destaca su colaboración con Carlos Saura* en *Cría cuervos...* * (1975), *Elisa, vida mía* * (1977), *Los ojos vendados* * (1978), *Mamá cumple cien años* (1979), *Deprisa, deprisa* * (1980), *Bodas de sangre* * (1981), *Dulces horas* (1981), *Antonieta* * (1982), *Carmen* * (1983), *Los zancos* * (1984), *El amor brujo* * (1986), *El Dorado* * (1988), *La noche oscura* (1989); con Jaime Chávarri* en *El desencanto* * (1976), *A un dios desconocido* * (1977), *Dedicatoria* (1980); con Manuel Gutiérrez Aragón* en *Sonámbulos* * (1978), *El corazón del bosque* * (1979), *Maravillas* * (1980), *Feroz* (1984), *El rey del río* * (1995); y con Jaime de Armiñán* en *Nunca es tarde* (1977), *El nido* * (1980), *En septiembre* * (1981), *Stico* (1984) y *Mi general* (1987). Sin olvidar su luminosa fotografía de *Tata mía* * (1986), de José Luis Borau*. En 1980 funda la productora A Punto con Armiñán*, especialmente dedicada a la publicidad. Dirige algunos cortos y el documental de largometraje *Tú solo* (1983).

ESCOBAR, Luis *(Luis Escobar Kirkpatrick. Madrid, 1908-Madrid, 1991)*

Marqués de las Marismas del Guadalquivir y licenciado en derecho, su afición al teatro le lleva a crear un grupo del que en 1941 nace el Teatro Nacional María Guerrero de Madrid. Lo dirige hasta 1953 y realiza una gran labor al alternar el montaje de obras clásicas y modernas, destacando el de *Don Juan Tenorio*, de José Zorrilla, con escenografía de Salvador Dalí. Autor de algunas comedias —*Te espero en Eslava* y *Fuera es de noche*—, y también dirige dos películas sobre guiones propios: *La honradez de la cerradura* (1950) y *La canción de la Malibrán* (1951). A los setenta años comienza una carrera como actor al interpretar al marqués de Leguineche en la trilogía *La escopeta nacional* * (1977), *Patrimonio nacional* * (1980) y *Nacional III* * (1982), de Luis G. Berlanga, que le da gran popularidad. También interviene como actor, entre otras muchas, en *La colmena* * (1982), de Mario Camus*; *A la pálida luz de la luna* * (1985), de José María González Sinde*; *Teo el pelirrojo* (1985), de Francisco Lucio; *Moros y cristianos* (1987), de Luis G. Berlanga*.

ESCOPETA NACIONAL, LA *(1978)*

Finalizada la dictadura, Luis

Mónica Randall y José Sazatornil «Saza» en *La escopeta nacional,* de Luis G. Berlanga

G. Berlanga*, siempre sobre guiones de Rafael Azcona* y suyos, emprende la realización de una trilogía sobre la actualidad política vista a través de la disparatada familia monárquica del marqués de Leguineche (Luis Escobar*). La primera entrega está ambientada a comienzos de la década de los setenta, con la sustitución en el gobierno de los elementos falangistas por miembros del Opus Dei y narra cómo el industrial catalán Jaume Ganivell (José Sazatornil*) organiza una cacería de perdices en la finca del marqués para convencer a algunos ministros invitados de que le ayuden a patrocinar la venta de sus porteros automáticos. Acompañado de su *querida*

Merce (Mónica Randall), el señor Ganivell tendrá que hacer todo tipo de bajezas para, finalmente, no llegar a conseguir sus objetivos. Rodada en largos e impecables planos con una multitud de personajes, supone un giro hacia un cine más comercial y cómico dentro de la obra de Berlanga*, pero sin dejar de ser profundamente crítico y realista, al tiempo que la consagración como actor de cine del olvidado director de cine y teatro Luis Escobar*. Su gran éxito determina la realización por el mismo equipo de *Patrimonio nacional** (1980), en torno a la restauración de la monarquía, y *Nacional III** (1982), con el trasfondo de la llegada al poder de los socialistas, siempre desde el punto de vista de la familia Leguineche. Con un descendente apoyo de la crítica, la trilogía tiene el valor añadido de ser una de las pocas obras cinematográficas de estos años que tratan la realidad nacional con un tono crítico.

Director: *Luis G. Berlanga*. Guionistas: *Rafael Azcona, Luis G. Berlanga*. Fotografía: *Carlos Suárez*. Intérpretes: *José Sazatornil «Saza», Luis Escobar, Antonio Ferrandis, José Luis López Vázquez, Rafael Alonso, Mónica Randall*. Producción: *Alfredo Matas para Incine*. Duración: *95 min*.

ESCRIVÁ, Javier *(Javier Escrivá de Scorcia y Vergés. Valencia, 1930-Valladolid, 1996)*

Licenciado en genealogía, heráldica y derecho nobiliario, debuta como actor de cine en un papel secundario en *La rana verde* (1957), de Josep María Forn*. Mientras desarrolla una carrera paralela en teatro, su trabajo cinematográfico se divide en tres etapas separadas por años de inactividad. La primera transcurre durante la primera mitad de los años sesenta y está marcada por grandes éxitos como protagonista de las inefables producciones religiosas *Molokai* (1959) y

Gerard Tichy y Javier Escrivá en *Molokai*, de Luis Lucia

El príncipe encadenado (1960), de Luis Lucia*; *Milagro a los cobardes* (1961), de Manuel Mur Oti*; *Isidro el labrador* (1963), de Rafael J. Salvia*. La segunda etapa es la más larga e irregular, se desarrolla durante la década de los setenta y está integradas por tragicomedias realizadas por Pedro Lazaga*, *El vikingo* (1972), *El chulo* (1973), *La amante perfecta* (1976); dramas dirigidos por Rafael Romero-Marchent*, *Tu Dios y mi infierno* (1974), *La noche de los cien pájaros* (1976); producciones seudoeróticas, *La ocasión* (1978), de José R. Larraz*; e incluso alguna película interesante, *Tormento** (1974), de Pedro Olea*, o *Las bodas de Blanca* (1975), de Francisco Regueiro*. La tercera y última etapa es mucho menos intensa, se desarrolla durante la segunda mitad de la década de los ochenta y sólo está integrada por esporádicos papeles en películas o series de televisión, mientras trabaja en una empresa dedicada a las subastas de objetos artísticos.

ESCRIVÁ, Vicente *(Vicente Escrivá Soriano. Valencia, 1913)*

Doctor en filosofía y letras, comienza a trabajar en periodismo, tanto en prensa como en radio, donde llega a ser jefe de programas para Hispanoamérica de Radio Nacional de España. Tras publicar algunas novelas y biografías y ganar el Premio Nacional de Literatura en 1947, empieza a trabajar como coguio-nista en *La mies es mucha* (1948), de José Luis Sáenz de Heredia*. Su éxito le lleva a crear la productora Aspa Films y escribir y producir los más significativos títulos del cine político-religioso de la primera mitad de los años cincuenta: *Balarrasa** (1950), de José Antonio Nieves Conde*; *La señora de Fátima* (1951), *Sor Intrépida* (1952), *La guerra de Dios* (1953), *El beso de Judas* (1953), *Murió hace quince años** (1954), *El canto del gallo* (1955) y *Un traje blanco* (1956), de Rafael Gil*. Mientras también escribe y produce *La otra vida del capitán Contreras* (1954), de Rafael Gil*; *Recluta con niño* (1955), *Los ladrones somos gente honrada* (1956), *La Cenicienta y Ernesto* (1957) y *El gafe* (1959), de Pedro L. Ramírez*, comedias de costumbres al gusto de la época. A finales de los cincuenta también se pasa a la dirección y, tras el fracaso de las estetizantes *El hombre de la isla* (1959) y *Dulcinea* (1962), sobre la obra de Gastón Baty, hace tres películas al servicio del cantante Raphael: *El golfo* (1968), *El ángel* (1969) y *Sin un adiós* (1970). El éxito de las comedietas que mientras tanto escribe y produce, *Aquí están las vicetiples* (1960), *Margarita se llama mi amor* (1961), *Sor Ye-yé* (1967), de Ramón Fernández*, y *Vente a Alemania, Pepe* (1971), *¡No firmes más letras, cielo!* (1972), de Pedro Lazaga*, le conduce a la más tradicional «comedia a la española» de finales de la dictadura del general Franco con *Aunque la hormona se vista de seda* (1971), *La curiosa* (1972), *Lo verde empieza en los Pirineos* (1973) y *Polvo eres* (1974). La desaparición de la censura que trae consigo la democracia le lleva a un cine claramente erótico en *La lozana andaluza* (1976), sobre la obra clásica de Francisco Delicado; *Niñas... ¡al salón!* (1977), adaptación de un libro de Fernando Vizcaíno Casas; y el díptico originalmente hablado en valenciano *El virgo de Visenteta* (1978) y *Visenteta esta-te queta* (1979). Posteriormente sólo escribe, produce y dirige *Esperando a papá* (1980), alegato antidivorcista inspirado en *Kramer contra Kramer* (Kramer versus Kramer, 1979), de Robert Benton; y *Montoyas y Tarantos** (1989), nueva versión de *Los Tarantos** (1963), de Francisco Rovira Beleta*. Obtiene un gran éxito con la reaccionaria serie de televisión *Lleno, por favor* (1993), que escribe, produce y dirige.

ESE OSCURO OBJETO DEL DESEO
(1977)

La excelente novela *La mujer y el pelele*, de Pierre Louÿs, es origen de cuatro producciones muy diferentes. La francesa muda, con el mismo título que la novela, dirigida en 1929 por Jacques de Baroncelli. La norteamericana *El diablo es una mujer* (The Devil is a Woman, 1935), la última de las seis grandes películas que el genial Josef von Sternberg hace con Marlene Dietrich, que da una visión de Andalucía y la guardia civil que disgusta tanto al gobierno de la II República Española que el derechista Gil Robles, a la sazón ministro de la Guerra, obliga a los estudios Paramount a quemar el negativo, lo que afortunadamente no hacen. La francesa *La femme et le pantin* (1958), un proyecto de Luis Buñuel*, siempre fascinado por esta novela, que acaba dirigiendo el irregular Julien Duvivier por desacuerdos con el productor Christine Gouze-Rénal sobre Brigitte Bardot para el papel protagonista. Y la producción del francés Serge Silberman y el español Alfredo Matas*, con una pequeña participación italiana, que constituye la última película de Luis Buñuel*. Durante un viaje en tren entre Sevilla y Madrid, el caballero de edad don Mateo (Fernando Rey*) cuenta a sus compañeros de viaje su pasión por la atractiva joven Concha Pérez y las sucesivas faenas que ésta le hace. Entre medias de continuas referencias a la violencia generada por el terrorismo, Buñuel* narra con su personal humor las peculiares relaciones eróticas entre don Mateo y Concha, pero por problemas surgidos durante el rodaje con la actriz Maria Schneider, el papel lo acaban interpretando alternativamente la española Ángela Molina* y la francesa Carole Bouquet, decisión gratuita que enturbia el resultado de la obra.

Director: *Luis Buñuel*. Guionistas: *Luis Buñuel, Jean-Claude Carrière*. Fotografía: *Edmond Richard*. Intérpretes: *Fernando Rey, Ángela Molina, Carole Bouquet, María Asquerino*. Producción: *Serge Silberman (Les Films Galaxie, París), Alfredo Matas (Incine, Madrid), Greenwich Film (Roma)*. Duración: *103 min.*

ESPÉRAME EN EL CIELO *(1987)*

El rumor de que el general Franco tenía un doble que, por razones de seguridad, le sustituía en las inauguraciones de pantanos, las celebraciones religiosas y los desfiles, es el origen de esta irregular producción. Narra cómo Paulino (José Soriano), propietario de una tienda de ortopedia en la madrileña calle de Fuencarral, es separado de su mujer Emilia (Chus Lampreave) para ser convertido en el doble de Francisco Franco con la ayuda del camarada Sinsoles (José Sazatornil). En su calidad de coguionista y realizador, Antonio Mercero* no encuentra el tono adecuado para narrar la historia, que además tiene un desarrollo demasiado lento, por lo que resulta desaprovechada. Sólo cabe destacar el buen trabajo del argentino José Soriano como segundo intérprete del general, tras Juan Diego* en *Dragon Rapide* (1986), de Jaime Camino* y antes de Juan Echanove* en *MadreGilda* (1993), de Francisco Regueiro*.

Director: *Antonio Mercero*. Guionistas: *Antonio Mercero, Román Gubern, Horacio Valcárcel*. Fotografía: *Manuel Rojas*. Música: *Carmelo Bernaola*. Intérpretes: *José Soriano, José Sazatornil «Saza», Chus Lampreave, Manolo Codeso*. Producción: *José María Calleja para B.M.G. Films*. Duración: *102 min.*

ESPÍRITU DE LA COLMENA, EL *(1973)*

Con un demasiado subrayado tono de cuento infantil, desde los dibujos de los títulos de crédito hasta el «Érase una vez...» inicial, sin olvidar las canciones infantiles tradicionales en que se basa la música de Luis de Pablo*, quizá por un posible miedo a la censura, narra la historia de una familia desterrada «en un lugar de la meseta castellana», en el pueblo de Hoyuelos en 1940. Lo mejor es el arranque, con la llegada al pueblo de una camioneta para proyectar *El doctor Frankenstein* (Frankenstein, 1931), de James Whale, y la presentación de los personajes. Fernando (Fernando Fernán-Gómez*), el padre, dedicado a sus colmenas y a escribir una especie de novela por las noches; Teresa (Teresa Gimpera*), la madre, que escribe cartas a un perdido amor en el exilio y luego quema sus respuestas en la chimenea; Isabel (Isabel Tellería), que va al cine con su hermana pequeña Ana (Ana Torrent*) y luego la anima en sus fantasías. Narrada en un ritmo reposado, con tanta minuciosidad

Ana Torrent e Isabel Tellería en *El espíritu de la colmena,* de Víctor Erice

como eficacia, cuenta cómo la pequeña Ana queda tan impresionada por el monstruo, por la escena en que mata a la niña, que le busca, le invoca y cree encontrarle en la figura de un fugitivo de la guardia civil a quien lleva alimentos e incluso la chaqueta de su padre. Cuando descubre que el fugitivo ha huido, que no está, que quizá le hayan matado como al monstruo, sale en su búsqueda, se pierde por la noche, y acaba imaginando que se encuentra con el mismísimo Frankenstein junto a un río. Basada en un excelente guión original de Ángel Fernández-Santos y Víctor Erice, plantea de una forma tan original como desgarrada unas duras relaciones paterno-filiales. Destaca la escena en que doña Lucía (Lali Soldevilla), la maestra, enseña a las niñas anatomía elemental con la ayuda de un muñeco de madera, don José.

Director: *Víctor Erice.* Guionistas: *Ángel Fernández-Santos, Víctor Erice.* Fotografía: *Luis Cuadrado.* Música: *Luis de Pablo.* Intérpretes: *Ana Torrent, Isabel Tellería, Teresa Gimpera, Fernando Fernán-Gómez.* Producción: *Elías Querejeta P. C.* Duración: *97 min.*

ESPONTÁNEO, EL *(1964)*

Con una clara estructura de itinerario, narra cómo el joven Paco (Luis Ferrín), especializado en sacar entradas para los toros para los turistas en la madrileña calle de la Victoria, pierde su empleo de botones en un hotel de lujo por una equívoca escena con una turista, busca trabajo en diferentes sitios que nunca acaban de satisfacerle y, finalmente, su afición a los toros le lleva a lanzarse a la plaza como espontáneo. A medio camino entre el neorrealismo descubierto en Italia y el experimentalismo que envuelve sus primeras obras, es una de las mejores películas madrileñas del catalán Jorge Grau*.

Director: *Jorge Grau.* Guionistas: *Jorge Grau, Eduardo de Santis, Víctor Andrés Catena.* Fotografía: *Federico G. Larraya.* Música: *Antonio Pérez Olea.* Intérpretes: *Luis Ferrín, Anabel Jordá, Ana María Noé, Fernando Rey, Ángel de Andrés.* Producción: *Ocean Films.* Duración: *92 min.*

ESTEVA, Jacinto *(Jacinto Esteva Grewe. Barcelona, 1936-Barcelona, 1985)*

Estudia filosofía y letras en Barcelona y arquitectura en Ginebra, donde rueda con Paolo Brunato el polémico corto *Notas sobre la emigración* (1960), para luego especializarse en urbanismo en París. De regreso a Barcelona, empieza a trabajar como arquitecto al tiempo que dirige algunos cortometrajes y en 1965 crea la productora Filmscontacto, que es el eje en torno al que cristaliza la denominada *Escuela de Barcelona.* Además de sus películas también produce *Noche de vino tinto** (1966), de José María Nunes; *Cada vez que...** (1967), de Carlos Durán; *Cabezas cortadas* (1970), de Glauber Rocha. Su primer y mejor largometraje es *Lejos de los árboles* (1970), un brillante documental sobre la España negra que comienza a hacer con Pere Portabella* en 1965, tiene problemas de rodaje y, sobre todo, de censura y sólo logra una mínima difusión cinco años después. Tras codirigir con Joaquín Jordá* *Dante no es únicamente severo** (1967), película manifiesto de la *Escuela de Barcelona,* rueda la más personal y ambiciosa de sus obras, *Después del diluvio** (1968), pero sólo consigue una mínima repercusión. Tras dos películas inacabadas rodadas en África, realiza las fallidas y experimentales *Metamorfosis* (1971) y *El hijo de María* (1972). Unos años después de su muerte Joaquín Jordá* dirige *El encargo del cazador* (1990), un interesante documento sobre la última etapa de su vida protagonizado por la hija de Esteva.

¡ESTOY EN CRISIS! *(1982)*

La historia de Bernabé (José Sacristán*), director creativo de una importante agencia de publicidad, la superioridad con que trata a sus compañeros de trabajo, a su mujer Gloria (Mercedes Sampietro*), a su amante Evelina (Marta Fernández-Muro), y los trucos que inventa para conquistar a la atractiva y joven modelo Lucía (Cristina Marsillach),

Cristina Marsillach y José Sacristán en ¡*Estoy en crisis!*, de Fernando Colomo

sirve a Fernando Colomo* para rodar otra «comedia madrileña». Un diálogo fluido, un buen reparto y una dirección ágil, valen para disimular un desarrollo dramático poco original y algo repetitivo.

Director: *Fernando Colomo.* Guionistas: *Andreu Martín, Fernando Colomo.* Fotografía: *Ángel Luis Fernández.* Música: *José Nieto.* Intérpretes: *José Sacristán, Cristina Marsillach, Mercedes Sampietro, Fernando Vivanco, Marta Fernández-Muro.* Producción: *Ágata Films, C. B. Films, La Salamandra P. C.* Duración: *90 min.*

EXTRAMUROS *(1985)*

Tras casi diez años de inactividad forzada y gracias a las facilidades creadas por la llamada *Ley Miró,* Miguel Picazo* rueda una última película a partir de la novela homónima de Jesús Fernández-Santos. En la decadencia iniciada al final del reinado de Felipe II, en un ambiente enrarecido por la ignorancia, el hambre, la sequía y la enfermedad, narra cómo en un convento de clausura al borde de la ruina sor Ángela (Mercedes Sampietro*), con la ayuda de sor Ana (Carmen Maura*), se hace unos estigmas en las manos para atraer a los fieles, pero esto crea la envidia de la priora (Aurora Bautista*) e incluso la intervención del Santo Oficio. Desgraciadamente Picazo* no acierta con el desarrollo dramático de la historia, ni con el ambiente claustrofóbico del convento, por lo que el resultado, a pesar del buen y amplio reparto, queda bastante alejado de las intenciones.

Director y guionista: *Miguel Picazo*. Fotografía: *Teo Escamilla*. Música: *José Nieto*. Intérpretes: *Carmen Maura, Mercedes Sampietro, Aurora Bautista, Assumpta Serna, Antonio Ferrandis, Conrado San Martín*. Producción: *Antonio Martín para Blau Films, Miguel Picazo P. C.* Duración: *118 min*.

EXTRAÑO VIAJE, EL *(1964)*

El llamado «crimen de Mazarrón», donde pierden la vida tres hermanos de una adinerada familia venida a menos entre un pueblecito cercano a Madrid y la conocida playa mediterránea, da lugar a una película esperpéntica, dura, negra, dentro de la mejor tradición de la literatura y la pintura españolas. Basada en un argumento de Luis G. Berlanga*, convertido en guión por Pedro Beltrán* y Manuel Ruiz Castillo, es una modesta producción, pero que se sitúa entre los mejores trabajos de Fernando Fernán-Gómez*. No obstante, se trata de un gran fracaso de público, dado que se estrena ocho años después de su realización y en malas condiciones, pero de uno de sus mayores éxitos de crítica. Destaca el insólito trabajo de Jesús Franco*, como don Venancio, Rafaela Aparicio, en el papel de doña Paquita, y Tota Alba, que encarna a doña Ignacia, los tres hermanos Vidal en torno a los cuales se desarrolla la acción, así como el perfecto tono esperpéntico conseguido por Fernán-Gómez*.

Director: *Fernando Fernán-Gómez*. Guionistas: *Pedro Beltrán, Manuel Ruiz Castillo*. Fotografía: *José Aguayo*. Música: *Cristóbal Halffter*. Intérpretes: *Carlos Larrañaga, Tota Alba, Lina Canalejas, Jesús Franco, Rafaela Aparicio, Sara Lezana*. Producción: *Impala, Ízaro Films*. Duración: *98 min*.

FALTOYANO, Fiorella *(María Blanca Renzi Gil. Madrid, 1950)*
Estudia arte dramático en Málaga. Debuta como actriz de teatro en 1967 en la compañía de Nati Mistral, y al mismo tiempo lo hace como actriz de cine en *Club de solteros* (1967), de Pedro Mario Herrero. Durante la primera mitad de los años setenta se dedica en exclusiva al teatro, pero después de contraer matrimonio con el productor José Luis Tafur protagoniza con gran éxito sus películas *Asignatura pendiente* (1976) y *Solos en la madrugada* (1977), de José Luis Garci*. Tras interpretar importantes papeles en *La campanada* (1979), de Jaime Camino, y *Tac tac* (1981), de Luis Alcoriza*, pasa a hacer personajes secundarios en, por ejemplo, *La colmena* (1982) y *Después del sueño* (1992), de Mario Camus*, *A la pálida luz de la luna* (1985), de José María González Sinde*, *La sombra del ciprés es alargada* (1989), de Luis Alcoriza*.

FANNY PELOPAJA *(1984)*
Tras veinte años de trabajo como director y ocho largometrajes, Vicente Aranda* realiza su primera gran película a partir de una personal adaptación de la novela policiaca *Prótesis,* del especialista Andreu Martín*. Al convertir en mujer al atracador protagonista de la novela, la terrible venganza planeada contra un policía se convierte en una fascinante relación de amor y odio que funciona con perfección. Narra cómo Encarnación Sánchez, alias Fanny «Pelopaja» (Fanny Cottençon), es detenida por el policía Andrés Gallego (Bruno Cremer), pero acepta convertirse en su amante a condición de que proteja a su compañero. Después de una espectacular y sangrienta fuga de la pareja de un hospital, Gallego asesina a sangre fría por celos al compañero de

Fanny, lo que la impulsa a ella a planear una venganza que precipita a los amantes en una espiral de violencia. Sobre una peculiar imagen de Barcelona, se desarrolla una historia de una gran dureza, llena de sexo y violencia, pero que deja muy clara la habilidad de Aranda* en escenas como las de la fuga del hospital o el complejo entramado final. Realizada en coproducción con Francia y protagonizada por dos actores franceses, Aranda* no sólo consigue que Bruno Cremer haga uno de sus mejores papeles de policía, sino que la insignificante Fanny Cottençon interprete el mejor papel de su vida. Sin embargo, no consigue controlar la versión francesa, que tiene poco que ver con la española y carece de la mayoría de sus atractivos.

Director y guionista: *Vicente Aranda.* Fotografía: *Juan Amorós.* Música: *Manuel Camps.* Intérpretes: *Bruno Cremer, Fanny Cottençon, Francisco Algora, Berta Cabré, Ian Sera.* Producción: *Lola Films (Barcelona), Morgana Films (Barcelona), Lima P.C. (Madrid), Carlton Films Export (París).* Duración: *95 min.*

FATA MORGANA *(1966)*

En la segunda mitad de los años sesenta se ruedan cuatro películas muy diferentes basadas en narraciones de Gonzalo Suárez*. Las cuatro intentan romper con el realismo dominante en el cine español y trazar un camino hacia la fantasía. La primera y la peor es *De cuerpo presente* (1965), basada en la novela homónima de Suárez*, segundo largometraje dirigido por Antonio Eceiza* para el productor Elías Querejeta*, donde lo fantástico queda tan diluido en el habitual realismo que sólo parece una historia confusa y mal rodada. Entre medias se sitúa la irregular *Ditirambo* (1967), que el propio Gonzalo Suárez* rueda sobre su novela *Rocabruno bate a Ditirambo,* pero hay que esperar dieciséis años y diez películas para que haga *Epílogo** (1983) y consiga plasmar en imágenes lo mismo que siempre logra en literatura. Y entre medias se sitúan esta producción y *Las crueles** (1969), ambas dirigidas por Vicente Aranda* sobre sendos relatos de Suárez*, donde sí aparece bien plasmado el realismo fantástico que se busca. A pesar de que el paso del tiempo no le ha favorecido nada, con un tono *moderno* demasiado anclado en las modas de los años sesenta, narra las andanzas de la modelo Gim (Teresa Gimpera*), en una ciudad que comienza a ser abandonada por sus habitantes, entre un reprimido profesor (Antonio Ferrandis), un falso agente secreto J.J. (Marcos Martí) y la atractiva asesina Miriam (Marianne Benet). Un cierto tono cercano al surrealismo, la belleza de las imágenes y que en aquel momento Teresa Gimpera* es la más

Teresa Gimpera en *Fata Morgana,* de Vicente Aranda

cotizada de las modelos publicitarias, son la base de un atractivo sólo medianamente compartido por la crítica y nada por el público. Mayor éxito alcanza *Las crueles**, tanto por su subrayado tono policiaco como por su brillante reparto internacional.

Director: *Vicente Aranda.* Guionistas: *Vicente Aranda, Gonzalo Suárez.* Fotografía: *Aurelio G. Larraya.* Música: *Antonio Pérez Olea.* Intérpretes: *Teresa Gimpera, Marianne Benet, Antonio Ferrandis, Marcos Martí.* Producción: *José López Moreno para Fisa.* Duración: *90 min.*

FAUSTINA *(1957)*

El éxito de la revista *Si Fausto fuese Faustina,* estrenada por la conocida *vedette* Celia Gámez, lleva a su autor José Luis Sáenz de Heredia* a convertirla en una película. Más que narrar la historia de la mujer que vende su alma al diablo a cambio de la belleza de su juventud, se cuenta la del pobre diablo encargado de realizar la transacción. El resultado es una comedia al servicio de Fernando Fernán-Gómez* y la mexicana María Félix, con algunos momentos divertidos, pero un ritmo irregular.

Director y guionista: *José Luis Sáenz de Heredia.* Fotografía: *Alfredo Fraile.* Música: *Juan Quintero.* Intérpretes: *Fernando Fernán-Gómez, María Félix, Conrado San Martín, Fernando Rey, Elisa Montés,*

José Isbert, Juan de Landa. Producción: *José Luis Sáenz de Heredia para Chapalo Films.* Duración: *105 min.*

FERNÁN-GÓMEZ, Fernando *(Fernando Fernández Gómez, Lima, Perú, 1921)*

Hijo de la actriz Carola Fernán-Gómez, nace en Lima durante una gira teatral por Latinoamérica, es inscrito en el consulado de Buenos Aires y tiene nacionalidad argentina, hasta que se nacionaliza español en 1970. Participa en grupos teatrales de aficionados desde 1934, después de la guerra española comienza a estudiar filosofía y letras, pero lo deja por su cada vez mayor actividad como actor profesional. Como actor de teatro debuta en 1938 en la compañía de Laura Pinillos y su primera oportunidad se la da Enrique Jardiel Poncela al ofrecerle en 1940 un brillante papel secundario en su obra *Los ladrones somos gente honrada;* y como actor de cine debuta en *Cristina Guzmán* (1943), de Gonzalo Delgrás, y hace su primer papel importante en *El destino se disculpa** (1944), de José Luis Sáenz de Heredia*. Entre sus más de ciento cincuenta películas como actor interpretadas a lo largo de cincuenta años destacan *Domingo de carnaval** (1945) y *El último caballo** (1950), de Edgar Neville*; *Vida en sombras** (1948), de Lorencs Llobet Gracia; *Botón de ancla* (1947), de Ramón Torrado*, y *Balarrasa** (1950), de José Antonio Nie-

Fernando Fernán-Gómez y Rafael Romero-Marchent en *La mies es mucha,* de José Luis Sáenz de Heredia

ves Conde*, que le dan una gran popularidad; *Esa pareja feliz** (1951), de Bardem* y Berlanga*; *Ana y los lobos** (1972), de Carlos Saura*; *El espíritu de la colmena** (1973), de Víctor Erice*; *El anacoreta** (1976), de Juan Esterlich, con la que gana un premio en el Festival de Berlín; *Maravillas** (1980) y *La mitad del cielo** (1986), de Manuel Gutiérrez Aragón; y *Belle époque** (1992), de Fernando Trueba*. Además mantiene una carrera paralela como director y autor teatral, con obras como *Las bicicletas son para el verano;* novelista, entre cuyas producciones hay que citar *El vendedor de naranjas* y el libro de memorias *El tiempo amarillo;* articulista y director de cine. Reflejo de los constantes vaivenes del cine español, sus películas como realizador incluyen trabajos sin el menor interés, *Los palomos* (1964), adaptación de una obra teatral de Alfonso Paso, *La querida* (1975), fotonovela para el lucimiento de la cantante Rocío Jurado; intentos fallidos, *Yo la vi primero* (1974), colaboración con Manuel Summers* en el terreno de la comedia; *Bruja, más que bruja* (1976), parodia de las zarzuelas; y obras de interés. Tras una etapa de aprendizaje, donde rueda *Manicomio* (1952), producción integrada por cuatro episodios que codirige con Luis María Delgado, *El mensaje* (1953) y *El malvado Carabel* (1955), sobre la novela de Wen-

ceslao Fernández Flórez, tiene su primer éxito como director con *La vida por delante** (1958), comedia crítica sobre guión propio, que origina una inferior continuación, *La vida alrededor* (1959). Entre algunas irregulares adaptaciones teatrales, *Solo para hombres** (1960) y *Ninette y un señor de Murcia* (1965), sobre Miguel Mihura; *La venganza de don Mendo* (1961), sobre Pedro Muñoz Seca; *Mayores con reparos* (1966), sobre Juan José Alonso Millán; destacan el melodrama *El mundo sigue** (1963) y el esperpento *El extraño viaje** (1964), pero son sendos fracasos comerciales. Además de otras películas fallidas, *Mi hija Hildegard* (1977), *Mambrú se fue a la guerra* (1986), *Fuera de juego* (1991), *7.000 días juntos* (1994), sus mejores trabajos como realizador de cine son *El viaje a ninguna parte** (1986), basada en una novela propia, y, en menor medida, *El mar y el tiempo** (1989), basada en una serie de televisión suya.

FERNÁNDEZ, Ángel Luis *(Ángel Luis Fernández Herrero. Madrid, 1947)*

En 1975 se licencia en fotografía en la Escuela Oficial de Cinematografía. Mientras rueda una abundante serie de cortometrajes de ficción, debuta en el largo con *Tigres de papel** (1977), de Fernando Colomo*; *Arrebato** (1979), de Iván

Zulueta; *Dos* (1979), de Álvaro del Amo*; *Ópera prima** (1980), de Fernando Trueba*. Entre sus trabajos posteriores destaca su colaboración con Pedro Almodóvar* en *Laberinto de pasiones* (1982), *Entre tinieblas* (1983), *¿Qué he hecho yo para merecer esto?** (1984), *Matador** (1986), *La ley del deseo** (1987). Sin olvidar *A contratiempo** (1981), de Óscar Ladoire*; *Adiós, pequeña* (1986), de Imanol Uribe*; *Los negros también comen* (1989), de Marco Ferreri*; *Baton Rouge** (1988), de Rafael Moleón*; y *El sol del membrillo** (1992), de Víctor Erice*, que hace a medias con Javier Aguirresarobe*.

FERNÁNDEZ, Arturo *(Arturo Fernández Rodríguez. Gijón, 1930)*

A comienzos de los años cincuenta empieza a hacer pequeños papeles tanto en teatro como en cine. Sus primeros protagonistas los encarna de la mano de Julio Coll* en *Distrito quinto** (1957) y *Un vaso de whisky** (1958). Se convierte en uno de los galanes más solicitados de los años sesenta a través de la trilogía de comedias playeras *El último verano* (1961), *Bahía de Palma** (1962) y *Sol de verano* (1963), de Juan Bosch, y las producciones de Rafael Gil* *Rogelia* (1962), *Currito de la Cruz* (1965) y *Camino del Rocío* (1966), *El relicario* (1969). Durante la década de los setenta desciende su actividad cinematográfica, reduciéndo-

se casi a comedias dirigidas por Ramón Fernández*, como *Matrimonio al desnudo* (1974) o *El adúltero* (1975), pero no cesa de hacer teatro, siempre con compañía propia. Entre sus últimas películas destacan *Truhanes** (1983), de Miguel Hermoso, diez años después convertida en serie de televisión, y *El día que nací yo* (1991), de Pedro Olea*.

FERNÁNDEZ, Ramón *(Amadeo Ramón Fernández Álvarez. San Esteban de Pravia, Asturias, 1930)*

Tras una larga etapa como ayudante de dirección, debuta como realizador de la mano del guionista y productor Vicente Escrivá* con *Aquí están las vicetiples* (1960), *Ahí va otro recluta* (1960), *Margarita se llama mi amor* (1961). Especializado en anodinas comedias, consigue un enorme éxito con *No desearás al vecino del quinto* (1971), una de las obras más representativas de la denominada «comedia a la española». Dentro del mismo estilo pueden citarse *Simón, contamos contigo* (1972), *Matrimonio al desnudo* (1974), *El gran mogollón* (1982). La inmensa mayoría de las treinta y tantas películas que realiza son comedias, pero también firma el policiaco *Rueda de sospechosos* (1964), la historia de espionaje *Siete minutos para morir* (1968), la adaptación del clásico de Luis Vélez de Guevara *El diablo cojuelo* (1970), las películas con niño *El Cristo del océano* (1971), sobre una obra de Anatole France, *De hombre a hombre* (1984), y los musicales *Las aventuras de Enrique y Ana* (1981) y *¡¡A tope!!* (1983).

FERNÁNDEZ ARDAVÍN, Eusebio
(Madrid, 1898-Albacete, 1965)

Hermano menor del dramaturgo Luis Fernández Ardavín, comienza a estudiar ingeniería industrial, pero su afición al cine le lleva a realizar desde finales de los años diez algunos cortometrajes *amateur*. Tras crear Producciones Ardavín, para la que rueda todas sus películas mudas, debuta en el largo con cuatro adaptaciones de su hermano: *Del Rastro a la Castellana* (1925), *La Bejarana* (1926), *El bandido de la sierra* (1926) y *Rosa de Madrid* (1927). Con la llegada del sonoro en 1929 se traslada a los estudios Paramount de Joinville, cerca de París, para trabajar en las versiones castellanas de las películas que se realizan allí y aprender la nueva técnica. Regresa a España en 1932, interviene en la fundación de los estudios Cea de Madrid, de los que llega a ser director de producción, y sobre guiones de los hermanos Serafín y Joaquín Álvarez Quintero dirige *Saeta* (1933) y *El agua en el suelo* (1934), con la que logra su mayor éxito al narrar la calumnia levantada contra un sacerdote y una de sus feligresas. Durante la

Félix Fernández y Lina Yegros en *Vértigo,* de Eusebio Fernández Ardavín

segunda mitad de los años treinta rueda siete irregulares producciones, entre las que cabe citar *Vidas rotas* (1935), sobre una novela de Concha Espina; *La bien pagada* (1935), basada en una obra de «El Caballero Audaz»; y *La reina mora* (1936), adaptación de la zarzuela de los Quintero con música del maestro Serrano. Durante la década de los cuarenta realiza once películas sin interés, su mayor éxito es *La florista de la reina* (1940), otra adaptación de un drama teatral de su hermano, seguido de *Unos pasos de mujer* (1941), sobre una novela de Wenceslao Fernández Flórez, la seudorreligiosa *Forja de almas* (1943), biografía del padre Andrés Manjón, y las históricas *El abanderado* (1943), *El doncel de la reina* (1946) y *La dama del armiño* (1947). Posteriormente sólo dirige tres películas más, aparece como correalizador de dos coproducciones y como consejero técnico de otra.

FERNÁNDEZ-SANTOS, Ángel *(Los Cerralbos, Toledo, 1934)*
Crítico teatral y cinematográfico de las revistas *Índice, Ínsula, Nuestro Cine, Primer Acto,* y de los diarios *Diario 16, El País.* Ha publicado los ensayos cinematográficos *Maiakowski y el cine* y *Más allá del oeste.* Participa en los guiones de *El espíritu de la colmena* * (1973), de Víctor Erice*, y *Ander y Yul* * (1988), de Ana Díez, pero sobre todo destaca su colaboración en la última y mejor etapa de la carrera de Francisco Regueiro*, *Las bodas de Blanca* (1975), *Padre nuestro* * (1985), *Diario de invierno* * (1988) y *MadreGilda* * (1993).

FERRERI, Marco *(Marc'Antonio Ferreri Bismark. Milán, Italia, 1928)*
Mientras estudia veterinaria, colabora en la fundación de la Cineteca de Milán y en varias películas, especialmente dirigidas por Alberto Lattuada, como guionista y productor ejecutivo. En 1955 llega a Madrid como productor ejecutivo de la conflictiva *Fiesta brava* (1956), de Vittorio Cottavali, y representante de los objetivos TotalScope. Conoce al escritor Rafael Azcona*, colaboran en varios guiones y rueda *El pisito* * (1958) y *El cochecito* * (1960), basadas en novelas suyas, además de *Los chicos* * (1959), tres obras clave dentro de la trayectoria del cine español. Vuelve a Italia y, en la misma línea de personal humor negro creado entre ambos y con la colaboración de Azcona* en el guión, rueda *L'ape regina* (1963), *Se acabó el negocio* (La donna scimmia, 1964), *Break-up* (1966), *El harén* (L'haren, 1967), que sufren diferentes cortes por los productores y la censura. Su pesimismo sobre las relaciones hombre-mujer aumenta en las irregulares *Dillinger ha muerto* (Dillinger è morto, 1969), *El semen del hombre* (Il

seme dell'uomo, 1970) y *La cagna* (1972). Su mayor éxito es *La gran comilona* (La grande abbuffata, 1973), que vuelve a escribir con Rafael Azcona*, insólita mezcla de escatología, sexo y comida, donde hacen un despiadado análisis de la sociedad contemporánea. Desarrolla su personal estilo en *La última mujer* (L'ultima donna, 1976), *Adiós al macho* (Ciao maschio, 1978), *Ordinaria locura* (Storie di ordinaria follia, 1981), *Historia de Piera* (Storia di Piera, 1983), *El futuro es mujer* (Il futuro è donna, 1984), *I love you* (1986). Tras el fracaso de la interesante *Los negros también comen* (1987), nueva parodia de la sociedad de consumo que vuelve a escribir con Azcona* y hace en coproducción con España, rueda *La casa del sorriso* (1990), *La carne* (1991) y *Diario di un vicio* (1993).

FIERECILLA DOMADA, LA *(1955)*

La obra homónima del dramaturgo William Shakespeare ha dado lugar a varias versiones cinematográficas. La más conocida es *La mujer indomable* (The Taming of the Shrew, 1966), una coproducción entre Italia y Estados Unidos, realizada por el director de teatro y ópera Franco Zeffirelli, sobre guión de Suso Cecchi d'Amico y otros, con Richard Burton y Elizabeth Taylor. Sin olvidar la versión musical *Bésame, Kate* (Kiss Me Kate, 1953), dirigida por el especialista

George Sidney, sobre la obra teatral de Samuel y Bella Spewack, protagonizada por Howard Keel, Kathryn Grayson, Ann Miller y Bob Fosse. También existe esta versión española, realizada en coproducción con Francia, de cierto éxito en su momento. Basada en un guión de Manuel Villegas López, José María Arozamena*, José Luis Colina* y el propio realizador, se trata de una producción con menos pretensiones, que subraya el lado de comedia que tiene la historia, más cercana a *La doma de la bravía*, del Conde Lucanor. Destaca el trabajo interpretativo de un Alberto Closas* recién llegado de Argentina y de una Carmen Sevilla* que comienza a alejarse de sus papeles folclóricos, frente a la siempre excesiva rudeza narrativa de Antonio Román.

Director: *Antonio Román*. Guionistas: *Manuel Villegas López, José María Arozamena, José Luis Colina, Antonio Román*. Fotografía: *Antonio L. Ballesteros*. Música: *Augusto Algueró*. Intérpretes: *Alberto Closas, Carmen Sevilla, Claudine Dupuis, Raymond Cordy*. Producción: *Benito Perojo (Madrid), Vascos Films (París)*. Duración: *94 min.*

FLORES, Lola *(María Dolores Flores Ruiz. Jerez de la Frontera, Cádiz, 1925-Madrid, 1995)*

Desde muy joven canta y baila flamenco, debuta a los quince años en el Teatro Villamarta de Jerez y también hace un pequeño papel en *Martingala* (1940), de

Manolo Morán y Lola Flores en *Estrella de Sierra Morena,* de Ramón Torrado

Fernando Mignoni. Gracias a los éxitos obtenidos al formar pareja con Manolo Caracol, protagonizan la exótica *Embrujo* (1947), de Carlos Serrano de Osma*, *La niña de la venta* (1951) y *La estrella de Sierra Morena* (1952), de Ramón Torrado*. Durante los años cincuenta rueda en España *Morena Clara* (1954) y *La hermana Alegría* (1954), de Luis Lucia*, entre otras, pero trabaja preferentemente en México con Emilio Fernández, *Reportaje* (1953); Miguel Morayta, *Pena, penita, pena* (1953), *Limosna de amores* (Tú y las nubes, 1955), etcétera. Tras coprotagonizar con Carmen Sevilla* y Paquita Rico* la emblemática *El balcón de la luna* (1962), de Luis Saslavsky, y rodar otras producciones mexicanas, mientras no deja de cantar y bailar en teatro y televisión, fracasan la mayoría de sus intentos de abandonar el cine folclórico, tanto las comedias *Una señora estupenda* (1967), de Eugenio Martín*; *Casa Flora* (1973), de Ramón Fernández*; como los policiacos *El asesino no está solo* (1974), de Jesús García Dueñas; *Los invitados* (1987), de Víctor Barrera, dentro de una actividad cinematográfica cada vez más leve. Es la madre de los cantantes y actores Rosario Flores y Antonio Flores.

FONS, Angelino *(Angelino Fons Fernández. Madrid, 1935)*

Abandona sus estudios de filosofía y letras en la Universidad de Murcia para ingresar en el Instituto de Investigaciones y Experiencias Cinematográficas, donde se diploma en dirección en 1960. Colabora en las revistas *Acento cultural* y *Nuestro Cine,* trabaja como ayudante de dirección y es coguionista de *Amador* (1965), de Francisco Regueiro*; *La caza* (1965), *Peppermint frappé* (1967) y *Stress es tres, tres* (1968), de Carlos Saura*. Debuta como director con *La busca* (1966), eficaz adaptación de la novela homónima de Pío Baroja. Tras el anodino musical *Cantando a la vida* (1968), a mayor gloria de la cantante Massiel, rueda para el productor Emiliano Piedra* *Fortunata y Jacinta* (1969), sobre la novela homónima de Benito Pérez Galdós, y el irregular melodrama *La primera entrega* (1971), con guión original de Alfredo Mañas. Entre sus restantes nueve películas sólo pueden destacarse *Marianella* (1972), fallida adaptación de la obra de Pérez Galdós al servicio de la cantante Rocío Dúrcal*, y *Emilia... parada y fonda* (1976), basada en una narración de Carmen Martín Gaite, en medio de subproductos como *De profesión polígamo* (1975) y *El Cid cabreador* (1983).

FORN, Josep María *(Josep María Forn Costa. Barcelona, 1928)*

Comienza a trabajar en cine como *script* en 1948, más tarde es ayudante de dirección y, tras colaborar en algunos guiones, debuta como realizador en *Yo maté* (1955) y *La rana verde* (1957). En 1958 crea la productora Teide, para la que dirige la mayoría de sus películas, pero sus primeros nueve trabajos carecen de interés, tanto la comedia *La vida privada de Fulano de Tal* (1960), el policiaco *¿Pena de muerte?* (1961), la biografía del bandolero andaluz *José María* (1963), como la adaptación de la obra teatral homónima de Alejandro Casona *La barca sin pescador* (1964). Marca un importante giro en su carrera *La piel quemada* (1966), sobre las relaciones entre un albañil murciano y una turista francesa en Cataluña, pero lo trunca la prohibición durante seis años por la censura del general Franco de *La respuesta* (1969), en torno a la juventud progresista del momento, a la que incluso obligan a cambiar el título original, «La contestación». Con la llegada de la democracia renueva su actividad como coproductor de películas ajenas, *La ciutat cremada* (La ciudad quemada, 1976), de Antoni Ribas*, y *Ocaña, retrat intermitent* (Ocaña, retrato intermitente, 1978), de Ventura Pons*; guionista, productor y realizador, *Companys, procés a Catalunya* (Companys, proceso a Cataluña, 1978), sobre el último año de vida del presidente de la Generalitat de Cataluña; o fundador del *Institut de Cinema Català.*

FORQUÉ, José María *(José María Forqué Galindo. Zaragoza, 1923-Madrid, 1995)*

Abandona los estudios de arquitectura para comenzar a trabajar como delineante y pagarse la carrera de aparejador. Interesado por el teatro, colabora en el T.E.U. de Zaragoza, del que llega a ser director. Atraído por el cine, rueda más de doce cortometrajes antes de dirigir *Niebla y sol* (1951), su primer largo. En cuarenta años de profesión realiza cuarenta y cinco películas, más algunas series de televisión, entre las que destaca *Ramón y Cajal* (1982). Tras cinco películas de aprendizaje, entre las que puede citarse el eficaz sainete *Un día perdido* (1954), logra su primer éxito con *Embajadores en el infierno* (1956), adaptación de la novela homónima de Teodoro Palacios y Torcuato Luca de Tena sobre la odisea de un grupo de prisioneros de la División Azul en Rusia. Esto le permite hacer una importante trilogía, sobre guiones del dramaturgo Alfonso Sastre y suyos, integrada por la conseguida *Amanecer en Puerta Oscura** (1957), la irregular *Un hecho violento* (1958) y la fallida *La noche y el alba* (1958). Dedica los años sesenta especialmente a la comedia, entre las que destacan *Maribel y la extraña familia** (1960), adaptación de la obra homónima de Miguel Mihura, y *Atraco a las tres** (1963), sobre un guión original de Vicente Coello*, Pedro Masó* y Rafael J. Salvia*. En 1967 funda la productora Orfeo Films, para la que trabaja hasta el final de su carrera, principalmente en el terreno de la comedia erótica, pero tanto en las adaptaciones de comedias teatrales de Juan José Alonso Millán*, *La vil seducción* (1968), como en guiones originales donde colabora Rafael Azcona*, *La cera virgen* (1972), sus trabajos tienen mucho menos interés. Su última película es *Romanza final* (1986), una biografía del tenor Julián Gayarre, interpretada por José Carreras, que pasa inadvertida.

FORQUÉ, Verónica *(Verónica Forqué Vázquez. Madrid, 1955)*

Hija del productor y realizador José María Forqué y de la escritora y traductora Carmen Vázquez Vigo, y hermana del director Álvaro Forqué, estudia arte dramático y psicología. Tras hacer una aparición en *Mi querida señorita** (1971), de Jaime de Armiñán, comienza a hacer pequeños papeles en películas dirigidas por su padre: *Una pareja distinta* (1974), *Madrid, costa Fleming* (1975), *El segundo poder* (1976), *El canto de la cigarra* (1980); y posteriormente con otros realizadores, *La guerra de papá* (1977) de Antonio Mercero*; *Las truchas** (1977), de José Luis García Sánchez*; *Los ojos vendados** (1978), de Carlos Saura*. Aunque sólo se hace popular a partir de sus trabajos con Pedro Almodóvar*, *¿Qué he* *hecho yo para merecer esto?** (1984) y *Matador** (1985); Fernando Trueba*, *Sé infiel y no mires con quién** (1985) y *El año de las luces** (1986); y Fernando Colomo*, *La vida alegre** (1986) y *Bajarse al moro** (1988); sin olvidar *Madrid** (1986), de Basilio M. Patino, y *Amor propio** (1994), de Mario Camus*, sus mejores trabajos. Entre sus últimas películas hay que citar *El baile del pato* (1989), de Manuel Iborra; *¿Por qué lo llaman amor cuando quieren decir sexo?* (1992), de Manuel Gómez Pereira, y *Kika* (1993), de Pedro Almodóvar.

FRADE, José (*José Frade Almohalla. Madrid, 1938*)

Debuta como productor con *El cálido verano del señor Rodríguez* (1964), de Pedro Lazaga*. A lo largo de casi treinta años interviene en la producción de más de cien largometrajes, entre los que cabe señalar por su éxito *No desearás al vecino del quinto* (1970), de Ramón Fernández*; por ser una coproducción europea, *El largo día del Águila* (1969), de Enzo G. Castellari, o por su elevado coste *Sangre y arena* (1989), de Javier Elorrieta*. Sus más importantes producciones las rueda a mediados de los años setenta bajo la dirección de Pedro Olea*, la trilogía sobre Madrid integrada por *Tormento** (1974), *Pim, pam, pum... ¡fuego!** (1975) y *La Corea* (1976), y *Un hombre llamado*

«Flor de Otoño»* (1977); de Jaime Camino*, *Las largas vacaciones del 36** (1975); Jorge Grau*, *La trastienda** (1975) y *La siesta* (1976); Antonio Mercero*, *La guerra de papá** (1977); y Miguel Picazo*, *Los claros motivos del deseo* (1976).

FRAILE, Alfredo (*Alfredo Fraile Lallana. Madrid, 1912-Madrid, 1994*)

Tras realizar los más diversos cometidos dentro del terreno de la fotografía, incluso proyeccionista de cabina, comienza a trabajar como ayudante del gran operador Enrique Guerner*, del que no tarda en convertirse en uno de sus alumnos más aventajados. Debuta como director de fotografía con *Harka* (1941), de Carlos Arévalo, a la que siguen *¡A mí la legión!* (1942), *Deliciosamente tontos* (1943), *La leona de Castilla* (1951) y *Alba de América* (1951), de Juan de Orduña*; *Huella de luz** (1943), *El clavo* (1944), *La pródiga* (1946), *La fe* (1947), *Don Quijote de la Mancha* (1948) y *La calle sin sol** (1948), de Rafael Gil*, dentro de su etapa inicial en la productora Cifesa. Convertido en asiduo colaborador de Rafael Gil*, entre sus trabajos de los años cincuenta destacan las películas político-religiosas *Sor Intrépida* (1952), *La guerra de Dios* (1953), *El beso de Judas* (1953), *Murió hace quince años** (1954) y *El canto del gallo*

(1955), con guión y producción de Vicente Escrivá*. Aunque también es el director de fotografía de *Muerte de un ciclista** (1955) y *A las cinco de la tarde* (1960), de J. A. Bardem*, y *La vida alrededor** (1959), de Fernando Fernán-Gómez*. Durante los años sesenta abandona progresivamente la fotografía, a medida que se ocupa de películas de menor envergadura y calidad, para dedicarse a la producción con irregulares resultados. Su última película como director de fotografía es *Relaciones casi públicas* (1968), de José Luis Sáenz de Heredia*, con quien ya había colaborado en *Las aguas bajan negras* (1948) y *Don Juan* (1950).

FRANCO, Jesús (*Jesús Franco Manera. Madrid, 1930*)

Estudia filosofía y letras y derecho en la Universidad de Madrid y música en el Real Conservatorio de Madrid, ingresa en la especialidad de dirección en el Instituto de Investigaciones y Experiencias Cinematográficas y durante un curso asiste al Idhec de París. A su regreso a Madrid comienza a trabajar como ayudante de dirección, al tiempo que colabora como guionista y escribe la música de varias películas. Debuta como realizador con las personales comedias *Tenemos dieciocho años* (1959) y *Labios rojos* (1960), pero más preocupado por la cantidad que por la calidad, su enfebrecida carrera le

lleva a rodar unas doscientas películas en treinta y cuatro años en España, Francia, Portugal, República Federal Alemana, Italia, Suiza, Estados Unidos y algunos países del Este, pertenecientes a los más variados géneros y bajo los seudónimos Clifford Brown, James P. Johnson, Frank Hollmann, Charlie Christian y, sobre todo, Jess Frank. Entre su inmensa producción pueden citarse las policiacas *La muerte silba un blues* (1962), *Cartas boca arriba* (1966); las de terror *El castillo de Fú Manchú* (1968), *El conde Drácula* (1970), *Drácula contra Frankestein* (1971); las eróticas *Los amantes de la isla del diablo* (1971), *Ópalo de fuego* (1978); las pornográficas *La noche de los sexos abiertos* (1981), *Una rajita para dos* (1982), etc. También trabaja como actor, tanto en películas propias como ajenas, toca la trompeta y el piano y publica novelas bajo el seudónimo David Khune.

FRANCO, Ricardo (*Ricardo Franco Rubio. Madrid, 1949*)

Después de trabajar como ayudante de dirección de su prolífico tío Jesús Franco*, escribe, produce y dirige *El desastre de Annual* (1970), un largometraje rodado en 16 mm, prohibido durante la dictadura del general Franco y nunca estrenado, una obra muy personal sobre la decadencia de una familia burguesa envuelta en los recuerdos del desastre sufrido por el ejército español en 1921 en

Marruecos. A pesar de que *Pascual Duarte** (1976), adaptación de la novela de Camilo José Cela, es un encargo del productor Elías Querejeta*, logra un trabajo minucioso y efectivo muy cercano a su mundo y tiene éxito nacional e internacional. Mucho más personales resultan ser *Los restos del naufragio** (1978), que también protagoniza, y *San Judas de la Frontera* (In'n'out, 1984), que rueda en coproducción entre México y Estados Unidos, pero por diferentes motivos no acaban de funcionar. Algo parecido le ocurre a *El sueño de Tánger* (1986), un intento de película de amor y aventuras a la antigua usanza, que tarda demasiado en rodar y todavía más en estrenar. Mientras *Berlin Blues* (1988) es un irregular musical de encargo, una especie de versión apócrifa de *El ángel azul* (Der Blaue Engel, 1930), de Josef von Sternberg. Guionista y coguionista de todas sus películas, también interviene en los de producciones ajenas, como *Adiós, pequeña* (1986), de Imanol Uribe*, y *Sangre y arena* (1989), de Javier Elorrieta*. Desde mediados de los ochenta trabaja para televisión, tanto en programas de ficción como en documentales. El documento *Después de tantos años* (1994) se sitúa entre sus mejores películas.

FRENTE AL MAR *(1979)*

Tras *Manuela* (1975), intento de adaptación de la novela homónima de Manuel Halcón, realizada sin mucha argucia, que da como resultado una insólita producción, Gonzalo Garciapelayo, siempre interesado por los temas andaluces, se lanza a un cine más personal con ciertas influencias del Godard de la primera época. Presupuestos mínimos, actores desconocidos, largos planos, sonido directo, continuas improvisaciones, dan como primer fruto *Vivir en Sevilla* (1978), hundida por un tono demasiado *amateur* y cierto intelectualismo pedante. Uno de sus mejores trabajos es éste, situado en una línea muy similar, que narra cómo tres parejas se reúnen en Chipiona a pasar un fin de semana en una casa situada frente al mar. Las parejas se desnudan, se intercambian, hablan de sexo y de sus experiencias bajo la mirada, al principio y al final, del guionista José María Vaz de Soto. Tal vez por estar basado en un guión ajeno consigue el tono documental que antes había buscado y no había sabido encontrar. La espontaneidad de los actores, tanto dentro como fuera de la cama, la cotidianidad de los diálogos, un fuerte acento andaluz en las antípodas del esporádicamente empleado en el cine español y una total falta de pretensiones, hacen del conjunto un experimento interesante. Después de *Corridas de alegría* (1980), donde vuelve a sus antiguos errores en un tono directamente erótico, su mejor trabajo es *Rocío y José* (1982), una historia de amor entre adolescentes sobre el fondo de la Romería del Rocío.

Director: *Gonzalo Garciapelayo.* Guionista: *José María Vaz de Soto.* Intérpretes: *Miguel Ángel Iglesias, Rosa Ávila, Javier García-Pelayo, Ágata Martín, José Vicente Grau, Ana Bernal.* Producción: *Za.* Duración: *90 min.*

FRESNO, Maruchi *(María Lourdes Gómez-Pamo del Fresno. Madrid, 1916)*

Hija del actor de teatro Fernando Fresno, desde muy joven hace breves papeles en la compañía de su padre y debuta en cine en *El agua en el suelo* (1934) y *Vidas rotas* (1935), de Eusebio Fernández Ardavín*, mientras estudia químicas. Durante la guerra española emigra a Argentina, donde trabaja exclusivamente en teatro, para regresar en la más inmediata posguerra y convertirse en una de las actrices más características del cine español de los años cuarenta y cincuenta a través de títulos como *La pródiga* (1946) y *Reina Santa* (1947), de Rafael Gil*; *Balarrasa** (1950), de José Antonio Nieves Conde*; *Brigada criminal** (1950), de Ignacio F. Iquino*; *Catalina de Inglaterra* (1951), de Arturo Ruiz-Castillo*; *Vuelo 971* (1953), de Rafael J. Salvia*. Sin abandonar su actividad teatral, su ritmo de trabajo decrece al casarse a mediados de los cincuenta,

pero continúa haciendo esporádicas apariciones tanto en películas norteamericanas rodadas en España. *Salomón y la reina de Saba* (Solomon and Sheba, 1959), de King Vidor; como españolas, *El camino** (1963), de Ana Mariscal*; *Algo amargo en la boca* (1968), de Eloy de la Iglesia*; *La novicia rebelde* (1971), de Luis Lucia*; *La regenta* (1974), de Gonzalo Suárez*; *La trastienda** (1975), de Jorge Grau*.

FUGA DE SEGOVIA, LA *(1981)*

La obra cinematográfica de Imanol Uribe* comienza con una trilogía sobre los problemas del País Vasco en general y del grupo terrorista E.T.A. en particular. Tras el irregular documental *El proceso de Burgos* (1979) y antes de la obra de ficción *La muerte de Mikel** (1983), hace una adaptación del libro *Operación poncho,* de Ángel Amigo*, que se sitúa a medio camino entre el documental y la ficción. Narra cómo en abril de 1976, tras una larga preparación, treinta presos etarras se fugan de la prisión de Segovia, son perseguidos por la guardia civil hasta la frontera franco-española, sólo cuatro consiguen llegar a Francia y poco después son capturados por la policía francesa, confinados en la isla de Yeu y amnistiados. Realizada con minuciosidad, se sitúa entre las grandes películas de fugas, pero el resultado aparece viciado por una excesiva apología de la banda armada E.T.A.

Director: *Imanol Uribe*. Guionistas: *Ángel Amigo, Imanol Uribe*. Fotografía: *Javier Aguirresarobe*. Música: *Xabier Lasa, Amaia Zubiria*. Intérpretes: *Xavier Elorriaga, Mario Pardo, José Pedro Carrión, Guillermo Montesinos, Fernando Vivanco, Ovidi Montllor*. Producción: *Ángel Amigo para Frontera Films*. Duración: *110 min.*

FUNCIÓN DE NOCHE *(1981)*

Mientras la actriz Lola Herrera representa en teatro el largo monólogo *Cinco horas con Mario*, basado en la novela homónima de Miguel Delibes, se siente tan identificada con su personaje, una mujer que ante el cadáver de su marido recuerda las dificultades de su vida en común, que plantea un enfrentamiento con su ex marido, el también actor Daniel Dicenta, en su camerino del teatro. A medio camino entre la ficción y el documental, Josefina Molina* realiza una película irregular, que pretende tener una fuerte carga feminista, pero no acaba de funcionar en la medida que los actores se encuentran un tanto perdidos al improvisar una situación sobre su propia vida que resulta demasiado larga.

Directora: *Josefina Molina*. Guionistas: *José Sámano, Josefina Molina*. Fotografía: *Teo Escamilla*. Música: *Alejandro Massó, Luis Eduardo Aute*. Intérpretes: *Lola Herrera, Daniel Dicenta, Juana Ginzo*. Producción: *José Sámano para Sabre Films*. Duración: *90 min.*

FURTIVOS *(1975)*

Tal vez por haber realizado sólo siete largometrajes en treinta años de profesión, las películas de José Luis Borau* son muy diferentes, no se parecen entre sí, están muy marcadas por las peculiares circunstancias en que se realizan. Este es el cuarto, su gran éxito y el primero realizado en absoluta libertad, lo que le supone tener que enfrentarse durante meses con los últimos coletazos de la dura censura del general Franco. Escrita entre Manuel Gutiérrez Aragón* y el propio Borau*, este incestuoso drama rural pertenece más al mundo del primero que al del segundo y está lleno de un peculiar humor. Narra las relaciones entre Ángel (Ovidi Montllor*), un tímido muchacho que vive dominado por su madre, Martina (Lola Gaos), en el corazón de un bosque, y Milagros (Alicia Sánchez), amante del conocido *quinqui* el Cuqui (Felipe Solano), recién escapada del reformatorio, con quien trata inútilmente de rehacer su vida. La dureza de la historia, su perfecta estructura narrativa y el hecho de que el gobernador civil, encarnado por el mismo José Luis Borau*, sea hermano de leche del protagonista y una parte importante de la acción, sin olvidar su subrayado erotismo, la convierten en uno de los grandes triunfos del

José Luis Borau en *Furtivos,* de José Luis Borau

cine español. Frente a una buena fotografía de Luis Cuadrado*, contrasta que la práctica totalidad de los actores, salvo Lola Gaos, están doblados por dobladores profesionales, según la terrible costumbre de una época donde el sonido directo era desconocido.

Director: *José Luis Borau*. Guionistas: *Manuel Gutiérrez Aragón, José Luis Borau*. Fotografía: *Luis Cuadrado*. Música: *Vainica Doble*. Intérpretes: *Lola Gaos, Ovidi Montllor, Alicia Sánchez, Ismael Merlo, José Luis Borau*. Producción: *José Luis Borau para El Imán*. Duración: *95 min*.

DICCIONARIO
DEL
CINE ESPAÑOL

G

GADÉ, Analía *(María Ester Gorostiza Rodríguez. Córdoba, Argentina, 1931)*

Tras ganar varios concursos de belleza organizados por revistas y emisoras de radio, a los diecisiete años debuta en cine con *La serpiente de cascabel* (1948), de Carlos Schliepper, y dos años después en teatro. En Argentina interviene en trece películas y en numerosas obras de teatro dentro de la compañía de Juan Carlos Thorry, pero a mediados de los años cincuenta viene a España a realizar una gira y se queda a trabajar y vivir. Y no tarda en convertirse en la protagonista de las comedias producidas y escritas por José Luis Dibildos* y dirigidas por Pedro Lazaga*, *Las muchachas de azul* (1957), *Ana dice sí* (1958), *Luna de verano* (1958), al tiempo que también trabaja en las más interesantes protagonizadas y dirigidas por Fernando Fernán-Gómez*, con quien también forma compañía

teatral, *La vida por delante** (1958), *La vida alrededor* (1959), *Sólo para hombres** (1960). Entre sus restantes interpretaciones cabe destacar las realizadas bajo la dirección de Rafael Gil*, *Tú y yo somos tres* (1961), *La mujer del otro* (1967), *Nada menos que todo un hombre* (1971), *La duda* (1972), *El mejor alcalde, el rey* (1973), y José María Forqué*, *La vil seducción* (1968), *Pecados conyugales* (1969), *El monumento* (1970), *El ojo del huracán* (1971). Después de trabajar en *Las largas vacaciones del 36** (1976), de Jaime Camino*, y *Cartas de amor de una monja* (1978), de Jorge Grau*, abandona el cine, forma compañía propia y se dedica en exclusiva al teatro.

GALIARDO, Juan Luis *(Juan Luis Galiardo Comes. San Roque, Cádiz, 1940)*

Interrumpe los estudios de económicas e ingeniería agrónoma

Juan Luis Galiardo y Sonia Bruno en *Mañana será otro día,* de Jaime Camino

en la Universidad de Madrid para titularse en interpretación en la Escuela Oficial de Cinematografía. Debuta como protagonista en *El arte de vivir* (1965), de Julio Diamante, y durante los dieciséis años siguientes se convierte en un conocido galán a través de sus actuaciones en más de cincuenta películas. De esta primera etapa de su carrera pueden destacarse sus trabajos en *Acteón* (1965), de Jorge Grau*; *Mañana será otro día* (1966), de Jaime Camino*; *Stress es tres, tres* (1968), de Carlos Saura*; *Blanco, rojo y...* (Bianco, rosso e..., 1971), de Alberto Lattuada; *Clara es el precio* (1974), de Vicente Aranda*; y *La campanada* (1979), de Jaime Camino*. Durante la primera mitad de la década de los ochenta vive en México, protagoniza largas series de televisión y hace papeles secundarios en algunas películas, entre las que destaca *Rastro de muerte* (1981), de Arturo Ripstein. De regreso a España, comienza a trabajar también como productor en la tercera y mejor etapa de su carrera, tal como demuestran sus actuaciones en *El diputado voto del señor Cayo** (1986), de Antonio Giménez-Rico*; *La guerra de los locos** (1986), de Manuel Matji*; *El vuelo de la Paloma* (1989), de José Luis García Sánchez*; *Don*

Juan, mi querido fantasma (1990), de Antonio Mercero*; Los mares del sur (1990), de Manuel Esteban, y MadreGilda* (1993), de Francisco Regueiro*. Asimismo, logra un gran éxito como productor y actor con la serie de televisión Turno de oficio (1985), de Antonio Mercero*.

GARCI, José Luis *(José Luis García Muñoz. Madrid, 1944)*

Crítico de cine en diferentes revistas, Signo, Aún, Cinestudio, Reseña, SP, también escribe en el madrileño diario ABC. Publica algunos libros sobre ciencia-ficción y cine, y debuta como guionista con El cronicón (1970), de Antonio Giménez-Rico*. Entre sus guiones para películas ajenas destacan los de No es bueno que el hombre esté solo (1972), de Pedro Olea*; Una gota de sangre para morir amando (1973), de Eloy de la Iglesia*; Vida conyugal sana (1973) y Los nuevos españoles (1974), de Roberto Bodegas*; y Mi mujer es muy decente dentro de lo que cabe (1974), de Antonio Drove*, que siempre escribe en colaboración. También escribe el programa de televisión La cabina (1972), de Antonio Mercero*, y la película ¡Viva la clase media!* (1980), de José María González Sinde*, que además produce y protagoniza. Tras escribir y dirigir los cortometrajes ¡Al fútbol! (1975), Mi Marilyn (1975) y Tiempo de gente acobardada (1976), pasa al largo con gran éxito con Asignatura pendiente*

(1977), Solos en la madrugada* (1978) y Las verdes praderas (1979), crónicas sentimentales de la vida cotidiana con un subrayado trasfondo político. Su interés por el cine policiaco le lleva a El crack* (1980) y El crack II (1983), donde narra las aventuras del detective privado madrileño Germán Areta, encarnado por Alfredo Landa*, entre las que rueda Volver a empezar* (1982), que consigue el Oscar dedicado a la producción extranjera. Tienen menor repercusión Sesión continua* (1984) y Asignatura aprobada (1987), donde especula sobre su profesión. Posteriormente la crisis del cine español le lleva a dedicarse en exclusiva a la televisión. Propietario de la marca Nickel Odeón, en 1992 también la convierte en una personal editorial de libros sobre cine. Vuelve al cine con Canción de cuna (1994), adaptación de la obra de Gregorio Martínez sierra.

GARCÍA ABRIL, Antón *(Teruel, 1933)*

Estudia en Madrid con Julio Gómez y en Italia con Goffredo Petrassi y A. F. Lavagnino. Es uno de los creadores del grupo Nueva música y profesor de solfeo y teoría de la música en el Real Conservatorio de Madrid. Su gran actividad como músico de cine, más de ciento treinta películas en cuarenta años de actividad, oscurece su mucho más brillante trabajo como compositor en otros terrenos. Debuta en el cine con Torrepartida (1956), una de las primeras películas dirigidas por Pedro Lazaga*, no tarda en convertirse en uno de sus más asiduos colaboradores y, por extensión, en el músico de la tan extensa como poco atractiva «comedia a la española». Durante los años cincuenta, sesenta y setenta, no sólo escribe la música de las múltiples películas de Lazaga*, el máximo sostenedor del género, sino también las que producen Pedro Masó* y José Luis Dibildos*. Su habilidad reside en que cuando este tipo de películas desaparecen, comienza una fructífera colaboración con Mario Camús* en *Los pájaros de Baden-Baden* (1975), *La joven casada* (1975), *La colmena** (1982), *Los santos inocentes** (1984) y *La rusa* (1987), y Pilar Miró* en *El crimen de Cuenca** (1979) y *Gary Cooper que estás en los cielos** (1980), aunque lógicamente decrece su ritmo de trabajo.

GARCÍA LEOZ, Jesús *(Olite, 1904-Madrid, 1953)*

Alumno del compositor Joaquín Turina, tiene una obra muy amplia en la que es posible encontrar bellas sinfonías, *lied* y sonatinas. En especial durante los años cuarenta escribe también mucha música para cine. Las cuatro primeras películas de Antonio del Amo*, *Cuatro mujeres* (1947), *El huésped de las tinieblas* (1948), *Alas de juventud* (1949) y *Noventa minutos* (1949), y, además, *Eugenia de Montijo* (1944), de José López Rubio*; *Abel Sánchez* (1947), de

Carlos Serrano de Osma*; y *Botón de ancla* (1948), de Ramón Torrado*. Sus mejores trabajos son para las producciones realistas *Vida en sombras** (1948), de Lorenzo Llobet Gracia; *Cielo negro** (1951), de Manuel Mur Oti*; *Surcos** (1951), de Juan Antonio Nieves Conde*; *Día tras día** (1951), de Antonio del Amo*; y *Esa pareja feliz** (1951), de J. A. Bardem* y Luis G. Berlanga*. Muere mientras recibe diversos premios por su participación en *¡Bienvenido míster Marshall!** (1952), de Luis G. Berlanga*.

GARCÍA SÁNCHEZ, José Luis *(Salamanca, 1941)*

Licenciado en derecho y sociología por la Universidad de Madrid y en dirección por la Escuela Oficial de Cinematografía, trabaja como ayudante de dirección, guionista y editor de libros infantiles. Aparte de los guiones de sus propias películas, destacan los que escribe en colaboración para Manuel Gutiérrez Aragón*, *Habla, mudita* (1973), *Camada negra** (1977); Francesc Betriu*, *Corazón solitario* (1972), *Furia española* (1974); Basilio M. Patino*, *Canciones para después de una guerra** (1971), *Queridísimos verdugos** (1973). Tras realizar algunos cortos, debuta como director de largometrajes con *El love feroz* (1972) y *Colorín colorado* (1976), intentos de dotar a la tradicional «comedia a la española» de un trasfondo político, a los que se une *Las truchas** (1977), una fábula social con múltiples personajes llena de humor negro. El documental *Dolores** (1980), codirigido con Andrés Linares, homenaje a la madre comunista Ibárruri, cierra la primera parte de su obra. Su colaboración con el guionista Rafael Azcona* comienza en las adaptaciones *La corte de Faraón* (1985), sobre la popular zarzuela de Guillermo Perrín, Miguel Palacios y Vicente Lleó; *Hay que deshacer la casa* (1986), basada en el drama de Sebastián Junyent, y prosigue con comedias basadas en guiones originales, *Pasodoble* (1988), que narra las peripecias de una familia numerosa que se instala en un museo; *El vuelo de la Paloma* (1989), en torno al rodaje en una plaza madrileña de una película sobre la insurrección militar de 1936; *El seductor* (1994), caricatura de una urbanización de chalets adosados. Su obra da un nuevo giro con *La noche más larga** (1991), un curioso documento entre la realidad y la ficción en torno a los últimos fusilamientos del general Franco en septiembre de 1975, que encierra una dura crítica a la sociedad española. Entre medias se sitúan dos ambiciosas adaptaciones de Ramón del Valle-Inclán, *Divinas palabras* (1987), sobre su drama, y *Tirano Banderas** (1993), basada en su novela. Sus últimas

películas son la comedia esperpéntica *Suspiros de España (y Portugal)* (1995) y *Tranvía a la Malvarrosa* (1996), sobre la obra de Manuel Vicent.

GARCÍA SERRANO, Rafael *(Pamplona, 1917-Madrid, 1988)*

Estudia filosofía y letras en la Universidad de Madrid, mientras publica sus primeras obras en verso y prosa. Convencido falangista, interviene como voluntario en la guerra española, la termina como alférez provisional y queda profundamente marcado por la experiencia. Dedica a ella la práctica totalidad de su producción literaria posterior, *La fiel infantería, La paz dura quince días, Diccionario para un macuto, Los ojos perdidos,* con la que obtiene el Premio Nacional de Literatura. Director del diario *Arriba* y las revistas *Siete fechas* y *Primer plano,* trabaja como coguionista sobre todo en películas con un marcado significado político. Además de sus colaboraciones con el productor y guionista José Luis Dibildos*, *La fiel infantería* (1959), *Los económicamente débiles* (1960), de Pedro Lazaga*; *Madame Sans Gene* (1962), *El tulipán negro* (1964), de Christian-Jaque, también participa en los guiones de *Ronda española* (1951), de Ladislao Vajda*; *La patrulla* (1954), de Pedro Lazaga*; y *Morir en España* (1965) de Mariano Ozores*. Sus últimos trabajos cinematográficos son para el guionista, productor y director Rafael Gil*: *Tú y yo somos tres* (1962), *El marino de los puños de oro* (1968), *Los novios de la muerte* (1974) y *A la legión le gustan las mujeres* (1975). Su única película como realizador, *Los ojos perdidos* (1966), es una adaptación de su novela homónima, vuelve al tema de la guerra y tiene una importante carga autobiográfica.

GARY COOPER QUE ESTÁS EN LOS CIELOS *(1980)*

Cuando la realizadora de televisión de poco más de treinta años Andrea Soriano (Mercedes Sampietro*) se entera de que tiene que ser sometida a una grave intervención quirúrgica, se replantea su trabajo y su vida familiar y afectiva. Con esta historia, que encierra una gran carga autobiográfica, Pilar Miró* hace su primera película personal y el retrato de una mujer con una peculiar dureza ante la vida. Una estructura demasiado elemental, apoyada en una sucesión de encuentros, y ciertas insuficiencias de realización, hacen que el resultado no esté a la altura del planteamiento. En la misma línea de cine autobiográfico, y protagonizada también por Mercedes Sampietro*, pero mucho más lograda, se sitúa *El pájaro de la felicidad** (1993), el mejor trabajo cinematográfico de Pilar Miró*.

Directora: *Pilar Miró*. Guionistas: *Antonio Larreta, Pilar Miró*. Fotografía: *Carlos Suárez*. Música: *Antón García Abril*. Intérpretes: *Mercedes Sampietro, John Finch, Carmen Maura, Víctor Valverde, Alicia Hermida, Isabel Mestre*. Producción: *Pilar Miró para Incine y Pilar Miró P. C.* Duración: *107 min.*

GATA, LA *(1955)*

Las dramáticas relaciones entre María (Aurora Bautista*), la hija del *conocedor* de un cortijo, y Juan (Jorge Mistral*), uno de sus vaqueros, sirven para describir la vida de los que trabajan en una ganadería de toros bravos. Basada en un irregular guión de César Ardavín*, es una de las escasas películas producidas y dirigidas por la pareja Margarita Alexandre y Rafael Torrecilla. Es la primera película española en CinemaScope y Eastmancolor y cuenta con una buena fotografía de Juan Mariné*.

Directores: *Margarita Alexandre, Rafael Torrecilla*. Guionista: *César Ardavín*. Fotografía: *Juan Mariné*. Música: *Miguel Asins Arbó*. Intérpretes: *Jorge Mistral, Aurora Bautista, Nani Fernández, José Nieto*. Producción: *Nervison Films*. Duración: *95 min.*

GELABERT, Fructuos *(Fructuos Gelabert Badiella. Barcelona, 1874-Barcelona, 1955)*

Mecánico de profesión y gran aficionado a la fotografía, queda maravillado por el invento de los hermanos Lumière, construye un tomavistas y proyector similar, rueda *Riña de café* (1897), donde interviene como guionista, productor, director e intérprete, y se convierte en el gran pionero del cine español. Durante el período mudo no sólo trabaja como guionista, productor, director y operador, sino que también construye aparatos, instala equipos y crea estudios y laboratorios. Sus más de cien películas, la mayoría de corta duración, se dividen entre reportajes y ficción. Entre los primeros pueden citarse *Salida del público de la iglesia parroquial de Sans* (1897), *Visita de doña María Cristina y don Alfonso XII a Barcelona* (1898), *Carreras de bicicletas en el parque* (1905), *Concurso de sardanas en el parque Güell* (1907), *Inundaciones en Lérida* (1910), *Semana Santa en Tarragona* (1915), *Barcelona bajo la nieve* (1922). Y entre las segundas destacan *Dorotea* (1898), *Tierra baja* (1907), *María Rosa* (1908), *La Dolores* (1908), *Guzmán el bueno* (1909), *Ana Cadova* (1912), *Mala raza* (1913), *El cuervo del campamento* (1915), *El sino manda* (1917), *La puntaire* (La encajera, 1928). Una obra de gran variedad e interés, pero de la que tan sólo se conserva una mínima parte y en muy malas condiciones.

GIL, Ariadna *(Ariadna Gil Giner, Barcelona, 1969)*

Perteneciente a una conocida familia, a los 16 años debuta como actriz de cine en un breve papel en *Lola** (1985), de Bigas Luna*. Más tarde estudia arte dramático en el Instituto de Teatro de Barcelona, tiene una cierta actividad teatral en catalán, en especial con el Teatro Lliure, y se da a conocer como protagonista de *El complot de los anillos* (El complot dels anells, 1987), de Francesc Bellmunt. Instalada en Madrid, la lanza el éxito de las comedias juveniles *Amo tu cama rica** (1991) y *Los peores años de nuestra vida* (1993), de Emilio Martínez-Lázaro*. Entre sus películas destacan *Belle époque** (1992), de Fernando Trueba*; *Antártida* (1995), de Manuel Huerga; *Libertarias* (1996), de Vicente Aranda*; *Malena es un nombre de tango* (1996), de Gerardo Herrero*, y *Tranvía a la Malvarrosa* (1996), de José Luis García Sánchez*.

GIL, Rafael *(Rafael Gil Álvarez. Madrid, 1913-Madrid, 1986)*

Desde muy joven escribe sobre cine en revistas especializadas, *Popular Films, Films Selectos, Nuestro Cinema,* y diarios, *La voz, Claridad, ABC;* publica algún libro, *Luz de cinema* (1935); y dirige tres cortometrajes en 16 mm entre 1935 y 1936. Durante la guerra española le salva la vida Antonio del Amo* y trabaja con él en la sección cinematográfica de la división de «El Campesino» realizando algunos documentales. En la posguerra trabaja como ayudante de dirección, rueda numerosos cortometrajes y escribe en las revistas *Primer Plano, Radioci-*

Fernando Sancho, Claude Laydu y Gerard Tichy en *La guerra de Dios,* de Rafael Gil

nema, y los diarios *Informaciones, Arriba* y *ABC.* El primer y mejor período de su carrera como realizador se extiende a lo largo de los años cuarenta y está integrado por diecinueve películas, la mayoría producidas por Cifesa, entre las que destacan las comedias *Viaje sin destino* (1942) y *Huella de luz** (1942); las históricas, *El clavo* (1944) y *La pródiga* (1946); y los dramas, *La calle sin sol** (1948) y *Una mujer cualquiera* (1949). Durante la primera mitad de los cincuenta dirige nueve películas, escritas y producidas por Vicente Escrivá*, dentro del más sólido cine político-religioso de la época: *La señora de Fátima* (1951), *La guerra de Dios* (1953), *Murió hace quince años** (1954), *El canto del gallo* (1955) y *Un traje blanco* (1956).

En 1957 crea la productora Coral Films, para la que hace el resto de las setenta películas que rueda en cuarenta años, pero tras las iniciales *Camarote de lujo* (1957) y *¡Viva lo imposible!* (1957), realizadas respectivamente sobre textos de Wenceslao Fernández Flórez y Miguel Mihura*, sus demás producciones sólo pretenden ser lo más comerciales posible, desde las taurinas *El Litri y su sombra* (1959), *Chantaje a un torero* (1963), una nueva versión de *Currito de la Cruz* (1965) o *El relicario* (1969), hasta *La reina del Chantecler* (1962) y *Samba* (1964) al servicio de Sara Montiel*. Al comienzo de los años setenta realiza algunas películas con una sólida base literaria, *El hombre que se quiso matar* (1970), sobre la narración de

Wenceslao Fernández Flórez, nueva versión homónima de su primera película de 1942; *Nada menos que todo un hombre* (1971), basada en una novela de Miguel de Unamuno; *La duda* (1972), versión de la novela *El abuelo,* de Benito Pérez Galdos; *La guerrilla* (1972), sobre un texto de Azorín; *El mejor alcalde, el rey* (1973), basada en el drama de Lope de Vega; pero los resultados demuestran que es un realizador irregular y sin interés. El último y peor período de su carrera se desarrolla durante la democracia y en él destacan por su tono reaccionario *Los novios de la muerte* (1974), *A la legión le gustan las mujeres* (1975), escritas por Rafael García Serrano*; *La boda del señor cura* (1979), ... *y al tercer año resució* (1979), *Hijos de papá* (1980), *De camisa vieja a chaqueta nueva* (1982) y *Las autonosuyas* (1982), basadas en libros de Fernando Vizcaíno Casas.

GIMÉNEZ-RICO, Antonio *(Antonio Giménez-Rico y Sáenz de Cabezón. Burgos, 1939)*

Licenciado en derecho por la Universidad de Valladolid, estudia música y periodismo, dirige cine-clubs, colabora en la revista especializada *Cinestudio* y trabaja en la radio. Después de una etapa como ayudante de dirección, rueda algunos cortos y debuta como realizador con la fallida producción infantil *Mañana de domingo* (1966), a la que

siguen las irregulares comedias *El hueso* (1968) y *El cronicón* (1969). El fracaso de *¿Es usted mi padre?* (1970) le lleva a televisión, donde entre otros trabajos hace la serie policiaca *Plinio* (1972), sobre el personaje creado por el escritor Francisco García Pavón. Vuelve al cine para hacer su mejor trabajo, *Retrato de familia* (1976), basada en la novela *Mi idolatrado hijo Sisí,* de Miguel Delibes; pero el poco éxito de *Al fin solos, pero...* (1976) y *Del amor y de la muerte* (1977) le devuelve a televisión. El documental sobre transexuales *Vestida de azul* (1983) y la serie de televisión *Página de sucesos* (1985), le conducen a otra adaptación de Delibes, *El disputado voto del señor Cayo** (1986). Sus restantes películas tienen poco interés, tanto la adaptación de la novela homónima de Felipe Trigo *Jarrapellejos* (1987), la comedia antimilitarista que escribe con Rafael Azcona* *Soldadito español* (1988) o los dramas *Catorce estaciones* (1991) y *Tres palabras* (1993).

GIMPERA, Teresa *(Teresa Gimpera Flaquer. Igualada, Barcelona, 1936)*

Descubierta por el fotógrafo Leopoldo Pomés y convertida en cotizada modelo publicitaria, debuta en cine como protagonista en dos de las más representativas producciones de la denominada *Escuela de Barcelona, Fata Morgana** (1966), de Vicente Aranda*, y *Una historia de amor** (1966), de Jorge Grau*, donde encarna respectivamente a la modelo Gim y la recién casada María. No tarda en perderse entre una gran cantidad de coproducciones con Italia de intriga o terror dirigidas por italianos y «comedias a la española» realizadas por Pedro Lazaga*, *No desearás la mujer de tu prójimo* (1968), *Las secretarias* (1969), o Pedro Masó*, *Las colocadas* (1972), *La menor* (1976). Entre sus películas destacan *Las crueles** (1969), de Vicente Aranda*; *Historia de una chica sola* (1969), de Jorge Grau*; y sobre todo *El espíritu de la colmena** (1973), de Víctor Erice*. Dentro de una carrera más marcada por la cantidad que por la calidad, setenta y cinco películas en veintiún años, también cabe destacar su intervención en *La guerra de papá** (1977), de Antonio Mercero*; *Victoria** (1983), de Antoni Ribas*; y *Asignatura aprobada* (1987), de José Luis Garci*, que cierra su filmografía.

GOICOECHEA, Gonzalo *(Gonzalo Goikoetxea Luquin. Oteitza, Navarra, 1951)*

Licenciado en periodismo, trabaja en diferentes diarios y cadenas de televisión. Participa en los guiones de *Los placeres ocultos* (1976) y *El diputado** (1978), de Eloy de la Iglesia*. Posteriormente se convierte en su guionista habitual y colabora en los guiones de sus siete últimas películas, entre las que destacan *Navajeros** (1980), *Colegas** (1982) y *El pico** (1983), sus más personales, desgarrados y mejores trabajos. También interviene en los guiones de *Akelarre* (1984), de Pedro Olea*; *Caso cerrado* (1985), de Juan Caño; y *Crimen en familia* (1985), de Santiago San Miguel*.

GOLFOS, LOS *(1959)*

Hundiendo sus raíces en el más puro neorrealismo italiano, pero con una moderna forma narrativa propia de la recién nacida *Nouvelle vague* francesa, Carlos Saura* realiza su primera película, una de las mejores de su extensa filmografía. Sobre el fondo de la miseria de los suburbios madrileños de finales de los duros años cincuenta, narra la vida de cuatro amigos que han nacido y han crecido en ellos. Tanto Julián (Manuel Zarzo), como Ramón (José Luis Marín) y El Chato (Juanjo Losada), sobreviven haciendo fechorías, realizando pequeños robos, pero se ponen de acuerdo para planear uno mayor y poder ayudar a Juan (Óscar Cruz), el único que se gana la vida honradamente y quiere ser torero. Gracias a las clases de la escuela de tauromaquia y el apoyo de sus amigos consigue debutar en una novillada en la plaza de Las Ventas, pero cosecha un gran fracaso. A medio camino entre el documental y la ficción, no sólo es un gran documento sobre la época, sino una conseguida historia dramática, rodada con actores debutantes, elegidos por la calle, con muy poca o ninguna experiencia cinematográfica. Presentada en el Festival de Cannes, tiene una buena acogida, pero antes de estrenarse malamente en España debe sufrir los embates de la durísima censura del general Franco. Casi veinte años después, y dentro de las películas sobre delincuencia que trae la democracia, Saura* trata un tema muy similar en *Deprisa, deprisa* (1980), también mezclando el documental y la ficción y con actores no profesionales, pero a pesar de ganar el Oso de Oro del Festival de Berlín, sus resultados son mucho menos interesantes.

Director: *Carlos Saura.* Guionistas: *Carlos Saura, Mario Camús, Daniel Sueiro.* Fotografía: *Juan Julio Baena.* Música: *Antonio Ramírez, José Pagan.* Intérpretes: *Manuel Zarzo, José Luis Marín, Óscar Cruz, Juanjo Losada, Rafael Vargas, María Mayer.* Producción: *Pedro Portabella para Films 59.* Duración: *83 min.*

GÓMEZ, Andrés Vicente *(Andrés Vicente Gómez Montero. Madrid, 1943)*

Desde muy joven trabaja en producción con norteamericanos que ruedan en España, como Niels Larsen, Alex Salkind o George Sherman, y con Elías Querejeta*. Desde 1965, y en diferentes etapas, ha intervenido en la producción de más de cuarenta largome-

trajes. De su primera etapa destaca su colaboración en *Belleza negra* (1968), de James Hill; *La loba y la paloma* (1973), de Gonzalo Suárez*; *¿Por qué perdimos la guerra?* (1977), de Diego Abad de Santillán y Luis Galindo; y *La verdad sobre el caso Savolta* (1980), de Antonio Drove*, además de su trabajo con Orson Welles en *Fake* (1973) y la inacabada *The Other Side of the Wind.* En su segunda etapa, ya al frente de Compañía Iberoamericana de Televisión, la calidad y cantidad del cine que produce aumenta considerablemente, como demuestran *Sé infiel y no mires con quién* (1985), *El año de las luces* (1986) y *El sueño del mono loco* (1989), de Fernando Trueba*; *El Dorado* (1987), *La noche oscura* (1989) y *¡Ay, Carmela!* (1989), de Carlos Saura*; *Matador* (1986), de Pedro Almodóvar*; *Remando al viento* (1987); de Gonzalo Suárez*; *La noche más larga* (1991), *Tirano Banderas* (1993) y *Tranvía a la Malvarrosa* (1996), de José Luis García Sánchez*; *Jamón, jamón* (1992), *Huevos de oro* (1993) y *La teta y la luna* (1994), de Bigas Luna*; *La pasión turca* (1994) y *Libertarias* (1996), de Vicente Aranda*

GÓMEZ, Carmelo *(Carmelo Gómez Cebada, Sahagún, León, 1962)*

Después de trabajar en el campo con su familia, se va a Salamanca donde desempeña distintas actividades mientras colabora con un grupo de teatro. Instalado en Madrid, ingresa en la Escuela de Arte Dramático y gracias al director Miguel Narros entra en la compañía del Teatro Español. Comienza haciendo mínimos papeles en teatro y cine —*El viaje a ninguna parte* (1986), de Fernando Fernán-Gómez*; *Bajarse al moro* (1988), de Fernando Colomo*—, y ya más largos de la mano de Julio Medem* en *Vacas* (1992) y *La ardilla roja* (1993). Tras protagonizar con gran éxito la serie de televisión *La Regenta* (1994), de Fernando Méndez-Leite, encarna a los principales personajes de *El detective y la muerte* (1994), de Gonzalo Suárez*; *Días contados* (1994), de Imanol Uribe*, y *El perro del hortelano* (1995) y *Tu nombre envenena mis sueños* (1996), de Pilar Miró*, mientras también hace papeles de menor importancia en *Canción de cuna* (1994), de José Luis Garci*, y *Entre rojas* (1995), de Azucena Rodríguez.

GÓMEZ, José Luis *(Huelva, 1940)*

Abandona su trabajo en hostelería para estudiar arte dramático en el Instituto Dramático de Westfalia, en Bochum, República Federal Alemana, y con Jacques Lecoq en París. En 1964 comienza una prestigiosa carrera teatral que le lleva a trabajar en la República Federal Alemana, en Polonia con Jerzy Grotowski, en Brasil y desde 1972 también en España. Debuta como actor de cine con *Pascual Duarte* (1975), de Ricardo Franco*, con la que obtiene el premio de interpretación del Festival de Cannes. Mientras prosigue su actividad teatral, donde sobresale la dirección durante varias temporadas del Teatro Español de Madrid, desarrolla una selecta filmografía en la que destacan sus trabajos con Gonzalo Suárez* en *Parranda* (1976) y *Remando al viento* (1988), Manuel Gutiérrez Aragón* en *Sonámbulos* (1978), Carlos Saura* en *Los ojos vendados* (1978), Joseph Losey en *Las rutas del sur* (1978), Jaime Chávarri* en *Dedicatoria* (1980) y Pilar Miró* en *Beltenebros* (1991).

GÓMEZ PEREIRA, Manuel *(Madrid, 1953)*

Licenciado en imagen por la Facultad de Ciencias de la Información, de Madrid, trabaja como *script* y ayudante de dirección antes de debutar como realizador con *Salsa rosa* (1991). Especializado en comedias de éxito, pero de irregular interés, colabora en los guiones de todas ellas: *¿Por qué lo llaman amor cuando quieren decir sexo?* (1992), *Todos los hombres sois iguales?* (1993) y *Boca a boca* (1995).

GONZÁLEZ, Cesáreo *(Cesáreo González Rodríguez. Esparteado, Vigo, 1905-Madrid, 1968)*

Perteneciente a una modestísima familia, en cuanto puede le quita quinientas pesetas a su madre y embarca en La Coruña, como polizón, con destino a La Habana. Durante la travesía gana mil quinientas pesetas a las cartas, al llegar le manda mil a su madre y una carta pidiéndole perdón y comienza a trabajar como vendedor de periódicos y limpiabotas. Con sus primeros ahorros compra un caballo para poder vender bisutería por los pueblos del interior. El dinero ganado le permite irse a México, comenzar a jugar al fútbol y acabar quedándose con la panadería donde trabaja y casándose con la hija del dueño. En 1931 regresa a España, monta en Vigo una agencia de publicidad y otra de venta de automóviles. El rodaje gallego de *El famoso Carballeira* (1940), de Fernando Mignoni, le hace interesarse por el cine y en seguida produce *Polizón a bordo* (1941), de Florián Rey*, mala evocación de su aventura americana. No tarda en fundar la empresa Suevia Films, con la que en veinticinco años produce 146 películas. Su actividad prosigue con *¡Campeones!* (1942), de Ramón Torrado*, donde aparece como jugador de fútbol; *El abanderado* (1943), de Eusebio Fernández Ardavín*; *Deber de esposa* (1943), de Manuel Blay; *La pródiga* (1945), de Rafael Gil*, una adaptación de Ruiz de Alarcón que constituye su primer éxito; *Reina Santa* (1947), de Rafael Gil*, dentro del acartonado cine histórico de la época, etc. Durante los años cincuenta y primeros sesenta se con-

vierte en uno de los productores españoles más importantes. No sólo llega a tener contratados en exclusiva a Lola Flores*, María Félix*, Jorge Mistral*, Marisol*, Emma Penella*, Sara Montiel*, Paquita Rico*, Amparito Rivelles*, Joselito*, etc., sino que produce algunas películas importantes, como *Calle Mayor** (1956), de J. A. Bardem*, o *La boutique* (1967) y *¡Vivan los novios!* (1969), de Luis G. Berlanga*.

GONZÁLEZ SINDE, José María
(Burgos, 1941-Madrid, 1992)
Educado en Madrid, estudia producción en la Escuela Oficial de Cinematografía e imagen y sonido en la Universidad Complutense. Comienza a trabajar en X Films, donde produce numerosos cortometrajes, algunos de carácter experimental, y varios largos, entre los que destacan *Cántico/Chicas de club* (1970) y *Ceremonia sangrienta* (1971), de Jorge Grau*. Entre sus trabajos posteriores como productor cabe citar *El love feroz* (1972), primer largo de José Luis García Sánchez*, y las tres primeras películas de José Luis Garci*, *Asignatura pendiente** (1977), *Solos en la madrugada** (1978) y *Las verdes praderas* (1979), en cuyos guiones también colabora. Debuta como director con *¡Viva la clase media!** (1980), una historia autobiográfica sobre las tristes andanzas de los miembros de una célula del partido comunista

a comienzos de los años sesenta, que produce, coescribe e interpreta José Luis Garci*. A la que sólo sigue *A la pálida luz de la luna** (1985), una comedia coral sobre la picaresca a comienzos de la etapa socialista, que escribe a medias con José Luis Dibildos*, que también la produce. Entre sus múltiples actividades cabe citar que es el primer director de la Academia de las Artes y las Ciencias Cinematográficas, fundada en el verano de 1986, el creador de los premios Goya, dirige el Festival de Otoño de Madrid y en abril de 1990 es nombrado director general de Telemadrid, cargo que desempeña durante dieciocho meses. En el momento de su repentina muerte prepara la segunda parte de *El Quijote* para Televisión Española, con guión suyo y de Manuel Gutiérrez Aragón*, que también iba a encargarse de su dirección.

GOYANES, Manuel J. *(Manuel José Goyanes Martínez. Madrid, 1913-Madrid, 1983)*

Deja sus estudios de medicina y en 1934 comienza a trabajar como ayudante de producción con Benito Perojo*. Posteriormente es director general de producción en Cifesa, Ufilms, Aspa Films y Suevia Films. En 1954 funda Guión P. C. y debuta como productor independiente con la coproducción *El torero* (1954), de René Wheeler, a la que siguen, entre otras, *Muerte de un ciclista** (1955), *Calle Mayor** (1956) y *La venganza* (1957), de J. A. Bardem*. Su cine cambia de rumbo cuando descubre a la cantante infantil Marisol*, la lanza en *Un rayo de luz* (1960), y también produce sus siguientes películas, *Ha llegado un ángel* (1961) y *Tómbola* (1962), dirigidas por Luis Lucia*; *Marisol, rumbo a Río* (1963) y *Búsqueme a esa chica* (1964), de Fernando Palacios*; *La nueva Cenicienta* (1964), de George Sherman; *Cabriola* (1965), de Mel Ferrer; *Las cuatro bodas de Marisol* (1967) y *Solos los dos* (1969), de Luis Lucia*; y *Carola de día, Carola de noche* (1969), de Jaime de Armiñán*.

GRAU, Jorge *(Jordi Grau Solá. Barcelona, 1930)*

A los trece años comienza a trabajar como botones en el Teatro del Liceo de Barcelona, luego estudia en el Instituto del Teatro y más tarde debuta como actor y director teatral. Mientras realiza exposiciones de pintura y escribe guiones para Radio España de Barcelona, empieza a hacer pequeños papeles en cine y en 1957 consigue una beca para estudiar en el Centro Sperimentale di Cinematografia de Roma. De regreso a España trabaja como ayudante de dirección al tiempo que realiza algunos cortometrajes hasta que debuta en el largo. En la primera etapa de su carrera como director, la que va desde *Noche de verano** (1962) a

Chicas de club (Cántico, 1970), entre las que se sitúan *El espontáneo** (1964), *Acteón* (1965), *Una historia de amor** (1966) y *La cena* (Historia de una chica sola, 1969), intenta hacer un cine de pretendida calidad dentro del marco del llamado *Nuevo cine español*. Durante esta etapa abandona el rodaje de *Tuset Street* (1967) por problemas con la protagonista Sara Montiel*, y la finaliza y firma Luis Marquina*, pero luego no duda en hacer la trilogía de películas de terror integrada por *Ceremonia sangrienta* (1972), *Pena de muerte* (1973) y *No profanar el sueño de los muertos* (1974). Ya dentro de un cine directamente comercial comienza su colaboración con el productor José Frade* en *El secreto inconfesable de un chico bien* (1975), que demuestra que no está dotado para la comedia, a la que siguen *La trastienda** (1975), uno de los grandes éxitos del cine español por incluir el primer desnudo integral de una actriz nacional, María José Cantudo*; *La siesta* (1976), intento de denuncia de los vicios de un pequeño pueblo; y *Cartas de amor de una monja* (1978), sobre las relaciones entre una monja y su confesor. Tras *La leyenda del tambor* (1981), situada a medio camino entre las producciones patrióticas e infantiles, sus películas vuelven a ser más personales, como demuestran *Coto de caza** (1983), *Muñecas de trapo*

(1984), *El extranger ¡oh! de la calle Cruz del Sur* (1986) o *La puñalada* (1988), pero pasan demasiado desapercibidas. Escribe y estrena repetidas obras teatrales, trabaja ampliamente en televisión durante los años sesenta y setenta, da clases en la Escuela Oficial de Cinematografía y publica varios libros, entre los que destacan *El actor y el cine* y *Fellini desde Barcelona*.

GUARDIÁN DEL PARAÍSO, EL
(1954)

Basada en un sólido guión de Manuel Pombo Angulo, está integrada por las tres historias que narra un tradicional sereno madrileño, un tipo asturiano brillantemente encarnado por Fernando Fernán-Gómez*, a un personaje-sorpresa. La primera tiene un tono demasiado literario, en el peor sentido de la palabra, gira en torno a un poeta (José María Rodero), pero permite la inclusión de algunos buenos tipos sainetescos, como el chófer de taxi (José Isbert*) y «El Solomillo» (Antonio Riquelme). La segunda es excesivamente ternurista, narra cómo una monja (Emma Penella*) llega hasta los bajos fondos para buscar una medicina para salvar la vida de un niño moribundo, pero funciona bien. Y la tercera tiene por centro al propio sereno y los conflictos sentimentales que le plantean tener que trabajr de noche y dormir de día. Rodada con una cierta habilidad por Arturo Ruiz-Castillo*, destaca por el retrato de un típico Madrid de la época y el buen trabajo de un amplio grupo de secundarios, entre los que cabe citar a Rafael Bardem, Félix Dafauce y Matilde Muñoz Sampedro.

Director: *Arturo Ruiz-Castillo.* Guionista: *Manuel Pombo Angulo.* Fotografía: *Salvador Torres Garriga.* Música: *José Muñoz Molleda.* Intérpretes: *Fernando Fernán-Gómez, José María Rodero, Emma Penella, Elvira Quintillá, José Isbert, Antonio Riquelme.* Producción: *Roncesvalles-Suevia Films.* Duración: *89 min.*

GUBERN, Román *(Román Gubern Garriga-Nogués. Barcelona, 1934)*

Doctorado en derecho, ha sido profesor de Historia del Cine en la Universidad de Southern California, el California Institute of Technology y la Universidad Autónoma de Barcelona. Entre sus múltiples publicaciones destacan *McCarthy contra Hollywood: la caza de brujas, El lenguaje de los cómics, Un cine para el cadalso, Raza, un ensueño del general Franco, El cine sonoro de la II República, La imagen pornográfica y otras perversiones ópticas, Historia del cine.* Debuta como guionista con *Brillante porvenir* (1964), de Vicente Aranda*, pero también firma como codirector por motivos sindicales. Posteriormente escribe guiones con asiduidad para Jaime Camino*, *Mañana*

será otro día (1967), *España otra vez* (1968), *Un invierno en Mallorca** (1969), *La vieja memoria** (1977), *La campanad* (1979), *Dragon Rapide** (1986 *El largo invierno* (1991). Te n-bién participa en los guiones de *Ensalada Baudelaire* (1978), de Leopoldo Pomés, y *Espérame en el cielo** (1991), de Antonio Mercero*. Entre 1993 y 1995 es director del Instituto Cervantes de Roma.

GUERNER, Enrique *(Henrich Gaertner Kolb. Radants, Austria, 1895-Madrid, 1962)*

A los diez años comienza a trabajar como fotógrafo en Berlín, en 1910 se acerca al cine en calidad de ayudante de fotografía y su primera película como director de fotografía es *Um 500.000 Mark* (1915), de Siegfried Dessauer. Rueda casi cien películas, especialmente con los directores William Karfiol y Richard Eichberg, hasta que al llegar los nazis al poder en 1933 huye de su país por ser judío. Tras una breve estancia en Portugal, se instala en España y emprende una fructífera carrera que no sólo le lleva a convertirle en uno de los grandes fotógrafos del cine espñol, sino también en maestro de una generación en la que destacan José Aguayo*, Alfredo Fraile* y Cecilio Paniagua*. Tiene especial interés su colaboración con Florián Rey* en *La hermana san Sulpicio** (1934), *Nobleza baturra** (1935), *Morena Clara**

(1936), *La aldea maldita** (1942), *Orosia* (1943), *Brindis a Manolete* (1948); y Ladislao Vajda* en *Te quiero para mí* (1944), *Marcelino, pan y vino** (1955), *Tarde de toros** (1955), *Mi tío Jacinto** (1956), *Un ángel pasó por Brooklyn** (1957), *El cebo* (1958), *María, matrícula de Bilbao* (1960). Aunque también hace la fotografía de *La gitanilla* (1940), de Fernando Delgado*; *Raza** (1942), de José Luis Sáenz de Heredia*; *Los últimos de Filipinas** (1945), de Antonio Román*; *Duende y misterio del flamenco** (1952), de Edgar Neville*; *Alta costura* (1954), de Luis Marquina*; *De espaldas a la puerta* (1959), de José María Forqué*. Su última película es *Tú y yo somos tres* (1962), de Rafael Gil*. En 1936, durante el rodaje en Córdoba de *El genio alegre* (1939), de Fernando Delgado*, se produce la insurrección militar que desencadena la guerra española, es detenido en Sevilla a instancias del cónsul alemán y expulsado a Portugal, pero gracias a las gestiones de varios amigos no tarda en regresar y comenzar a trabar en el recién creado Departamento Nacional de Cinematografía.

GUERRA DE LOS LOCOS, LA *(1986)*

Durante los primeros meses de la guerra española, Angelito Delicado (José Manuel Cervino) se escapa del manicomio donde está encerrado con otros cuatro enfermos y, casualmente, se unen a un grupo de anarquistas capitaneados por El Rubio (Álvaro de Luna) para enfrentarse a don Salvador (Juan Luis Galiardo*), el cacique de la zona que realiza una sangrienta represión. Basado en hechos reales, Manuel Matji* escribe y dirige un violento y peculiar episodio guerrero con gran soltura, fuerza y lejos de las dudas que plantea toda primera película. Más cerca de un clásico *western* de itinerario que de una producción bélica, tiene un amplio y eficaz reparto masculino que funciona con perfección.

Director y guionista: *Manuel Matji*. Fotografía: *Federico Ribes*. Música: *José Nieto*. Intérpretes: *Álvaro de Luna, José Manuel Cervino, Juan Luis Galiardo, Pep Munné, Pedro Díaz del Corral, Emilio Gutiérrez Caba, Maite Blasco*. Producción: *José María Calleja para Xaloc*. Duración: *104 min.*

GUERRA DE PAPÁ, LA *(1977)*

Adaptación de *El príncipe destronado* (1973), una de las más conocidas y discutibles novelas de Miguel Delibes, que a pesar de seguir muy de cerca el original, tiene el inconveniente de hacer que el trasfondo nada sutil de la obra resulte demasiado explícito. Describe un día cualquiera de 1963 en la vida de una familia española de clase media a través de uno de sus miembros más jóvenes, un niño de tres años que acaba de ser destronado por su hermana de ocho meses. A medio camino entre las más características producciones nacionales protagonizadas por niños prodigio y la comedia de costumbres con ligera carga crítica, gira en torno a Lolo García, un terrible niño de ojos azules y rubios rizos con la voz de una de las más antiguas profesionales del doblaje. No obstante, o quizá por ello, se convierte en una de las películas españolas de más éxito de la etapa de la transición política y lleva a Antonio Mercero* a volverle a dirigir en *Tobi* (1978), la *poética* historia de un niño alado.

Director: *Antonio Mercero.* Guionistas: *Antonio Mercero, Horacio Valcárcel.* Fotografía: *Manuel Rojas.* Intérpretes: *Lolo García, Teresa Gimpera, Héctor Alterio, Rosario García Ortega, Verónica Forqué, Queta Claver.* Producción: *José Frade P. C.* Duración: *90 min.*

GUERRERO, Francisco *(Francisco Guerrero Marín. Linares, Jaén, 1951)*
Gracias a su interesante trabajo en el terreno de la música sinfónica, es descubierto por Jaime Chávarri*, con quien trabaja en *Bearn, o la sala de las muñecas** (1982), *Las bicicletas son para el verano** (1983), *El río de oro** (1986). También es el autor de la banda sonora de *El año de las luces** (1986), de Fernando Trueba*.

GULLIVER *(1976)*
Al pueblo abandonado donde un grupo de treinta y tantos enanos ensaya los números taurinos y las obras teatrales que representan durante el verano por distintos pueblos, llega un evadido de la justicia (Fernando Fernán-Gómez*) que no tarda en conseguir que se rebelen contra su dictatorial jefe y comiencen a actuar, en su vida y su trabajo, de forma inteligente. Cuando a principios de la primavera llegan los empresarios, no les gustan los nuevos espectáculos y no les contratan. Al ver que los cambios introducidos han sido contraproducentes, los enanos vuelven a rebelarse y esta vez matan a su nuevo jefe. Más que una adaptación libre del famoso libro *Viajes de Gulliver*, de Jonathan Swift, se trata de una película que encierra una parábola con una clara simbología anarquista. Muy en la línea del interés demostrado por Alfonso Ungría* en sus obras por los seres marginales, también esta tercera producción de su filmografía se sitúa en la zona experimental que va de *El hombre oculto* (1970) a *Tirarse al monte* (1971), igualmente tiene problemas para su difusión y puede considerarse tan maldita como las otras dos.

Director: *Alfonso Ungría.* Guionistas: *Alfonso Ungría, Fernando Fernán-Gómez.* Fotografía: *José Luis Alcaine.* Intérpretes: *Fernando Fernán-Gómez, Yolanda Farr, África Pratt, Enrique Vivo.* Duración: *90 min.*

GUTIÉRREZ ARAGÓN, Manuel *(José Manuel Gutiérrez Sánchez. Torrelavega, Santander, 1942)*

Licenciado en filosofía y letras por la Universidad de Madrid y en dirección en la Escuela Oficial de Cinematografía, escribe los guiones de sus películas y también colabora en los de *Furtivos** (1975), de José Luis Borau*; *Las largas vacaciones del 36** (1976), de Jaime Camino*; *Las truchas** (1977), de José Luis García Sánchez*. Debuta como director con *Habla, mudita* (1973) de la mano del productor Elías Querejeta*, y se convierte en el realizador más reputado de su generación con la trilogía *Camada negra** (1977), *Sonámbulos** (1978), *El corazón del bosque** (1978), donde mezcla con habilidad lo experimental y lo político dentro de complejas estructuras cuyas raíces se sitúan en los cuentos infantiles. Sus mejores películas son *Maravillas** (1980), *Demonios en el jardín** (1982) y *La mitad del cielo** (1986), que rueda para el productor Luis Megino*, que también colabora en los guiones, donde estas estructuras casi alcanzan la perfección y se mezclan con un personal y efectivo sentido del humor. Tras el fracaso de *Feroz* (1984), nueva versión de su primera película que vuelve a producir Querejeta*, ahora también coguionista, su cine sigue moviéndose en la misma dirección, pero con unas pretensiones de comercialidad que no acaban

de cuajar en *La noche más hermosa** (1984) y *Malaventura* (1988). Su interés por el teatro le lleva a colaborar con el Centro Dramático Nacional, en 1979 traduce y dirige la versión de Peter Weiss de *El proceso,* de Frank Kafka, y en 1992 escribe y dirige *Morirás de otra cosa.* Con ayuda del productor Emiliano Piedra* escribe y dirige la serie de televisión de cinco horas de duración *El Quijote* (1991), sobre la primera parte de la novela clásica de Miguel de Cervantes. En 1993 se convierte ne el primer cineasta elegido presidente de una asociación de autores, la SGAE (Sociedad General de Autores de España). Más tarde dirige la personal *El rey del río* (1995).

GUTIÉRREZ CABA, Emilio *(Valladolid, 1942)*

Pertenece a una prestigiosa familia de actores, es hijo de Irene Caba Alba, sobrino de Julia Caba Alba, una de las grandes secundarias del cine español, y hermano de Irene Gutiérrez Caba y Julia Gutiérrez Caba. Mientras estudia filosofía y letras comienza a actuar en el T.E.U. y poco después debuta en la compañía de Lilí Murati. Su primera película es *Como dos gotas de agua* (1963), de Luis César Amadori*, donde hace un breve papel, y en seguida protagoniza *La caza** (1965), de Carlos Saura*, y *Nueve cartas a Berta** (1965), de Basilio M. Patino*, pero a pesar del éxito crítico que alcanza, durante los siguientes diez años sólo hace papeles secundarios en mediocres producciones. Mientras no cesa de hacer teatro, durante la segunda mitad de los años setenta y los ochenta mejora su situación cinematográfica al interpretar importantes papeles en *La petición* (1976), de Pilar Miró*; *El sacerdote* (1977), de Eloy de la Iglesia*; *Al servicio de la mujer española* (1978), de Jaime de Armiñán*; *¡Viva la clase media!** (1979), de José María González Sinde*; *La colmena** (1982), de Mario Camus*; *Las bicicletas son para el verano** (1983), de Jaime Chávarri*; *Réquiem por un campesino español** (1985), de Francesc Betriu*; *Werther* (1986), de Pilar Miró*; *La guerra de los locos** (1986), de Manuel Matji*; *La sombra del ciprés es alargada* (1989), de Luis Alcoriza*.

HALFFTER, Cristóbal *(Cristóbal Halffter Jiménez-Encina. Madrid, 1930)*

Sobrino del conocido compositor Ernesto Halffter Escriche (Madrid, 1905), entre cuya amplia producción también se encuentra la cinematográfica, con sus partituras para *Bambú* (1945), *Historias de la radio** (1955) y *Los gallos de la madrugada* (1971), de José Luis Sáenz de Heredia; *Don Quijote de la Mancha* (1948) y *La señora de Fátima* (1951), de Rafael Gil*, etc. Discípulo de Conrado del Campo y Alexandre Trasman, director titular de la orquesta Manuel de Falla y catedrático del Real Conservatorio de Madrid, debuta como compositor de cine con *El capitán Veneno** (1950), de Luis Marquina*. Entre su escasa filmografía cabe destacar su aportación a *Una muchachita de Valladolid* (1958), de Luis César Amadori*; *El extraño viaje** (1964), de Fernando Fernán-

Gómez*; y *Un hombre como los demás* (1974), de Pedro Masó*.

HAY UN CAMINO A LA DERECHA *(1953)*

La historia de Miguel (Francisco Rabal*), un obrero que se queda sin trabajo y para sobrevivir acaba cometiendo un atraco, está rodada de acuerdo con los principios del neorrealismo italiano y es una de las más claras muestras de su influencia en España, pero el hecho de que al huir atropelle a su hijo, no se atreva a contárselo a su mujer Inés (Julita Martínez) y acabe muriendo, le da un tono folletinesco e incluso moralizante que la alejan del estilo original. No obstante, dentro del cine español de la época destaca por su eficaz realización, obtener un considerable éxito y ser una de las primeras películas protagonizadas por Francisco Rabal*. Basada en un guión original de Manuel Saló y el propio realizador, se

Julita Martínez, Manolito García y Francisco Rabal en *Hay un camino a la derecha*, de Francisco Rovira Beleta

trata del cuarto largometraje dirigido por Rovira Beleta* y su primer éxito.

Director: *Francisco Rovira Beleta.* Guionistas: *F. Rovira Beleta, Manuel Saló.* Fotografía: *Salvador Torres Garriga.* Música: *Federico Martínez Tudó.* Intérpretes: *Francisco Rabal, Julita Martínez, Manolito García, Carlos Otero.* Producción: *Aureliano Campa Morán para Titán Films.* Duración: *92 min.*

HERMANA SAN SULPICIO, LA
(1934)

La envejecida novela homónima de Armando Palacio Valdés, sobre los amores entre un serio médico gallego y una alocada novicia andaluza, es origen de cuatro películas. La primera es una producción muda, rodada en 1927 por Florián Rey*, marca el debut de la *estrella* Imperio Argentina*. La segunda es la mejor, la primera versión sonora y uno de los grandes éxitos del cine de la II República, y vuelve a estar protagonizada por Imperio Argentina* y dirigida por Florián Rey*. La tercera la realiza Luis Lucia* en 1952 con Carmen Sevilla* y Jorge Mistral* como protagonistas, y es la primera en color, según la defectuosa patente española Cinefotocolor. La cuarta es de 1971, de nuevo está dirigida por Luis Lucia*, se trata de una versión musical al servicio de Rocío Dúrcal*, y es la única que no conserva el título original, se llama *La novicia rebelde*.

Director y guionista: *Florián Rey*. Fotografía: *Heinrich Gaertner*. Música: *Joaquín Turina, Juan Quintero*. Intérpretes: *Imperio Argentina, Salvador Soler Mari, Miguel Ligero*. Producción: *Cifesa*. Duración: *90 min.*

HERNÁNDEZ, Gustau *(Gustau Hernández Mor. Lérida, 1944)*

Tras participar en la producción de *Vladimir und Rosa* (1970), de Jean-Luc Godard y Jean-Pierre Gorin, colabora en el guión de la experimental *Aoom!* (1970), de Gonzalo Suárez*. Posteriormente, y ya dentro del cine más comercial, escribe los guiones de *Jugando a papás* (1978), *El fascista, la beata y su hija desvirgada* (1978) y *El fascista, doña Pura y el follón de la escultura* (1982), de Joaquim Coll Espona. Más interés tiene su colaboración con Francesc Betriu* en *Los fieles sirvientes* (1980), *La plaza del diamante* (1981) y *Réquiem por un campesino español** (1985). También trabaja en los guiones de *Barcelona sud* (1980), de Jordi Cadena; *Círculo de pasiones* (1982), de Claude D'Anna; y *Laura* (1987), de Gonzalo Herralde*.

HERRALDE, Gonzalo *(Gonzalo Herralde Grau. Barcelona, 1949)*

Abandona los estudios de medicina para estudiar arte dramático en la Academia Adriá Gual de Barcelona y cine en el IFC de París. Tras realizar algunos cortos durante la primera mitad de los

Imperio Argentina y Miguel Ligero en *La hermana san Sulpicio*, de Florián Rey

años setenta, crea la productora Septiembre, para la que rueda sus primeros largometrajes. El irregular policiaco *La muerte del escorpión* (1975), los atractivos documentales *Raza, el espíritu de Franco** (1977), en torno a la película *Raza** (1941), de José Luis Sáenz de Heredia*, y *El asesino de Pedralbes* (1978), sobre un loco asesino encarcelado, y la fallida *Vértigo en Manhattan* (Jet Lag, 1980), que rueda en Nueva York. Sus restantes producciones, *Últimas tardes con Teresa* (1984), sobre la novela homónima de Juan Marsé, *Laura, del cielo llega la noche* (1986) y *La fiebre del oro* (1993), tienen menor interés.

HERRERO, Gerardo *(Gerardo Herrero Pérez-Gamir. Madrid, 1953)*

Tras dirigir algunos cortometrajes y coproducir y realizar el largo *Al acecho* (1987), un policiaco que no alcanza la difusión debida, se pasa a la producción, a través de la marca Tornasol Films, para especializarse en el montaje de coproducciones europeas. Entre sus películas como productor a nivel nacional cabe destacar *Mientras haya luz* (1987), *El mejor de los tiempos* (1989) y *Un paraguas para tres** (1992), de Felipe Vega*; *Ovejas negras** (1989), de José María Carreño, y *MadreGilda** (1993), de Francisco Regueiro*, una compleja coproducción entre varios países, entidades europeas y televisiones. Y a nivel

internacional, *Nou a vâ gloria de mandar* (1990), del portugués Manoel de Oliveira, y *El hombre que perdió su sombra* (L'homme qui a perdu som ombre, 1991), del suizo Alain Tanner. Vuelve a dirigir con *Desvío al paraíso* (1994) y *Malena es un nombre de tango* (1996), basada en la novela de Almudena Grandes.

HIJA DEL PENAL, LA *(1935)*

Después de colaborar en los guiones de los divertidos cortometrajes *Una de fieras* (1934), *Una de miedo* (1934), *Y... ahora... una de ladrones* (1935), el dramaturgo Miguel Mihura* vuelve a escribir con el realizador Eduardo G. Maroto*, el guión de su primer largo. Dentro de su característico humor, basado en el absurdo, narra el miedo de los treinta y tantos empleados del castillo de Pedralejo a que muera su único preso y se queden sin trabajo, y cómo la hija del director de la cárcel, enamorada secretamente de un nuevo recluso, propone casarse con él para retenerle. Rodada con pocos medios y tiempo en los decorados de otra película, el primer largo de Maroto* demuestra gran soltura técnica y buenas cualidades para la comedia, por lo que se sitúa en primera línea de su desigual carrera, dentro de la parodia de los folletines de la época.

Director: *Eduardo G. Maroto.* Guionistas: *Eduardo G. Maroto, Miguel Mihura.* Fotografía: *Fred Mandel.* Música: *Daniel Montorio.* Intérpretes: *Antonio Vico, Blanca*

Negri, Carmen de Lirio, José Calle.
Producción: *Cifesa.* Duración: *88 min.*

HISTORIA DE AMOR, UNA *(1966)*

Las relaciones de las hermanas María (Serena Vergano*) y Sara (Teresa Gimpera*) con Daniel (Simón Andreu), marido de la primera y antiguo novio de la segunda, durante el período de gestación y nacimiento del primer hijo de la pareja, dan lugar a una curiosa historia triangular, pero que en ningún momento llega hasta sus últimas consecuencias. Lejos de las experiencias y el barroquismo narrativo que dominan el primer período de la carrera de Jorge Grau*, dentro del que cronológicamente se encuentra encuadrada, tiene un conseguido y tradicional tono descriptivo y una buena interpretación del terceto protagonista que la sitúan entre sus mejores películas.

Director: *Jorge Grau.* Guionistas: *Jorge Grau, Alberto Castellón, José María Otero.* Fotografía: *Aurelio G. Larraya.* Música: *Antonio Pérez Olea.* Intérpretes: *Simón Andreu, Serena Vergano, Teresa Gimpera, Yelena Samarina, Félix de Pomés.* Producción: *Estela Films.* Duración: *108 min.*

HISTORIAS DE LA RADIO *(1955)*

La fascinación causada por la radio en la posguerra es el eje en torno al cual se desarrollan los cuatro episodios que integran la mejor y más conocida de las películas de José Luis Sáenz de Heredia*. Entre medias de la historia de amor de los locutores Gabriel (Francisco Rabal*) y Carmen (Margarita Andrey) se narra la fallida aventura de un inventor (José Isbert*) que se disfraza de esquimal con trineo y perro para ganar un concurso y poder patentar uno de sus descubrimientos; la anécdota del ladrón (Ángel de Andrés) que, mientras está desvalijando una vivienda, llaman por teléfono desde la radio diciendo que ha ganado un premio y trata de compartirlo con su casero; y la odisea del maestro (Alberto Romea) de un pequeño pueblo que participa en un difícil concurso para que uno de sus alumnos pueda viajar hasta Suecia para operarse. Muy influenciada por la «comedia a la italiana», su interés nace de dar una visión muy realista de una España todavía sumida en la posguerra. Su éxito lleva a Sáenz de Heredia* diez años después a rodar *Historias de la televisión* (1965), con Conchita Velasco*, José Luis López Vázquez* y Alfredo Landa*, que no tiene el menor atractivo.

Director y guionista: *José Luis Sáenz de Heredia.* Fotografía: *Antonio Ballesteros.* Música: *Ernesto Halffter.* Intérpretes: *Francisco Rabal, Margarita Andrey, José Isbert, Ángel de Andrés, Alberto Romea.* Producción: *José Luis Sáenz de Heredia para Chapalo Films.* Duración: *90 min.*

HOMBRE DE MODA, EL *(1980)*

La historia del profesor de literatura Pedro Liniers (Xabier Elorriaga*) que, tras ser abandonado por su mujer, vuelve de Barcelona a Madrid para relacionarse con viejos amigos, algunas nuevas mujeres e iniciar una relación con su alumna argentina Aurora Villalba (Marilina Ross), destaca por ser un buen retrato de un peculiar personaje masculino. Realizada en forma de cooperativa, dentro de la denominada «comedia madrileña», se apoya demasiado en el diálogo y está rodada, como la mayoría de estas producciones, en interiores naturales. Se trata de la única película dirigida por Fernando Méndez-Leite*, aparte de sus trabajos para televisión.

Director: *Fernando Méndez-Leite.* Guionistas: *Manuel Matji, Fernando Méndez-Leite.* Fotografía: *Porfirio Enríquez.* Música: *Luis Eduardo Aute.* Intérpretes: *Xabier Elorriaga, Marilina Ross, Maite Blasco, Walter Vidarte, Isabel Mestre, Alicia Sánchez, Carmen Maura.* Producción: *Niebla Films.* Duración: *107 min.*

HOMBRE LLAMADO «FLOR DE OTOÑO», UN *(1978)*

La historia de Luis Sarracant (José Sacristán*), un abogado barcelonés de buena familia que, en los años veinte, durante la dictadura del general Primo de Rivera, por el día defiende a sindicalistas con problemas y por la noche, vestido de mujer, canta cuplés en el cabaretucho Bataclán, sirve a Pedro Olea* para hacer una de sus más conocidas películas. Basada en una obra de teatro de José María Rodríguez Méndez, escrita a partir de hechos reales, y convertida en guión por Rafael Azcona* y el propio Olea*, tiene una cuidada ambientación, brinda a José Sacristán* la ocasión de hacer un papel de una gran complejidad, pero no acaba de funcionar cuando el abogado-travesti trata de redimirse convirtiéndose en terrorista.

Director: *Pedro Olea.* Guionistas: *Rafael Azcona, Pedro Olea.* Fotografía: *Fernando Arribas.* Música: *Carmelo Bernaola.* Intérpretes: *José Sacristán, Francisco Algora, Carlos Piñeiro, Carmen Carbonell, Roberto Camardiel.* Producción: *José Frade.* Duración: *97 min.*

HOMBRE QUE SUPO AMAR, EL *(1976)*

Entre sus personales e irregulares películas, Miguel Picazo* rueda este curioso encargo que en un principio nada tiene que ver con él. Basada en el libro *Una aventura iluminada,* de José Cruset, convertido en guión por Santiago Moncada*, se trata de una biografía de san Juan de Dios, ambientada en Granada, a mediados del siglo XVI, producida por la orden religiosa fundada por el santo y en cuya realización se le concede la suficiente libertad para enfrentarse al tema sin los beatos puntos de partida habituales y la ridícula hagiografía que caracteriza al subgénero dentro del cine español. Sobre un discutible guión donde los años trascendentales de la vida del santo se mezclan con la destrucción por la Inquisición de una familia de moriscos apóstatas, Picazo* concede especial importancia a recrear con realismo la miseria nacional de la época, apoyándose en escenas terribles, como pueden ser un Acto de Fe, una operación quirúrgica, el incendio de un manicomio, etc. El resultado posee un cierto atractivo, pero debido a que no les gusta a los religiosos productores, tiene una mala distribución, pasa completamente desapercibida y ha desaparecido desde entonces.

Director: *Miguel Picazo*. Guionista: *Santiago Moncada*. Fotografía: *Manuel Rojas*. Música: *Antonio Pérez Olea*. Intérpretes: *Timothy Dalton, Antonio Ferrandis, Jonathan Burn, José María Prada, Alberto de Mendoza, Queta Claver, Ángela Molina*. Producción: *General Films Corporation*. Duración: *95 min.*

HORA BRUJA, LA *(1985)*

Dentro de la tradicional comedia de costumbres que escribe y dirige Jaime de Armiñán*, intenta narrar un insólito triángulo amoroso entre César (Francisco Rabal*), un viejo niño prodigio convertido en mago, Pilar (Concha Velasco*), la hermana de su mujer, que recorren Galicia en un autobús proyectando películas en pueblos perdidos sin cine, y Saga (Victoria Abril*), una joven, atractiva y misteriosa mujer, a quien encuentran por el camino,

aunque acaba realizando su habitual historia amorosa apoyada en la rutina y el aburrimiento. Más allá de sus estrafalarios pero poco consistentes personajes, destaca el trabajo del terceto protagonista y la fotografía de Teo Escamilla*.

Director: *Jaime de Armiñán*. Guionistas: *Jaime de Armiñán, Ramón de Diego*. Fotografía: *Teo Escamilla*. Música: *Alejandro Massó*. Intérpretes: *Francisco Rabal, Concha Velasco, Victoria Abril, Sancho Gracia, Asunción Balaguer, Juan Echanove*. Producción: *Serva Films*. Duración: *110 min.*

HUELLA DE LUZ *(1943)*

Siguiendo el tono de comedia fantástica creado por Rafael Gil* en sus dos anteriores producciones, *El hombre que se quiso matar* (1941) y *Viaje sin destino* (1942), vuelve a partir de un relato del conocido escritor de la época, Wenceslao Fernández Flórez, para hacer una de sus mejores películas. Narra cómo el joven Octavio Saldaña (Antonio Casal*), eficaz empleado de la industria textil Manufacturas Sánchez-Bey, logra su sueño de conseguir un mes de permiso en un balneario. Allí se hace pasar por un hombre de recursos económicos, se enamora de la bella Lelly (Isabel de Pomés*), hija del dueño de una de las empresas de la competencia, pero a pesar de la diferencia de clases, sus buenas acciones diplomáticas acaban facilitando la boda.

Realizada con una ligereza que Gil* pocas veces llega a alcanzar y no tarda en perder, encierra un buen trabajo de la pareja integrada por el a veces excesivo Antonio Casal* y la siempre atractiva Isabel de Pomés*.

Director y guionista: *Rafael Gil.* Fotografía: *Alfredo Fraile.* Música: *Juan Quintero.* Intérpretes: *Antonio Casal, Isabel de Pomés, Camino Garrigó, Juan Espantaleón, Ramón Martori, Fernando Freyre de Andrade, Juan Calvo, José Prada.* Producción: *Cifesa.* Duración: *77 min.*

HUEVOS DE ORO *(1993)*

Dividida en tres partes muy diferenciadas, rodadas respectivamente en Melilla, Benidorm y Miami, que narran las aspiraciones, la ascensión y caída de Benito González (Javier Bardem), un ambicioso hortera cuya máxima es que, dado que tiene dos huevos, quiere tener dos rólex, dos mujeres y construir el edificio más alto de la ciudad, encierra un subrayado carácter de cuento moral. Mientras la primera parte, que define al peculiar personaje durante su servicio militar en Melilla a través de sus apasionadas relaciones con la prostituta Rita (Elisa Touati), tiene un gran atractivo; y funciona muy bien la segunda, que relata cómo el protagonista logra hacer realidad sus sueños al convertirse en amante de la atractiva Claudia (Maribel Verdú*), casarse con la rica heredera Marta (María de Medeiros)

y levantar el edificio más alto de Benidorm; la tercera, en Miami, no está tan conseguida en la medida que gira en torno a la caída del personaje, narra cómo la explosiva Ana (Rachel Bianca) le convierte en una caricatura de sí mismo al tratarle igual que él acostumbraba a tratar a los demás. Muy bien rodada, en una hábil mezcla de planos generales y esos primeros planos tan característicos de Bigas Luna, no sólo da un paso más en su peculiar estética, sino que vuelve a insistir en sus obsesivas relaciones con la comida. Destaca la excelente interpretación de Javier Bardem y la parte de la narración en que el triunfador personaje, admirador visceral de Julio Iglesias, convive con su mujer y su amante en una lujosa mansión que domina Benidorm, así como la luminosa fotografía de José Luis Alcaine*. Lástima que por su habitual dificultad para rematar sus historias y su excesivo interés en hacer un cuento moral, Bigas Luna* castigue demasiado a su personaje en la última parte de la película.

Director: *Bigas Luna.* Guionistas: *Bigas Luna, Cuca Canals.* Fotografía: *José Luis Alcaine.* Música: *Nicolo Piovanni.* Intérpretes: *Javier Bardem, Maribel Verdú, María de Medeiros, Elisa Touati, Rachel Bianca.* Producción: *Andrés Vicente Gómez para Lola Films (Barcelona), Ovideo TV (Madrid), Filmauro (Roma), Hugo Films (París).* Duración: *90 min.*

IGLESIA, Eloy de la *(Eloy de la Iglesia Diéguez. Zarauz, Guipúzcoa, 1944)*

Tras hacer algunos cursos de filosofía y letras en la Universidad de Madrid, su interés por el teatro le lleva en 1961 a dirigir el Teatro Popular Infantil. A los veintidós años debuta como realizador con *Fantasía... 3* (1966), una producción para niños integrada por tres episodios y basada en su experiencia en televisión, a la que siguen el personal y sórdido melodrama *Algo amargo en la boca* (1967) y la historia de boxeo *Cuadrilátero* (1969). Con continuos problemas de censura hasta el final de la dictadura del general Franco, se especializa en narrar anécdotas policiacas con trasfondo erótico en *El techo de cristal* (1970), *La semana del asesino* (1971), *Nadie oyó gritar* (1972) y *Una gota de sangre para morir amando* (1973). Con la llegada de la democracia terminan de entrar en su cine el erotismo, *Juego de amor prohibido* (1975), *La otra alcoba* (1976); la homosexualidad, *Los placeres ocultos* (1976), *El sacerdote* (1978); la zoofilia, *La criatura* (1977); y la política, *El diputado** (1978), *La mujer del ministro* (1981), dentro de unos argumentos cada vez más complejos, excesivos y curiosos. Su cine sólo alcanza un auténtico interés cuando, sobre guiones de Gonzalo Goicoechea* y suyos, empieza a exponer los problemas que acarrea la droga en los submundos de las grandes ciudades en *Navajeros** (1980), *Colegas** (1982), su mejor película, *El pico** (1983) y *El pico II* (1984), sus grandes éxitos, sobre las desventuras del hijo heroinómano de un guardia civil destinado en el País Vasco. También puede unirse a este grupo *La estanquera de Vallecas* (1987), fallida adaptación de la obra teatral homónima de Alonso de Santos, pero quedan al margen de su cine la irregular *Miedo a salir de noche* (1979) y sobre todo *Otra vuelta de tuerca* (1985), intento de exquisita adaptación de la conocida novela homónima del norteamericano Henry James.

IN MEMORIAM *(1977)*

En su primera y única película como director, Enrique Brasó parte de un cuento del argentino Adolfo Bioy Casares para narrar una romántica y triangular historia de amor. Una minuciosa estructura divide la historia en tres partes: la narración de Luis Bosch (Eusebio Poncela*) de sus relaciones con Paulina (Geraldine Chaplin*), que se complementa con la de Julio Montero (José Luis Gómez*) desde su punto de vista, más una tercera de cierta belleza formal, centrada en un complejo plano donde se pasa de un punto de vista a otro, en que se aglutina y reconstruye la historia. Lástima que resulte demasiado fría lo que debió ser apasionada historia amorosa, sin olvidar un poco atractivo tonillo televisivo, extraído de los programas dramáticos de la época en que trabajaban habitualmente guionistas y realizador.

Director: *Enrique Brasó*. Guionistas: *Juan Tebar, José María Carreño, Enrique Brasó*. Fotografía: *Teo Escamilla*. Música: *Luis Eduardo Aute*. Intérpretes: *Geraldine Chaplin, José Luis Gómez, Eusebio Poncela, José Orjas, Eduardo Calvo*. Producción: *Emiliano Piedra P. C.* Duración: *100 min.*

INQUILINO, EL *(1958)*

La dureza de la historia del practicante Evaristo (Fernando Fernán-Gómez*), su mujer, Marta (María Rosa Salgado*), y sus cuatro hijos, a pesar de estar escrita en clave de comedia, hace que la película sea prohibida por el Ministerio de la Vivienda, creado ese mismo año, sea cortada y obligados sus productores a rodar otro final. En la versión original se contaba cómo le comunican a la modesta familia la demolición del viejo edificio donde viven, tratan de buscar un nuevo alojamiento en un moderno bloque de viviendas, pero no lo encuentran y van descendiendo de piso a medida que derriban el inmueble y, finalmente, acaban en la calle rodeados de sus pertenencias. Tras recorrer un largo calvario, privada de gran parte de su fuerza, se estrena de mala manera seis años después, convirtiéndose en una de las principales víctimas de la censura del general Franco. Sólo se conserva la versión cortada y manipulada hasta resultar irreconocible, pero los pocos que ven la original la consideran el mejor trabajo de José Antonio Nieves Conde*, que posteriormente, como es lógico, no vuelve a hacer ninguna obra crítica.

Director: *José Antonio Nieves Conde*. Guionistas: *M. Sebares, José María Perea, José Antonio Nieves*

Conde. Fotografía: *Francisco Sempere.* Intérpretes: *Fernando Fernán-Gómez, María Rosa Salgado, José Marco Davó, Francisco Camoira.* Producción: *Films Españoles Cooperativa.* Duración: *89 min.*

INTRIGA *(1942)*

Tras un breve prólogo donde se ironiza sobre las películas policíacas, se desarrolla una complejísima y un tanto repetitiva trama, jalonada de cadáveres, donde el inspector Ferrer (Manolo Morán*) trata de encontrar al asesino, hasta que, cansado de tanto crimen y tanta intriga, se vuelve hacia la cámara y acusa al director de ser el único responsable del lío, pero éste se defiende diciendo que las historias policíacas son así, mientras se detiene la acción y los actores comienzan a beber, comer y charlar entre ellos. Basada en la novela corta *Un cadáver en el comedor,* de Wenceslao Fernández Flórez, y con diálogos de Miguel Mihura*, es una clara muestra del absurdo humor de la época, pero evidentemente el plúmbeo Antonio Román* no es el director adecuado para tan particular comedia policíaca.

Director: *Antonio Román.* Guionistas: *Antonio Román, Pedro de Juan, Miguel Mihura.* Fotografía: *Michel Kelber.* Música: *Salvador Ruiz de Luna.* Intérpretes: *Julio Peña, Blanca de Silos, Manolo Morán, Guadalupe Muñoz Sampedro.* Producción: *Tomás Botas para Stella Films.* Duración: *77 min.*

INTRUSO *(1993)*

Gran especialista en la adaptación de novelas españolas contemporáneas, Vicente Aranda* inicia con *Amantes* (1991) una nueva etapa en su carrera, basada en la recreación de grandes crímenes pasionales, que continúa en esta producción. De nuevo producida por Pedro Costa* y escrita en colaboración con Álvaro del Amo*, da un paso más en la línea que une el amor y la muerte a través de la pasión. Narra cómo Luisa (Victoria Abril*), la convencional mujer burguesa del mejor odontólogo de Santander, encuentra un día por casualidad a su primer marido, Ángel (Imanol Arias*), reducido a la mendicidad y enfermo, y se lo lleva a vivir a su lujosa casa con su actual marido, Ramiro (Antonio Valero*), viejo amigo de ambos, y sus hijos. En un imposible intento por recuperar un perdido paraíso infantil, donde ella quería casarse con los dos, Luisa comienza a cohabitar con sus dos maridos bajo un mismo techo, pero surgen rivalidades y celos hasta llegar a un dramático final. En esta anómala situación tienen un papel preponderante los niños, tanto los hijos del matrimonio, que se convierten en espectadores y comentadores cualificados de los hechos que empiezan a ocurrir ante sus ojos, como los que en su momento fueron los protagonistas, que se ven reflejados en el nuevo trío

Imanol Arias y Victoria Abril en *Intruso*, de Vicente Aranda

que forman los niños y el intruso. El resultado es una obra de una gran dureza, con unos escuetos, directos y eficaces diálogos, que ocupa una posición de honor en la filmografía de Aranda*. Destaca una luminosa fotografía de José Luis Alcaine* y el trabajo interpretativo de la pareja Victoria Abril* e Imanol Arias*, convertidos en actores característicos de Aranda*, sobre todo en la impresionante escena donde ella intenta y consigue revivirle.

Director: *Vicente Aranda*. Guionistas: *Álvaro del Amo, Vicente Aranda*. Fotografía: *José Luis Alcaine*. Música: *José Nieto*. Intérpretes: *Victoria Abril, Imanol Arias, Antonio Valero*. Producción: *Pedro Costa P. C.* Duración: *90 min.*

INVIERNO EN MALLORCA, UN
(Jutrzenka, 1969)

El músico polaco Federico Chopin (Christopher Sandford) y la escritora francesa George Sand (Lucía Bosé*) pasan el invierno de 1838 en la cartuja de Valldemosa, en la isla de Mallorca, pero lo que se presenta como una idílica temporada no llega a serlo porque la enfermedad de él enturbia sus relaciones sentimentales y la animadversión de los lugareños las sociales. Con estos elementos, y sobre guión de su colaborador habitual Román Gubern*, y el propio realizador, Jaime Camino* construye una ambiciosa película que pretende no sólo narrar una deteriorada historia amorosa, sino hacer un retrato de la España negra de la época. Un guión y una dirección no demasiado ágiles, así como diferentes enfrentamientos con la censura del general Franco, hacen que el resultado quede lejos de las intenciones.

Director: *Jaime Camino.* Guionistas: *Román Gubern, Jaime Camino.* Fotografía: *Luis Cuadrado.* Música: *Federico Chopin.* Intérpretes: *Lucía Bosé, Christopher Sandford, Henri Sarre, Enrique San Francisco, Serena Vergano.* Producción: *Jaime Camino para Tibidabo Films, Estela Films.* Duración: *105 min.*

IQUINO, Ignacio F. *(Ignacio Ferrés Iquino. Valls, Tarragona, 1910-Barcelona, 1994)*

Hijo del compositor Ramón Ferrés y de la actriz Teresa Iquino, estudia música y pintura, realiza exposiciones, colabora como dibujante en diferentes diarios, monta un estudio fotográfico y estrena comedias y revistas teatrales. Interesado por el cine, crea la productora Emisora Films, para la que realiza su primer largometraje, *Al margen de la ley* (1935), sobre el famoso robo al expreso de Andalucía durante la dictadura del general Primo de Rivera. La guerra española le sorprende a mitad del rodaje de *Diego Corrientes* (1936), que acaba con ciertas dificultades. Durante la guerra rueda para la F.A.I. el mediometraje cómico *Paquete, el fotógrafo público n.º 1* (1938), y en la posguerra se convierte en un pro-

lífico realizador de comedias sentimentales para la productora Cifesa, con títulos como *El difunto es un vivo* (1941), *El pobre rico* (1942) o *Boda accidentada* (1942). Su éxito le anima a volver a poner en funcionamiento Emisora Films y trabajar en exclusiva para ella con películas de bajo presupuesto, entre las que destacan las policiacas *Una sombra en la ventana* (1944), *El obstáculo* (1945) y, sobre todo, *Brigada criminal** (1950), pero consiguen mayor resonancia la histórico-patriotera *El tambor de Bruch* (1948), la adaptación de la obra homónima de Antonio Buero Vallejo *Historia de una escalera* (1950) y la religiosa *El judas** (1952). A comienzos de los años cincuenta también produce películas ajenas, como los atractivos policiacos *Apartado de correos 1001** (1950), de Julio Salvador*; *Relato policiaco* (1954), de Antonio Isasi*; o la eficaz comedia *Mi adorado Juan** (1950), de Jerónimo Mihura*. Su cine posterior, realizado para su productora y distribuidora Ifisa, tiene mucho menor interés, se pliega demasiado a las necesidades del mercado y siempre está hecho con muy limitados medios, hasta llegar a dirigir ochenta largometrajes en cincuenta años de profesión. Así, se suceden las películas folclóricas, *Fuego en la sangre* (1953); las taurinas, *El niño de las monjas*

(1959); las historias con niños, *Las travesuras de Morucha* (1962); las apologías de la guardia civil, *El primer cuartel* (1966); los *spaghetti-western* firmados con seudónimo, *Un colt con cuatro cirios* (1971); las eróticas de seudo-denuncia social rodadas en doble versión, *Aborto criminal* (1973); y las pornográficas, *La caliente niña Julieta* (1980).

IRONÍA DEL DINERO, LA *(1955)*

Tras una grata experiencia como productor en cinco de sus mejores películas como realizador, Edgar Neville* tiene tantos problemas con los franceses en esta coproducción que se aleja definitivamente de la producción. Integrada por cuatro episodios sobre las relaciones de la gente con el dinero, tres están dirigidos por Neville* y el cuarto por el francés Guy Lefranc. El primero narra cómo el limpiabotas sevillano Frasquito (Fernando Fernán-Gómez*) encuentra una cartera con bastante dinero y se lo gasta con una francesa (Cecile Aubry) durante una noche. El segundo, el francés, cuenta cómo el vendedor de periódicos de una importante estación de ferrocarril encuentra una maleta llena de dinero, él quiere devolverlo, su mujer se opone y acaba quedándose con él un guardafrenos. El tercero relata cómo un modesto funcionario salmantino (Antonio

Vico*) ve como se le cae la cartera a un señor, trata de devolvérsela en varias ocasiones, pero no lo consigue. Y el cuarto narra cómo un mediocre torero (Antonio Casal*) fracasa en una corrida en la madrileña plaza de Las Ventas, pero encuentra una fuerte suma de dinero, decide abandonar su arriesgada profesión, comprar un tractor y volver a cultivar los campos familiares. La habilidad de Edgar Neville* como realizador se aprecia con claridad al comparar el episodio de Guy Lefranc con los suyos.

Directores: *Edgar Neville, Guy Lefranc.* Guionista: *Edgar Neville.* Fotografía: *Alfredo Fraile, Ted Pahle.* Música: *José Muñoz Molleda.* Intérpretes: *Fernando Fernán-Gómez, Jean Carmet, Antonio Vico, Antonio Casal.* Producción: *Edgar Neville (Madrid), Les Grands Films (París).* Duración: *90 min.*

ISASI, Antonio *(Antonio Isasi Isasmendi. Madrid, 1927)*

Educado en Barcelona, entra en contacto con el cine cuando a los trece años comienza a trabajar como botones en la productora de comedias Emisora Films. Prosigue como auxiliar, ayudante y montador de múltiples películas entre 1947 y 1954, la mayoría producidas o dirigidas por Ignacio F. Iquino*. Al tiempo que también colabora en guiones, dirige cortometrajes y trabaja como jefe de producción. Debuta como realizador con *Relato poli-*

ciaco (1954), una producción de Emisora Films situada dentro del contexto de cine policiaco catalán de comienzos de los cincuenta. Posteriormente crea Producciones Isasi, con la que financia tanto películas ajenas como las más variadas propias, desde historias con niños, *La huida* (1955); panfletos anticomunistas sobre la revolución húngara de 1956 rodados en una Barcelona que trata de ser Budapest, *Rapsodia de sangre* (1957); hasta historias de acción más o menos sofisticadas, *Pasión bajo el sol* (1956), *Diego Corrientes* (1959), *Sentencia contra una mujer* (1960); comedias policiacas sobre guiones originales, *La mentira tiene cabellos rojos* (1960), o basadas en obras de teatro de Alfonso Paso, *Vamos a contar mentiras* (1962); e incluso un guión sobre la guerra española que a pesar de su fecha de producción intenta ser imparcial y tiene problemas con la censura, *Tierra de todos* (1961). Encuentra su camino cuando, con *La máscara de Scaramouche* (1963), empieza a hacer caras coproducciones europeas de acción y consigue su primer éxito con *Estambul 65* (1965). Sigue esta línea de relatos de acción con actores internacionales en *Las Vegas 500 millones* (1968), *Un verano para matar* (1972), su mejor trabajo, y *El perro* (1977). Se sitúan entre sus últimas producciones el fallido documental *Rafael en Raphael* (1975), y *El aire de un crimen* (1988), adaptación de la novela homónima de Juan Benet desarrollada de manera similar a sus iniciales películas policiacas.

ISBERT, José *(José Isbert Alvarruiz. Madrid, 1886-Madrid, 1966)*

Tras obtener el título de profesor mercantil, su interés por el Teatro le lleva a debutar como actor a los diecinueve años en el teatro Apolo de Madrid. Más tarde pasa a integrar la compañía del Teatro Lara de Madrid, en la que llega a ser primer actor durante dieciséis años y con la que hace repetidas giras por España y Latinoamérica, para luego trabajar en la de Lola Membrives y llegar a formar compañía propia en 1935. Aunque debuta en cine con *Asesinato y entierro de don José de Canalejas* (1912), de Abelardo Fernández, interviene en un par de películas mudas durante los años veinte y trabaja en los estudios de Joinville, cerca de París, en las versiones castellanas de producciones Paramount a comienzos de los años treinta, su carrera cinematográfica sólo comienza en la posguerra. Su trabajo a lo largo de casi ciento veinte películas le convierten en uno de los mejores, más destacados y conocidos secundarios del cine español, pero su peculiar físico y su sentido del humor también le hacen ser el inolvidable protagonista de *¡Bienvenido, míster Marshall!** (1952), *Calabuch** (1956), *Los jueves, milagro** (1957) y, sobre todo, *El verdugo** (1963), de Luis G. Berlanga*; *Historias de la radio** (1955), de José Luis Sáenz de Heredia*; *El cochecito** (1960), de Marco Ferreri*; *Don Lucio y el hermano Pío* (1960), de José Antonio Nieves Conde*; y *Los dinamiteros** (1963), de Juan G. Atienza. Padre de la gran actriz secundaria de larga trayectoria María Isbert y abuelo del galán Tony Isbert.

DICCIONARIO
DEL
CINE ESPAÑOL

J

JAMÓN, JAMÓN *(1992)*

Las relaciones entre la prostituta (Anna Galiena), que regenta un bar de carretera, y la propietaria (Stefania Sandrelli) de una fábrica de ropa interior masculina a través del amor entre sus respectivos hijos, la exuberante Silvia (Penélope Cruz) y un anodino muchachito, entre los que se interpone el impetuoso repartidor de jamones que quiere ser torero, Raúl (Javier Bardem), da lugar a un tradicional drama rural hispánico, pero ambientado en insólitos paisajes de los Monegros y resuelto con humor e imaginación. Bigas Luna* logra mejorar su estilo a base de planos cortos al mezclarlos con complejos planos generales para contar una historia donde la comida juega un destacado papel, pero donde no está bien dada la relación geográfica entre los diferentes bloques de escenas. Las prostitutas hacen excelentes tortillas de patata con cebolla, se come mucho ajo y hay una pelea final a muerte a jamonazos con resonancias goyescas. Tras una exposición brillante, el guión no parece muy trabajado y la segunda parte tiene una débil estructura dramática. Frente a la veteranía de la italiana Stefania Sandrelli y la francesa Anna Galiena, destacan los debutantes españoles Penélope Cruz y Javier Bardem.

Director: *Bigas Luna.* Guionistas: *Bigas Luna, Cuca Canals.* Fotografía: *José Luis Alcaine.* Música: *Nicola Piovani.* Intérpretes: *Stefania Sandrelli, Anna Galiena, Javier Bardem, Penélope Cruz, Juan Diego, Jordi Molla.* Producción: *Lolafilms.* Duración: *94 min.*

JORDÁ, Joaquín *(Joaquín Jordá Catalá. Santa Coloma de Farners, Gerona, 1935)*

Licenciado en derecho, en 1958 ingresa en el Instituto de Investigaciones y Experiencias Cinematográficas. Mientras publica artículos en las revistas *Acento Cultural, Cinema Universitario,*

Nuestro Cine, etc., trabaja como ayudante de dirección, *script,* jefe de producción y actor. Junto con el productor y realizador Jacinto Esteva*, es uno de los creadores del movimiento renovador denominado *Escuela de Barcelona* y su principal teórico. Entre sus muchos guiones destacan los escritos para Carlos Durán, *Cada vez que...** (1967) y *Liberxina 90* (1970); Vicente Aranda*, *Cambio de sexo* (1977), *El Lute, camina o revienta** (1987), *El Lute II, mañana seré libre* (1988) y la serie de Televisión Española *Los jinetes del Alba* (1990); Mario Camus*, *La vieja música* (1985), y Andrés Linares, *Trío* (1986). También dirige la película manifiesto de la *Escuela de Barcelona, Dante no es únicamente severo** (1967), a medias con Jacinto Esteva*; *Numax presenta...* (1979), un curioso panfleto político producido con el dinero de la caja de resistencia de los obreros en huelga de la fábrica Numax, y *El encargo del cazador* (1990), un interesante documental sobre los últimos años de Jacinto Esteva* protagonizado por su hija; así como numerosas películas militantes rodadas en Italia y Portugal a comienzos de los años setenta. Apreciable traductor, está especializado en la traducción de novelas del italiano.

JOSELITO *(José Jiménez Fernández. Jaén, 1947)*
Siendo un niño de corta edad comienza a cantar en emisiones de radio, Luis Mariano coincide con él en un recital, le convence para que actúen juntos en París y le proporciona trabajo en la radio y la televisión francesas. Descubierto por Antonio del Amo*, le dirige en ocho de sus catorce películas, *El pequeño ruiseñor* (1956), *Saeta del ruiseñor* (1957), *El ruiseñor de las cumbres* (1958), *Escucha mi canción* (1958), *El pequeño coronel* (1959), *Los dos golfillos* (1960), *Bello recuerdo* (1961) y *El secreto de Tommy* (1963). El éxito de sus tres primeras películas, la denominada trilogía del *ruiseñor,* es de tales proporciones, no sólo en España, sino también en Francia, Italia, Latinoamérica e incluso Japón, que le convierte en una de las grandes *estrellas* del cine español y Pier Paolo Pasolini incluye alguna de sus canciones en la banda sonora de *Mamma Roma* (1962). Entre sus restantes películas cabe citar *Loca juventud* (1963), de Manuel Mur Oti*, y *La vida nueva de Pedrito de Andía* (1964), de Rafael Gil*, pero nunca logra superar la fórmula del folletín con canciones, ni consigue dar el salto de niño a adulto, aunque su peculiar forma de cantar resulte inolvidable.

JUDAS, EL *(1952)*
Dentro de la tan amplia como poco interesante filmografía del productor, director y distribuidor Ignacio F. Iquino*, destaca esta

tradicional película religiosa de los años cincuenta a la que intenta dotar de un cierto fondo social. Ambientada en Esparraguera, un pueblo catalán cercano a la sierra de Montserrat donde los vecinos representan la pasión durante la Semana Santa, narra los problemas morales que se le plantean a uno de los peores hombres de la localidad cuando le corresponde el papel de Judas. Rodada en versión catalana y castellana, el mismo día de su estreno en Barcelona la censura del general Franco prohíbe la versión hablada en catalán.

Director: *Ignacio F. Iquino.* Guionista: *Rafael J. Salvia.* Fotografía: *Pablo Ripoll.* Música: *Augusto Algueró, Casas Augé.* Intérpetes: *Antonio Vilar, Manuel Gas.* Producción: *Ignacio F. Iquino para Emisora Film.* Duración: *94 min.*

JUEGO MÁS DIVERTIDO, EL *(1987)*

Especializado en la escritura, producción y realización de comedias, en esta ocasión Emilio Martínez-Lázaro* rueda una tradicional comedia de enredos con algo de vodevil. Narrada a través de una sucesión de *flash-back* por los propios protagonistas, cuenta las estratagemas que deben realizar Ada Lasa (Victoria Abril*) y Bruno Laforgue (Antonio Valero*), protagonistas de la popular serie de televisión *Hotel de Fez,* para escapar de sus respectivas parejas, Dionisio (Santiago Ramos) y Betty (Maribel Verdú*), y entregarse el uno al otro. El re-

sultado es brillante, divertido e irregular, lo mismo que ocurre con la interpretación del amplio reparto.

Director: *Emilio Martínez-Lázaro.* Guionistas: *Emilio Martínez-Lázaro, Luis Ariño.* Fotografía: *Juan Amorós.* Música: *Ángel Muñoz-Alonso.* Intérpretes: *Victoria Abril, Antonio Valero, Antonio Resines, Maribel Verdú, Santiago Ramos, Miguel Rellán.* Producción: *Emilio Martínez-Lázaro para Kaplan.* Duración: *93 min.*

JUEVES, MILAGRO, LOS *(1957)*

De todas las películas de Luis G. Berlanga* es la más afectada por la censura del general Franco, en la medida que no sólo está cortada como otras, sino que su segunda parte está reescrita por un anónimo censor dominico, hasta el punto que Berlanga* intenta que firme el guión con los demás guionistas. La excelente primera parte narra cómo las fuerzas vivas de la localidad de un pequeño pueblo, tomando como ejemplo el milagro de Fátima, deciden inventarse las apariciones de un santo, san Dimas, para dar nueva vida al balneario de Fontecilla, del que viven todos. Así, el propietario del balneario, don Ramón (Alberto Romea); el médico, don Evaristo (Félix Fernández); el alcalde, don Antonio (Juan Calvo); el maestro, don Salvador (Paolo Stoppa), y el peluquero, don Manuel (Manuel de Juan), convencen a don José (José Isbert*) para que se disfrace de san Dimas y, con la ayuda de todos, se aparezca en la estación al pobre Mauro (Manuel Alexandre), en una sucesión de buenas escenas. Todo se tuerce en la segunda parte, cuando aparece en persona san Dimas (Richard Basehart), una extraña mezcla de prestidigitador y adivino, para conseguir que los seis implicados se arrepientan de lo que han hecho, realizar auténticos milagros y demostrar que «la fe todo lo puede», como subraya en su carta final de despedida.

Director: *Luis G. Berlanga*. Guionistas: *Luis G. Berlanga, José Luis Colina*. Fotografía: *Francisco Sempere*. Música: *Franco Ferrara*. Intérpretes: *Richard Basehart, José Isbert, Paolo Stoppa, Juan Calvo,* *Alberto Romea, Guadalupe Muñoz Sampedro, Félix Fernández, Manuel Alexandre, José Luis López Vázquez.* Producción: *Ariel Films (Madrid), Domiziana Continentale (Roma).* Duración: *90 min.*

JUGUETES ROTOS *(1966)*

Interesado por el documental, por el cine que se aparte de la estricta ficción, Manuel Summers* hace varias películas en esta dirección, pero sólo ésta tiene interés. A partir de reportajes entremezclados sobre el boxeador Paulino Uzcudun, el torero Nicanor Villalta, el levantador de pesos Guillermo Gorostiza, el animador «El Gran Gilbert», indaga sobre las personas que en una determinada época son famosas y luego caen en el olvido. El

«El Gran Gilbert» en *Juguetes rotos,* de Manuel Summers

resultado tiene un peculiar atractivo, pero al no tener nada que ver con el cine del momento, encuentra grandes dificultades para su difusión y acaba siendo un gran fracaso de público que marca el final del primer y mejor período de su carrera.

Director y guionista: *Manuel Summers*. Fotografía: *Luis Cuadrado, Francisco Fraile*. Música: *Carmelo Bernaola*. Intérpretes: *Paulino Uzcudun, Nicanor Villalta, Guillermo Gorostiza, El Gran Gilbert, Ricardo Alís, Hilario Martínez*. Producción: *Manuel Summers para Paraguas Films, Pefsa*. Duración: *80 min.*

DICCIONARIO DEL CINE ESPAÑOL

K

KELBER, Michel *(Kiev, Rusia, 1908)*

Instalado desde joven en Francia, es uno de los grandes directores de fotografía del cine francés. Entre otros muchos, trabaja con Julien Duvivier en *Carnet de baile* (Carnet de bal, 1937), Marcel L'Herbier en *La tragédie infernale* (1938), Robert Siodmak en *Trampas* (Pièges, 1939), René Clair en *La belleza del diablo* (La beauté du diable, 1949), Jean Renoir en *French Cancan* (1954), Nicholas Ray en *Bitter Victory* (1957). Su origen judío hace que durante la ocupación nazi de Francia, en la II Guerra Mundial, viva y trabaje exclusivamente en España, donde rueda *Goyescas* (1942), de Benito Perojo*; *Intriga** (1943) y *Lola Montes* (1944), de Antonio Román*; *Castillo de naipes** (1943) y *Confidencias* (1947), de Jerónimo Mihura*; *El escándalo* (1943) y *Bambú* (1945), de José Luis Sáenz de Heredia*. En la posguerra vuelve a Francia, pero durante los años cincuenta y sesenta trabaja en España con cierta asiduidad. Entre sus restantes películas españolas cabe destacar *El gran galeoto* (1951) y *La señora de Fátima* (1951), de Rafael Gil*; *Nadie lo sabrá* (1953), de Ramón Torrado* y *Calle Mayor** (1956), de J. A. Bardem*.

KIKA *(1993)*

Tal como suele ser habitual en las películas de Pedro Almodóvar*, las relaciones entre la inocente maquilladora Kika (Verónica Forqué*) y la terrible Andrea Caracortada (Victoria Abril*), presentadora de un *reality show* de televisión, con el enigmático norteamericano Nicholas Pierce (Peter Coyote), que escribe novelas policiacas, y su hijastro fotógrafo Ramón (Alex Casanovas), no resultan muy claras. Tiene un comienzo brillante, con la presentación de sus peculiares personajes, y un prometedor arranque con una variada mezcla de melodramáticas historias, pero una vez que hay demasiados elementos en juego a medio camino entre la comedia y la tragedia, cuando el rompecabezas se complica en exceso, Almodóvar* tiene serias dificultades para resolverlo por graves fallos en la estructura dramática de su historia. Lo que hace que frente a brillantes escenas, como la de la larga y compleja violación, haya otras sumamente aburridas, como la explicativa final entre el novelista y su hijastro, con un claro desequilibrio del conjunto a medida que avanza la narración. Y además, los actores, baza muy importante dentro de su cine, no logran salvar la incoherencia de sus personajes, al ser en buena parte devorados por ella.

Director y guionista: Pedro Almodóvar. Fotografía: Alfredo Mayo. Intérpretes: Verónica Forqué, Peter Coyote, Victoria Abril, Alex Casanovas, Rossy de Palma. Producción: Agustín Almodóvar para El Deseo (Madrid) y Ciby 2000 (París). Duración: 105 min.

KLIMOVSKY, León (*León Klimovsky Dulfán. Buenos Aires, Argentina, 1906-Madrid, 1996*)

Perteneciente a una familia de origen ruso, es doctor en medicina y durante quince años ejerce como dentista. Su interés por las películas le lleva a abandonar paulatinamente esta actividad y pasar de escribir sobre cine y rodar algunos cortometrajes a debutar como realizador con *El jugador* (1947). Vinculado desde el comienzo de esta nueva carrera con España, por rodar aquí su segundo largometraje, *La guitarra de Gardel* (1949), y colaborar en la coproducción de episodios *Tres citas con el destino* (1953), se instala definitivamente a mediados de los años cincuenta. De sus casi cien películas como realizador, rueda setenta en España, pero la práctica totalidad son subproductos de escaso presupuesto caracterizados por su diversidad. Van desde la adaptación de *La pícara molinera* (1955), sobre la novela de Pedro Antonio de Alarcón; la comedia *Viaje de novios* (1956), la primera producida por José Luis Dibildos*, y la biografía de Ramón y Cajal, *Salto a la gloria* (1959); hasta desmelenados melodramas, *Ama Rosa* (1960), sobre la novela radiofónica de Guillermo Sautier Casaseca; *spaghetti-western* de bajo presupuesto, *Dos mil dólares por coyote* (1965), y producciones de terror de cierto éxito, *La noche de Walpurgis* (1970). Entre sus trabajos como actor, realizados en la última parte de su carrera, destaca su intervención en *Maravillas** (1980), de Manuel Gutiérrez Aragón*.

DICCIONARIO DEL CINE ESPAÑOL

L

LADOIRE, Óscar *(Óscar Ladoire Montero. Madrid, 1954)*

Estudia en la facultad de Ciencias de la Información, durante la segunda mitad de la década de los setenta colabora como actor, guionista o director en varios cortometrajes. Entre medias del éxito logrado como actor y coguionista en las comedias *Ópera prima** (1980) y *Sal gorda* (1985), de Fernando Trueba*, escribe en colaboración, dirige y protagoniza *A contratiempo** (1981). Entre sus restantes trabajos como actor destacan los realizados en *La noche más hermosa** (1984), de Manuel Gutiérrez Aragón*; *El viaje a ninguna parte** (1986), de Fernando Fernán-Gómez*; *Las edades de Lulú* (1990), de Bigas Luna* y *Alegre ma non troppo* (1994), de Fernando Colomo*. Vuelve a escribir, dirigir y protagonizar *Esa cosa con plumas* (1987), pero el resultado carece de atractivos.

LAMET, Juan Miguel *(Juan Miguel Lamet Martínez. Cádiz, 1933)*

Tras una etapa como crítico y ensayista cinematográfico, funda la productora Eco Films y comienza a trabajar como guionista y productor, generalmente en películas dirigidas por debutantes licenciados en la Escuela Oficial de Cinematografía. Entre ellas cabe citar *Del rosa al amarillo** (1963) y *La niña de luto* (1964), de Manuel Summers*; *La tía Tula** (1964), de Miguel Picazo*; *Nueve cartas a Berta** (1965), de Basilio M. Patino*; *Crimen de doble filo** (1964), de José Luis Borau*, y *Del amor y otras soledades* (1968), de Basilio M. Patino*. En enero de 1992 es nombrado director general de Cinematografía y dimite en marzo de 1994.

LANDA, Alfredo *(Alfredo Landa Areta. Pamplona, 1933)*

Hijo de un capitán de la guardia civil, a los doce años se traslada con su familia a San Sebastián. Comienza a estudiar derecho, pero su interés por el teatro le lleva a colaborar en la fundación del T.E.U. y represen-

Mari Carmen Prendes, Alfredo Landa y Silva Koscina en *No desearás la mujer del vecino,* de Fernando Merino

tar en él más de cuarenta obras. En 1958 llega a Madrid, empieza a trabajar en el terreno del doblaje, tres años después debuta como actor profesional en el teatro y en seguida hace un importante papel en *Atraco a las tres** (1962), de José María Forqué*. Su amplia filmografía, integrada por más de cien películas rodadas en treinta años, está dividida en tres etapas claramente diferenciadas. La primera se extiende por los años sesenta, alterna con una amplia actividad teatral y está integrada por personajes secundarios de carácter cómico que cada vez tienen mayor amplitud, *El verdugo** (1963), de Luis G. Berlanga*; *Ninette y un señor de Murcia* (1965), de Fernando Fernán-Gómez*; *De cuerpo presente* (1965), de Antonio Eceiza*, o incluso protagonistas, *La niña de luto* (1964) y *No somos de piedra* (1968), de Manuel Summers*. La segunda etapa está marcada por el gran éxito de *No desearás al vecino del quinto* (1970), de Ramón Fernández*, abarrotada de «comedias a la española», y llega hasta mediados de los años setenta. Y la tercera comienza con *El puente* (1976), de J. A. Bardem*, cada vez le aleja más de las comedietas y se caracteriza por sus trabajos con José Luis Garci*, *Las verdes praderas* (1979), *El crack** (1981) y *El crack II* (1983), donde encarna al detective Areta, su segundo apellido, *Canción de cuna* (1994); Antonio Mercero*, *La próxima estación* (1982); Luis G. Berlanga*, *La vaquilla** (1984); Basilio M. Patino*, *Los paraísos perdidos** (1985); José Luis Borau*, *Tata mía** (1986); José Luis Cuerda*, *El bosque animado** (1987), y Luigi Comencini, *Marcelino, pan y vino* (1991). Entre sus papeles destaca el del fiel campesino Paco en *Los santos inocentes** (1984), de Mario Camus*, que le vale el premio de interpretación del Festival de Cannes, y el de Sancho Panza en la serie de televisión *Don Quijote* (1991) y el padre de *El rey del río** (1995), de Manuel Gutiérrez Aragón*.

LARGAS VACACIONES DEL 36, LAS *(1975)*

Tras cinco películas que no sólo escribe y dirige, sino también produce, Jaime Camino* realiza para el productor José Frade* su primer éxito comercial. Da una particular versión de la guerra española a través de un grupo de niños a quienes sorprende la rebelión militar del 18 de julio de 1936 veraneando con sus familias en un pequeño pueblo de los alrededores de Barcelona. La censura corta el plano final donde, tras la salida de las fuerzas republicanas del pueblo en que se desarrolla la acción, entraban las tropas moras del

Ángela Molina e Ismael Merlo en *Las largas vacaciones del 36,* de Jaime Camino

general Franco. Seis años después Jaime Camino* dirige y produce, sobre un guión donde también colabora Manuel Gutiérrez Aragón*, una especie de segunda parte, *El largo invierno* (1991), que narra el final de la guerra en Barcelona a partir de dos hermanos que militan en distintos bandos y el mayordomo de la casa familiar, pero pasa demasiado desapercibida.

Director: *Jaime Camino.* Guionistas: *Jaime Camino, Manuel Gutiérrez Aragón.* Fotografía: *Fernando Arribas.* Música: *Xavier Montsalvatge.* Intérpretes: *Analía Gadé, Ismael Merlo, Ángela Molina, Vicente Parra, Francisco Rabal, José Sacristán, Conchita Velasco.* Producción: *José Frade P. C.* Duración: *101 min.*

LARRAYA, Federico G. *(Federico Gutiérrez-Larraya Planas. Madrid, 1919)*

Estudia dibujo, pintura y escultura en la Escuela Superior de Bellas Artes de Barcelona. Interesado por la fotografía y el cine, a principios de los años cuarenta comienza a trabajar como auxiliar de cámara en NO-DO y en diferentes películas. Contratado por la productora Emisora Films, debuta como director de fotografía en *El señorito Octavio* (1959), de Jerónimo Mihura*, y luego realiza la fotografía realista de los más famosos policiacos catalanes de la época: *Apartado de correos 1001** (1950), de Julio Salvador*; *Juzgado perma-nente* (1953), de Joaquín L. Romero-Marchent*; *Relato policíaco* (1954), de Antonio Isasi*. Entre sus películas posteriores pueden citarse las comedias que rueda con Pedro L. Ramírez*, *Los ladrones somos gente honrada* (1956), *La Cenicienta y Ernesto* (1957), *El tigre de Chamberí* (1957), *El gafe* (1958), y con Pedro Lazaga*, *Miss Cuplé* (1959), *La pandilla de los once* (1962), *Fin de semana* (1963). Sin olvidar *El espontáneo** (1964), de Jorge Grau*, y el *spaghetti-western* rodado en coproducción *Por un puñado de dólares* (1964), de Sergio Leone. Y entre sus últimos trabajos destaca la serie de siete zarzuelas dirigidas para televisión por Juan de Orduña* en 1968 y 1969.

LARRAZ, José R. *(José Ramón Larraz Gil. Barcelona, 1929)*

Tras una larga estancia en el extranjero trabajando como dibujante y fotógrafo de modas en distintas revistas, debuta como director de cine con la producción británica *Whirpool* (1969). El fracaso de *La muerte incierta* (1971) y *Emma, puertas oscuras* (1973), que rueda en Barcelona, le devuelve al Reino Unido, donde realiza otras cuatro películas entre las que destaca *Síntomas* (Sympsoms, 1974), que compite en el Festival de Cannes. Con la llegada de la democracia regresa a España para convertirse en un regular especialista en producciones eróticas a través de *El fin de la inocencia* (1976), *El mirón* (1977), *Luto riguroso* (1977), *El periscopio* (1978), *La visita del vicio* (1978) y *La ocasión* (1978). El éxito de *Polvos mágicos* (1979), una mezcolanza de terror, sexo y chistes políticos que hace para el productor José Frade*, le lleva a otros subproductos en la misma línea como *La momia nacional* (1981) o la anacrónica comedia *Juana la Loca de vez en cuando* (1983). Sus últimas películas son las historias de terror *Descanse en piezas* (1987), *Al filo del hacha* (1987), completamente despersonalizadas, y la comedieta de acción *Sevilla Connection* (1991).

LARRETA, Antonio *(Antonio Larreta Rodríguez. Montevideo, Uruguay, 1922)*
Entre 1946 y 1970 desarrolla en su país una amplia actividad como dramaturgo, actor de teatro y crítico de cine. Instalado en España a comienzos de los años setenta, comienza a trabajar como guionista de televisión y cine. Destaca su colaboración en los guiones de *La verdad sobre el caso Savolta** (1979), de Antonio Drove*; *Gary Cooper que estás en los cielos** (1980), de Pilar Miró*; *Los santos inocentes** (1984) y *La casa de Bernarda Alba** (1987), de Mario Camus*, y *El maestro de esgrima** (1992), de Pedro Olea*. Gana el premio Planeta con la novela *Volaverunt*

(1980), que inútilmente intenta convertir en una película, y dirige la irregular *Nunca estuve en Viena* (1988), sobre un guión ajeno donde no interviene.

LAZAGA, Pedro *(Pedro Lazaga Sabater. Valls, Tarragona, 1918-Madrid, 1979)*
Finalizada la guerra española sigue combatiendo en la División Azul, para posteriormente comenzar a escribir crítica de cine y trabajar como ayudante de dirección y guionista. Tras unos comienzos dubitativos donde rueda diferentes tipos de historias, pero preferentemente relacionadas con la guerra española, *La patrulla* (1954), *El frente infinito* (1956) y *Torrepartida* (1956), tema al que vuelve en *La fiel infantería* (1959) y *Posición avanzada* (1965), no tarda en inclinarse por la comedia. La mayoría de las noventa y tantas películas que rueda durante treinta años pertenecen a este género y pueden encuadrarse en tres grandes períodos. En el primero y mejor aparecen las que produce y coescribe José Luis Dibildos* con una clara influencia de las «comedias a la italiana» con historias sentimentales entrecruzadas, *Las muchachas de azul** (1957), *Los tramposos** (1959) y *Trío de damas* (1960); en el segundo, que se extiende durante la segunda mitad de los años sesenta, se encuentran las que produce y coescribe Pedro Masó*, entre las que destaca *La*

ciudad no es para mí (1965) por su éxito comercial, que le llevan a hacer hasta seis películas al año; y en el tercero las que rueda para diferentes productores, como *¡Vente a Alemania, Pepe!* (1970). Sus prometedores comienzos no tardan en ser ahogados por problemas de censura o autocensura para más tarde caer en la zafiedad que caracteriza a las comedietas de la primera mitad de la década de los setenta.

LAZARILLO DE TORMES, EL *(1959)*

Tomando como punto de partida la famosa novela picaresca homónima del siglo XVI, el irregular y tosco César Ardavín escribe y dirige la mejor de sus películas. Narra la vida de Lázaro (Marco Paoletti) a través de sus desventuras con su madre (Margarita Lozano*), un ciego (Carlos Casaravilla), un escudero famélico (Juanjo Menéndez), un cómico (Memmo Carotenuto), etc. Intenta dar una visión de la España de entonces, pero trabajan en su contra la dura censura del general Franco, su estilo poco realista, la demasiada buena presencia del niño italiano protagonista Marco Paoletti y la muy académica fotografía de Manuel Berenguer*. No obstante, gana el Oso de Oro del Festival de Berlín y obtiene un cierto éxito.

Director y guionista: *César Ardavín.* Fotografía: *Manuel Berenguer.* Música: *Salvador Ruiz de Luna, Emi-*

lio Lehmberg. Intérpretes: *Marco Paoletti, Juanjo Menéndez, Carlos Casaravilla, Memmo Carotenuto, Margarita Lozano.* Producción: *Hesperia Films (Madrid), Vertix Film (Roma).* Duración: *110 min.*

LEBLANC, Tony *(Ignacio Fernández Sánchez. Madrid, 1922)*

Desde muy joven toma lecciones de canto y baile y a los doce años empieza a trabajar en múltiples oficios hasta que llega a ser campeón de boxeo *amateur* de Castilla en peso ligero. Debuta como actor de teatro en la compañía de Celia Gámez, luego pasa a la de Nati Mistral y logra un gran éxito personal con el musical *Te espero en Eslava,* de Luis Escobar*. Su primera película es *Los últimos de Filipinas** (1945), de Antonio Román*, donde hace un pequeño papel, y continúa realizando breves apariciones en las más variadas producciones hasta que se convierte en un actor popular gracias a sus personajes de *chuleta* madrileño en *Las muchachas de azul** (1957), *Luna de verano* (1958), *Los tramposos** (1959), *Los económicamente débiles* (1960), de Pedro Lazaga*; *El tigre de Chamberí* (1957), de Pedro L. Ramírez*; *Las chicas de la Cruz Roja* (1958), de Rafael J. Salvia*; *El día de los enamorados* (1959), de Fernando Palacios*; *Amor bajo cero* (1960), de Ricardo Blasco; *Don Lucio y el hermano Pío* (1960), de José Antonio Nieves Conde*. Este éxito le anima a escribir, producir, protagonizar y dirigir *El pobre García* (1961), *Los pedigüeños* (1961) y *Una isla con tomate* (1962), cuyo fracaso le hace apartarse temporalmente del cine para dedicarse casi en exclusiva a la televisión. Entre sus cada vez más mediocres interpretaciones posteriores cabe citar *Historias de la televisión* (1965), de José Luis Sáenz de Heredia*; *Los subdesarrollados* (1965), de Fernando Merino*; *Una vez al año ser hippy no hace daño* (1968), de Javier Aguirre*; *El hombre que se quiso matar* (1970), de Rafael Gil*.

LEY DEL DESEO, LA *(1987)*

El conocido director de cine Pablo Quintero (Eusebio Poncela*) mantiene una relación con el joven Juan (Miguel Molina), pero entre ellos se entromete el ardiente admirador Antonio (Antonio Banderas*), que, celoso, llega a matar al muchacho. Al mismo tiempo también se desarrolla la historia de Tina Quintero (Carmen Maura*), un transexual, hermano del director y protagonista de su montaje teatral de *La voz humana,* de Jean Cocteau, con graves problemas afectivos, pero que comienzan a curarse gracias a su relación con Antonio. Lo que empieza como una dura y vistosa historia de homosexuales, donde el personaje del transexual aparece como una de las habituales bromas de Pedro Almodóvar*, hacia la mitad deriva hacia

una torpe historia policiaca, mal desarrollada y peor resuelta, que no parece interesarle mucho. Más allá de algunas escenas brillantes, como el fragmento de la representación de Cocteau o aquella donde un barrendero en plena calle ducha con su manga de riego a Tina, la película sufre un claro desequilibrio por la falta de estructura dramática del guión. Destaca el trabajo interpretativo de un joven Antonio Banderas* y también de Carmen Maura*, así como la brillante fotografía de Ángel Luis Fernández*. Es la primera película no sólo escrita y dirigida por Almodóvar*, sino también producida para su compañía El Deseo.

Director y guionista: *Pedro Almodóvar*. Fotografía: *Ángel Luis Fernández*. Intérpretes: *Eusebio Poncela, Carmen Maura, Antonio Banderas, Miguel Molina, Nacho Martínez*. Producción: *Agustín Almodóvar para El Deseo, Lauren Films*. Duración: *104 min.*

LIGERO, Miguel *(Miguel Ligero Rodríguez. Madrid, 1890-Madrid, 1968)*

A los doce años entra a formar parte de una compañía de teatro infantil para debutar en el Teatro El Dorado de Madrid, y en 1917 ya es primer galán en la compañía de Enrique Lacasa. Durante los años veinte realiza repetidas giras con gran éxito por Latinoamérica en general y Argentina en concreto, lo que le lleva a debutar en el cine mudo con *Fri-*

volinas (1926), de Arturo Caballo. Durante la primera mitad de los años treinta es contratado por Paramount para intervenir en cinco de las películas habladas en castellano que se ruedan en los estudios franceses de Joinville, y a continuación Fox le lleva a Hollywood para trabajar en otras cuatro producciones de la misma modalidad. De vuelta a España trabaja repetidamente con Benito Perojo*: *Susana tiene un secreto* (1933), *Crisis mundial* (1934), *Rumbo al Cairo* (1935), *La verbena de la Paloma** (1935), va con él a Alemania para hacer *El barbero de Sevilla* (1938) y *Suspiros de España* (1938), y a Italia para rodar *Los hijos de la noche* (1939) y *La última falla* (1940), finalizando su colaboración en *Héroe a la fuerza* (1941). Sus grandes éxitos los obtiene formando pareja con Imperio Argentina* y bajo la dirección de Florián Rey* en *El novio de mamá* (1934), *La hermana san Sulpicio** (1934), *Nobleza baturra* (1935) y *Morena Clara** (1936). Durante la posguerra sigue rodando con regularidad, *Pepe Conde* (1941), *Sucedió en Damasco* (1942) y *El crimen de Pepe Conde* (1946), de José López Rubio*, *El rey de las finanzas* (1944) y *Malvaloca* (1954), de Ramón Torrado*; *La luna vale un millón* (1945), *La cigarra* (1948), *La cruz de mayo* (1954) y *Polvorilla* (1956), de Florián Rey*; *Morena Clara*

(1954), de Luis Lucia*, pero cada vez en papeles de menor cometido. No obstante, continúa trabajando hasta el final de su vida, destacando sus intervenciones en las últimas versiones de *La verbena de la Paloma* (1963), de José Luis Sáenz de Heredia*, y *Nobleza baturra* (1965), de Juan de Orduña*.

LOCURA DE AMOR *(1948)*

Dentro del acartonado y falso cine histórico que caracteriza la producción nacional de los años cuarenta y cincuenta, destaca esta famosa producción Cifesa por el enorme éxito que obtiene y lo que supone de espaldarazo y continuidad del subgénero. Basada en el plúmbeo drama teatral homónimo de Manuel Tamayo y Baus, ambientada en Tordesillas en 1508, narra las intrigas palaciegas en torno a doña Juana la Loca (Aurora Bautista*) y don Felipe el Hermoso (Fernando Rey*), concediendo especial importancia a sus amores y a los del capitán Alvear (Jorge Mistral*) con la hermosa mora Aldara (Sara Montiel*). A medio camino entre la mala lección pedagógica y el aburrido documento histórico, Juan de Orduña* hace una de sus más famosas películas y una de las claves del estilo Cifesa.

Director: *Juan de Orduña*. Guionistas: *Manuel Tamayo, Alfredo Echegaray, José María Pemán, Carlos Blanco, Juan de Orduña*. Fotogra-

Aurora Bautista y Félix Fernández en *Locura de amor,* de Juan de Orduña

fía: *José Aguayo.* Música: *Juan Quintero.* Intérpretes: *Aurora Bautista, Fernando Rey, Sara Montiel, Jorge Mistral, Juan Espantaleón, Jesús Tordesillas.* Producción: *Cifesa.* Duración: *120 min.*

LOLA *(1986)*

Tras el semifracaso de su aventura norteamericana, *Renacer* (Reborn, 1981), que cuenta una historia ambientada en el complejo mundo de las sectas religiosas, Bigas Luna* vuelve a su Barcelona natal para rodar un personal policiaco, que no acaba de estar logrado pero encierra buenos momentos. A través de su habitual estilo de minuciosos primeros planos, narra cómo Lola (Ángela Molina*), una muchacha que trabaja en una fábrica del calzado y vive una enloquecida historia de amor con Mario (Fedor Atkine), se traslada a Barcelona, conoce a Robert (Patrick Bauchau), director general de una compañía de automóviles, se casa con él, tiene una hija y se aburguesa, pero cinco años después se encuentra casualmente con

Mario, que no tarda en volver a acosarla, sobre todo cuando descubre que la niña es hija suya. A pesar de la fuerza de los personajes y de la sensualidad de las escenas eróticas, Bigas Luna* no logra salvar algunos fallos de la trama policiaca.

Director: *Bigas Luna*. Guionistas: *Bigas Luna, Luis Herce, Enrique Viciano*. Fotografía: *José María Civit*. Música: *José Manuel Pagan*. Intérpretes: *Ángela Molina, Patrick Bauchau, Fador Atkine, Assumpta Serna, Carme Sansa*. Producción: *Enrique Viciano para Fígaro Films*. Duración: *106 min*.

LOMA, José Antonio de la *(José Antonio de la Loma Hernández. Barcelona, 1924)*

Estudia magisterio y filosofía y letras en la Universidad de Barcelona, pero se siente más interesado por dirigir el T.E.U. que por la especialidad de historia. Tras publicar algunas novelas, en 1950 comienza a escribir guiones para las productoras Emisora Films y Laurus, entre los que cabe citar los de *Sin la sonrisa de Dios* (1955), de Julio Salvador*, basado en su novela religiosa homónima; *Cuatro en la frontera* (1957), de Antonio Santillán, o *La ruta de los narcóticos* (1962), de José María Forn*. Debuta como director con algunas coproducciones con Italia o Francia entre las que destacan *Las manos sucias* (1956), *Un mundo para mí* (1959) y *Vivir un largo invierno* (1964) por sus inquietudes. Convertido en su propio productor, y trabajando sobre guiones propios, se especializa en coproducciones europeas de acción: *Misión en Ginebra* (1967), *El magnífico Tony Carrera* (1968), *El más fabuloso golpe del Far-West* (1971), *Razzia* (1972), *Metralleta Stein* (1974), que siempre parecen telefilms. Dentro de las películas sobre los nuevos delincuentes que trae la democracia, tiene éxito con *Perros callejeros* (1977), a la que siguen *Perros callejeros II* (1979), *Los últimos golpes de «El torete»* (1980), *Perras callejeras* (1985) y *Yo, el Vaquilla* (1985).

LÓPEZ, Charo *(María Rosario López Piñuelas. Salamanca, 1943)*

Licenciada en filosofía y letras por la Universidad de Madrid, estudia en Salamanca y participa activamente en el T.E.U. Estudia interpretación en la Escuela Oficial de Cinematografía, debuta en el teatro Español de Madrid, destacando sus trabajos bajo la dirección de Miguel Narros, y en cine como protagonista de *Ditirambo* (1967), de Gonzalo Suárez*, con quien vuelve a colaborar en *El extraño caso del doctor Fausto* (1969), *La regenta* (1974), *Parranda** (1977), *Epílogo** (1984), *Don Juan en los infiernos* (1991), *El detective y la muerte* (1994). Hasta la década de los ochenta trabaja activamente en teatro e irregulares películas, pero destaca su actividad en programas dramáticos de televisión: las series *El pícaro* (1973), de Fernando Fernán-Gómez*; *Fortunata y Jacinta* (1979), de Mario Camus*, y sobre todo *Los gozos y las sombras* (1981), de Rafael Moreno Alba*, que le da gran popularidad. Esto le permite protagonizar películas de más interés como *La vieja música* (1985), de Mario Camus*; *Los paraísos perdidos* (1985), de Basilio M. Patino*; *Tiempo de silencio* (1986), de Vicente Aranda*.

LÓPEZ LINARES, José Luis *(Madrid, 1955)*

Tras una amplia experiencia como fotógrafo teatral, a mediados de los años setenta comienza a trabajar en cine como foto-fija, *script* o auxiliar de cámara. Su primera película como director de fotografía es *Rumbo norte* (1986), de José Miguel Ganga. En su reducida filmografía destacan sus trabajos con Felipe Vega* *Mientras haya luz* (1987), *El mejor de los tiempos* (1990) y *Un paraguas para tres* (1992), así como *Amo tu cama rica* (1991), de Emilio Martínez Lázaro, y *MadreGilda* (1993), de Francisco Regueiro*.

LÓPEZ RUBIO, José *(Motril, Granada, 1903-Madrid, 1995)*

Comienza a estudiar derecho mientras publica colaboraciones literarias en las revistas de la época. Debuta como dramaturgo con *De la noche a la mañana* (1928), escrita en colaboración con Eduardo Ugarte. En agosto de 1930 parte para Hollywood contratado por Metro-Goldwyn-Mayer como traductor y adaptador de los diálogos de las versiones castellanas de las películas norteamericanas que se ruedan antes del descubrimiento y difusión del doblaje, y permanece hasta 1935 gracias a un contrato posterior con Fox. Regresa a España en 1940, tras pasar una temporada en México y Cuba, y escribe y dirige media docena de largometrajes durante la década: *La malquerida* (1940), *Pepe Conde* (1941), *Sucedió en Damasco* (1942), *Eugenia de Montijo* (1944), *El crimen de Pepe Conde* (1946) y *Alhucemas* (1947). Posteriormente prosigue su carrera de dramaturgo con títulos como *Celos del aire, Cena de Navidad, La otra orilla, Un trono para Cristy, Las manos son inocentes,* la mayoría adaptadas al cine, al tiempo que empieza a trabajar como coguionista en *Crimen en el entreacto* (1950), de Cayetano Luca de Tena; *Aeropuerto* (1953), de Luis Lucia*, y *La batalla del domingo* (1963), de Luis Marquina*, pero su colaboración es especialmente larga con Rafael Gil*, para quien escribe *Chantaje a un torero* (1963), *Samba* (1964), *Es mi hombre* (1966), *Nada menos que todo un hombre* (1971), *El mejor alcalde, el rey* (1974), *Dos hombres y en medio dos mujeres* (1977). En

1982 es nombrado académico de la Real Academia de la Lengua Española.

LÓPEZ VÁZQUEZ, José Luis *(José Luis López Vázquez de la Torre. Madrid, 1922)*

Dibujante, figurinista y escenógrafo, llega al cine por este camino en películas de José López Rubio* y Rafael Gil*, para luego pasar a ser ayudante de dirección de Pío Ballesteros y Enrique Herreros, mientras comienza su carrera de actor en el Teatro María Guerrero de Madrid. Debuta como actor de cine en *Esa pareja feliz** (1951), de J. A. Bardem* y Luis G. Berlanga*, y en poco más de cuarenta años interviene en más de doscientas veinte películas, sin abandonar nunca la actividad teatral y haciendo diferentes programas de televisión. Dotado actor cómico, destacan sus trabajos con Luis G. Berlanga* en *Novio a la vista** (1953), *Los jueves, milagro** (1957), *Plácido** (1961), *El verdugo** (1963), *¡Vivan los novios!** (1969), *La escopeta nacional** (1977), *Patrimonio nacional** (1980), *Nacional III** (1982), *Moros y cristianos** (1987) y *Todos a la cárcel* (1993), y con Marco Ferreri en *El pisito** (1958), su primer papel protagonista, y *El cochecito** (1960), entre medias de una larguísima lista de comedietas sin ninguna entidad, pero que le suponen una enorme populari-

dad. A raíz de que Carlos Saura* le da el dramático papel del reprimido médico Julián en *Peppermint frappé** (1967), desarrolla una carrera paralela como actor de carácter que le lleva a hacer sus mejores trabajos, tanto de la mano del propio Saura*, *El jardín de las delicias** (1969), *La prima Angélica** (1973), como de Pedro Olea*, *El bosque del lobo** (1970); Jaime de Armiñán*, *Mi querida señorita** (1971); George Cukor, *Viajes con mi tía* (Travels with My Aunt, 1972); Manuel Gutiérrez Aragón*, *Habla, mudita** (1973); Antonio Drove*, *La verdad sobre el caso Savolta** (1978); Mario Camus*, *La colmena** (1982), y Ray Rivas, *El monosabio** (1977).

LORENTE, Germán *(Germán Lorente Guasch. Vinaroz, Castellón, 1932)*

Licenciado en derecho, desde muy joven colabora en diferentes revistas especializadas: *Cine mudo, Otro cine, Imágenes*. Tras publicar algunas novelas, en 1954 empieza a escribir guiones para la productora Este Films, donde más tarde también trabaja como productor ejecutivo. Entre las películas que escribe destacan la comedia *Un tesoro en el cielo* (1956), de Miguel Iglesias, y el policiaco *No dispares contra mí* (1961), de José María Nunes, y entre las que produce *Un vaso de whisky** (1958), de Julio Coll*, *Altas variedades* (1960), de Francisco Rovira Beleta*, y *Bahía de Palma** (1962), de Juan Bosch. Sus primeras películas como director despiertan ciertas expectativas, pero sólo en la medida que en el guión de *Antes de anochecer* (1963) colabora Joaquín Jordá* y en el de *Donde tú estés** (1964) los novelistas Juan García Hortelano y Juan Marsé. A lo largo de *Playa de Formentor* (1965), *Vivir al sol* (1965), *Su nombre es Daphne* (1966), *Un día después de agosto* (1967), *Cover Girl* (1967), *Sharon vestida de rojo* (1968), repite el esquema de intelectual en decadencia con problemas sentimentales en ambientes de moda, cada vez con menos interés, pero siempre con protagonistas extranjeros de una cierta solvencia. Todavía es peor el cine de encargo que rueda a continuación, tanto las comedias sentimentales *Coqueluche* (1970), *Qué cosas tiene el amor* (1971), *La chica de vía Condotti* (1973), como las eróticas con que cierra su filmografía, *Sensualidad* (1975), *Striptease* (1976), *La violación* (1976), *Venus de fuego* (1979), *Tres mujeres de hoy* (1980), *Adolescencia* (1981).

LOZANO, Margarita (*Margarita Lozano Jiménez. Tetuán, Marruecos, 1931*)

Debuta como actriz en teatro y cine a comienzos de los años cincuenta, pero mientras en el escenario no tarda en adquirir cierto prestigio por su trabajo en obras renovadoras, tiene que limitarse a hacer papeles secundarios en películas sin mucho interés. Entre estos trabajos cabe citar *Alta costura* (1954), de Luis Marquina*; *Rapsodia de sangre* (1957), de Antonio Isasi*; *El lazarillo de Tormes** (1959), de César Ardavín*, y *Don Lucio y el hermano Pío* (1960), de José Antonio Nieves Conde*. A pesar de que su primer papel importante lo realiza en *Viridiana** (1961), de Luis Buñuel*, no tiene ninguna influencia sobre su carrera y sigue colaborando, entre otras, en *Noche de verano** (1962), de Jorge Grau*; *Los farsantes* (1963), de Mario Camus*; *Los felices 60* (1963), de Jaime Camino*, y *Amador* (1964), de Francisco Regueiro*, hasta que el inesperado éxito del *spaghetti-western* hispano-italiano *Por un puñado de dólares* (1964), de Sergio Leone, la lanza al cine italiano. Allí tiene destacados papeles en *Diario de una esquizofrénica* (Diario di una schizofrenica, 1968), de Nelo Rosi; *Pocilga* (Porcile, 1969), de Pier Paolo Pasolini, y *La vacación* (La vacanza, 1971), de Tinto Brass. Durante la década de los setenta abandona el cine y el teatro y vuelve en la de los ochenta convertida en asidua colaboradora de los hermanos Taviani: *La noche de san Lorenzo* (La notte di San Lorenzo, 1981), *Kaos* (1983), *Good Morning, Babilonia* (1987),

Il sole anche di notte (1989), mientras en España sólo interviene en *La mitad del cielo** (1986), de Manuel Gutiérrez Aragón*.

LUCIA, Luis (*Luis Lucia Mingarro. Valencia, 1914-Madrid, 1984*)

Hijo de un importante político de derechas, que durante la II República es varias veces ministro, en la posguerra tiene dificultades para encontrar trabajo. Licenciado en derecho por la Universidad de Valencia, colabora como dibujante en las revistas de humor *Gutiérrez* y *Buen humor* antes de comenzar a trabajar como asesor jurídico de la productora Cifesa. Tras debutar como director de producción y colaborar en los guiones de *¡A mí la legión!* (1942), de Juan de Orduña*, y *El hombre que se quiso matar* (1942), de Rafael Gil*, dirige la floja historia de espionaje *El 13-13* (1943), las comedias intrascendentes *Un hombre de negocios* (1945) y *Dos cuentos para dos* (1947) y las producciones históricas de cartón piedra *La princesa de los Ursinos* (1947), *Jeromín* (1953). El éxito de sus películas folclóricas al servicio de Juanita Reina*, *Lola la piconera* (1951), *Gloria Mairena*

Rafael Durán, Jaime Blanch y Jesús Tordesillas en *Jeromín,* de Luis Lucia

(1952); Carmen Sevilla*, *La hermana san Sulpicio* (1952), *Un caballero andaluz* (1954); Lola Flores*, *La hermana Alegría* (1954), *Morena Clara* (1954); Antonio Molina, *Esa voz es una mina* (1955), le lleva a lanzar a Marisol* en *Un rayo de luz* (1960), *Ha llegado un ángel* (1961) y *Tómbola* (1962); Rocío Dúrcal* en *Canción de juventud* (1962), y *Rocío de la Mancha* (1963), y Ana Belén* en *Zampo y yo* (1965). A lo largo de las cuarenta películas que dirige en treinta años de profesión, siempre que intenta hacer trabajos más ambiciosos obtiene los peores resultados, tanto al adaptar a Jacinto Benavente en *De mujer a mujer* (1950) o Calderón de la Barca en *El príncipe encadenado* (1960), como al narrar la vida de un altruista sacerdote en los suburbios, *Cerca de la ciudad* (1952), o la biografía del apóstol de los leprosos padre Damián, *Molokai* (1959), sin olvidar su tardía contribución a la filmografía sobre la guerra española, *La orilla* (1970), un típico folletín político-religioso.

LULÚ DE NOCHE *(1985)*

A medio camino entre la denominada «comedia madrileña» y el drama, se desarrolla el mejor trabajo del guionista, productor y realizador Emilio Martínez-Lázaro. El punto de partida es *La caja de Pandora,* la famosa obra teatral escrita por Frank Wedekind en 1903, en torno a una prostituta que muere asesinada por el famoso Jack el Destripador. La personal versión de Martínez-Lázaro* gira alrededor de Germán (Antonio Resines*), un director de teatro que busca protagonistas para hacer un montaje de la obra clásica, el saxofonista Rufo (Imanol Arias*) ligado a una posesiva madre, principal candidato al papel de asesino, su ex esposa Amelia (Assumpta Serna*), la camarera Lola (Patricia Adriani*) y su ex amante Nina (Amparo Muñoz*), que aspiran al papel de prostituta. Hábil mezcla de comedia y drama, tiene una buena interpretación y una luminosa fotografía de Juan Amorós*.

Director y guionista: *Emilio Martínez-Lázaro.* Fotografía: *Juan Amorós.* Música: *Ángel Muñoz-Alonso.* Intérpretes: *Imanol Arias, Amparo Muñoz, Antonio Resines, Assumpta Serna, Patricia Adriani, Asunción Balaguer.* Producción: *Emilio Martínez-Lázaro para Kaplan, Fernando Trueba P. C.* Duración: *96 min.*

LUNA, Manuel *(Manuel Luna Baños. Sevilla, 1898-Madrid, 1958)*

Debuta como actor de teatro en 1915 en la compañía de Anita Ferri, tiene sucesivos éxitos durante los años diez y veinte que le hacen tener un importante papel en la producción muda *Santa Isabel de Ceres* (1923), de José Sobrado, su primera película. Aunque a niveles cinematográficos se da a conocer junto a Imperio Argentina* en *Nobleza baturra** (1935), *Morena Clara** (1936), *Carmen, la de Triana* (1938) y *La canción de Aixá* (1939), de Florián Rey*. Durante los años cuarenta trabaja con asiduidad, destacando su intervención en *Torbellino* (1941) y *Malvaloca** (1942), de Luis Marquina*, *¡A mí la legión!* (1942), *Misión blanca* (1946), *La Lola se va a los puertos* (1947) y *Locura de amor** (1948), de Juan de Orduña*; *El escándalo* (1943), de José Luis Saénz de Heredia*; *El crimen de la calle de Bordadores** (1946), de Edgar Neville*; *La nao capitana* (1947), de Florián Rey*, *Fuenteovejuna* (1947), de Antonio Román*, pero con el transcurso del tiempo pasa de hacer largos papeles de comedia a mucho más breves apariciones de malvado. Durante la década de los cincuenta su ritmo de trabajo desciende, pero desarrolla importantes papeles en *Agustina de Aragón* (1950), *La leona de Castilla* (1951), y *Alba de América* (1951) de Juan de Orduña*; *Lola la Piconera* (1951), *La hermana san Sulpicio* (1952), *Un caballero andaluz* (1954), *Morena Clara* (1954) y *La hermana Alegría* (1954), de Luis Lucia*

LUTE, CAMINA O REVIENTA, EL
(1987)

La historia autobiográfica del *quinqui* Eleuterio Sánchez, El Lute, desde que a finales de los años cincuenta es condenado por un robo de gallinas hasta que a mediados de 1973 es capturado, sirve a Vicente Aranda* para hacer un interesante retrato de la otra España de los últimos años de la dictadura del general Franco. El asalto a una joyería en la madrileña calle de Bravo Murillo en 1965, la tortura por la policía y la condena a muerte, conmutada por la de cadena perpetua, las fugas de los penales del El Dueso y El Puerto de Santa María, mientras pasa de ser un asesino a convertirse en un héroe popular. Frente a una primera parte con un eficaz tono entre la pura acción, el realismo y la intencionalidad política, la segunda, *El Lute II, mañana seré libre* (1988), fruto del éxito de la primera y realizada por un equipo muy similar, tiene un curioso carácter de crónica de costumbres, llena de elementos folclóricos, que no funciona tan bien. En ambas destaca el trabajo de Imanol Arias*, en el papel de El Lute, uno de los más sólidos de su carrera.

Director: *Vicente Aranda*. Guionistas: *Joaquín Jordá, Vicente Aranda, Eleuterio Sánchez*. Fotografía: *José Luis Alcaine*. Música: *José Nieto*. Intérpretes: *Imanol Arias, Victoria Abril, Antonio Valero, Carlos Tristancho, Diana Peñalver*. Producción: *José María Cunillas para M.G.C. y Multivideo*. Duración: *125 min.*

MACASOLI, Agustín *(Agustín Macasoli Martín. Madrid, 1900)*

Aprende las técnicas de revelado, positivado y montaje en los laboratorios de los estudios Atlántida Films. Debuta como director de fotografía en *La casa de la Troya* (1924), de Alejandro Pérez Lugín y Manuel Noriega, a la que sigue *Cabrita que tira al monte* (1925), de Fernando Delgado*. Su larga colaboración con José Buchs* comienza en *Una extraña aventura de Luis Candelas* (1926) y sigue en *El conde Maravillas* (1927), *Los misterios de la imperial Toledo* (1927), *Pepe-Hillo* (1928), *El rey que rabió* (1929), *Los aparecidos* (1929), *Isabel de Solís, reina de Granada* (1931), *Carceleras* (1932), *Una morena y una rubia* (1933) y *Para ti es el mundo* (1941). En 1943 se crea NO-DO, entra como jefe de operadores y durante veintisiete años trabaja en exclusiva para este noticiario rodando múltiples reportajes y documentales.

MADRE MUERTA, LA *(1993)*

Tras la sobrevalorada *Alas de mariposa* (1991), su primer largometraje, Juanma Bajo Ulloa vuelve a insistir con otra historia en torno a una niña conflictiva, ambientada en un sórdido caserón y situada a medio camino entre el cine policiaco y el de terror. En esta ocasión narra las relaciones entre un brutal asesino, su habitual pareja, una muchacha subnormal fascinada por el chocolate, y una de sus cuidadoras en la institución donde está acogida, pero todo resulta ser una simple excusa para rodar con habilidad y minuciosidad algunos truculentos crímenes. Bajo Ulloa demuestra ser tan buen narrador y avispado productor como mal guionista, en la medida que hay escenas bien rodadas, como el asesinato del dueño del bar y la muerte de la vieja, sabe crear tensión en cualquier rincón de una destartalada casa oscura con cuatro elementos, pero la historia que cuenta carece de consistencia, no tiene lógica, está mal estructurada y resulta aburrida. Esta segunda película es bastante mejor que la primera no porque hayan desaparecido los defectos de aquélla, sino porque está rodada con muchos más medios y tiene una excelente fotografía en color y scope de Javier Aguirresarobe.

Director: *Juanma Bajo Ulloa*. Guionistas: *Juanma Bajo Ulloa, Eduardo Bajo Ulloa*. Fotografía: *Javier Aguirresarobe*. Intérpretes: *Karra Elejalde, Ana Álvarez, Lio, Silvia Marsó*. Producción: *Juanma Bajo Ulloa para Gasteizko Zinema*. Duración: *105 min*.

MADREGILDA *(1993)*

En esta producción Francisco Regueiro*, siempre sobre guiones escritos en colaboración con Ángel Fernández-Santos*, prosigue su barroca indagación sobre las relaciones paterno-filiales. Mientras en *Padre nuestro** (1985) las plantea a niveles religioso y en *Diario de invierno** (1988) sólo esgrime razones biológicas, en esta tercera entrega hace un complejo planteamiento político. Su principal problema, como ya ocurría en *Diario de invierno**, es la exuberancia. Une a su apasionante barroquismo narrativo una historia de una excesiva complejidad, cuya estructura además ha quedado seriamente dañada en sucesivos cortes, por motivos de distribución, desde las dos horas y media originales. De manera que en la historia del niño trapero, que luego resulta ser una niña (Israel Biedma), fascinado por la protagonista de *Gilda* (1946), de Charles Vidor, en quien cree ver a su madre (Bárbara Auer), pero que sólo es un agente extranjero llegado a España para matar al general Franco (Juan Echanove*), que todos los primeros viernes de mes juega al mus con su padre, el capitán Longinos (José Sacristán*), el cura Huevines (Antonio Gamero) y el mutilado general Millán Astray (Juan Luis Galiardo*), hay demasiadas cosas y no muy bien estructuradas. Excelentes escenas con gran fuerza visual y apropiados y duros diálogos, como el mitin de Longinos ante la tropa en un gigantesco barracón presidido por un enorme yugo con sus correspondientes flechas, la primera partida de mus con un perfecto Juan Echanove* como general Franco, la conversación entre el niño/niña y su madre donde ésta acaba rociándole con la leche de sus pechos, el diálogo entre el general Franco y su padre (Fernando Rey*), etc., aparecen perdidas entre detalles incomprensibles que desequilibran el conjunto.

Director: *Francisco Regueiro*. Guionistas: *Ángel Fernández-Santos, Francisco Regueiro*. Fotografía: *José Luis López Linares*. Música: *Jürgen Knieper*. Intérpretes: *José Sacristán, Juan Echanove, Bárbara Auer, Kamel Cherif, Fernando Rey, Juan*

Luis Galiardo. Producción: *Gerardo Herrero para Tornasol Films (España), Marea Films (España), Road Movies Dritte Produktionen (Alemania), Gemini Films (Francia)*. Duración: *105 min.*

MADRID *(1987)*

Como deja muy clara su filmografía, su interés por el documental lleva a Basilio M. Patino a mezclarlo con la ficción en su última película. Narra cómo llega a la capital de España un enviado de una cadena de televisión alemana (Rüdiger Vogler) para hacer un documental sobre su legendaria resistencia durante la guerra española, tiene una mínima historia amorosa con su montadora (Verónica Forqué) y graba algunos acontecimientos que se producen durante su estancia, pero sobre todo hace consideraciones didácticas sobre el empleo de materiales rodados por otros. El resultado es una obra no plenamente lograda, pero de gran interés, que sólo tiene una mínima repercusión y marca el final de la carrera cinematográfica de su autor.

Director y guionista: *Basilio M. Patino*. Fotografía: *Augusto Fernández Balbuena*. Música: *Carmelo Bernaola*. Intérpretes: *Rüdiger Vogler, Verónica Forqué, Ana Duato, María Luisa Ponte*. Producción: *Basilio M. Patino para La Linterna Mágica*. Duración: *100 min.*

MADRIGUERA, LA *(1969)*

Al comienzo de la colaboración del realizador Carlos Saura*

con el productor Elías Querejeta*, y la actriz Geraldine Chaplin*, hacen una irregular trilogía sobre las relaciones hombre-mujer dentro del estrecho marco de la burguesía española de la época. Integrada por la interesante *Peppermint frappé* * (1967), la fallida *Stress es tres, tres* (1968) y esta producción, destaca esta última por su peculiar tono teatral y estar escrita por Rafael Azcona* y Carlos Saura*, con la colaboración de Geraldine Chaplin*, por primera y única vez en su larga carrera. Narra las tensas relaciones entre Teresa (Geraldine Chaplin*) y Pedro (Per Oscarsson), un matrimonio de la burguesía acomodada que vive en una gran, fría y aislada mansión, agudizada por la tensión creada por unos muebles familiares que hereda ella y la sucesión de variadas representaciones que comienzan a hacer para divertirse, hasta llegar a un violento desenlace. A pesar de estar protagonizada por dos extranjeros, el sueco Per Oscarsson y la norteamericana Geraldine Chaplin*, según una costumbre del cine español de la época, y tener el inevitable final violento, que Elías Querejeta* impone a sus primeras producciones, tiene un eficaz y atractivo tono teatral y funciona bien.

Director: *Carlos Saura*. Guionistas: *Rafael Azcona, Geraldine Chaplin, Carlos Saura*. Fotografía: *Luis Cuadrado*. Música: *Luis de Pablo*. Intérpretes: *Geraldine Chaplin, Per

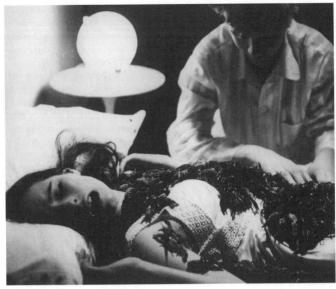

Geraldine Chaplin y Per Oscarsson en *La madriguera,* de Carlos Saura

Oscarsson, *Teresa del Río.* Producción: *Elías Querejeta P. C., Delta Films.* Duración: *102 min.*

MAESSO, José (*José Gutiérrez Maesso. Azuaga, Badajoz, 1920*)

Licenciado en filosofía y letras, se diploma en dirección en la primera promoción del Instituto de Investigaciones y Experiencias Cinematográficas, donde más tarde es profesor de guión. También da clases de guión y dirección en la Escuela Oficial de Cinematografía. Tras dirigir *El alcalde de Zalamea* (1953) y *Sucedió en Sevilla* (1954), interviene en tareas de producción en la compañía Ununci y en 1959 crea la marca Tecisa, para la que monta numerosas coproducciones en cuyos guiones colabora regularmente, entre las que cabe citar: *Tierra brutal* (1962), de Michael Carreras; *Scherezade* (1963), de Pierre Gaspard-Huit; *Django* (1965), de Sergio Corbucci; *El precio de un hombre* (1965), de Eugenio Martín; *Mademoiselle de Maupin* (1967), de Mauro Bolognini, y *Los despiadados* (1967), de Sergio Corbucci. Vuelve a la dirección con *El gran crucero* (1970) y *El clan de los inmorales* (1973), para luego proseguir con su colaboración en coproducciones siempre de marcado signo comercial, pero cada vez menor interés, como *La amante ambiciosa* (1982), de Omiros Efstadiadis.

MAESTRO DE ESGRIMA, EL *(1992)*

En el turbulento Madrid de 1868, con la caída de Isabel II, la llegada del general Prim y continuas manifestaciones antiborbónicas, se desarrolla una fallida historia de amor entre el veterano maestro de esgrima Jaime Astarloa (Omero Antonutti*) y su misteriosa y bella alumna Adela de Otero (Assumpta Serna*). La relación entre maestro y alumna no tarda en convertirse en amor, pero la situación política interfiere para hacer que él llegue a ser un juguete en manos de ella. Irregular mezcla de elementos amorosos y políticos, es un sobrio melodrama con intriga policiaca intercalada, pero con un exceso de frialdad en su desarrollo. Basada en la novela homónima del periodista Arturo Pérez-Reverte, en la realización de Pedro Olea* destacan los bien rodados duelos a espada entre Omero Antonutti* y Assumpta Serna*.

Director: *Pedro Olea.* Guionistas: *Arturo Pérez-Reverte, Antonio Larreta, Francisco Prada, Pedro Olea.* Fotografía: *Alfredo Mayo.* Música: *José Nieto.* Intérpretes: *Omero Antonutti, Assumpta Serna, Joaquín de Almeida, José Luis López Vázquez, Alberto Closas.* Producción: *Origen P. C., Altube Filmeak.* Duración: *91 min.*

MAL DE AMORES *(1993)*

Realizador de media docena de largometrajes en los últimos doce años, Carlos Balagué suele hacer un tipo de comedia sentimental que nada tiene que ver con la comedia catalana que tanto y tan mal ha proliferado en esta misma etapa. Posiblemente esta sea su mejor película, está basada en hechos reales y narra cómo Carmen (Ángela Molina*), tras cumplir una condena por ser utilizada en una estafa, se enamora perdidamente de Mario (Juanjo Puigcorbé*), un ladrón de tarjetas de crédito que gusta a las mujeres, que a su vez no puede vivir sin Ángela (Ariadna Gil), azafata de un concurso de televisión. Basada en un guión del especialista en novelas policiacas Carlos Pérez Merinero* y el propio director, Carlos Balagué no logra dar a la historia ni el necesario punto de locura para hacerla creíble, ni mucho menos para justificar su violento final.

Director: *Carlos Balagué.* Guionistas: *Carlos Pérez Merinero, Carlos Balagué.* Fotografía: *Federico Ribes.* Música: *J. M. Pagan.* Intérpretes: *Ángela Molina, Juanjo Puigcorbé, Ariadna Gil, Montse Guallar.* Producción: *Carlos Balagué para Diafragma.* Duración: *95 min.*

MALDONADO, Salvador *(Lola Salvador Maldonado. Barcelona, 1938)*

Trabaja como periodista en la revista especializada *Fotogra-*

mas, Radio Nacional de España y Televisión Española. Entre sus guiones para televisión sobresalen los de *Juan Soldado* (1973), un mediometraje protagonizado y dirigido por Fernando Fernán-Gómez*, y la serie *El olivar de Atocha* (1988), de Carlos Serrano, basada en su trilogía de novelas autobiográficas homónimas. Entre sus guiones cinematográficos, escritos en exclusiva para el productor Alfredo Matas*, destacan los de *Bearn o la sala de las muñecas** (1982), basada en la novela homónima de Llorenç Villalonga; *Las bicicletas son para el verano* (1983), adaptación de la obra teatral homónima de Fernando Fernán-Gómez*, y

Tierno verano de lujurias y azoteas (1992), sobre la novela de Pablo Solozábal, los tres dirigidos por Jaime Chávarri*. Menos interés tienen sus guiones originales para *El crimen de Cuenca** (1979), de Pilar Miró*; *El jardín secreto* (1984), de Carlos Suárez*, y *Barrios altos* (1987), de José Luis García Berlanga.

MALVALOCA *(1942)*

La obra homónima de los hermanos Álvarez Quintero da lugar a tres películas. La primera es una producción muda de 1926 dirigida por Benito Perojo* y protagonizada por Lidia Gutiérrez, Manuel San Germán y Javier Rivera. Y la tercera la

Fernando Freire, Alfredo Mayo y Manuel Luna en *Malvaloca,* de Luis Marquina

dirige Ramón Torrado* en 1954 con Paquita Rico*, Peter Damon y Emilio Segura al frente del reparto. Entre medias se sitúa esta versión escrita y dirigida por Luis Marquina* que es la mejor de las tres adaptaciones. Narra la historia de Rosita, más conocida por Malvaloca (Amparito Rivelles*), una bella muchacha malagueña que, tras ser seducida por varios hombres, se hace amante de Leonardo (Alfredo Mayo*), pero llegan a formalizar su unión, tal como dice la copla, «Merecía esta serrana que la fundieran de nuevo, como funden las campanas».

Director y guionista: *Luis Marquina*. Fotografía: *Guillermo Goldberger*. Música: *Maestro Azagra*. Intérpretes: *Amparito Rivelles, Alfredo Mayo, Manuel Luna, Rosita Yarza, Fernando Freyre*. Producción: *Cifesa, Upce*. Duración: *87 min*.

MANO NEGRA, LA *(1980)*

En su tercer largometraje Fernando Colomo* sigue fiel a la denominada «comedia madrileña», pero introduce elementos policiacos para darle una cierta variedad. Narra las relaciones entre Manolo Falceto (Íñigo Gurrea), que a sus treinta y tres años vive con sus padres, ha terminado una carrera que no quiere ejercer, tiene una novia con la que no quiere casarse y toca el contrabajo; Mariano Garrido (Joaquín Hinojosa), un compañe-

ro del colegio a quien no ve desde hace veinte años, autor de una novela policiaca de gran exito bajo el seudónimo Mac Guffin, y Boyero (Fernando Vivanco), otro viejo compañero de colegio, y cómo entre los tres tratan de resucitar la antigua sociedad secreta creada para asustar a los profesores. Más comedia que policiaco, la mezcla tiene un desarrollo irregular, pero encierra buenas escenas, como el encuentro erótico entre Falceto e Isabel (Virginia Mataix), rodada en largos planos fijos.

Director: *Fernando Colomo*. Guionistas: *Fernando Trueba, Fernando Colomo, Manolo Matji*. Fotografía: *Ángel Luis Fernández*. Música: *José Nieto*. Intérpretes: *Íñigo Gurrea, Joaquín Hinojosa, Virginia Mataix, Carmen Maura, Antonio Resines, Fernando Vivanco*. Producción: *La Salamandra, Ogro Films, Icine*. Duración: *100 min*.

MANOLO, GUARDIA URBANO *(1956)*

El más popular de los dieciséis largometrajes de ficción dirigidos durante los años cincuenta y sesenta por el guionista Rafael J. Salvia* es *Las chicas de la Cruz Roja* (1958), una comedieta romántica sobre las anécdotas que durante un día les ocurren a algunas parejas, realizada calcando el modelo italiano creado poco tiempo antes por el productor y guionista Sergio Amidei. Pero el mejor, el único con algún atractivo, es este eficaz *sain* muy madrileño en torno al personaje de un guardia urbano de la plaza de Cibeles. Narra cómo Manolo (Manolo Morán*), tras veinte años de matrimonio, tiene un primer hijo, pero un sacristán le cambia por otro durante la ceremonia del bautismo, mientras su hija adoptiva Paloma (Luz Márquez) duda entre dos pretendientes muy distintos. Basada en uno de los mejores guiones escritos por Pedro Masó* y Rafael J. Salvia*, su atractivo radica en su desenfadada visión del Madrid de la época, su logrado tono sainetesco y un excelente reparto, donde aparecen algunos de los mejores actores secundarios del momento.

Director: *Rafael J. Salvia.* Guionistas: *Pedro Masó, Rafael J. Salvia.* Fotografía: *Ted Pahle.* Música: *Federico Contreras.* Intérpretes: *Manolo Morán, Tony Leblanc, Luz Márquez, José Isbert, Ángel de Andrés, Julia Caba Alba, Mariano Ozores.* Producción: *C. B. Films, Ariel.* Duración: *95 min.*

MANZANOS, Eduardo *(Eduardo Manzanos Brochero. Madrid, 1919)*

Autor de comedias y musicales, publica varios libros de poesía y empieza a escribir guiones a principios de los años cuarenta. En 1952 crea la productora Unión Films e inicia una actividad paralela como productor y

Manolo Morán y Luz Márquez en *Manolo, guardia urbano,* de Rafael J. Salvia

director. Su irregular carrera como realizador comienza con el fallido melodrama *Cabaret* (1952), la ferroviaria *El andén* (1952), la poética *Buenos días* (1953), la comedia anticomunista escrita por Miguel Mihura* *Suspenso en comunismo* (1955) y el policiaco basado en un guión de J. A. Bardem* *Carta a Sara* (1956). Tras aparecer por razones sindicales como codirector de varias coproducciones dirigidas por extranjeros, sus últimas películas son la antibritánica *Proceso de Gibraltar* (1967), la folclórica *Canciones de nuestra vida* (1975), que suscita una sucesión de pleitos que imposibilitan su distribución, y la política *España debe saber* (1976). Su carrera como productor empieza brillantemente con *Cómicos** (1953), una de las mejores películas de J. A. Bardem*, y prosigue con *El tren expreso* (1954), de León Klimovsky*; *Señora Ama* (1954), de Julio Bracho; *El malvado Carabel* (1955), de Fernando Fernán-Gómez*, pero se tuerce cuando se especializa en *spaghetti-western* y construye el primer poblado del Oeste para rodajes en tierras españolas.

MAR Y EL TIEMPO, EL *(1989)*

Primero irregular novela, luego mala serie de televisión y finalmente interesante película, esta camaleónica historia se sitúa entre los mejores trabajos realizados por Fernando Fernán-Gómez* en su faceta de guionista y director de cine. A través del regreso de Jesús (José Soriano), que vuelve a Madrid en 1968 tras un largo exilio en Argentina provocado por la guerra española, se describe el funcionamiento de un grupo familiar integrado por una malhablada madre (Rafaela Aparicio), su hermano Eusebio (Fernando Fernán-Gómez*), *maître* de un modesto restaurante, y sus dos hijas, la progresista Chus (Aitana Sánchez-Gijón) y la idealista Mar (Cristina Marsillach). Más cercana de la comedia de costumbres que de la crítica social, tiene una eficaz mirada llena de nostalgia sobre una época pasada y un determinado grupo de personas.

Director y guionista: *Fernando Fernán-Gómez*. Fotografía: *José Luis Alcaine*. Música: *Mariano Díaz*. Intérpretes: *Rafaela Aparicio, José Soriano, Fernando Fernán-Gómez, Aitana Sánchez-Gijón, Cristina Marsillach*. Producción: *Ion Producciones*. Duración: *100 min.*

MARATHON *(1993)*

Desde que la televisión retransmite en directo los Juegos Olímpicos no tienen razón de ser las películas oficiales que se realizan sobre ellos, pero se siguen rodando tanto para que el comité organizador conserve un amplio material sobre el más seguro soporte químico que el electromagnético, como para proseguir una tradición con muchos años a sus espaldas. La película sobre los XXV Juegos Olímpicos de la

Edad Moderna se encarga en primer lugar al realizador británico en plena decadencia Hugh Hudson, que decide centrarla en la marathon, escribe un guión y elige una serie de actores internacionales para interpretarla, pero por problemas nunca aclarados de presupuesto, termina haciéndola Carlos Saura*. Rechaza el guión del inglés y la idea de los actores, pero conserva la de centrarla en la marathon. De esta manera nace un documental convencional, cuyo primer montaje dura diez horas, que comienza por la ceremonia de inauguración y finaliza con la de clausura, centrado en la gran carrera de la marathon e intercala entre su desarrollo mínimo resúmenes de la práctica totalidad de las restantes pruebas. Rodado con un exceso de la llamada *cámara lenta*, encierra algunas imágenes de gran belleza, pero repite la fórmula de aderezarlas con música conocida hasta la saturación. De manera que el resultado sólo es un resumen de los Juegos Olímpicos desarrollados en Barcelona durante el verano de 1992 que únicamente puede interesar a quienes se sientan atraídos por ellos, pero no los vieron en su momento en televisión.

Director: *Carlos Saura*. Directores de la segunda unidad: *Jaime Chávarri, Carlos Saura Medrano*. Directores de fotografía: *Javier Aguirresarobe, Carles Cabeceran, José M.ª Civit, Miguel Icaza, Alfredo Mayo, José*

Cristina Marcos en *Maravillas,* de Manuel Gutiérrez Aragón

Luis López Linares. Música: *Alejandro Massó*. Producción: *Andrés Vicente Gómez para Ibergroup, S. A., Oviedo TV, S. A*. Duración: *120 min*.

MARAVILLAS *(1980)*

Dentro de la serie de películas que entre finales de los años setenta y comienzos de los ochenta se ruedan sobre el tema de la delincuencia —*Perros callejeros* (1977), de José Antonio de la Loma*; *Navajeros** (1980), de Eloy de la Iglesia*; *Deprisa, deprisa** (1980), de Carlos Saura*—, destaca ésta en la medida que es la que menos tiene que ver con él. Entre la mezcla de los múltiples elementos que la integran, dentro de una estructura de tela de araña, como es habitual en las películas de la primera parte de la filmografía de Manuel Gutiérrez Aragón*, sobresalen la personalidad de Maravillas (Cristina Marcos), la muchacha de dieciséis años que trata a su padre Fernando (Fernando Fernán-Gómez*) como si fuese su hijo, sus viejos padrinos de origen judío sefardita y sus relaciones con el intérprete de Caryl Chessman (Enrique San Francisco). Su fallo es estar integrados en torno a un robo de piedras preciosas realizado por un grupo de jóvenes delincuentes que no acaba de funcionar. Impregnada del eficaz y particular humor de Gutiérrez Aragón*, tiene algunas escenas excelentes, algunas relacionadas con el tema de la comida, como aquella donde el padre se come un huevo frito. Asimismo destacan el trabajo de la debutante Cristina Marcos y la luminosa fotografía de Teo Escamilla*.

Director: *Manuel Gutiérrez Aragón*. Guionistas: *Manuel Gutiérrez Aragón, Luis Megino*. Fotografía: *Teo Escamilla*. Intérpretes: *Fernando Fernán-Gómez, Cristina Marcos, Enrique San Francisco, Francisco Merino, León Klimovsky, Miguel Molina*. Producción: *Luis Megino para Arándano*. Duración: *99 min*.

MARCELINO, PAN Y VINO *(1954)*

A partir de un cuento demasiado ternurista, relatado de padres a hijos, según recuerdan los títulos de crédito, de José María Sánchez Silva, el realizador húngaro Ladislao Vajda* hace, sobre guión de ambos y para la productora Chamartín, uno de los mayores éxitos del cine español. Narra cómo a comienzos del siglo XIX, en una España destrozada tras las luchas contra las tropas de Napoleón, un grupo de monjes franciscanos reconstruye un abandonado monasterio y en él recoge, cuida y educa a un niño abandonado en su puerta. Cuando tiene cinco años, Marcelino (Pablito Calvo*) entabla una relación muy particular con un gran Cristo que hay en el trastero, al que todos los días lleva pan, vino o lo que encuentra por la cocina para que coma, porque le ve muy delgado, que finalmente le lleva a conocer a su madre. Narrado a través de un largo *flash-back*, como un cuento que uno de los frailes (Fernando Rey*) relata a una niña enferma, tiene un tono demasiado blandengue en su tratamiento del protagonista infantil, que una vez más, y como suele ser habitual en el cine español, está doblado por una señora. No obstante, es una película muy bien hecha, con un excelente reparto masculino, y alcanza un gran éxito internacional convirtiendo al niño Pablito Calvo* en gran *estrella*. Esto condiciona que Ladislao Vajda* vuelva a rodar con él

para Chamartin *Mi tío Jacinto** (1955), la mejor de la trilogía, y *Un ángel pasó por Brooklyn** (1956). En 1991 el italiano Luigi Comencini dirige una nueva versión con el mismo título, protagonizada por el niño Nicolo Paulucci, Fernando Fernán-Gómez*, Lucio Romero y Alfredo Landa*.

Director: *Ladislao Vajda*. Guionistas: *Ladislao Vajda, José María Sánchez Silva*. Fotografía: *Enrique Guerner*. Música: *Pablo Sorozábal*. Intérpretes: *Pablito Calvo, Rafael Rivelles, Antonio Vico, Juan Calvo, José Marco Davó, José Nieto, Fernando Rey*. Producción: *Chamartín*. Duración: *95 min.*

Joaquín Roa, Pablito Calvo, Juanjo Menéndez y Juan Calvo en *Marcelino, pan y vino*, de Ladislao Vajda

MARIBEL Y LA EXTRAÑA FAMILIA *(1960)*

Las relaciones entre Marcelino (Adolfo Marsillach*), un tímido muchacho de provincias, propietario de una fábrica de chocolatinas, que llega a Madrid con su madre, doña Matilde (Guadalupe Muñoz Sampedro), para pasar una temporada en casa de tía Paula (Julia Caba Alba), y Maribel (Silvia Pinal), una prostituta a quien conoce casualmente en la barra de un bar americano y con la que pretende casarse, dan lugar a una de las mejores películas de José María Forqué*. Basada en la comedia homónima de gran éxito de Miguel Mihura*, que también colabora en el guión, sigue muy de cerca el original para sacar todo el partido cómico posible del enfrentamiento entre dos mundos tan diversos. Junto a la eficaz dirección de Forqué* destaca el trabajo interpretativo de las grandes secundarias Julia Caba Alba y Guadalupe Muñoz Sampedro, que repiten los papeles ya creados en el teatro.

Director: *José María Forqué.* Guionistas: *Miguel Mihura, Luis Marquina, Vicente Coello, José María Forqué.* Fotografía: *José Aguayo.* Música: *Manuel Parada.* Intérpretes: *Silvia Pinal, Adolfo Marsillach, Julia Caba Alba, Guadalupe Muñoz Sampedro, José Orjas, Erasmo Pascual.* Producción: *Marciano de la Fuente para Tarfe Films, As Films.* Duración: *101 min.*

MARÍN, Guillermo *(Guillermo Marín Cayre. Madrid, 1905-Madrid, 1988)*

Debuta como actor de teatro a comienzos de los años veinte en la compañía de Ricardo Calvo, y una década después ya tiene compañía propia con la que no tarda en convertirse en uno de los grandes de la escena española. Debuta como actor de cine haciendo el papel de Lázaro en *El escándalo* (1943), de José Luis Sáenz de Heredia*, y trabaja intensamente durante toda la década, en especial con Antonio Román*, *Lola Montes* (1944), *Los últimos de Filipinas** (1945); Edgar Neville*, *La torre los siete jorobados** (1944), *La vida en un hilo** (1945), *Domingo de de carnaval** (1945), *El marqués de Salamanca* (1948); Rafael Gil*, *La pródiga* (1946), *La fe* (1947), *Don Quijote de la Mancha* (1947), *Mare nostrum* (1948), y Juan de Orduña, *Pequeñeces* (1950), *Agustina de Aragón* (1950). Desde principios de los años cincuenta desciende tanto la intensidad de su actividad cinematográfica como el interés y longitud de sus papeles, limitándose a breves apariciones en *Catalina de Inglaterra* (1951), de Arturo Ruiz-Castillo, o *La ironía del dinero** (1955), de Edgar Neville*, mientras dedica la mayoría de sus esfuerzos al teatro. Ocurre algo similar con el resto de su carrera, con la excepción de una gran actividad en televisión durante la década de los sesenta. No obstante, rueda su última película a los ochenta años, *La corte de Faraón* (1985), de José Luis García Sánchez*, y puede decirse que muere sobre un escenario por seguir trabajando hasta pocos meses antes de morir.

MARINÉ, Juan *(Juan Mariné Bruguera. Barcelona, 1920)*

Hijo de unos de los accionistas de la productora Eos Films, a los catorce años comienza a trabajar en cine como auxiliar de cámaras. Durante la guerra española trabaja como operador en la productora catalana Laya Films y como fotógrafo en el cuerpo de ejército de Enrique Líster. En la posguerra vuelve a su trabajo de ayudante hasta que en 1947 se va a Madrid, monta un importante estudio fotográfico y debuta como director de fotografía. Colabora con Antonio del Amo* en sus primeras películas, *Noventa minutos* (1949), *Alas de juventud* (1949), *Día tras día* (1951), y en algunas de las que hace con Joselito*, *Saeta del ruiseñor* (1957), *El ruiseñor en las cumbres* (1958). Y también con José María Forqué*, *Niebla y sol* (1951), *091, policía al habla* (1960), *Usted puede ser un asesino* (1961), *Accidente 703* (1962), *El juego de la verdad* (1963), *Vacaciones para Yvette* (1964), *Un millón en la basura* (1966), y Manuel Mur Oti*, *Orgullo* (1955), *El batallón de las som-*

bras (1956), *Duelo en la cañada* (1959). En la última etapa de su carrera trabaja especialmente con Pedro Lazaga*, con quien rueda más de veinte comedias, desde *La ciudad no es para mí* (1965) hasta *El dinero tiene miedo* (1970), y con Pedro Masó*, *Experiencia prematrimonial* (1972), *Una chica y un señor* (1973), *Un hombre como los demás* (1974). Su habilidad para los trucajes le lleva a colaborar con Juan Piquer* en sus últimas películas: *Mil gritos tiene la noche* (1982) y *Muerte viscosa* (Slugs, 1987). Desde mediados de los años ochenta se dedica casi exclusivamente a la restauración de películas en la Filmoteca Española.

MARISCAL, Ana *(Ana María Rodríguez Arroyo Mariscal. Madrid, 1925-Madrid, 1995)*

Hermana del actor y director Luis Arroyo, estudia ciencias exactas y debuta como actriz en *El último húsar* (1940), de Luis Marquina*. El éxito de *Raza* (1941), de José Luis Sáenz de Heredia*, le hace intervenir en numerosas películas durante los años cuarenta y cincuenta: *Siempre mujeres* (1942), de Carlos Arévalo; *Viento de siglos* (1945), de Enrique Gómez; *El tambor del Bruch* (1948), de Ignacio F. Iquino*; *Un hombre va por el camino* (1949), de Manuel Mur Oti*; *Un día perdido* (1954), de José María Forqué*, sin olvidar su interés por el teatro como

Ana Mariscal y Jesús Tordesillas en *La florista de la reina*, de Eusebio Fernández Ardavín

actriz y directora. En 1952 funda la productora Bosco Films y debuta como directora con *Segundo López* (1952), sobre las andanzas de un pueblerino en Madrid narradas con pretensiones neorrealistas, a la que sigue *Con la vida hicieron fuego* (1957), folletín con resonancias políticas en torno al tema de la guerra española. El fracaso comercial de estas dos insólitas producciones, le lleva a un cine comercial sin interés: *La quiniela* (1959), *Occidente y sabotaje* (1962), *Los duendes de Andalucía* (1965), *El paseíllo* (1968). Entre sus diez películas como realizadora destaca *El camino** (1963), eficaz adaptación de la novela homónima de Miguel Delibes que no tiene el menor éxito. A finales de la década de los cincuenta da clases de interpretación en el Instituto de Investigaciones y Experiencias Cinematográficas.

MARISOL *(Josefa Flores González. Málaga, 1948)*

Descubierta por el productor Manuel J. Goyanes* a los once años en una actuación televisada de un grupo de Coros y Danzas de Málaga con motivo de la madrileña Feria del Campo, la contrata en exclusiva y lanza en *Un rayo de luz* (1960), *Ha llegado un ángel* (1961) y *Tómbola* (1962), de Luis Lucia*, comedias sentimentales con canciones según el modelo creado para la *estrella* infantil norteamericana Shirley Temple, que tienen una excelente acogida tanto en España como en Latinoamérica. Tras *Marisol, rumbo a Río* (1963), de Fernando Palacios*, sus películas se llenan de irregulares números de baile y de leves tramas amorosas, pero tanto *La nueva cenicienta* (1964), de George Sherman, como *Búscame a esa chica* (1964), de Fernando Palacios*, y *Cabriola* (1965), de Mel Ferrer, siguen siendo grandes éxitos. La poca aceptación popular de *Las cuatro bodas de Marisol* (1967) y *Solos los dos* (1968), de Luis Lucia*, y *Carola de día, Carola de noche* (1969), de Jaime de Armiñán, la llevan a evolucionar hacia un musical más erótico, *La chica del Molino Rojo* (1973), de Eugenio Martín*, o ambiguos policiacos con desnudos, *La corrupción de Chris Miller* (1972) y *El poder del deseo* (1975), de J. A. Bardem*, que no llegan a funcionar bien. Su mejor película es *Los días del pasado* (1977), de Mario Camus*, pero posteriormente sólo hace breves apariciones con el nombre de Pepa Flores en *Bodas de sangre** (1981) y *Carmen** (1983), de Carlos Saura*. Se retira de forma definitiva después del fracaso crítico y comercial de *Caso cerrado* (1985), de Juan Caño, con el que pretendía dar un nuevo giro a su carrera.

MAROTO, Eduardo G. *(Eduardo García Maroto. Jaén, 1905-Madrid, 1989)*

Comienza ingeniería industrial, pero en 1923 abandona sus estudios para trabajar en los laboratorios Madrid Films. Realiza variados trabajos técnicos, interviene como actor en algunas películas y también es reportero de actualidades. Con la llegada del sonoro se va a los estudios Tobis, de París, para aprender las nuevas técnicas, y a su regreso a Madrid se coloca como montador en los recién inaugurados estudios Cea. El éxito de sus cortometrajes cómicos, *Una de fieras* (1934), *Una de miedo* (1935), *Y ahora... una de ladrones* (1935), que hace sobre guiones de Miguel Mihura* y suyos, le lleva a rodar para Cifesa en la misma línea y con igual colaborador los largos *La hija del penal** (1935) y, tras el intervalo de la guerra española, que pasa en Portugal montando documentales para los sublevados, *Los cuatro robinsones* (1939), sus mejores películas. Sus restantes nueve producciones, desde *Oro vil* (1941) hasta *Truhanes de honor* (1950), pertenecen a diferentes géneros y tienen mucho menor interés. Sólo con su último largo, *Tres eran tres* (1954), vuelve a su personal línea de comedias, pero con peores resultados. Colaborador de diferentes revistas como crítico teatral y cinematográfico, destacan sus trabajos humorísticos en *Cinerevista* y *Hermano Lobo*.

Desde mediados de los años cincuenta hasta finales de los sesenta trabaja en la producción de muchas de las películas norteamericanas rodadas en España: *Salomón y la reina de Saba* (Solomon and Sheba, 1959), de King Vidor; *Espartaco* (Spartacus, 1960), de Stanley Kubrick; *Patton* (1969), de Franklin J. Schaffner, etc. Al final de su vida publica un volumen de memorias bajo el título *Aventuras y desventuras del cine español* (1988).

MARQUINA, Luis *(Luis Marquina Pichot. Barcelona, 1904-Madrid, 1980)*
    Hijo del poeta Eduardo Mar-

quina, tras doctorarse en ingeniería industrial en Madrid, se especializa en sonido en los estudios Tobis de París y UFA de Berlín. Comienza en 1934 a trabajar como subdirector técnico e ingeniero de sonido en los estudios Cea, de Madrid, pero al año siguiente Luis Buñuel*, en su calidad de productor ejecutivo de Filmófono, le da la oportunidad de rodar su primer largometraje, *Don Quintín el amargao* (1934), adaptación del sainete de Arniches y Estremera. Tras *El bailarín y trabajador** (1936), su mejor película, la guerra española le hace refugiarse en Argentina, de donde regresa para trabajar en el

Fernando de Granada y Ana María Custodio en *Don Quintín el amargao,* de Luis Marquina

Departamento Nacional de Cinematografía. Entre sus casi treinta películas como director, sólo pueden destacarse *Malvaloca* (1942), sobre la obra de los hermanos Álvarez Quintero, y, en menor medida, *El capitán Veneno* (1950), basada en la novela de Pedro Antonio de Alarcón. Fundador de la productora Día en 1955, interviene como guionista o productor ejecutivo en casi veinte películas más. Profesor de producción, tecnología y montaje en el Instituto de Investigaciones y Experiencias Cinematográficas, también escribe varias comedias y guiones para series de televisión.

MARSILLACH, Adolfo *(Adolfo Marsillach Soriano. Barcelona, 1928)*

Licenciado en derecho, comienza a colaborar en el T.E.U. y en 1946 debuta como actor de teatro en la compañía de Alejandro Ulloa y de cine en *Mariona Rebull* (1946), de José Luis Sáenz de Heredia*. Durante los años cincuenta hace papeles secundarios en varias películas, entre los que destaca el de cura en *El frente infinito* (1956), de Pedro Lazaga*, y obtiene un gran éxito al encarnar a Ramón y Cajal en *Salto a la gloria* (1959), de León Klimovsky*, papel que repite en la serie de televisión *Ramón y Cajal* (1981), de José María Forqué*, mientras instalado en Madrid desarrolla una amplia labor teatral que le hace formar compañía propia

en 1956. Posteriormente protagoniza *Maribel y la extraña familia** (1960), *091, policía al habla* (1960) y *El secreto de Mónica* (1961), de José María Forqué*; *La paz empieza nunca* (1960), de León Klimovsky*; *El tímido* (1965), de Pedro Lazaga*; *Al servicio de la mujer española* (1978), de Jaime de Armiñán; *Sesión continua** (1984), de José Luis Garci*, entre una serie de irregulares papeles secundarios, una gran actividad como actor y realizador de televisión durante la década de los setenta y posteriormente una excelente labor teatral al frente del Teatro Español de Madrid, el Centro Dramático Nacional y la Compañía de Teatro Clásico. Dirige e interpreta la película *Flor de santidad* (1972), una curiosa adaptación de Valle-Inclán, pero tan cortada por la censura que no se anima a repetir la experiencia. Es padre de las actrices Blanca Marsillach (Madrid, 1966) y Cristina Marsillach (Madrid, 1963), mucho más vinculadas al cine italiano que al español.

MARTÍN, Andreu *(Andreu Martín Ferrero. Barcelona, 1949)*

Licenciado en psicología, escribe guiones para historietas gráficas y novelas policiacas. Entre su amplia producción novelística destacan *Aprende y calla* (1979), *Prótesis* (1980), origen de *Fanny Pelopaja** (1985), de Vicente Aranda*; *Por amor al arte* (1982), *El caballo y *el mono* (1984), origen de *Adiós, pequeña* (1986), de Imanol Uribe*, y *Barcelona Connection* (1988), escrita a partir del guión de la película homónima dirigida por M. I. Bonns. Entre sus guiones para cine sobresalen los de *Putapela* (1981), de Jordi Bayona; *Estoy en crisis** (1982) y *El caballero del dragón* (1985), de Fernando Colomo*, siempre escritos en colaboración. Sobre guión propio dirige la irregular producción *Sauna* (1990).

MARTÍN, Eugenio *(Eugenio Martín Márquez. Granada, 1925)*

Estudia derecho en la Universidad de Granada, publica algunos libros de poesía y dirige varios cine-clubs en su ciudad natal. Diplomado en dirección en el Instituto de Investigaciones y Experiencias Cinematográficas, trabaja como ayudante de dirección en películas británicas o norteamericanas rodadas en España. Tras debutar como realizador con la obra realista *Despedida de soltero* (1958), el resto de su carrera está ligada al cine de géneros. De forma que igual rueda películas de piratas, *Los corsarios del Caribe* (1960); intriga, *Hipnosis* (1962), *La última señora Anderson* (1970); aventuras, *Duelo en el Amazonas* (1964); comedias musicales, *Las leandras* (1969), *La chica del Molino Rojo* (1973), o «comedias a la española», *Esclava te doy* (1975), *Tengamos la guerra en paz* (1976). Sus mejores trabajos los realiza bajo

los seudónimos Herbert Martin y Martin Herbert y dentro del denominado *spaghetti-western*, *El precio de un hombre* (1966), su mayor éxito, *El hombre del Río Malo* (1971), y el terror, *Pánico en el Transiberiano* (1972), una coproducción con la compañía británica Hammer. Después de hacer veintiún largometrajes de los más variados géneros, rueda para televisión algunas series basadas en novelas de escritores nacionales, entre las que destaca *Vísperas* (1985), sobre la trilogía homónima de Manuel Andújar.

MARTÍN, Maribel *(María Isabel Martínez. Madrid, 1954)*

Debuta como actriz de cine a los siete años en *Tres de la Cruz Roja* (1961), de Fernando Palacios*, y continúa haciendo pequeños papeles de niña en, por ejemplo, *La gran familia* (1962), de Fernando Palacios*, o *El camino** (1963), de Ana Mariscal*. A finales de la década de los sesenta aumenta su cometido en películas como *La residencia* (1969), de Narciso Ibáñez Serrador, y *La cera virgen* (1971), de José María Forqué*, para llegar a protagonizar *La novia ensangrentada* (1972), de Vicente Aranda*. Su negativa a desnudarse ante las cámaras le hace trabajar mucho más en teatro y televisión que en cine durante los años setenta, pero no obstante hace destacados papeles en *La campana del infierno* (1973), de Claudio Guerín; *Los viajes escolares* (1973), de Jaime Chávarri; *La espada negra* (1976), de Francisco Rovira Beleta*. Tras protagonizar *Últimas tardes con Teresa* (1983), de Gonzalo Herralde*, crea con el actor Julián Mateos* la productora Ganesh Films y sólo actúa en algunas de sus producciones: *Los santos inocentes** (1984), de Mario Camus*, y *El niño de la luna* (1988), de Agustín Villaronga.

MARTÍNEZ-LÁZARO, Emilio *(Emilio Martínez-Lázaro Torre. Madrid, 1945)*

Después de estudiar ciencias físicas, dirige algunos cortometrajes y el episodio *Frankestein* del largometraje colectivo *Pastel de sangre* (1971). Durante la primera mitad de los años setenta tiene una amplia actividad como realizador de programas dramáticos en Televisión Española, mientras escribe guiones para películas de terror con Juan Tebar bajo el seudónimo Lazarus Kaplan. Tras colaborar en el guión de *Pascual Duarte** (1976), de Ricardo Franco*, el productor Elías Querejeta* le encarga la realización de *Las palabras de Max** (1977), un drama sobre la soledad que tiene muy poco que ver con el resto de su cine y gana el Oso de Oro del Festival de Berlín. Convertido en su propio productor e interesado por la comedia, la declina en alguna de sus muchas acepciones: la social en *Sus años dorados** (1980); la de equívocos en *Todo va mal* (1984), que hace para Televisión Española; la dramática en *Lulú de noche** (1985), su mejor trabajo; la de enredos en *El juego más divertido** (1987), y las juveniles en *Amo tu cama rica** (1991) y *Los peores años de nuestra vida* (1994).

MARTÍNEZ SORIA, Paco *(Francisco Martínez Soria. Tarazona, Zaragoza, 1902-Madrid, 1982)*

Educado en Barcelona, trabaja en diferentes oficios hasta que a principios de los años treinta consigue debutar como actor de teatro. Su primera película es *Al margen de la ley* (1934), de Ignacio F. Iquino*, para quien hace algunos papeles secundarios hasta mediados de los años cuarenta, pero tras formar compañía propia durante la guerra española, su máximo interés es el teatro, donde tiene grandes éxitos como *La ciudad no es para mí*, la popular comedia de Fernando Lázaro Carreter. Entre 1945 y 1951 se dedica en exclusiva al teatro, pero durante la década de los cincuenta aprovecha sus largas temporadas en su Teatro Talía de Barcelona para hacer algunos papeles en producciones sin mucha entidad. La situación cambia por completo cuando protagoniza en cine su gran éxito teatral y *La ciudad no es para mí* (1965), de Pedro Lazaga*, obtiene tales recaudaciones que llega a abandonar el teatro por el cine. Durante la última etapa de su vida protagoniza quince populacheras comedias, muchas de ellas

Paco Martínez Soria en *La ciudad no es para mí*, de Pedro Lazaga

basadas en sus viejos éxitos teatrales, la mayoría dirigidas por Pedro Lazaga*, *Abuelo «made in Spain»* (1969), *Hay que educar a papá* (1971), *El abuelo tiene un plan* (1973), *Estoy hecho un chaval* (1975), o José Luis Sáenz de Heredia*, *¡Se armó el belén!* (1969), *Don Erre que Erre* (1970), que a pesar de su nulo atractivo siguen dominando los índices de audiencia cuando se emiten por televisión.

MASÓ, Pedro *(Pedro Masó Paulet. Madrid, 1927)*

A los dieciséis años comienza a trabajar como extra en los estudios Chamartín y prosigue de botones, maquillador, regidor, ayudante de producción y jefe de producción. En 1953 empieza a escribir guiones con Rafael J. Salvia* —*Aquí hay petróleo* (1955), *Manolo, guardia urbano** (1956), *El puente de la paz* (1957), *Las chicas de la Cruz Roja* (1958)—, mientras también es coguionista para otros directores formando pareja con Vicente Coello* o Antonio Vich*. Entre los más de cincuenta guiones donde colabora pueden citarse *El día de los enamorados* (1959), de Fernando Palacios*; *Atraco a las tres** (1962), de José María Forqué*; *La gran familia* (1963), de Fernando Palacios*, y *Un millón en la basura* (1967), de José María Forqué*. Desde 1957 interviene como productor asociado en muchas de las películas que también escribe, en 1961 crea su propia productora y en diez años produce poco más de cuarenta películas. El enorme éxito de *La ciudad no es para mí* (1965), que escribe con Vicente Coello* para lucimiento de Paco Martínez Soria*, le lleva a asociarse con el realizador Pedro Lazaga* e inundar de comedietas la segunda mitad de la década de los sesenta, hacen juntos más de veinte, entre las que cabe citar *Sor Citroen* (1967), y *Las amigas* (1969). Con la llegada de los setenta decide convertirse también en director, rebaja su ritmo de producción a una película al año y en la misma línea de comedietas con múltiples parejas hace *Las ibéricas F. C.* (1971) y *Las colocadas* (1972). Seguro de su nuevo oficio, y casi siempre sobre guiones de Antonio Vich* y suyos, hace las más ambiciosas, pero igualmente anticuadas, *Experiencia prematrimonial* (1972), *Una chica y un señor* (1973), *Un hombre como los demás* (1974), *Las adolescentes* (1974), *La menor* (1976), *La Coquito* (1977), historias dramáticas protagonizadas por atractivas adolescentes que tienen gran éxito. Sobre guiones de Rafael Azcona* y suyos rueda las comedias *La miel* (1979), *La familia, bien, gracias* (1979), *El divorcio que viene* (1980), *127 millones libres de impuestos* (1981) y *Puente aéreo* (1981), que se si-

túan entre sus mejores trabajos. Posteriormente se dedica en exclusiva a la televisión como coguionista y realizador de series de costumbres, *Anillos de oro* (1983), *Segunda enseñanza* (1985), o policíacas, *Brigada central* (1989).

MATADOR *(1986)*

Sobre un guión bastante más elaborado de lo habitual en él, original del novelista Jesús Ferrero y el propio realizador, Pedro Almodóvar* rueda uno de sus más característicos melodramas. Narra los necrofílicos amores entre el torero retirado Diego Montes (Nacho Martínez) y la abogada criminalista María Cardenal (Assumpta Serna*) a través de una sucesión de crímenes pasionales, de los que se hace responsable el aficionado a los toros Ángel (Antonio Banderas*), y una serie de personajes, entre los que cabe citar a una modelo (Eva Cobo), un comisario de policía (Eusebio Poncela*) y una psicóloga (Carmen Maura*). Tras un brillante comienzo, la historia se complica y trivializa en exceso hasta resultar demasiado farragosa. Las tensiones existentes durante el rodaje entre el productor Andrés Vicente Gómez* y el director Pedro Almodóvar*, le llevan a tomar la sabia decisión de crear la marca El Deseo, convertirse en su propio productor y comenzar su brillante carrera internacional.

Nacho Martínez y Eva Cobo en *Matador,* de Pedro Almodóvar

Director: *Pedro Almodóvar.* Guionistas: *Jesús Ferrero, Pedro Almodóvar.* Fotografía: *Ángel Luis Fernández.* Música: *Bernardo Bonezzi.* Intérpretes: *Assumpta Serna, Antonio Banderas, Nacho Martínez, Eva Cobo, Carmen Maura, Eusebio Poncela, Chus Lampreave, Julieta Serrano.* Producción: *Andrés Vicente Gómez para Compañía Iberoamericana de Televisión.* Duración: *105 min.*

MATAS, Alfredo *(Alfredo Matas Salinas. Barcelona, 1920-Barcelona, 1996)*

Vinculado con la exhibición desde 1948, es consejero de la importante empresa exhibidora Cinesa y no tarda en pertenecer a la distribuidora InCine. A comienzos de los años sesenta crea la compañía Jet Films, con la que produce treinta y cinco largometrajes a lo largo de treinta años. Destaca su colaboración con Luis G. Berlanga* en *Plácido* * (1961), *Tamaño natural* * (1973), la trilogía sobre la familia Legineche integrada por *La escopeta nacional* * (1979), *Patrimonio nacional* * (1980) y *Nacional III* * (1982), y *La vaquilla* *, y con Jaime Chávarri* en *Bearn o la sala de las muñecas* * (1982), *Las bicicletas para el verano* * (1983) y *Tierno verano de lujurias y azoteas* * (1992). Entre sus restantes películas también hay que citar *El buen amor* * (1962), primer largometraje de Francisco Regueiro*; *El amor del capitán Brando* * (1974), de Jaime de Armiñán*; *El anacoreta* * (1976), de Juan Estelrich; *Ese oscuro* *objeto de deseo** (1977), de Luis Buñuel*, y *El crimen de Cuenca** (1979), de Pilar Miró*.

MATEOS, Julián *(Julián Mateos Pérez. Robledillo de Trujillo, Cáceres, 1938)*

Mientras estudia filosofía y letras en la Universidad de Salamanca, comienza a actuar en el T.E.U. Instalado en Barcelona, estudia arte dramático en el Instituto del Teatro y debuta como actor de cine en un papel secundario en *Los desamparados* (1960), de Antonio Santillán. Tras encarnar a personajes destacados en *Los castigadores* (1961), de Alfonso Balcázar*, y *Juventud a la intemperie* (1961), de Ignacio F. Iquino*, tiene éxito con su trabajo en *Los atracadores** (1961), de Francisco Rovira Beleta*, lo que le lleva a protagonizar *Young Sánchez** (1963), de Mario Camus*, al tiempo que colabora en *Tiempo de amor* (1964), de Julio Diamante; *El último sábado* (1966), de Pedro Balañá; *Oscuros sueños de agosto* (1967), de Miguel Picazo*; *La Celestina* (1968), de César Ardavín*; *La orilla* (1970), de Luis Lucia, o *La otra imagen* (1972), de Antoni Ribas*, hace pequeños papeles en producciones extranjeras que se ruedan en España: *10:30 p.m. Summer* (1966), de Jules Dassin; *El regreso de los siete magníficos* (Return of the Seven, 1966), de Burt Kennedy; *Shalako* (1968), de Edward Dmytryk, y *El oro de nadie* (Catlow, 1971), de Sam Wanamaker. Tras protagonizar *Olvida los tambores* (1974), de Rafael Gil*, y *La Carmen* (1975), de Julio Diamante, se retira y reaparece en 1983 como productor al crear la compañía Ganesh Films, junto a la actriz Maribel Martín*, para producir *Los santos inocentes** (1984), de Mario Camus*; *El viaje a ninguna parte** (1986), de Fernando Fernán-Gómez*, y *El niño de la luna* (1988), de Agustín Villaronga.

MATER AMATISIMA *(1980)*

Entre la elemental comedia catalana *Serenata a la luz de la luna* (1978), codirigida con Carles Jover, y el irregular policiaco *Estación central* (1989), el desconcertante Josep A. Salgot rueda esta insólita y excelente película basada en un argumento de Bigas Luna*. Narra las fuertes y exclusivas relaciones que se establecen entre Clara (Victoria Abril*) y su hijo único autista Juan (Julito de la Cruz), cómo a lo largo del tiempo la llevan a abandonar su trabajo de ingeniero, encerrarse con su hijo en su casa, dedicarse exclusivamente a él y rechazar los intentos de diferentes amigos para que vuelva a hacer una vida normal. Rodada con gran minuciosidad y corrección a través de múltiples planos de detalles, su interés se centra en el excelente trabajo de Victoria Abril* enfrentada con un verdadero niño autista, Julito de la

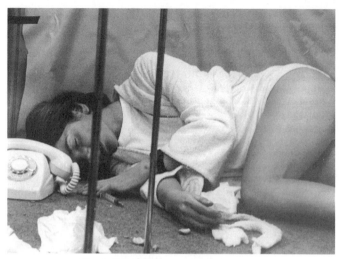

Victoria Abril en *Mater amatisima,* de J. A. Salgot

Cruz, que demuestra ser un gran actor.

Director: *Josep A. Salgot.* Guionistas: *Josep A. Salgot, J. Rodríguez Jordana.* Fotografía: *Jaume Peracaula.* Música: *Vangelis.* Intérpretes: *Victoria Abril, Julito de la Cruz, Consuelo Tura, Jaume Sorribas.* Producción: *Ricardo Muñoz Suay para Imatco.* Duración: *90 min.*

MATJI, Manolo *(Manuel Matji Tuduri. Madrid, 1943)*

Estudia medicina en la Universidad de Madrid y producción en la Escuela Oficial de Cinematografía. Escribe crítica de cine en las revistas especializadas *Griffith* y *Film Ideal.* Colabora en los guiones de *El hombre de moda** (1980), de Fernando Méndez-Leite*; *Aquella casa en las afueras* (1980), de Eugenio Martín*; *Los santos inocentes** (1983), de Mario Camus*; *El disputado voto del señor Cayo** (1985), de Antonio Giménez-Rico*; *El sueño del mono loco** (1987), de Fernando Trueba*; *La blanca paloma** (1988), de Juan Miñón, así como en los de varias series de televisión. Productor asociado de *Ópera prima** (1979), de Fernando Trueba*; *El hombre de moda*,* de Fernando Méndez-Leite*; *La mano negra** (1980), de Fernando Colomo*, y *La blanca paloma*,* de Juan Miñón. Dirige documentales, los largos *La guerra de los locos**

(1985) y *Mar de Luna* (1994, y algunos programas de televisión.

MAURA, Carmen *(Carmen García Maura. Madrid, 1945)*

Descendiente del político Antonio Maura, abandona los estudios de filosofía y letras para dirigir una galería de arte y hacer pequeños papeles en teatro, televisión y cine. Su primera película es *Las gatas tienen frío* (1969), de Carlos Serrano, pero tienen que pasar ocho años y nueve producciones hasta destacar con su primer personaje importante en *Tigres de papel** (1977), de Fernando Colomo*. Debe buena parte de su gran reputación a Pedro Almodóvar*, con quien trabaja en *Pepi, Luci, Bom y otras chicas del montón* (1980), *Entre tinieblas* (1983), *¿Qué he hecho yo para merecer esto?** (1984), *Matador** (1985), *La ley del deseo** (1986) y *Mujeres al borde de un ataque de nervios** (1987), pero también brilla en *Sé infiel y no mires con quién** (1985), de Fernando Trueba; *Baton Rouge** (1988), de Rafael Moleón, y *La reina anónima** (1992), de Gonzalo Suárez*, aunque sus mejores interpretaciones son la ex monja Elvira en *Tata mía** (1986), de José Luis Borau*; la artista de variedades Carmela de *¡Ay, Carmela!** (1989), de Carlos Saura*, y la veterinaria ex etarra Ana de *Sombras en una batalla** (1993), de Mario Camús*.

MAYO, Alfredo *(Alfredo Fernández Martínez. Barcelona, 1911- Palma de Mallorca, 1985)*

Abandona los estudios de medicina para ingresar en 1929 en la compañía de Ernesto Vilches. Durante los años treinta trabaja con regularidad como actor de teatro y hace un par de papelitos en cine, pero tras intervenir en la guerra española como oficial de aviación del bando rebelde, se convierte en el prototipo de héroe del cine bélico triunfalista de la década de los cuarenta al encarnar a los protagonistas de *Harka* (1941), de Carlos Arévalo; *Escuadrilla* (1941), de Antonio Román*; *Raza** (1942), de José Luis Sáenz de Heredia*; *¡A mí la legión!* (1942), de Juan de Orduña*; *El abanderado* (1943), de Eusebio Fernández Ardavín*, y *El santuario no se rinde* (1949), de Arturo Ruiz-Castillo*. Contratado en exclusiva por la productora Cifesa y convertido en la *estrella* del momento, también interviene en melodramas, *Malvaloca** (1942), de Luis Marquina*; comedias, *Deliciosamente tontos* (1943), de Juan de Orduña*; policiacos, *Chantaje* (1946), de Antonio de Obregón*; reconstrucciones históricas, *El marqués de Salamanca** (1948), de Edgar Neville*; historias anticomunistas, *Paz* (1949), de José Díaz Morales, y folclóricas, *Debla, la virgen gitana* (1950), de Ramón Torrado*. En la década de los cincuenta comienza una rápida decadencia profesional, de la que sólo le saca transitoriamente Carlos Saura* cuando le ofrece destacados papeles protagonistas en *La caza** (1965) y *Peppermint frappé** (1967). En cincuenta años de profesión rueda unas ciento sesenta películas dentro de una irregular y descendente trayectoria, pero que le lleva a morir durante el rodaje de su última película, *El Suizo, un amour en Espagne* (1985), de Richard Dindo.

ME HACE FALTA UN BIGOTE
(1986)

El interés de Manuel Summers* por la adolescencia le lleva a debutar con *Del rosa al amarillo** (1963) y rodar las irregulares *Adiós, cigüeña, adiós* (1972), *El niño es nuestro* (1973), *Ya soy mujer* (1975) y *Mi primer pecado* (1977). Ya al final de su filmografía, cuando su cine está lejos de todo interés, vuelve a su tema más querido y realiza la mejor de sus películas, pero al contrario que en las restantes ocasiones, es un gran fracaso. Esta hábil mezcla de ficción y realidad narra cómo el propio Summers* escribe un guión y realiza una película sobre su primer amor. Al tiempo que en el Madrid de mediados de los años cuarenta un Manolo de diez años (Jacobo Echevarría) se enamora de su vecina Luisita (Paloma San Millán) de doce años, fascinada por el cantante mexicano Jorge Negrete, Summers* trabaja en su proyecto y habla con sus hijos sobre él.

Director y guionista: *Manuel Summers*. Fotografía: *Tote Trenas*. Música: *Carlos Vizziello, David Summers*. Intérpretes: *Jacobo Echevarría, Paloma San Millán, Gregoria García Morcillo, Manuel Summers*. Producción: *Bermúdez de Castro P. C., M-2 Films*. Duración: *90 min*.

MEDEM, Julio *(Julio Medem Lafont, San Sebastián, 1958)*

Desde muy joven rueda cortometrajes en super-8 y, mientras se doctora en medicina y cirugía, comienza a hacerlos en 35 mm. Debuta como director de largometrajes con *Vacas* (1991), donde narra en enfrentamiento entre dos familias vascas a lo largo de varias generaciones, que tiene una buena acogida. Tanto *La ardilla roja* (1992) como *Tierra* (1996) narran historias de amor con una especial complejidad, pero desdequilibradas por su excesivo gusto por los planos subjetivos y una cierta pedantería narrativa.

MEGINO, Luis *(Luis Megino Grande. Madrid, 1940)*

Licenciado en derecho y ciencias empresariales, Icade, por la Universidad de Madrid, y titulado en producción en la Escuela Oficial de Cinematografía, es uno de los fundadores de la productora de cortometrajes Inscran. Allí se encarga de la producción de *Bolero de amor* (1970), de Francesc Betriu*; *¿Qué se puede hacer con una chica?* (1969), de Antonio Drove*; *Labellecialaccio* (1970), de José Luis García Sánchez*, y *El último día de la humanidad* (1969), de Manuel Gutiérrez Aragón*, primeras experiencias profesionales de sus respectivos realizadores. Después de intervenir en la producción de los largos *Mi querida señorita* (1971), de Jaime de Armiñán*; *Corazón solitario* (1972), de Francesc Betriu*; *Hay que matar a B* (1973), de José Luis Borau*; y *Contra la pared* (1975), de Bernardo Fernández, crea la marca Arándano Films y empieza a trabajar como productor independiente. De esta forma produce *Colorín colorado* (1976) y *Las truchas* (1977), de José Luis García Sánchez*, y sobre todo comienza una fructífera colaboración con Manuel Gutiérrez Aragón*, no sólo como productor, sino también como guionista, que se extiende a lo largo de *El corazón del bosque* (1978), *Maravillas* (1980), *Demonios en el jardín* (1982), *La noche más hermosa* (1984), *La mitad del cielo* (1986) y *Malaventura* (1988), que ganan numerosos premios internacionales.

MERCERO, Antonio *(Antonio Mercero Juldain. Lasarte, Guipúzcoa, 1936)*

Licenciado en derecho y titulado en dirección en la Escuela Oficial de Cinematografía en 1962, debuta como realizador de largos con *Se necesita chico* (1963), pero su fracaso le conduce al terreno de los documentales y a los programas dramáticos de televisión. El éxito de *La cabina* (1972), que, sobre guión de José Luis Garci*, gana el premio norteamericano Emmy, le hace alternar la televisión con el cine, para el que rueda el irregular policiaco *Manchas de sangre en un coche nuevo* (1974) y la mala comedia de época *Las delicias de los verdes años* (1976). Su mayor éxito cinematográfico es *La guerra de papá* (1977), adaptación de una novela de Miguel Delibes producida por José Frade*, pero le hace rodar con el niño protagonista Lolo García la poética *Tobi* (1978). Entre el resto de su irregular producción destacan la dramática *La próxima estación* (1982), sobre un enfrentamiento paterno-filial, y la comedia *Espérame en el cielo* (1987), en torno a un doble del general Franco, frente a la infantil *Buenas noches, señor monstruo* (1982) y la cómica *Don Juan, mi querido fantasma* (1990), entre medias del éxito de series para televisión como *Verano azul* (1979), *Turno de oficio* (1985) y *Farmacia de guardia* (1993).

MERINO, Fernando *(Fernando Merino Bores. Madrid, 1931)*

Después de trabajar durante trece años como ayudante de dirección, el productor José Luis Dibildos* financia su primer largometraje, *Lola, espejo oscuro* (1965), una fallida adaptación de la novela homónima de Darío Fernández Flórez. Posteriormente, y también para Dibildos*, hace las típicas comedietas *Amor a la española* (1966), *Los subdesarrollados* (1967) y *La dinamita está servida* (1968). Ya encasillado dentro de ese género, entre sus dieciocho películas también pueden citarse *Los días de Cabirio* (1971) o *Préstame quince días* (1971), ambas protagonizadas por Alfredo Landa*.

MI ADORADO JUAN *(1949)*

La obra de Miguel Mihura*, como guionista o dramaturgo, gira en torno a la automarginación como forma de encontrar la felicidad y la libertad, pero nunca aparece con la claridad que en esta película dirigida por su hermano Jerónimo Mihura*. A través de las relaciones entre Juan (Conrado San Marín*), un médico que ha abandonado su profesión por un grave fracaso y vive muy modestamente, sin trabajar, rodeado de amigos a los que trata de ser útil, y Eloísa (Conchita Montes*), la hija del doctor Palacios (Alberto Romea), que se dedica a secuestrar perros para los experimentos de su padre, se da toda la filosofía de Miguel Mihura* sobre la vida y el matrimonio. El resultado es una brillante comedia filosófica con muy buenos diálogos, que nada tiene que envidiar a las producciones norteamericanas del mismo género y similar época. Hábilmente rodada por Jerónimo Mihura*, sabe sacar un buen partido al guión de Miguel Mihura* y también conseguir una brillante interpretación tanto de los protagonistas como de los excelentes secundarios. Su relativo éxito, y según una curiosa costumbre de la época, lleva a Miguel Mihura* a transformarla en una comedia teatral, que en 1956 se estrena protagonizada y dirigida por Alberto Closas*, con gran éxito. Pero en esta ocasión la automarginación del protagonista ya no es tan radical y acepta cambiar su peculiar forma de vida para conseguir a la mujer amada.

Director: *Jerónimo Mihura*. Guionista: *Miguel Mihura*. Fotografía: *Jules Krüger*. Música: *Ramón Ferrés*. Intérpretes: *Conchita Montes, Conrado San Martín, Juan de Landa, Luis Pérez de León, Alberto Romea, José Isbert*. Producción: *Emisora Films*. Duración: *116 min.*

MI CALLE *(1960)*

El éxito de la versión cinematográfica de su famosa obra teatral *El baile** (1959), lleva a Edgar Neville* a hacer para el mismo productor, José Antonio

Yrrisarry, una última película, sobre un guión escrito unos años antes, para el que nunca había encontrado financiación. La historia de una calle del Madrid isabelino desde principios de siglo hasta la actualidad, sirve a Neville* para hacer una leve semblanza histórica, pero sobre todo para contar la vida de un amplio grupo de personas que viven en ella. Con una clara inspiración italiana, construye una interesante obra coral, muy lejana de la línea crítica y negra desarrollada poco después por Luis G. Berlanga*, pero igualmente eficaz. Su fracaso comercial aparta definitivamente a Neville* del cine y le hace dedicarse en exclusiva al teatro.

Director y guionista: *Edgar Neville*. Fotografía: *José Aguayo*. Música: *Manuel Parada*. Intérpretes: *Roberto Camardiel, Pedro Porcel, Jorge Rigaud, Rafael Alonso, Conchita Montes, Susana Campos, Antonio Casal, Adolfo Marsillach, Lina Canalejas*. Producción: *José Antonio Yrrisarry para Carabela Films*. Duración: *91 min.*

MI HERMANO DEL ALMA *(1993)*

La historia de dos hermanos, uno trabajador y serio, el otro vago y jugador, sucesivamente casados con la misma mujer, da lugar a una atractiva película que comienza en tono de comedia y progresivamente se convierte en una tragedia. Tras un prescindible prólogo en blanco y negro ocurrido diez años atrás, narra cómo el hermano Caín (Juanjo Puigcorbé*) irrumpe en la apacible vida del hermano Abel (Carlos Hipólito) con intención de recuperar a su ex mujer (Lidia Bosch) y arrasarlo todo, cómo se ven obligados a convivir con él y acaba arrastrándole al crimen, mientras destruye su matrimonio. Desarrollada en su mayor parte durante un viaje de venta de seguros por las costas catalanas, mezcla con habilidad la comedia y el drama dentro de un guión con estructura policiaca que apenas muestra agujeros en su desarrollo dramático. Primera película del director de teatro Mariano Barroso, demuestra gran habilidad para mover los hilos de la historia, cambiar de registro y dirigir actores.

Director: *Mariano Barroso*. Guionistas: *Mariano Barroso, Joaquín Oristrell*. Fotografía: *Flavio Martínez Labiano*. Música: *Bingen Mendizábal*. Intérpretes: *Juanjo Puigcorbé, Carlos Hipólito, Lidia Bosch, Juan Echanove*. Producción: *Fernando Colomo para Sogetel, Fernando Colomo P. C.* Duración: *95 min.*

MI QUERIDA SEÑORITA *(1971)*

Esta sutil comedia de costumbres, producida y escrita por José Luis Borau* en colaboración con Jaime de Armiñán*, que también se encarga de la

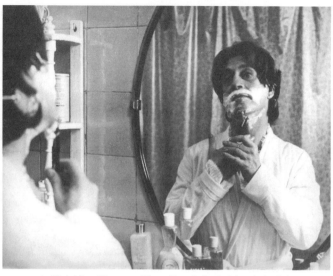

José Luis López Vázquez en *Mi querida señorita*, de Jaime de Armiñán

dirección, es uno de los grandes éxitos del cine español. Narra cómo las relaciones entre la solterona de provincias Adela Castro (José Luis López Vázquez*), su criada Isabel (Julieta Serrano) y el viudo don Santiago (Antonio Ferrandis), llevan a la primera a descubrir que es un hombre, operarse y enfrentarse a la vida con sus leves conocimientos de piano y su habilidad para coser a máquina. Narrada con eficacia y economía narrativa, es una buena mezcla de comedia dramática y alegato sobre la condición femenina en la España de finales de la dictadura del general Franco. Destaca la luminosa fotografía de Luis Cuadrado* y la compleja y sobria actuación de José Luis López Vázquez* en el difícil papel de mujer que descubre que es un hombre y se lanza a la trabajosa aventura de cambiar de sexo.

Director: *Jaime de Armiñán.* Guionistas: *José Luis Borau, Jaime de Armiñán.* Fotografía: *Luis Cuadrado.* Música: *Rafael Ferro.* Intérpretes: *José Luis López Vázquez, Julieta Serrano, Antonio Ferrandis, Enrique Ávila, Lola Gaos, Chus Lampreave.* Producción: *José Luis Borau para El Imán, InCine.* Duración: *80 min.*

Antonio Vico, Pablito Calvo y Luis Sánchez Polack en *Mi tío Jacinto,* de Ladislao Vajda

MI TÍO JACINTO *(1956)*

El éxito internacional de *Marcelino, pan y vino* (1954), lleva a la productora Chamartín, al realizador húngaro Ladislao Vajda* y al niño Pablito Calvo* a hacer juntos otras dos películas, esta, la mejor de la trilogía, y *Un ángel pasó por Brooklyn* (1956). Tomando como punto de partida la novela *Por ejemplo, Jacinto,* del escritor de origen húngaro Andrés Laszlo, y añadiéndole un niño, narra la historia de dos seres marginales que viven en una chabola en las afueras y todos los días van al centro de Madrid a buscarse la vida. Excelente dibujo de tipos, caracteres y ambientes de la zona del Rastro,

la acción se desarrolla durante el día en que el viejo torero Jacinto (Antonio Vico*) encuentra por casualidad una novillada nocturna en la plaza de las Ventas donde actuar, y en los múltiples trabajados que tanto él como su jovencísimo sobrino Pepote (Pablito Calvo*) deben realizar para conseguir las trescientas pesetas que cuesta alquilar el traje de luces, hasta llegar al semifracaso final. Realizada en coproducción con Italia, tiene un claro precedente tanto en las corrientes neorrealistas como en las producciones italianas que aglutinan diferentes personajes y anécdotas en torno a un hecho central. Buen reflejo de la miseria de la época, los viajes en el tope de los tranvías, los colilleros, el hambre latente, muestra una gran ternura en la creación del borracho y fracasado Jacinto, que llega a ser excesiva en el niño Pepote. Rodada por Ladislao Vajda* en uno de sus mejores momentos, encierra una espléndida interpretación del gran actor Antonio Vico*, y también de un Pablito Calvo* siempre doblado por una mujer, sin olvidar la excelente fotografía de Enrique Guerner*.

Director: *Ladislao Vajda*. Guionistas: *Andrés Laszlo, José Santugini, Max Korner, Gian Luigi Rondi, Ladislao Vajda*. Fotografía: *Enrique Guerner*. Música: *Román Vlad*. Intérpretes: *Pablito Calvo, Antonio Vico, José Marco Davó, Paolo Stoppa, José Isbert, Miguel Gila, Juan Calvo*. Producción: *Chamartín (Madrid), Falco-Enic (Roma)*. Duración: *95 min*.

MIHURA, Jerónimo (*Jerónimo Mihura Santos. Cádiz, 1902-Fuenterrabía, Guipúzcoa, 1990*)

Perteneciente al cuerpo técnico de correos, escribe crítica de cine en la revista *La Pantalla* y el diario *La Nación*. Tras realizar ocho películas como ayudante de dirección y trabajar durante varios años como director de doblaje para Fono España y Hugo Donarelli, dirige el cortometraje *Don Viudo de Rodríguez* (1935), sobre guión de su hermano Miguel Mihura*, al que siguen una amplia serie de documentales para la productora religiosa Magister. Durante los años cuarenta realiza una docena de largometrajes, la mayoría con guiones de su hermano Miguel Mihura*, que le sitúan entre los grandes directores de comedia del cine español. Debuta ya en esta línea con la irregular *Aventura* (1942) a la que sigue la excelente *Castillo de naipes** (1943), una divertida y original comedia con diálogos de Miguel Mihura* rodada con una gran soltura. Tienen menos interés *El camino de Babel* (1945), escrita y producida por José Luis Sáenz de Heredia*, y *Cuando llegue la noche* (1946), sobre argumento de Joaquín Calvo Sotelo. Sobre guiones de Miguel Mihura* rueda el policiaco *Confidencia* (1947), la dramática *Vidas confusas* (1948) y la comedia de costumbres *Siempre vuelven de madrugada* (1948). Contratado por Ignacio F. Iquino* para su productora Emisora Films rueda en Barcelona cinco atractivas películas, entre las que destaca *Mi adorado Juan** (1949), que posteriormente Miguel Mihura* transforma en una comedia de éxito. Tras *En un rincón de España* (1948), la primera película rodada con el procedimiento español Cinefotocolor, y *Despertó su corazón* (1949), ambas sobre guiones de Manuel Tamayo* y Julio Coll*, su etapa catalana concluye con el musical *Me quiero casar contigo* (1950), sobre guión original de Miguel Mihura*, y *El señorito*

Octavio (1950), basada en la novela de Armando Palacio Valdés. Posteriormente interviene en la versión española de *Muchachas de Bagdad* (Babes in Bagdad, 1952), de Edgar G. Ulmer, y dirige tres producciones sin el menor atractivo: *Maldición gitana* (1953), *Los maridos no cenan en casa* (1956) y *La copla andaluza* (1959). Desde 1956 hasta su jubilación trabaja como jefe de redacción en NO-DO y también dirige algunos documentales.

MIHURA, Miguel *(Miguel Mihura Santos. Madrid, 1905-Madrid, 1977)*

Hijo del empresario, autor y actor teatral Miguel Mihura Álvarez, desde mediados de los años veinte colabora con artículos humorísticos y chistes en diversas publicaciones de la época. Comienza a trabajar para el cine como adaptador de diálogos para doblaje con su hermano Jerónimo Mihura* y Eduardo G. Maroto*. En 1936 funda en San Sebastián la revista de humor *La Ametralladora* y la dirige durante sus 120 números, y en 1941 funda y dirige durante su primera época la revista humorística *La Codorniz*. En colaboración con el humorista Tono dirige *Un bigote para dos* (1940), curiosa mezcla de las imágenes de una olvidada película alemana y sus ingeniosos diálogos. Entre sus múltiples guiones destacan los de *La hija del penal** (1935), de Eduardo G. Maroto*; *Castillo de naipes**

(1943), de Jerónimo Mihura*; *La calle sin sol** (1948), de Rafael Gil*; *Mi adorado Juan** (1949), de Jerónimo Mihura*; *La corona negra* (1950), de Luis Saslavsky, basada en un argumento de Jean Cocteau; *Bienvenido, míster Marshall** (1952), de Luis G. Berlanga*; *¡Viva lo imposible!* (1957), de Rafael Gil*, y *Maribel y la extraña familia** (1960), de José María Forqué*. También escribe numerosas obras de teatro, las más conocidas son: *Tres sombreros de copa* (1932), *Ni pobre ni rico sino todo lo contrario* (1943), en colaboración con Tono; *Mi adorado Juan* (1956), basada en la película homónima, *Carlota* (1957), *Melocotón en almíbar* (1958), *Maribel y la extraña familia* (1960) y *Ninette y un señor de Murcia* (1964). Muchas de sus comedias son llevadas al cine sobre guiones escritos por otros guionistas. En 1976 es elegido miembro de la Real Academia Española, pero fallece antes de pronunciar el discurso de ingreso.

1919 *(1983)*

A comienzos de la década de los ochenta se firma el primer acuerdo entre Televisión Española y los productores cinematográficos nacionales. Fruto de él es una primera entrega de interesantes películas y series, entre las que destaca la adaptación de *Crónica del alba,* la novela autobiográfica en tres volúmenes de Ramón J. Sender. Integrada por los producciones autónomas, *Valentina* (1982) y *1919,* realizadas por el mismo equipo técnico pero por diferentes equipos artísticos, la mejor es *Valentina* (1982), pese a la mayor complejidad de esta segunda parte. Tras narrar la infancia de José Garcés, claro *alter ego* de Sender, en un pueblecito del bajo Aragón, le vemos aquí convertido en un quinceañero (Miguel Molina) en los ambientes anarquistas de la Zaragoza de 1919, perdido entre el amor sexual representado por Isabelita (Cristina Marsillach) y el espiritual siempre representado por Valentina (Emma Suárez*). Frente a una ambientación realizada con pocos medios y una irregular interpretación, destaca el correcto trabajo de Antonio Betancor al narrar la vida de un mancebo de botica con tendencias anarquistas en la agitada Zaragoza de finales de la Gran Guerra, pero desgraciadamente se convierte en su tercera y última película.

Director: *Antonio Betancor.* Guionistas: *Lautaro Murua, Antonio Betancor, Carlos Escobedo, Javier Moro.* Fotografía: *Juan Ruiz Anchía.* Intérpretes: *Miguel Molina, Cristina Marsillach, Walter Vidarte, Emma Suárez, José Correa, Saturno Cerra, Conchita Leza.* Producción: *Carlos Escobedo P. C., Ofelia Films, Kaktus Producciones, TVE.* Duración: *90 min.*

MIRA, Carles *(Carles Mira Franco. Valencia, 1947-Valencia, 1993)*

Estudia ciencias políticas en la Universidad de Madrid y dirección en la Escuela Oficial de Cinematografía. Interesado por el teatro, trabaja como ayudante del actor y director José Luis Gómez* en algunos de sus montajes teatrales y rueda el cortometraje *Un informe para una academia* (1975) sobre uno de ellos. Tras el éxito de sus restantes cortos, *Biotopo* (1973), *Viure sense viure* (1976) y *Michana* (1975), debuta en el largo con la conflictiva *La portentosa vida del padre Vicente* (1978), peculiar biografía de san Vicente Ferrer. Atraído por un tipo de comedia que pretende ser muy mediterránea, festiva, fallera, sensual, la desarrolla con irregulares resultados en *Con el culo al aire* (1980), *Jalea real* (1981), *Que nos quiten lo bailao* (1983) y *Daniya, jardín del harén* (1987). Su interés por el teatro le lleva a hacer la impersonal *Karnabal* (1985), con el grupo «Els Comediants», y su trabajo en la comedia, la fallida *El rey del mambo* (1989).

MIRÓ, Pilar *(Pilar Miró Romero. Madrid, 1940)*

Estudia derecho y periodismo y es licenciada en guión por la Escuela Oficial de Cinematografía, donde más tarde también da clases de montaje y guión. Tras una larga experiencia como realizadora en Televisión Española, donde dirige más de trescientos programas entre informativos, retransmisiones en directo y dramáticos, debuta como directora de cine con *La petición* (1976), adaptación de una obra de Emile Zola en la línea de sus mejores trabajos para televisión. Logra su mayor éxito con *El crimen de Cuenca** (1979), que es prohibida durante largos meses por el gobierno de Unión de Centro Democrático por las escenas de tortura realizadas por la guardia civil a principios de siglo y le acarrea un proceso militar. Con la llegada al poder del Partido Socialista Obrero Español, es nombrada directora general de Cinematografía en noviembre de 1982, permanece en el cargo hasta que dimite en enero de 1986, reduce la producción cinematográfica a un tercio y pone en marcha la llamada *Ley Miró* de subvenciones anticipadas. Entre noviembre de 1986 y enero de 1989 es directora general de RTVE, temporada durante la que la televisión pública vive su mejor momento. Tras la anodina *Hablemos esta noche* (1982), dirige la más ambiciosa *Werther* (1986), personal adaptación de la obra homónima de Goethe, pero su mejor trabajo es *Beltenebros** (1991), adaptación rodada en inglés de la novela homónima de Antonio Muñoz Molina. Sus películas más personales son *Gary Cooper que estás en los cielos** (1980) y *El pájaro de la felicidad** (1993), ambas protagonizadas por Mercedes Sampietro*, que narran una historia similar, con una cierta carga autobiográfica, donde una mujer aprovecha un hecho insólito en su vida para hacer un análisis de su existencia. También dirige regularmente teatro y ópera.

MISTRAL, Jorge (*Modesto Llosas Rosell. Andaya, Valencia, 1920-Ciudad de México, México, 1972*)
Interrumpe los estudios de derecho para debutar como actor en la compañía de Enrique Borrás, no tarda en hacerlo en cine con *La llamada del mar* (1944), de José Gaspar, y durante algunos años alterna ambas actividades. Contratado en exclusiva por la productora Cifesa, se convierte en el galán de moda de la segunda mitad de los años cuarenta gracias a su trabajo en *Misión blanca* (1946), *Locura de amor** (1948) y *Pequeñeces* (1950), de Juan de Orduña*; *Botón de ancla* (1947) y *La trinca del aire* (1951), de Ramón Torrado*; *La manigua sin Dios* (1948), de Arturo Ruiz-Castillo*; *Currito de la Cruz* (1948) y *La duquesa de Benamejí* (1949), de Luis Lucia*. En 1950 rompe su contrato con Cifesa y se va a México, donde rueda veintidós películas en tres años, entre las que destacan *El mar y tú* (1951) y *Reportaje* (1953), de Emilio Fernández, y sobre todo la excelente *Abismos de pasión* (1953), de Luis Buñuel*. Durante la segunda mitad de los años cincuenta trabaja tanto en España, *La hermana san Sulpicio* (1952), *Un caballero andaluz* (1954), de

Félix Fernández, Jorge Mistral, Antonio Casal y Fernando Fernán-Gómez
en *La trinca del aire,* de Ramón Torrado

Luis Lucia*; *El expreso de Andalucía* (1956), de Francisco Rovira Beleta*; *La venganza* (1957), de J. A. Bardem*; *Carmen, la de Ronda* (1959), de Tulio Demicheli*, como en México, Argentina, Italia e incluso Estados Unidos, *La sirena y el delfín* (Boy on a Dolphin, 1957), de Jean Negulesco. Posteriormente sigue trabajando en los mismos países, pero cada vez con menor asiduidad y en papeles de menor importancia en producciones de nulo interés. Al final de su carrera protagoniza y dirige *La fiebre del deseo* (1964) y *La piel desnuda* (1964), dos flojísimos melodramas producidos en Puerto Rico que apenas tienen difusión comercial.

MITAD DEL CIELO, LA *(1986)*

Al igual que *Demonios en el jardín* (1982), la otra gran película de Manuel Gutiérrez Aragón*, es una peculiar crónica de la posguerra, de los años cuarenta y cincuenta, ésta lo es de la década de los sesenta y se extiende hasta el período de la transición política. Con una estructura mucho más lineal de lo que suele ser habitual en su cine, narra la vida de Rosa (Ángela Molina*) desde su adolescencia en un pueblo de la cordillera cantábrica hasta que triunfa en Madrid al frente de un restaurante que se pone de moda entre la clase política. Tras una brillante primera parte que trans-

Ángela Molina y Antonio Valero en *La mitad del cielo*, de Manuel Gutiérrez Aragón

curre en Cantabria, sin apenas diálogo y donde juega con gran habilidad con las elipsis narrativas, cuenta cómo Rosa llega a Madrid como ama de cría pasiega de un hijo recién nacido del jefe de Abastos, viudo reciente, por sus influencias consigue un puesto de casquería en un mercado y luego, gracias al apoyo de diferentes hombres, logra convertirse en una importante restauradora. Dentro de las complejas y nada cómodas relaciones entre comida y cine, las películas de Gutiérrez Aragón* ocupan una posición muy especial por lo mucho que en ellas se habla de comida, pero sobre todo esta en la medida que también se come bastante más de lo habitual; Rosa logra triunfar gracias a lo mucho que le gusta su arroz con leche al jefe de Abastos (Fernando Fernán-Gómez*) y narra la vida de la propietaria de un famoso restaurante. Todo ello entretejido con la vida familiar de Rosa, las relaciones con su abuela (Margarita Lozano*), su hija Olvido (Carolina Silva), sus padres y hermanos, y también sentimental, desde el afilador Antonio (Santiago Ramos), padre de su hija, hasta el enfrentamiento entre el economista Juan (Antonio Valero*) y el influyente don Pedro, jefe de Abastos.

Director: *Manuel Gutiérrez Aragón*. Guionistas: *Manuel Gutiérrez Aragón, Luis Megino*. Fotografía: *José Luis Alcaine*. Música: *Milladoiro*. Intérpretes: *Ángela Molina, Margarita Lozano, Antonio Valero,*

Nacho Martínez, Santiago Ramos.
Producción: *Luis Megino P. C.* Duración: *127 min.*

MOLINA, Ángela *(Ángela Molina Tejedor. Madrid, 1955)*

Hija del cantante y actor Antonio Molina (1928-1992) y hermana de los actores Paula Molina, Miguel Molina* y Mónica Molina, estudia ballet clásico, baile flamenco, danza española y arte dramático en la Escuela Superior de Madrid. Debuta como protagonista en las mediocres *No matarás* (1974), de César Ardavín*; *No quiero perder la honra* (1975), de Eugenio Martín* y *Las protegidas* (1975), de Francisco Lara Polop, pero antes de seguir por este camino prefiere hacer papeles secundarios con Miguel Picazo*, *El hombre que supo amar* (1976); Manuel Gutiérrez Aragón*, *Camada negra* (1977), y Jaime Chávarri*, *A un Dios desconocido* (1977). Aunque en seguida vuelve a ser protagonista tanto de *Nunca es tarde* (1977), de Jaime de Armiñán*, como de *Ese oscuro objeto del deseo* (1977), de Luis Buñuel*, que la lanza internacionalmente. Dentro de una filmografía de gran calidad destacan sus colaboraciones con Gutiérrez Aragón*, *El corazón del bosque* (1978), *Demonios en el jardín* (1982), *La mitad del cielo* (1986); Chávarri, *Bearn o la sala de las muñecas* (1983), *El río de oro* (1985), *Las cosas del querer* (1989), *Las cosas del querer 2* (1995); Ricar-

do Franco*, *Los restos del naufragio* (1978); José Luis Borau*, *La sabina* (1989), o Bigas Luna*, *Lola* (1985); Pedro Carvajal, *El baile de las ánimas* (1993). Sin olvidar sus trabajos internacionales: *El gran atasco* (L'ingorgo, 1978), de Luigi Comencini; *Le buone notizie* (1979), de Elio Petri; *Gli occhi, la bocca* (1982), de Marco Bellocchio; *La esposa era bellísima* (La sposa era bellisima, 1986), de Pal Gabor; *El hombre que perdió su sombra* (1991), de Alain Tanner, y *El ladrón de niños* (Le voleur d'enfants, 1991), de Christian de Challonge.

MOLINA, Jacinto *(Jacinto Molina Álvarez. Madrid, 1938)*

Estudia ingeniero agrónomo y arquitectura mientras se convierte en campeón de España de halterofilia, pero su interés por el cine le hace dejarlo todo para comenzar a trabajar como ayudante de dirección y hacer pequeños papeles en policiacos y *spaghetti-western*. Especializado en cine fantástico y de terror, desde 1968 protagoniza con el seudónimo de Paul Naschy *La marca del hombre lobo* (1968), de Enrique Eguiluz, *La noche de walpurgis* (1971), de León Klimovsky*; *El jorobado de la Morgue* (1972), de Javier Aguirre*, y *La maldición de la bestia* (1975), de Miguel Iglesias, por las que obtiene algunos premios internacionales. Máximo punto de apoyo del cine

de terror español, no sólo protagoniza, coescribe y produce bastantes de sus películas, sino que
entre mediados de los años
setenta y finales de los ochenta
también dirige más de media
docena de largometrajes, la
mayoría del mismo género, con
títulos tan irregulares como
Inquisición (1976), *El huerto del
francés* (1977), *El retorno del
hombre lobo* (1980), *La bestia y
la espada mágica* (1983) o *El
aullido del diablo* (1987).

MOLINA, Josefina *(Josefina Molina Reig. Córdoba, 1936)*
   Estudia ciencias políticas y en
1962 funda el Teatro de Ensayo
Medea en su ciudad natal y dirige
diferentes montajes. Licenciada
en dirección en la Escuela Oficial
de Cinematografía en 1969, trabaja en Televisión Española, se
especializa en programas dramáticos y realiza más de cuarenta.
Debuta como directora de cine
con *Vera, un cuento cruel* (1973),
demasiado relacionada con sus
trabajos televisivos. Directamente ligada a su montaje teatral
Cinco horas con Mario, adaptación de la novela homónima de
Miguel Delibes, aparece el intento de *cinema-verité* titulado *Función de noche** (1981). Tras la
serie de televisión *Teresa de
Jesús* (1984), su mejor trabajo,
realiza las irregulares *Esquilache*
(1988), *Lo más natural* (1990)
y *La Lola se va a los puertos*
(1993).

MOLINA, Miguel *(Miguel Molina
Tejedor. Madrid, 1963)*
   Hijo del cantante y actor Antonio Molina (1928-1992) y hermano de las actrices Ángela Moli-
na*, Paula Molina y Mónica
Molina, trabaja como profesor de
windsurf en las islas Baleares
antes de debutar como actor en
Maravillas* (1979), de Manuel
Gutiérrez Aragón*, con quien
posteriormente protagoniza
Malaventura (1988). Entre sus
restantes películas pueden citarse
1919* (1980), de Antonio Betancor; *Entre tinieblas* (1981) y *La
ley del deseo* (1986), de Pedro
Almodóvar*, y *Dragon Rapide**
(1986), de Jaime Camino*.

MONCADA, Santiago *(Santiago
Moncada Mercadal. Madrid,
1927)*
   Al tiempo que desarrolla una
regular carrera como autor teatral
de éxito, desde principios de los
años sesenta escribe guiones con
regularidad, la mayoría de las
veces en solitario, sin colaboradores. En sus comienzos escribe
especialmente para el realizador
Javier Setó, *Tabú* (1965) y *Querido profesor* (1966), y más tarde
para el director Rafael Romero-
Marchent*, *Tu Dios y mi infierno*
(1975) y *La noche de los cien
pájaros* (1976). Atraído por las
narraciones melodramáticas con
algo de policiaco, sus mejores
guiones son los de *La corrupción
de Chris Miller* (1973), de
J. A. Bardem*; *La campana del*

infierno (1973), de Claudio Guerín; *La chica del Molino Rojo* (1973), de Eugenio Martín*; *Las adolescentes* (1975) y *La menor* (1976), de Pedro Masó*; *Beatriz* (1976), de Gonzalo Suárez*, y *El hombre que supo amar* (1978), de Miguel Picazo*. En treinta años de profesión ha escrito casi cincuenta guiones para los más variados realizadores.

MONOSABIO, EL *(1977)*

La historia de las casualidades que llevan a Juanito (José Luis López Vázquez*), que con el paso de los años ha visto como sus ambiciones taurinas quedaban reducidas al empleo de *monosabio* en la madrileña plaza de Las Ventas, a matar en trágicas circunstancias al único toro de su vida, se sitúa dentro de la mejor tradición del cine español. Sobre un estupendo guión de José Luis Borau* y Pedro Beltrán*, que se desliza entre la tragedia y la comedia bordeando el humor negro, se narra cómo el protagonista, para realizar la ilusión de su vida debe enfrentarse con la sociedad a través de algunos de sus más populares personajes, y concluir en un fracaso que no supone la pérdida de sus esperanzas. Frente al irregular trabajo del debutante realizador Ray Rivas, un norteamericano diplomado en biología química, de padre español y aficionado a

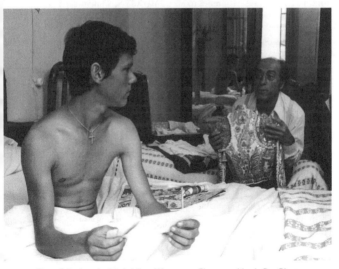

Curro Fajardo y José Luis López Vázquez en *El monosabio,* de Ray Rivas

los toros, destaca la actuación de la rejoneadora Antoñita Linares, que actúa bajo su propio nombre.

Director: *Ray Rivas*. Guionistas: *Pedro Beltrán, José Luis Borau*. Fotografía: *Fernando Arribas*. Música: *José Nieto*. Intérpretes: *José Luis López Vázquez, Curro Fajardo, Alberto Fernández, Chus Lampreave, Antoñita Linares*. Producción: *José Luis Borau para El Imán*. Duración: *90 min.*

MONTENEGRO, Conchita *(Concepción Andrés Picado. San Sebastián, 1911)*

Educada en Madrid, estudia ballet en la escuela de danza del teatro de la Ópera de París. En 1927 debuta como bailarina en el Teatro Romea de Madrid con el nombre Dresma de Montenegro y, tras intervenir en papeles episódicos en un par de películas, es la protagonista de *Sortilegio* (1927), de Agustín de Figueroa. Tras rodar en Francia *La mujer y el pelele* (Le femme et le pantin, 1928), de Jacques de Baroncelli, es contratada por Metro-Goldwyn-Mayer para ir a Hollywood a protagonizar versiones habladas en castellano de películas norteamericanas, pero es una de las pocas actrices de esta modalidad que también interviene en las versiones originales inglesas, *Prohibido* (Never the Twain Shall Meet, 1931), de W. S. Van Dyke; *Besos al pasar* (Strangers May Kiss, 1931), de George Fitzmaurice, etc. A mediados de los años treinta regresa a Francia,

donde interpreta, entre otras, *Noches de París* (La vie parisienne, 1935), de Rober Siodmak, y *Luces de París* (Lumières de Paris, 1938), de Richard Pottier, pero la II Guerra Mundial la hace regresar a España. Tras protagonizar *El último húsar* (1940), de Luis Marquina*; *Rojo y negro* (1942), de Carlos Arévalo; *Boda en el infierno* (1942) y *Lola Montes* (1944), de Antonio Román*; *Aventura* (1942), de Jerónimo Mihura*, e *Ídolos* (1943), de Florián Rey*, entre las que rueda en Italia algunas producciones, como *Melodías eternas* (Melodie eterne, 1940), de Carmine Gallone, contrae matrimonio y abandona la profesión.

MONTES, Conchita *(María Concepción Carro Alcaraz. Madrid, 1914-Madrid, 1994)*

Licenciada en derecho, conoce a Edgar Neville* al finalizar la guerra española, que la convierte en protagonista de buena parte de sus películas y obras de teatro. Su colaboración cinematográfica comienza en *Frente de Madrid* (Carmen fra i rossi, 1939) y finaliza en *Mi calle** (1960), y entre medias hay otras diez películas entre las que destacan *La vida en un hilo** (1945), *Domingo de carnaval** (1945), *Nada** (1947), *El último caballo** (1950) y *El baile** (1959). Al margen de esta colaboración tiene especial interés su trabajo en *Misterio en la marisma* (1943), de Claudio de la Torre, y sobre todo en *Mi adora-*

Sara Montiel y Zeni Pereira en *Samba,* de Rafael Gil

do Juan* (1949), de Jerónimo Mihura*. Además de su actividad cinematográfica, traduce y adapta numerosas comedias de autores extranjeros y durante muchos años tiene compañía teatral propia. Desde principios de la década de los sesenta sólo hace episódicas apariciones en producciones con muy poco atractivo, pero prosigue durante bastantes años su actividad teatral y como creadora de personales pasatiempos.

MONTIEL, Sara *(María Antonia Abad Fernández, Campo de Criptana, Ciudad Real, 1928)*

Tras realizar sus estudios en Orihuela, gana un concurso de aspirantes a actrices, es contratada por el productor Vicente Casanova* de Cifesa y debuta con el nombre de María Alejandra en un pequeño papel en *Te quiero para mí* (1944), de Ladislao Vajda*. Desde el año siguiente, y ya bajo su seudónimo habitual, realiza importantes papeles en *Bambú* (1945), *Mariona Rebull* (1947) y *La mies es mucha* (1948), de José Luis Sáez de Heredia*; *Confidencias* (1947) y *Vidas confusas* (1947), de Jerónimo Mihura*; *Locura de amor** (1948) y *Pequeñeces* (1050), de Juan de

Orduña*. Durante la primera mitad de los años cincuenta rueda catorce irregulares producciones en México, pero que le dan una gran popularidad, y a continuación interviene en tres importantes y buenas películas norteamericanas, *Veracruz* (1954), de Robert Aldrich; *Dos pasiones y un amor* (Serenade, 1955), de Anthony Mann, y *Yuma* (Run of the Arrow, 1957), de Samuel Fuller. Vuelve a España para protagonizar *El último cuplé* (1957), de Juan de Orduña*, y su tan inesperado como enorme éxito la hace quedarse para actuar en una larga serie de similares melodramas con canciones: *La violetera* (1958), *Mi último tango* (1960) y *Pecado de amor* (1961), de Luis César Amadori*; *Carmen, la de Ronda* (1959) y *La mujer perdida* (1966), de Tulio Demicheli*; *La bella Lola* (1962), de Alfonso Balcázar*; *La reina del Chantecler* (1962) y *Samba* (1964), de Rafael Gil*; *Noches de Casablanca* (1963), de Henri Decoin, y *La dama de Beirut* (1965), de Luis María Delgado. Intenta renovar la fórmula en *Tuset Street* (1967), pero se pelea con el realizador Jorge Grau* y la acaba y firma Luis Marquina*; *Esa mujer* (1969), de Mario Camus*, y *Varietés* (1970), de J. A. Bardem*, pero la fórmula está demasiado agotada y cada vez funcionan peor. Después de unos años dedicada en exclusiva a hacer actuaciones en televisión y espectáculos musicales en teatro, rueda *Cinco almohadas para una noche* (1974), de Pedro Lazaga*, pero su fracaso la hace retirarse del cine.

MONTLLOR, Ovidi *(Ovidi Montllor Mengual. Alcoy, Alicante, 1942-Barcelona, 1995)*

Desde muy joven trabaja como mecánico, pero interesado por el teatro, a los veinte años debuta como actor con el grupo «La cazuela» de su ciudad natal. Trasladado a Barcelona, trabaja en las compañías de Adriá Gual y Núria Espert. En 1968 debuta como cantante y, tanto por sus canciones como por adaptaciones de poemas de Salvador Espriu o Pere Quart, no tarda en convertirse en uno de los principales representantes de la *Nova cançó*. Debuta como actor de cine con un papel secundario en *Furia española* (1974), de Francesc Betriu*, pero el éxito alcanzado por *Furtivos* (1975), de José Luis Borau*, donde encarna al protagonista Ángel, le lleva a trabajar en importantes producciones durante los años sucesivos, *Soldados* (1978), de Alfonso Ungría*; *La verdad sobre el caso Savolta* (1978), de Antonio Drove*; *La sabina* (1979), de José Luis Borau*, o *Con el culo al aire* (1980), de Carles Mira*. Continúa trabajando con asiduidad durante los años ochenta, pero cada vez lo hace en papeles menores de películas de poco interés, por lo que sólo cabe destacar su trabajo en *La fuga de Segovia* (1981), de Imanol

Uribe*; *Héctor* (1982), de Carlos Pérez Ferré; *El pico** (1983), de Eloy de la Iglesia*; *Teo, el pelirrojo* (1985), de Francisco Lucio, y *El aire de un crimen* (1987), de Antonio Isasi*.

MONTSALVATGE, Xabier *(Xabier Montsalvatge Bassols. Girona, 1912)*

Crítico musical de *La Vanguardia* y subdirector de *Destino,* su producción musical es amplia y en ella destacan sus óperas. Su aportación a la música de películas se reduce a producciones realizadas en Cataluña y, salvo a finales de los años cincuenta y comienzos de los sesenta, no es muy amplia. Destaca su trabajo para Julio Coll* en *Nunca es demasiado tarde* (1955), *La cárcel de cristal* (1956), *Distrito quinto** (1957) y *Un vaso de whisky** (1958). De esta etapa también son *El frente infinito* (1956), de Pedro Lazaga*; *Rapsodia de sangre* (1957), de Antonio Isasi*, y *Siega verde* (1961), de Rafael Gil*. Posteriormente con quien más asiduamente colabora es con Jaime Camino* en *España otra vez* (1968), *Mi profesora particular* (1972), *Las largas vaciones del 36** (1976), *La vieja memoria* (1977), *Dragon Rapide** (1986) y *Luces y sombras* (1988).

MORÁN, Manolo *(Manuel Morán León. Madrid, 1905-Alicante, 1967)*

Tras cursar estudios de aparejador, trabaja de representante comercial, vendedor de seguros, director de revistas deportivas, empresario de espectáculos folclóricos, organizador de combates de boxeo, etc., hasta que durante la guerra española debuta como actor en el Teatro Nacional de Falange. Debuta en el cine en un papel menor en *Frente de Madrid* (1939), de Edgar Neville*, y a lo largo de más de ciento sesenta películas rodadas en veintiséis años de profesión, se convierte en uno de los mejores y más conocidos actores secundarios del cine español. Entre sus trabajos destacan *Intriga* (1942), de Antonio Román*; *Ronda española* (1951), de Ladislao Vajda*; *¡Bienvenido, míster Marshall!** (1952), de Luis G. Berlanga*; *¡Aquí hay petróleo!* (1955) y *Manolo, guardia urbano** (1956), de Rafael J. Salvia*; *Camarote de lujo* (1957) y *¡Viva lo imposible!* (1957), de Rafael Gil*, en la medida que da vida a los protagonistas. Aunque no impiden olvidar sus actuaciones secundarias de *Castillo de naipes** (1943), de Jerónimo Mihura*; *El destino se disculpa** (1944), de José Luis Sáenz de Heredia*; *Los últimos de Filipinas** (1945), de Antonio Román*; *La calle sin sol** (1948), de Rafael Gil*; *El capitán Veneno** (1950), de Luis Marquina*; *Balarrasa** (1950), de José Antonio Nieves Conde*; *Doña Francisquita* (1952) y *Tarde de toros** (1955), de

Ladislao Vajda*; *La vida alrededor* (1959), de Fernando Fernán-Gómez*, y *Vamos a contar mentiras* (1962), de Antonio Isasi*.

MORENA CLARA *(1936)*

Resulta curioso que los grandes éxitos del cine de la II República sean tres producciones Cifesa, dirigidas por Florián Rey* con Imperio Argentina* como protagonista, pero sobre todo que las tres narren viejas historias regionalistas sin el menor interés. Tras la aragonesa *Nobleza baturra* (1935), Florián Rey* vuelve a Andalucía, donde ya ha hecho *La hermana san Sulpicio* (1934), para rodar el mayor éxito de su carrera, con el que no puede ni la guerra española. Los amores entre la gitana Trini (Imperio Argentina*) y el abogado Enrique (Manuel Luna*), basados en la obra teatral de Antonio Quintero y Pascual Guillén, sólo se mantienen en pie por las canciones de Imperio Argentina* y la gran experiencia en este tipo de producción de Florián Rey*. Casi veinte años después de Luis Lucia* dirige una nueva versión en color, protagonizada por Lola Flores* y Fernando Fernán-Gómez*, una producción de 1954 de Benito Perojo* para Cifesa, pero ha perdido el poco atractivo de la anterior.

Director: *Florián Rey*. Guionistas: *Florián Rey, Antonio Quintero, Pascual Guillén*. Fotografía: *Heinrich Gaertner*. Música: *Ángel del Río*. Intérpretes: *Imperio Argentina,* *Miguel Ligero, Manuel Luna, María Brú, José Calle*. Producción: *Cifesa*. Duración: *105 min.*

MORENO ALBA, Rafael *(Madrid, 1942)*

Abandona los estudios de derecho y marina mercante para trabajar como *script* y ayudante de dirección. Debuta como realizador con la mediocre historia de acción *Gallos de pelea* (1969). Alcanza cierta notoriedad al exhibirse por equivocación en Santiago de Compostela una copia de *Las melancólicas* (1971) con desnudos para la exportación, pero sólo es una anodina historia tremendista ambientada en un manicomio del siglo pasado. Tras la fallida película psicológica *Triángulo* (1972), rueda *Pepita Jiménez* (1975), adaptación de la novela homónima de Juan Valera protagonizada por actores británicos, pero su fracaso comercial le hace dejar de trabajar con regularidad. Entre sus últimas e irregulares películas, *Mis relaciones con Ana* (1979), *Pasos largos* (1986) o *El beso del sueño* (1992), logra su mayor éxito con la serie de televisión *Los gozos y las sombras* (1981), adaptación de la novela homónima de Gonzalo Torrente Ballester.

MUCHACHA DE LAS BRAGAS DE ORO, LA *(1979)*

Las relaciones entre Luis Forest (Lautaro Murua), un falangista sesentón que vive encerrado escribiendo sus memorias, y Mariana (Victoria Abril*), su atractiva sobrina que resulta ser su propia hija, dan lugar al fallido intento de suicidio del primero. La primera adaptación de una novela de Juan Marsé realizada por Vicente Aranda*, a la que siguen *Si te dicen que caí* (1989) y *El amante bilingüe* (1993), origina algunas curiosas escenas eróticas y una buena interpretación de Victoria Abril*, pero falla el mundo y la personalidad del protagonista, en gran parte por estar encarnado por el actor chileno Lautaro Murúa.

Director: *Vicente Aranda*. Guionistas: *Vicente Aranda, Santiago San Miguel, Mauricio Walerstein*. Fotografía: *José Luis Alcaine*. Música: *Manuel Camps*. Intérpretes: *Victoria Abril, Lautaro Murúa, Hilda Vera, Perla Vonacek, Pep Munné*. Producción: *José Antonio Pérez Giner y Carlos Durán para Morgana, S. A. (Barcelona), Prozesa (Barcelona) y Proa Cinematográfica (Caracas)*. Duración: *105 min.*

MUCHACHAS DE AZUL, LAS *(1957)*

En la segunda mitad de los años cincuenta, José Luis Dibildos* produce y escribe en colaboración, Pedro Lazaga* dirige y Fernando Fernán-Gómez* y Analía Gadé* protagonizan una trilogía de comedias, integrada por esta producción, *Ana dice sí* (1958) y *Luna de verano* (1958), sobre historias sentimentales

entrelazadas, según un esquema tomado de la naciente «comedia a la italiana» y creado por el guionista y productor italiano Sergio Amidei. Esta es la primera y más significativa, narra varias anécdotas protagonizadas por jóvenes dependientas de los grandes almacenes Galerías Preciados que quieren pescar novio, tiene una endeble dirección de Pedro Lazaga* y algunos fallos de ritmo, pero destaca el rodaje en las calles del centro de Madrid.

Director: *Pedro Lazaga*. Guionistas: *José Luis Dibildos, Noël Clarasó*. Fotografía: *Manuel Merino*. Música: *Antón García Abril*. Intérpretes: *Analía Gadé, Fernando Fernán-Gómez, Tony Leblanc, Licia Calderón, Antonio Ozores, Vicky Lagos, José Luis López Vázquez*. Producción: *José Luis Dibildos para Ágata Films*. Duración: *83 min.*

MUERTE DE MIKEL, LA *(1983)*

Tras el irregular documental *El proceso de Burgos* (1979) y la lograda mezcla de documental y ficción *La fuga de Segovia* (1981), Imanol Uribe* cierra su trilogía sobre los problemas del País Vasco con esta interesante historia de gran éxito en su momento. Narra la última parte de la vida de Mikel (Imanol Arias*), el joven farmacéutico de un pequeño pueblo de la costa vasca muerto en extrañas circunstancias, los problemas que le plantea asumir su homosexualidad, tanto de cara a su esposa Begoña (Amaia Lasa) y su madre, doña María Luisa (Montserrat Salvador), como respecto al partido *abertzale* al que pertenece, al tener una aventura con el travesti Fama. A través del análisis de los factores que condicionan la misteriosa muerte de Mikel, Imanol Uribe* hace el sólido retrato de un interesante personaje, narra una historia con gran fuerza y da su personal visión de una sociedad con unos problemas muy determinados.

Director: *Imanol Uribe.* Guionistas: *José Ángel Rebolledo, Imanol Uribe.* Fotografía: *Xabier Aguirresarobe.* Música: *Alberto Iglesias.* Intérpretes: *Imanol Arias, Montserrat Salvador, Fama, Amaia Lasa, Ramón Barea, Xabier Elorriaga, Alicia Sánchez.* Producción: *Aiete Films, Cobra Films, José Esteban Alenda.* Duración: *88 min.*

MUERTE DE UN CICLISTA *(1955)*

El realizador J. A. Bardem* se consagra con esta producción, basada en una noticia periodística sobre un accidente de carretera donde muere un obrero, que iba a su trabajo en bicicleta, arrollado por el automóvil de unos burgueses, que gana el premio de la crítica internacional en el Festival de Cannes. Detrás de él, Bardem* sabe narrar los amores adúlteros entre un profesor universitario lleno de dudas y una dama de la burguesía muy segura de sí misma, pero debe luchar contra una censura que no admite el adulterio, prohíbe las escenas de cama y cualquier intimidad entre

los amantes y exige que al final ambos mueran trágicamente, él atropellado por ella y ella cuando evita alcanzar a otro ciclista con su automóvil. No obstante, el resultado es una película de una gran solidez, completamente insólita para la época, que además cuenta con una Lucía Bosé* recién llegada de Italia para encarnar a María José y un Alberto Closas* que acaba de regresar de su exilio en Argentina para interpretar a Juan. El paso del tiempo ha hecho más evidentes los múltiples cortes impuestos posteriormente por la censura del general Franco, así como el tono demasiado académico de la realización.

Director y guionista: *J. A. Bardem.* Fotografía: *Alfredo Fraile.* Música: *Isidro B. Maiztegui.* Intérpretes: *Lucía Bosé, Alberto Closas, Bruna Corrà, Carlos Casaravilla, Otello Toso, Alicia Romay.* Producción: *Manuel J. Goyanes para Guión Films (Madrid) y Trionfalcine (Roma) para Suevia Films-Cesáreo González.* Duración: *92 min.*

MUJERES AL BORDE DE UN ATAQUE DE NERVIOS *(1988)*

A partir de la obra teatral *La voz humana,* de Jean Cocteau, de la que el director protagonista de su anterior película, *La ley del deseo** (1987), hace un montaje teatral, Pedro Almodóvar* escribe y dirige la mejor de sus películas y rinde un homenaje a la Compañía Telefónica, para la que trabaja durante muchos años. Narra los dos enloquecidos días

María Barranco y Carmen Maura en *Mujeres al borde de un ataque de nervios*, de Pedro Almodóvar

que dura la compleja despedida de Pepa (Carmen Maura*) e Iván (Fernando Guillén), dos dobladores que durante años han vivido una apasionada relación sentimental, desde que ella se entera de que está embarazada e, inútilmente, trata de hablar por teléfono con él, hasta que le salva la vida en el aeropuerto de Barajas cuando se va con su nueva amante (Kiti Manver) a Estocolmo. Lejos del tono melodramático que implica esta historia, que transcurre al fondo, funciona a la perfección como comedia de enredo, donde también interviene Candela (María Barranco), una amiga malagueña que ha vivido una loca pasión con uno de los chiítas que van a secuestrar un avión; Carlos (Antonio Banderas*), el hijo del doblador, que no tarda en enamorarse de la malagueña; su novia (Rossy de Palma), que duerme durante casi toda la película; y Lucía (Julieta Serrano), la enloquecida mujer del doblador, que intentará matarles a todos; además de vecinos, policías, abogadas feministas y empleados de Telefónica. Desarrollada en gran parte en el ático con buenas vistas sobre Madrid donde vive la dobladora, tiene una perfecta construcción donde todo encaja y está en su sitio. Destacan escenas tan brillantes como la del doblaje de *Johnny Guitar* (1954), de Nicholas Ray, y la de la presentación de la casa de la calle madrileña de Almagro, claramente inspirada en *La ventana indiscreta* (Rear Window, 1954), de Alfred Hitchcock. Es uno de los grandes éxitos del cine español, y marca el lanzamiento internacional de Pedro Almodóvar*.

Director y guionista: *Pedro Almodóvar*. Fotografía: *José Luis Alcaine*. Música: *Bernardo Bonezzi*. Intérpretes: *Carmen Maura, Antonio Banderas, Julieta Serrano, Rossy de Palma, María Barranco*. Producción: *Agustín Almodóvar para El Deseo, Lauren Films*. Duración: *88 min*.

MUNDO SIGUE, EL *(1963)*

Tomando como punto de partida una novela realista de Juan Antonio Zunzunegui, el polifacético Fernando Fernán-Gómez*, escribe, protagoniza y dirige una de sus mejores películas. Ambientada en la madrileña plaza de Chueca y alrededores, narra la melodramática vida de dos hermanas, Eloísa (Lina Canalejas*), casada con el camarero Faustino (Fernando Fernán-Gómez*), cuya obsesión por el juego le lleva a robar y a ella a servir y a un final trágico, y Luisa (Gemma Cuervo), que tras una etapa de mala vida acaba casándose con un hombre de bien y posibles. Atacada por la censura y los distribuidores, nunca llega a estrenarse en las grandes capitales, lo que no le impide ser un excelente melodrama, que se sitúa entre las más auténticas películas españolas.

Director y guionista: *Fernando Fernán-Gómez*. Fotografía: *Emilio Foriscot*. Música: *Daniel J. White*. Intérpretes: *Lina Canalejas, Fernando Fernán-Gómez, Gemma Cuervo, Milagros Leal, Francisco Pierrá, Agustín González*. Producción: *Juan Estelrich para Ada Films*. Duración: *124 min*.

MUNT, Silvia *(Silvia Munt Quevedo. Barcelona, 1956)*

Estudia ballet clásico y danza contemporánea, a finales de los años setenta debuta como actriz en teatro con el grupo *Confetti*, en diferentes programas dramáticos de televisión y poco después obtiene un gran éxito al encarnar a Colometa en *La plaça del diamant* (La plaza del diamante, 1981), de Francesc Betriu*, su primera película. Al tiempo que desarrolla una brillante actividad teatral, protagoniza *Pares y nones** (1982), de José Luis Cuerda*; *Soldados de plomo* (1983), de José Sacristán; *Sal gorda* (1983), de Fernando Trueba*; *Akelarre* (1983), de Pedro Olea*; *Bajo en nicotina* (1984), de Raúl Artigot*, y *Golfo de Vizcaya* (1985), de Javier Rebollo. Durante la segunda mitad de los años ochenta se dedica casi en exclusiva al teatro, para en los noventa volver al cine con *Los* *papeles de Aspern* (1991), de Jordi Cadena, y *Alas de mariposa* (1991), de Juanma Bajo Ulloa.

MUÑOZ, Amparo *(Amparo Muñoz Quesada. Málaga, 1954)*

Ganadora de los títulos de Miss España en 1973 y Miss Universo en 1975, debuta como actriz de cine en *Vida conyugal sana* (19873), de Roberto Bodegas*. Entre sus posteriores trabajos destacan *Clara es el precio* (1974), de Vicente Aranda*; *La otra alcoba* (1976), de Eloy de la Iglesia*; *Mamá cumple cien años* (1979), de Carlos Saura*; *Dedicatoria* (1980), de Jaime Chávarri*; *La reina del mate* (1985), de Fermín Cabal*; *Lulú de noche* (1985), de Emilio Martínez-Lázaro*, y *Al acecho* (1987), de Gerardo Herrero*.

MUR OTI, Manuel *(Vigo, 1908)*

A los trece años se traslada a Cuba, donde más tarde comienza derecho, pero abandona sus estudios para dedicarse con éxito a escribir teatro. Tras escribir los guiones de las cuatro primeras películas dirigidas por Antonio del Amo*, debuta como realizador con *Un hombre va por el camino* (1949), donde ya aparece todo el peso teatral de su cine. Sus mejores películas son el eficaz melodrama *Cielo negro*(1951), el drama rural *Condenados* (1953), sobre la obra teatral de José Suárez Carreño; la historia de amor *Orgullo* (1955), la

Enrique Diosdado y Emma Penella en *Fedra,* de Manuel Mur Oti

Francisco Rabal y Rafael Rivelles en *Murió hace quince años,* de Rafael Gil

adaptación de la obra clásica homónima *Fedra* (1956) y el drama de vecindad ambientado en una humilde casa madrileña *El batallón de las sombras** (1956). El irregular éxito de público, pero no de crítica, de estas producciones, le conducen a un cine de menor interés, bien por ser comedias alejadas de su estilo, *La guerra empieza en Cuba* (1957), *Una chica de Chicago* (1958), *Pescando millones* (1960), o dramas protagonizados por actores sin atractivo, *Duelo en la cañada* (1958), *A hierro muere* (1961). Tras el drama religioso *Milagro a los cobardes* (1961), su cine se despersonaliza y pierde interés a lo largo de *Loca juventud* (1964), *El escua-*

drón del pánico (1966) o *La encadenada* (1972), para finalizar con *Morir, dormir, tal vez soñar* (1975), irregular fruto de su intenso trabajo como guionista para televisión durante los años anteriores.

MURIÓ HACE QUINCE AÑOS *(1954)*

Esta es la más significativa de las historias político-religiosas dirigidas por Rafael Gil* y escritas y producidas por Vicente Escrivá* para su marca Aspa Films durante la primera mitad de los años cincuenta. Basada en la obra teatral homónima de José Antonio Giménez-Arnau, narra la historia de Diego (Francisco Rabal*), uno de los famosos niños que en 1937, en plena guerra civil española, parte del puerto de Bilbao con destino a la Unión Soviética. Quince años después, convenientemente reeducado en las doctrinas comunistas y antifamiliares, regresa a España con la misión de espiar a su propio padre (Rafael Rivelles*), un importante personaje del gobierno del general Franco, sobre los planes de la represión anticomunista. El reencuentro con su padre, la vieja criada familiar, los olvidados recuerdos, hacen que Diego no cumpla su misión y caiga bajo las balas de un camarada ideológico, uno de los más característicos personajes

del actor alemán Gerard Tichy. El paso de los años y la evolución política internacional dan a la película unas peculiares tonalidades que la sitúan entre las más significativas del cine español de la época. Destaca la fotografía en blanco y negro de Alfredo Fraile* y la interpretación de la pareja Francisco Rabal* y Rafael Rivelles*.

Director: *Rafael Gil.* Guionista: *Vicente Escrivá.* Fotografía: *Alfredo Fraile.* Música: *Cristóbal Halffter.* Intérpretes: *Francisco Rabal, Rafael Rivelles, Gerard Tichy, Félix de Pomés, Lyla Rocco, María Piazzai.* Producción. *Vicente Escrivá para Aspa Films.* Duración: *88 min.*

NACIONAL III *(1982)*

En su momento cada una de las aventuras de la familia del marqués de Leguineche, *La escopeta nacional** (1978), *Patrimonio nacional** (1980) y ésta, es peor acogida por la crítica que la anterior, pero con el tiempo han adquirido un interés suplementario al ser de las pocas películas españolas de la década de los ochenta que tratan de la realidad sociopolítica. En esta tercera y última entrega de la saga dirigida por Luis G. Berlanga*, sobre guiones suyos y de Rafael Azcona*, los Leguineche han vendido su viejo palacio madrileño, se han ido a vivir a un piso de su propiedad y están muy preocupados por el fracaso del golpe del 23 de febrero de 1981. Ante el temor de que los socialistas lleguen al poder, deciden vender parte de sus propiedades y llevarse el dinero en una maleta al extranjero. Intentan hacerlo a través de un convento y un correo especializado, pero sólo lo logran camuflándolo en la escayola del hijo, que viaja a Lourdes en un tren de enfermos, mientras comprueban que no hay ningún inconveniente en pasarlo de forma normal por la frontera. Rodada en largos, complejos y perfectos planos, donde un mínimo de media docena de personajes hablan y se mueven al mismo tiempo, quizá tiene un exceso de payasadas, pero es una divertida comedia crítica muy en la línea del cine italiano introducida por Rafael Azcona* en España.

Director: *Luis G. Berlanga*. Guionistas: *Luis G. Berlanga, Rafael Azcona*. Fotografía: *Carlos Suárez*. Intérpretes: *Luis Escobar, José Luis López Vázquez, Amparo Soler Leal, Agustín González, José Luis de Villalonga, Luis Ciges*. Producción: *Alfredo Matas para Kaktus P. C., InCine, Jet Films*. Duración: *103 min.*

NADA *(1947)*

La novela homónima de Carmen Laforet, uno de los grandes

éxitos literarios de la posguerra, da lugar a dos películas muy diferentes, pero igualmente claustrofóbicas. En primer lugar esta producción de Edgar Neville*, escrita y protagonizada por Conchita Montes*, y luego *Graciela* (1956), una interesante película argentina dirigida por Leopoldo Torre-Nilsson y protagonizada por Elsa Daniel, Lautaro Murúa y Susana Campos. A través del personaje de Andrea (Conchita Montes*), que se instala en casa de su abuela para iniciar sus estudios universitarios en Barcelona, se describe la deprimente mansión familiar y las sórdidas vidas de sus tíos, el fracasado violinista Román (Fosco Giachetti) y el amargado Juan (Tomás Blanco), así como su amiga Ena (María Denis) seduce a Román y luego se burla de él para vengar a su madre. El resultado no se sitúa entre las mejores películas de Neville*, pero no hay que olvidar que de sus 110 minutos originales se cortan 30 para tratar de suavizar la dureza del relato.

Director: *Edgar Neville*. Guionistas: *Conchita Montes*. Fotografía: *Manuel Berenguer*. Música: *José Muñoz Molleda*. Intérpretes: *Conchita Montes, Fosco Giachetti, María Denis, María Cañete, Mary Delgado, Adriano Rimoldi, Tomás Blanco*. Producción: *Edgar Neville para Cifesa*. Duración: *80 min*.

NADIUSKA *(Roswicha Bertasha Smid Honczar. Schirierling, República Federal de Alemania, 1952)*

Hija de una polaca y un ruso, estudia en diferentes internados de diversos países. Después de trabajar en múltiples empleos, bailarina, decoradora, peluquera, maquilladora, secretaria, llega a Barcelona como modelo y es descubierta por José Antonio de la Loma*, que le da un papel secundario en *Timanfaya* (1972). Y no tarda en convertirse, siempre doblada debido a su fuerte acento, en uno de los mitos eróticos del cine español de los años setenta, gracias a su intervención en las comedietas *Lo verde empieza en los Pirineos* (1973), *Polvo eres...* (1974) y *Zorrita Martínez* (1975), de Vicente Escrivá*; *Soltero y padre en la vida* (1974), de Javier Aguirre*; *Un lujo a su alcance* (1975), de Ramón Fernández*, y en los dramones *El chulo* (1973), de Pedro Lazaga*; *Perversión* (1974), de Francisco Lara Polop*; *Beatriz* (1976), de Gonzalo Suárez*, y *Las siete cucas* (1980), de Felipe Cazals. Aunque su papel más difundido es la corta aparición como madre de Conan en la producción norteamericana *Conan, el bárbaro* (Conan, the Barbarian, 1982), de John Milius, que casi cierra su carrera.

NAVAJEROS *(1980)*

A comienzos de los años ochenta, Eloy de la Iglesia* dirige y escribe, en colaboración con Gonzalo Goicoechea*, dos interesantes películas sobre los nuevos delincuentes. Tanto esta como *Colegas** (1982) se sitúan entre el más crudo realismo y el más desgarrado melodrama, pero funcionan bien. Aquí se narran las andanzas delictivas de una banda de quinceañeros, pero sobre todo de «el Jaro» (José Luis Manzano). Vive con su madre, que se dedica a la prostitución, y un hermano, que pasa más tiempo en la cárcel que fuera de ella, mantiene relaciones con la puta mexicana Mercedes (Isela Vega) y deja emabarazada a la adolescente Toñi (Verónica Castro). Tras escaparse del reformatorio, es herido por la policía mientras roban en un chalet y no tarda en morir como consecuencia de su mala vida. Se trata de la primera colaboración entre Eloy de la Iglesia* y el joven actor José Luis Manzano, con quien vuelve a trabajar en repetidas ocasiones y que muere de forma similar a su personaje.

Director: *Eloy de la Iglesia.* Guionistas: *Eloy de la Iglesia, Gonzalo Goicoechea.* Fotografía: *Antonio Cuevas.* Música: *Burning.* Intérpretes: *José Luis Manzano, José Sacristán, Isela Vega, Verónica Castro, Jaime Garza, Enrique San Francisco.* Producción: *Pepón Coromina para Fígaro Films (Barcelona) y Aquarius Films (México).* Duración: *95 min.*

NEVILLE, Edgar *(Edgar Neville Romree. Madrid, 1899-Madrid, 1967)*

Hijo de un ingeniero inglés y de la condesa de Berlanga de Duero, estudia en Madrid y Suiza, pero desde muy joven descubre que su gran pasión es el teatro. Licenciado en derecho, en 1924 ingresa en la carrera diplomática, mientras asiste a la tertulia de Ramón Gómez de la Serna, y en 1927 le destinan a Washington. Aprovecha su estancia en Estados Unidos para viajar repetidamente a Hollywood, hacerse amigo de Charles Chaplin y trabajar en las versiones castellanas de las películas producidas por los grandes estudios. De nuevo en España, y tras colaborar en *La traviesa molinera** (1934), de Harry D'Abbadie D'Arrast, debuta como director con *El malvado Carabel* (1935), sobre la novela de Wenceslao Fernández Flórez, y *La señorita de Trevélez* (1936), basada en la obra teatral de Carlos Arniches. Durante la guerra española debe rodar algunos documentales para los sublevados y en la inmediata posguerra tres largos con un contenido demasiado fascista, *Santa Rogelia* (1939), que hace en España, y *Frente de Madrid* (Carmen fra i rossi, 1939) y *La muchacha de Moscú* (Sancta Maria, 1941), que rueda en Italia. Demuestra por primera vez la originalidad de su cine con la trilogía policiaca integrada por *La torre de los siete jorobados** (1944), adaptación de una novela de Emilio Carrere; *Domingo de carnaval** (1945) y *El crimen de la calle de Bordadores** (1946), basadas en guiones originales. Hay que citar, entre sus mejores películas, la comedia

Conchita Montes y Julia Lajos en *Café de París*, de Edgar Neville

La vida en un hilo* (1945), cuyo éxito le lleva a convertirla en obra teatral, y *El último caballo** (1950), primera experiencia neorrealista española. Entre sus restantes producciones cinematográficas también destacan *Nada** (1947), sobre la novela de Carmen Laforet; el musical *Duende y misterio del flamenco** (1952); *El baile** (1959), adaptación de su famosa obra teatral homónima, y *Mi calle** (1960), su última película. Los problemas económicos que le plantea la coproducción de episodios *La ironía del dinero** (1955), hace que no vuelva a producir ninguna película y durante cuatro años le mantienen alejado del cine. Colaborador de las revistas de humor *Gutiérrez* y *La Codorniz*, entre su

amplia producción literaria pueden citarse *Don Clorato de Potasa* (1934), *Producciones García* (1956) y *Sociedad anónima* (1956). Un viejo argumento suyo da origen a *Novio a la vista* (1954), de Luis G. Berlanga*, donde también colabora como guionista, por lo que es uno de los pocos puentes entre ambas generaciones.

NIDO, EL *(1980)*

Las relaciones entre Alejandro (Héctor Alterio), un viudo sesentón que vive aislado en los alrededores de un pueblo de la provincia de Salamanca, y Goyita (Ana Torrent*), la hija de trece años de uno de los guardias civiles de la localidad, dan lugar a una peculiar y tenue historia de amor con final trágico. Escrita y dirigida por Jaime de Armiñán*, se trata de una de sus mejores películas, dentro de su habitual tono de comedia de costumbres, pero sin atreverse a llegar hasta el fondo del problema planteado. Dentro del conjunto destaca el trabajo de ambos protagonistas, así como la fotografía de Teo Escamilla*.

Director y guionista: *Jaime de Armiñán.* Fotografía: *Teo Escamilla.* Música: *Haydn, Masence Canteloube.* Intérpretes: *Héctor Alterio, Ana Torrent, Luis Politti, Patricia Adriani, Amparo Baró, Ovidi Montllor.* Producción: *A Punto P. C.* Duración: *107 min.*

NIETO, José *(José Nieto González. Madrid, 1942)*

A partir de su experiencia como batería de distintos grupos musicales y con una formación autodidacta, es uno de los que consiguen que la música de cine española vuelva a tener una identidad propia tras superar una etapa que sólo es una mala derivación de la música ligera. Descubierto por Jaime de Armiñán*, con quien colabora en *La Lola dicen que no vive sola* (1970), *Un casto varón español* (1973), *El amor del capitán Brando** (1974) y *¡Jo, Papá!* (1975), trabaja para algunos de los mejores realizadores en activo en estos años y en su filmografía, que bordea los cincuenta títulos, no hay ninguna película lamentable. Entre sus músicas destacan las realizadas para Fernando Colomo*, *La mano negra** (1980), *¡Estoy en crisis!** (1982), *El*

caballero del dragón (1985); José Luis Cuerda*, *Pares y nones** (1982), *El bosque animado** (1987), *Amanece, que no es poco* (1989), y Vicente Aranda*, *El Lute I** (1987), *El Lute II* (1988), *Si te dicen que caí** (1989), *Amantes** (1991), *El amante bilingüe** (1993), *Intruso** (1993), *La pasión turca** (1995); Imanol Uribe*, *Días contados** (1994) y *Bwana** (1996).

NIETO, José *(José García López Nieto. Murcia, 1902-Matalascañas, Huelva, 1982)*

Educado en Madrid y Valencia, trabaja en una compañía de seguros desde los catorce a los dieciséis años. Posteriormente, debuta como torero, con el nombre artístico de Josele, y se introduce en el negocio de los caballos. Su habilidad como jinete le lleva a trabajar como actor en *El lazarillo de Tormes* (1925), de Florián Rey*, a la que siguen otras producciones mudas, como *La bejarana* (1925), de Eusebio Fernández Ardavín*, y *La condesa María* (1927), de Benito Perojo*, que le convierten en un conocido galán. Con la llegada del sonoro parte para Hollywood, contratado por William Fox, para intervenir en las versiones castellanas de producciones norteamericanas, y más tarde realiza la misma actividad en los estudios Paramount de Joinville, cerca de París. Durante la guerra española trabaja como gerente de un teatro en Barcelona, pero en la posguerra no tarda en ser un actor popular gracias a sus actuaciones en conocidas películas de propaganda política, *Escuadrilla* (1941), *Boda en el infierno* (1942) y *Los últimos de Filipinas** (1945), de Antonio Román*; *Raza** (1941), de José Luis Sáenz de Heredia*; *El abanderado* (1943), de Eusebio Fernández Ardavín*, donde curiosamente igual encarna al apuesto militar victorioso como el retorcido malo republicano. En los años cuarenta también interviene en dramas, *Orosia* (1943), de Florián Rey*; *La calle sin sol** (1948), de Rafael Gil*, o incluso comedias, *Se vende un palacio* (1943), de Ladislao Vajda*; *Mi enemigo el doctor* (1945), de Juan de Orduña*. Ya en la primera mitad de los cincuenta comienza a hacer papeles secundarios, *La señora de Fátima* (1951) y *El beso de Judas* (1954), de Rafael Gil*; *Carne de horca** (1953) y *Marcelino, pan y vino** (1954), de Ladislao Vajda*, para en la segunda aprovechar su experiencia en Hollywood y trabajar en muchas de las producciones norteamericanas que se ruedan en España: *Alejandro el Magno* (Alexander the Great, 1956), de Robert Rossen; *Salomón y la reina de Saba* (Solomon and Sheba, 1959), de King Vidor, y *55 días en Pekín* (55 Days at Pekin, 1963), de Nicholas Ray. Aunque continúa trabajando sin interrupción hasta finales de la década de los setenta, en las restantes más de ciento cuarenta películas donde colabora a lo largo de cincuenta y tres años de profesión, sólo hace insignificantes papeles secundarios.

NIEVES CONDE, José Antonio
(Segovia, 1915)

Crítico de cine del diario *Pueblo* y de la revista especializada *Primer Plano*, comienza a trabajar como ayudante de dirección a principios de los años cuarenta. Debuta como realizador con una interesante trilogía de películas policiacas —*Senda ignorada* (1946), *Angustia* (1947), *Llegada de noche* (1949)—, a la que sigue la moralizante historia religiosa *Balarrasa** (1950), escrita y producida por Vicente Escrivá*, con la que obtiene su mayor éxito. Esto le permite rodar la excelente *Surcos** (1951), sobre el desmoronamiento moral de una familia campesina en Madrid, una de las mejores producciones españolas. Tras el fallido melodrama *Rebeldía* (1953) y la anticomunista *La legión del silencio* (1955), que dirige a medias con José María Forqué*, vuelve a rodar un atractivo policiaco con *Los peces rojos** (1955). Se sitúan entre sus mejores y más personales trabajos *Todos somos necesarios** (1956) y *El inquilino** (1957), pero el fracaso comercial de la primera y los mútiples cortes y prohibiciones que sufre la segunda hacen que su cine posterior cada vez tenga menor interés. Después de la irregular *Don*

Lucio y el hermano Pío (1960), sobre las relaciones entre un ladronzuelo y un pobre de solemnidad, rueda la fallida adaptación de Edgar Neville* *Prohibido enamorarse* (1961), el falso melodrama policiaco *El diablo también llora* (1963), la mala historia de monstruos *El sonido de la muerte* (1965) y la ridícula producción religiosa *Cotolay* (1966). Durante la primera mitad de los años setenta realiza siete de sus peores películas, entre los que se sitúan los melodramas psicológico-policiacos rodados en doble versión *Marta* (1971) e *Historia de una traición* (1972), la comedia producida por José Frade* *Las señoritas de mala compañía* (1973) y la adaptación de Wenceslao Fernández Flórez *Volvoreta* (1976).

NO DISPARES CONTRA MÍ *(1961)*

Con una clara influencia del Jean-Luc Godard de *Al final de la escapada* (A bout de souffle, 1959) y en la línea del mejor cine policiaco catalán de los años cincuenta, el portugués José María Nunes* hace la mejor de sus personales películas. Narra cómo el joven estudiante de derecho David (Ángel Aranda) se ve envuelto en una sucesión de pequeños hechos delictivos que le lleva a descubrir el cadáver del marido de su amiga francesa Lucile (Lucile Saint Simon), lo que les hace iniciar una huida hacia Francia durante la que se intensifica su amor. El paso de los años

no le ha beneficiado mucho, sobre todo en lo referente a la timidez con que están expuestas las relaciones entre la pareja.

Director: *José María Nunes*. Guionistas: *Juan Gallardo, José María Nunes, Germán Lorente*. Fotografía: *Aurelio G. Larraya*. Música: *José Solá*. Intérpretes: *Ángel Aranda, Lucile Saint Simon, Jorge Rigaud, Antonio Molino Rojo, Federico de la Vega*. Producción: *Enrique Esteban y Germán Lorente para Este Films*. Duración: *75 min.*

NOBLEZA BATURRA *(1935)*

Sobre un tan anticuado como poco consistente argumento de Joaquín Dicenta, que narra los amores enturbiados por la calumnia de María del Pilar y Sebastián en un pueblecito aragonés, se cimenta uno de los grandes éxitos del cine español. La versión muda, rodada en 1925 por Juan Vilá Vlamala con Inocencia Alcubierre y Carlos Fernán Gómez en los papeles protagonistas, ya es un enorme éxito, pero lo supera con creces la versión sonora, escrita y dirigida por Florián Rey* en 1935 para Cifesa, en gran parte gracias a las canciones y la actuación de Imperio Argentina*, la gran *estrella* del cine de la II República, bien secundada por Juan de Orduña*. No tiene la misma suerte la versión en color de la misma historia, que gira en torno a la infame copla «A eso de la medianoche / dicen que han visto saltar / a un hombre por la ventana / de María

Juan Espantaleón e Imperio Argentina en *Nobleza baturra*, de Florián Rey

del Pilar», dirigida en 1965 por Juan de Orduña*, en parte por la poca gracia de la pareja protagonista, la mexicana Irán Eory y Vicente Parra*, y también por la cada vez menor consistencia de envejecida anécdota.

Director y guionista: *Florián Rey*. Fotografía: *Heinrich Gaertner, Tom Kemmenfly*. Música: *Rafael Martínez, José Rivera*. Intérpretes: *Imperio Argentina, Juan de Orduña, Manuel Luna, Miguel Ligero, José Calle, Carmen de Lucio*. Producción: *Cifesa*. Duración: *86 min*.

NOCHE DE VERANO *(1962)*

Tras estudiar en el Centro Sperimentale di Cinematografia, de Roma, y superar una etapa como ayudante de dirección, Jorge Grau* debuta como realizador de largometrajes con esta película con una clara influencia del cine italiano de parejas de la época. Ambientada en la Barcelona de entonces, narra la evolución de varias parejas relacionadas entre sí entre la celebración dos verbenas de san Juan. Sin lograr plenamente sus objetivos, supone la entrada de un cierto aire renovador en el acartonado cine español de entonces. Marca la aparición de Elías Querejeta* en el terreno de la producción, pero todavía está lejos del férreo control que posteriormente ejerce sobre sus productos.

Director: *Jorge Grau*. Guionistas: *Jorge Grau, Eusebio Ferrer*. Fotografía: *Aurelio G. Larraya*. Intérpretes: *Francisco Rabal, María Cuadra, Umberto Orsini, Marisa Solinas, Margarita Lozano, Rosalba Neri*. Producción: *Elías Querejeta para Procusa (Madrid), Domiziana Internazionale (Roma)*. Duración: *93 min.*

NOCHE DE VINO TINTO *(1966)*

Tras hacer alguna curiosa producción de corte policiaco para Este Films, la marca de Enrique Esteban y el más tarde también realizador Germán Lorente*, el portugués José María Nunes* pasa a formar parte de la denominada *Escuela de Barcelona* con esta película. Narra las relaciones entre dos jóvenes que acaban de sufrir sendos desengaños amorosos durante una larga noche dedicada a beber vino tinto. Excesivamente premiosa, no obstante es la mejor película de Nunes*. Destaca el trabajo interpretativo de la peculiar pareja integrada por Serena Vergano* y Enrique Irazoqui.

Director y guionista: *José María Nunes*. Fotografía: *Jaime Deu Casas*. Intérpretes: *Serena Vergano, Enrique Irazoqui, Rafael Arcos, Anie Settimo*. Producción: *Jacinto Esteva para Filmscontacto*. Duración: *98 min.*

Serena Vergano y Enrique Irazoqui en *Noche de vino tinto*, de José María Nunes

NOCHE MÁS HERMOSA, LA *(1984)*

Los diez largometrajes escritos en colaboración y dirigidos por Manuel Gutiérrez Aragón* se caracterizan por una complejidad narrativa, que va desapareciendo con el paso del tiempo, y un peculiar y eficaz sentido del humor que realza sus historias, pero sólo una de sus películas, esta, es una comedia. Realizada a la manera de *El curioso impertinente,* una de las novelas que hay dentro de *Don Quijote de La Mancha*, de Miguel de Cervantes, es una comedia sobre el eterno tema de los celos. Narra cómo Federico (José Sacristán*), uno de los directivos de Televisión Española, presionado por su amante Bibi (Bibi Andersen), comienza a tener celos de su mujer, Elena (Victoria Abril*), cree que está enamorada de Luis (Fernando Fernán-Gómez*), mientras ella aprovecha para quitarle a Bibi el papel protagonista del programa «La noche de don Juan». Destacan la fotografía de Carlos Suárez*, los decorados de Gerardo Vera* y la interpretación de Victoria Abril*.

Director: *Manuel Gutiérrez Aragón.* Guionistas: *Manuel Gutiérrez Aragón, Luis Megino.* Fotografía: *Carlos Suárez.* Intérpretes: *José Sacristán, Victoria Abril, Bibi Andersen, Fernando Fernán-Gómez, Óscar Ladoire.* Producción: *Luis Megino P. C.* Duración: *90 min.*

NOCHE MÁS LARGA, LA *(1991)*

Con una excelente estructura narrativa, basada en una sucesión de *flash-back* desde la cena casual en el coche-restaurante de un Talgo pendular en 1991 entre el abogado defensor (Juan Echanove*) y el fiscal (Juan Diego*) del último consejo de guerra de la dictadura del general Franco, en septiembre de 1975, se desarrolla la relación de ambos con Gloria (Carmen Conesa), hermana de Fito (Gabino Diego*), uno de los terroristas ajusticiados, y todo lo que rodea a aquel terrible proceso. Dejando al margen que, por un evidente temor de sus creadores, sólo trata de tres de los cinco terroristas ejecutados en aquella ocasión, nunca se dice que pertenecen al FRAP y se elimina a los dos miembros de ETA, es uno de los mejores trabajos de José Luis García Sánchez* por ser una de las pocas películas de esta época que no sólo trata de la realidad nacional, sino que lo hace de manera crítica. A pesar de narrar una historia situada en 1975, su interés radica en las conversaciones mantenidas en 1991 entre el ex progresista abogado y el ex militar fiscal, tanto por lo que dicen como por el hecho de cenar amigablemente en lugar de escupirse a la cara como ocurre durante el proceso.

Director: *José Luis García Sánchez.* Guionistas: *José Luis García Sánchez, Manuel Gutiérrez Aragón, Carmen Rico-Godoy.* Fotografía: *Fernando Arribas.* Música: *Alejandro Massó.* Intérpretes: *Juan Echanove, Carmen Conesa, Juan Diego, Gabino Diego, Fernando Guillén Cuervo.*

Producción: *Andrés Vicente Gómez para Iberoamericana Films Internacional.* Duración: *93 min.*

NOCTURNO 29 *(1967)*

Casi una década después de coproducir algunas de las películas más importantes del cine español —*Los golfos** (1959), de Carlos Saura*; *El cochecito** (1960), de Marco Ferreri*, y *Viridiana** (1961), de Luis Buñuel*—, y tras una etapa intermedia donde colabora con el poeta Joan Brossa en unos cortometrajes con un estilo muy personal y elaborado cercano al surrealismo, Pere Portabella* produce y dirige este primer largo con el mismo espíritu y sobre un guión escrito con su colaborador habitual de esta etapa. Con una clara referencia en el título a los años pasados bajo la dictadura del general Franco, realiza una brillante y fragmentaria narración, por acumulación de diferentes episodios, sin ningún hilo conductor y prácticamente sin anécdota, que es una de las grandes obras de la vanguardia nacional. Destaca la excelente fotografía en blanco y negro y Eastmancolor de Luis Cuadrado* con un marcado carácter experimental. Tras una larga etapa dedicada a la política activa, vuelve al cine con *El puente de Varsovia* (1989), que es poco más que una prueba muy clara de que su estilo no ha evolucionado, pero ha envejecido.

Director: *Pere Portabella.* Guionistas: *Joan Brossa, Pere Portabella.* Fotografía: *Luis Cuadrado.* Música: *José María Mestres Quadreny.* Intérpretes: *Lucía Bosé, Mario Cabré, Luis Ciges, Antonio Saura, Antoni Tàpies.* Producción: *Pere Portabella para Films 59.* Duración: *85 min.*

NOVIO A LA VISTA *(1953)*

Tras un rótulo que indica «1918, Europa» y un par de escenas paródicas alusivas a la Gran Guerra, un joven infante sale de Palacio y le conducen en automóvil a examinarse. Le preguntan: «Dígame algo sobre la dinastía de los Borbones.» A lo que el infante responde: «Pues... los reyes de la casa de Borbón son Felipe V, Luis I, Fernando VI, Carlos III, Carlos IV, Fernando VII, Isabel II, Alfonso XII y papá.» A continuación se examina Enrique (Jorge Vico), le preguntan por el Imperio austrohúngaro, no sabe nada y le suspenden. En este tono de humor, muy Edgar Neville*, autor de la obra original, se desarrolla esta película insólita dentro de la filmografía de Luis G. Berlanga*, en la medida que describe un peculiar triángulo amoroso, pero situada dentro de sus mejores trabajos. Narra los amoríos de los quinceañeros Enrique y Loli (Josette Arnó) durante el verano de 1918 en la playa de Lindamar entre sus respectivas familias de la burguesía media, sus amigos y el conflicto planteado por la madre de

Josette Arnó, José Luis López Vázquez y Antonio Riquelme en *Novio a la vista,*
de Luis G. Berlanga

ella (Julia Caba Alba), que quiere ponerla de largo y que se haga novia de Federico Villanueva (José María Rodero), ingeniero de la Hidroeléctrica. A una excelente primera parte, donde se describe el ambiente y la situación con un humor tan sutil como efectivo, sigue otra menos lograda por repetitiva, en que los menores se enfrentan a los mayores en una auténtica batalla campal para que dejen a Loli seguir jugando con ellos. La película termina con una perfecta descripción del final del verano y un brillante epílogo madrileño donde a Enrique vuelven a suspenderle, porque Europa ha cambiado por completo, mientras piensa en Loli y ésta sonríe feliz por haber conocido a Federico Villanueva. Destaca un amplio y perfecto reparto, compuesto por buena parte de los mejores secundarios de la época, a cuya cabeza se sitúa la desconocida francesa Josette Arnó, papel que debía haber interpretado una joven Brigitte Bardot, y una inspirada música de Juan Quintero.

Director: *Luis G. Berlanga.* Guionistas: *Luis G. Berlanga, José Luis Colinga, Edgar Neville, J. A. Bardem.* Fotografía: *Cecilio Paniagua, Sebastián Perera, Miguel Milá.* Música: *Juan Quintero.* Intérpretes: *Josette Arnó, Jorge Vico, José María Rodero, Julia Caba Alba, Antonio*

Vico. Producción: *Benito Perojo.*
Duración: *91 min.*

NUEVE CARTAS A BERTA *(1965)*

A través de las nueve cartas
que el joven universitario de provincias Lorenzo (Emilio Gutiérrez Caba*) escribe a Berta, la
hija de un republicano exiliado
que vive en Inglaterra y a quien
ha conocido durante su primera
salida al extranjero, Basilio M.
Patino* hace un buen dibujo crítico de la España de la época. El
aburrimiento de la vida en una
capital de provincias, el padre
«alférez provisional» que no
comprende a su hijo, la madre
aferrada a sus ascentrales creen-
cias religiosas, la novia recién
salida de un colegio de monjas, la
ignorancia de los profesores, la
falta de interés de los alumnos,
son los temas que se barajan en
esta obra característica del llamado *Nuevo cine español.* Veinte
años después, Basilio M. Patino*
escribe y dirige una atractiva y
peculiar segunda parte, *Los paraísos perdidos* (1985), donde Berta
(Charo López*) vuelve a España
tras una larga ausencia para tomar
contacto con una realidad que
desconoce.

Director y guionista: *Basilio M.
Patino.* Fotografía: *Luis Enrique
Torán.* Música: *Carmelo Bernaola.*
Intérpretes: *Emilio Gutiérrez Caba,
Elsa Baeza, Antonio Casas, Mari
Carrillo, Nicolas Perchicot.* Produc-
ción: *Eco Films, Tricontinental Films
Española.* Duración: *90 min.*

Emilio Gutiérrez Caba y Elsa Baeza en *Nueve cartas a Berta,* de Basilio M. Patino

NUNCA PASA NADA *(1963)*

El autocar que transporta a la gran compañía internacional de revistas de gira por las tierras de Castilla, debe detenerse en Medina Zarzal porque la *vedette* francesa Jacqueline (Corinne Marchand) tiene una peritonitis y es operada por el doctor Enrique (Antonio Casas). La presencia de la atractiva francesa durante su convalencencia en la pequeña ciudad de provincias origina que se revolucionen los alumnos del instituto, se inquieten los miembros del círculo mercantil y agrícola y se escandalicen las damas de la localidad, al tiempo que nace una relación entre médico y enferma, en la que también intervienen Julia (Julia Gutiérrez Caba), su mujer, y Juan (Jean-Pierre Cassel), el tímido profesor de francés del instituto. Con estos elementos Bardem* vuelve a su querido mundo de la ciudad de provincias para hacer un efectivo retrato de la mezquindad de las clases dominantes y la apatía generalizada de toda la población. Rodada con una gran maestría, consigue su mejor trabajo, lo que no impide que la crítica del momento la denomine *Calle menor* en comparación con su famosa película *Calle Mayor** (1956), desarrollada en un ambiente similar. No obstante, esta es mejor, tiene una perfecta y adecuada realización y, lejos de cualquier doctrina, hace una lograda descripción de sentimientos y frustraciones dentro de un ambiente que tiene una gran fuerza realista.

Director: *J. A. Bardem.* Guionistas: *J. A. Bardem, Alfonso Sastre, Henry-Françoise Rey.* Fotografía: *Juan Julio Baena.* Música: *Georges Delerue.* Intérpretes: *Antonio Casas, Corinne Marchand, Jean-Pierre Cassel, Julia Gutiérrez Caba.* Producción: *Suevia Films-Cesáreo González (Madrid), Raymond Borderie Cocinor, Les Films Marceaux (París).* Duración: *90 min.*

OJOS VENDADOS, LOS *(1978)*

El final de la dictadura lleva a Carlos Saura* a hacer una trilogía, que se sitúa entre sus mejores películas, basada en guiones escritos en solitario. Comienza con *Cría cuervos...* * (1975), sobre el mundo infantil, prosigue con *Elisa, vida mía* * (1977), sobre las relaciones padre-hija, y finaliza con esta disquisición sobre la tortura. A través de un complejo *flash-back*, narra cómo el director de teatro Luis (José Luis Gómez*), transforma un *symposium* sobre la tortura en una obra de teatro sobre el mismo tema, al tiempo que rememora sus complejas relaciones con Emilia (Geraldine Chaplin*), la protagonista. Más allá del interés puramente sociológico del tema, el atractivo de la película reside en las complejas asociaciones, siempre vinculadas con alguna forma de dolor físico, a través de las que se establecen las relaciones entre los protagonistas y les llevan a la tortura. A pesar del evidente desequilibrio existente entre las escenas de tortura y las que narran la relación amorosa entre los protagonistas, por la mayor calidad y complejidad de éstas frente al tópico y esquematismo de aquéllas, queda muy bien integrada cuando la tortura se reduce a la presencia de una realidad enrarecida y opresora. Por coincidir su estreno con el de la multitud de películas prohibidas durante la dictadura, tiene mucha menor repercusión que de haberlo hecho en otras circunstancias.

Director y guionista: *Carlos Saura.* Fotografía: *Teo Escamilla.* Intérpretes: *Geraldine Chaplin, José Luis Gómez, Xabier Elorriaga, Lola Cardona, André Falcón, Carmen Maura.* Producción: *Elías Querejeta P. C. (Madrid), Tony Molière (París).* Duración: *111 min.*

OLEA, Pedro *(Pedro Olea Retolaza. Bilbao, 1938)*

Estudia económicas al mismo tiempo que dirige un cine-club y realiza algunos cortos en 8 y

16 mm en su ciudad natal. Licenciado en dirección en la Escuela Oficial de Cinematografía, colabora en la revista especializada *Nuestro Cine* y trabaja en la realización de documentales y programas dramáticos para televisión antes de debutar como director con las nada atractivas *Días de viejo color* (1967), tonta comedia romántica, y *En un mundo diferente* (1969), relato de ciencia ficción al servicio de dos cantantes del momento. Tras su primer trabajo personal, *El bosque del lobo* (1970), la correcta historia de un hombre-lobo gallego, rueda las irregulares *La casa sin fronteras* (1972), imposible crítica del Opus Dei en el momento de su máxima influencia política, y *No es bueno que el hombre esté solo* (1973), sobre las relaciones entre un hombre y una muñeca de tamaño natural. Realiza una importante trilogía sobre Madrid para el productor José Frade*, integrada por *Tormento** (1974), adaptación de la novela homónima de Benito Pérez Galdós sobre el Madrid de principios de siglo; *Pim, pam, pum... ¡Fuego!** (1975), que escribe con Rafael Azcona* sobre las relaciones entre una corista, un maqui y un estraperlista en el Madrid de la más cruda posguerra, y *La Corea* (1976), sobre el mundillo de homosexuales, chulos y prostitutas del Madrid de la época. Consigue su mayor éxito con *Un hombre llamado «Flor de Otoño»** (1978), adaptación de

una obra de José María Rodríguez Méndez, que vuelve a escribir con Azcona*, sobre la vida de un abogado libertario y travestí en la Barcelona de la dictadura del general Primo de Rivera. Tras un paréntesis dedicado en exclusiva a la publicidad, vuelve al cine con las fallidas *Akelarre* (1983) y *Bandera negra* (1986), que rueda gracias a la llamada *ley Miró* y las subvenciones del gobierno vasco. Sus últimas películas son *El día que nací yo* (1991), musical a mayor gloria de la cantante Isabel Pantoja; *El maestro de esgrima** (1992), adaptación de la novela de Arturo Pérez Reverte, y el policiaco *Morirás en Chafarinas* (1995).

ÓPERA PRIMA *(1980)*

Los amores entre Matías (Óscar Ladoire*), un joven periodista de veinticinco años separado y con un hijo, y su prima Violeta (Paula Molina), una atractiva estudiante de violín de diecinueve años que vive en la madrileña plaza de la Ópera, dan lugar a una de las más características «comedias madrileñas». Más allá del chiste fácil que esconde su título, está apoyada en unos eficaces y excesivos diálogos, que adquieren una nueva dimensión gracias al empleo de *sonido directo*, y en una interpretación muy suelta. Marca el comienzo de las carreras de Fernando Trueba* y Óscar Ladoire*, así como el principio de su tan corta como eficaz colaboración. Su gran

Óscar Ladoire y Paula Molina en *Ópera prima*, de Fernando Trueba

éxito hace que la llamada «comedia madrileña» tenga una cierta continuidad durante la primera mitad de la década de los ochenta.

Director: *Fernando Trueba*. Guionistas: *Fernando Trueba, Óscar Ladoire*. Fotografía: *Ángel Luis Fernández*. Música: *Fernando Ember*. Intérpretes: *Óscar Ladoire, Paula Molina, Antonio Resines, Luis González-Requena, Kity Manver, Marisa Paredes*. Producción: *Fernando Colomo para La Salamandra (Madrid) y Les Films Molière (París)*. Duración: *93 min.*

OPERACIÓN OGRO *(1979)*

Autor de tan sólo cinco largometrajes en casi cuarenta años de vida profesional, el italiano Gillo Pontecorvo se hace famoso por el marcado tono político que tienen todos ellos. Curiosamente, el último es una coproducción entre Italia, España y Francia, la única película centrada en una de las criminales acciones de la banda terrorista ETA. Tomando como punto de partida el libro homónimo Julen Aguirre, los guionistas italianos Ugo Pirro, Giorgio Arlorio y el propio realizador, hacen una adaptación que deja muy claro la eficacia política del asesinato del presidente del gobierno al final de la dictadura del general Franco, pero también la ineficacia de la lucha armada en la democracia. A través de un *flash-back* situado en 1978, se narra cómo mientras cuatro miembros de la organización ETA preparan el secuestro del almirante Carrero Blanco, es nombrado presidente del gobierno, cambian de planes y consiguen asesinarle el 20 de diciembre de 1973 en el centro de Madrid. Siguiendo el tradicional esquema del comando al que le encargan la realización de una misión peligrosa y la ejecutan con tanta minuciosidad como eficacia, el resultado es una obra demasiado ambigua que se mueve en una línea imposible entre la pura acción y la propaganda política.

Director: *Gillo Pontecorvo*. Guionistas: *Ugo Pirro, Giorgio Arlori, Gillo Pontecorvo*. Fotografía: *Marcello Gatti*. Música: *Ennio Morricone*. Intérpretes: *Gian Maria Volontè, José Sacristán, Ángela Molina, Eusebio Poncela, Severino Marconi*. Producción: *José Sámano para Sabre Film (Madrid), Vides Cinematográfica (Roma), Actions Films (París)*. Duración: 90 min.

ORDUÑA, Juan de (*Juan de Orduña y Fernández-Shaw. Madrid, 1907-Madrid, 1974*)

Debuta como actor de teatro en 1923 y como actor de cine en *La casa de Troya* (1924), de Alejandro Pérez Lugín y Manuel Noriega. Mientras se convierte en uno de los actores más conocidos del cine mudo español, a través de *Boy* (1926), de Benito Perojo*; *Pilar Guerra* (1926), de José

Sara Montiel en *El último cuplé*, de Juan de Orduña

Buchs*, o *El misterio de la Puerta del Sol* (1929), de Francisco Elías*, se licencia en derecho. Tras dirigir su única película muda, *Una aventura de cine* (1927), basada en un texto de Wenceslao Fernández Flórez, en la más inmediata posguerra realiza una trilogía de películas de propaganda política: *Porque te vi llorar* (1941), *El frente de los suspiros* (1942) y *¡A mí la legión!* (1942), su primer éxito. Lo mejor de su etapa Cifesa son las siete comedias que rueda a continuación, entre las que destacan *Deliciosamente tontos* (1943) y *Ella, él y sus millones** (1944). Tras el drama religioso *Misión blanca* (1946), dirige algunas adaptaciones, entre las que cabe citar *La Lola se va a los puertos* (1947), de los hermanos Machado; *Cañas y barro* (1954), sobre la novela de Vicente Blasco Ibáñez; *Zalacaín el aventurero* (1954), sobre la novela de Pío Baroja, pero sus trabajos más conocidos de la época son los dramas históricos *Locura de amor** (1948), uno de sus grandes éxitos; *Pequeñeces* (1950), *Agustina de Aragón* (1950), *La leona de Castilla* (1951) y *Alba de América* (1951). Curiosamente, después del enorme éxito del musical *El último cuplé* (1957), que relanza la carrera de Sara Montiel*, su cine cada vez resulta más anticuado y acartonado y sólo consigue una mínima repercusión en una nueva versión de *Nobleza baturra* (1965) y en la serie de adaptaciones de conocidas zarzuelas que rueda para televisión a finales de los años sesenta. Sus últimas películas carecen de consistencia, nada tienen que ver con la solidez narrativa de sus mejores trabajos, parecen una caricatura de sus más conocidas producciones.

ORISTRELL, Joaquín *(Joaquín Oristrell Ventura. Barcelona, 1953)*

Debuta como guionista con *De hombre a hombre* (1985), de Ramón Fernández*. Entre sus restantes trabajos destacan su colaboración en los guiones de *La noche de la ira* (1986), de Javier Elorrieta*; *Bajarse al moro** (1989), *Alegre ma non troppo* (1994), de Fernando Colomo*; *Esquilache* (1989), de Josefina Molina*; *Don Juan, mi querido fantasma* (1990), de Antonio Mercero*; *Salsa rosa* (1991), de Manuel Gómez Pereira, y *Mi hermano del alma* (1993), de Mariano Barroso. Interesado por la comedia, también ha escrito guiones para programas y series de televisión. Debuta como director con la comedia *De qué se ríen las mujeres,* que también escribe.

OVEJAS NEGRAS *(1990)*

La historia del niño Adolfo de la Cruz (Juan Diego Botto) que, obsesionado por el infierno, el pecado y el sexo, decide matar a su amigo (Gabino Diego*) y a la criada de sus padres (Maribel Verdú*), tras conseguir que se confiesen y comulguen, para que se salven y no se condenen, como cree que le ha pasado a su hemano mayor, tiene gran interés. Su problema es que está narrada a través de una sucesión de *flash-back*, y mientras la pobre reconstrucción del madrileño barrio de Argüelles durante los años cincuenta funciona bien, no ocurre lo mismo con las escenas desarrolladas en la actualidad. Con una clara influencia de Luis Buñuel* y su *Ensayo de un crimen* (1955) a niveles de historia y de Alfred Hitchcock en cuanto a la narración cinematográfica, esta primera y única película escrita y dirigida por José María Carreño tiene un notable interés dentro de su modestia.

Director y guionista: *José María Carreño*. Fotografía: *Antonio Pueche*. Música: *Bernardo Bonezzi*. Intérpretes: *Juan Diego Botto, Miguel Rellán, Maribel Verdú, José Sazatornil «Saza», Francisco Vidal, Gabino Diego*. Producción: *Gerardo Herrero para Tornasol Films, Golem Distribución*. Duración: *88 min*.

OZORES, José Luis *(José Luis Ozores Puchol. Madrid, 1923-Madrid, 1968)*
Hijo de los actores Mariano Ozores y Luisa Puchol, hermano del actor Antonio Ozores y del director Mariano Ozores*, abandona los estudios de aparejador para incorporarse a la compañía teatral de sus padres. Debuta como actor de cine a mediados de la década de los cuarenta, pero hasta los años cincuenta no comienza a interpretar con regularidad papeles cómicos secundarios, entre los que destacan

los de *El último caballo** (1950), de Edgar Neville*; *Esa pareja feliz** (1951), de J. A. Bardem* y Luis G. Berlanga*; *Historias de la radio** (1955), de José Luis Sáenz de Heredia*, y *Calabuch** (1956), de Luis G. Berlanga*. El éxito obtenido al protagonizar *Recluta con niño* (1955), de Pedro L. Ramírez*, le lleva a hacer destacados papeles bajo su dirección en *Los ladrones somos gente honrada* (1956), *La Cenicienta y Ernesto* (1957) y *El gafe* (1958), así como a protagonizar también *El fotogénico* (1957), *El tigre de Chamberí* (1957), *El aprendiz de malo* (1957), de Pedro Lazaga*, y *El hombre del paraguas blanco* (1957), de Joaquín Romero-Marchent*. Inmovilizado desde 1963 por una grave enfermedad, durante los últimos años de su vida hace algunos papeles secundarios en películas realizadas por Mariano Ozores*, presenta un programa de televisión e incluso protagoniza una obra de teatro en un sillón de ruedas.

OZORES, Mariano *(Mariano Ozores Puchol. Madrid, 1926)*
Hijo de los actores Mariano Ozores y Luisa Puchol y hermano de los también actores José Luis Ozores* y Antonio Ozores, trabaja como *script*, jefe de producción y ayudante de dirección, y escribe algunos guiones, como el de *El aprendiz de malo* (1957), de Pedro Lazaga*, antes de comenzar a dirigir sus propias historias. Tras algunas películas rea-

lizadas con el clan familiar al completo, otras de marcado tono religioso, como *Alegre juventud* (1962), *La hora incógnita* (1963), o político, *Morir en España* (1965), panfletaria réplica documental a *Morir en Madrid* (Mourir a Madrid, 1962), de Frédéric Rossif, organizada por Manuel Fraga Iribarne, a la sazón ministro de Información y Turismo, dentro de la campaña propagandística *Veinticinco años de paz*, no tarda en especializarse en el género de la comedia. Más interesado por la cantidad que por la calidad, con rodajes torpes y rápidos, en poco más de treinta años realiza más de cien películas, entre las que cabe señalar, por su aceptación popular: *Crónica de nueve meses* (1967), *A mí las mujeres ni fu, ni fa* (1971), *Dormir y ligar todo es empezar* (1974), *Los bingueros* (1979), *¡Qué gozada de divorcio!* (1981), *Cristóbal Colón, de oficio descubridor* (1982) y *¡Que vienen los socialistas!* (1982), *Hacienda somos casi todos* (1988).

PA D'ANGEL *(Pan de ángel, 1984)*

Dentro de la media docena de provocadoras comedias escritas en colaboración y dirigidas por Francesc Bellmunt* durante los años ochenta destaca ésta por su insólito punto de partida. Narra el enfrentamiento entre Agustín (Pierre Oudry), un abogado cuarentón, izquierdista y profundamente ateo, y un sacerdote progresista y moderno (Llorenç Santamaría), por la posesión de Esther (Eva Cobo), una hija del primero que a los quince años se bautiza en secreto y comienza a practicar su peculiar versión de la religión católica. Es una obra desigual y llena de fallos, pero con algunas buenas escenas y una estupenda Eva Cobo en el mejor momento de su corta e irregular carrera.

Director: *Francesc Bellmunt.* Guionistas: *Francesc Bellmunt, Jordi Batlló, Juanjo Puigcorbé, Quim Monzó.* Fotografía: *Hans Burmann.* Música: *Carles Santos.* Intérpretes: *Eva Cobo, Llorenç Santamaría, Pierre Oudry,* *Patricia Soley.* Producción: *Ópalo Films.* Duración: *105 min.*

PABLO, Luis de *(Luis de Pablo Costales. Bilbao, 1930)*

Su irregular música para cine no tiene posible comparación con la alta calidad del resto de sus múltiples composiciones musicales, tanto electroacústica, serial, sinfónica o de ópera. Amigo del productor Elías Querejeta*, le incluye en su equipo habitual de colaboradores, con el director de fotografía Luis Cuadrado* y el jefe de producción Primitivo Álvaro, y durante los años sesenta se convierte, muy a su pesar, en el músico progresista del cine español. Su amplia y poco fructífera colaboración con Carlos Saura*, a lo largo de *La caza** (1965), *Peppermint frappé** (1967), *La madriguera** (1969), *El jardín de las delicias* (1970) y *Ana y los lobos** (1972), lleva a Saura* a utilizar posteriormente sólo música preexistente, bien elegida por él o por su más reciente colaborador Alejandro Massó. También escribe la música de *Las secretas intenciones** (1969), de Antonio Eceiza*; *El espíritu de la colmena** (1973), de Víctor Erice*; *Pascual Duarte* (1975), de Ricardo Franco*; *A un Dios desconocido** (1977), de Jaime Chávarri, y *Las palabras de Max** (1977), de Emilio Martínez-Lázaro*, todas producidas por Elías Querejeta*. Colabora para otros productores en *Crimen de doble filo** (1964), de José Luis Borau*, donde también hace un pequeño papel; *La busca**, de Angelino Fons*; *Liberxina 90* (1971), de Carlos Durán, y *¿Qué hace una chica como tú en un sitio como éste?* (1978), de Fernando Colomo*.

PADRE NUESTRO *(1985)*

La colaboración entre el guionista Ángel Fernández-Santos* y el realizador Francisco Regueiro* comienza en *Las bodas de Blanca* (1975), sufre un inevitable detenimiento de diez años, da lugar a esta producción, seguramente la mejor de las que han realizado juntos, y prosigue en *Diario de invierno* (1988) y *MadreGilda* (1993), pero en cualquier caso supone la mayoría de edad de Regueiro*, un director que con anterioridad había rodado media docena de irregulares películas en muy diversas condiciones. Tras muchos años de ausencia y viendo cercana la muerte, un cardenal (Fernando Rey*) regresa a su pueblo castellano para volver a ver a su ateo hermano Abel (Francisco Rabal*), conocer a la hija que tuvo con el ama de llaves de sus padres, dedicada a la prostitución bajo el apodo «La cardenala» (Victoria Abril*), y conseguir que herede sus bienes. Destaca tanto la solidez de su historia, un cierto tono esperpéntico y un logrado humor, como lo bien rodada que está, el importante avance que supone dentro de la carrera de Regueiro*, sin olvidar el espléndido trabajo de un importante grupo de actores, desde Fernando Rey* y Francisco Rabal* hasta Victoria Abril*, Emma Penella* y Rafaela Aparicio.

Director: *Francisco Regueiro.* Guionistas: *Ángel Fernández-Santos, Francisco Regueiro.* Fotografía: *Juan Amorós.* Música: *Manzanita, Jaime Aragall, Franz Shubert.* Intérpretes: *Fernando Rey, Francisco Rabal, Victoria Abril, Emma Penella, Amelia de la Torre, Rafaela Aparicio, Lina Canalejas.* Producción: *Classic Films.* Duración: *103 min.*

PAJARES, Andrés *(Andrés Pajares Martín. Madrid, 1940)*

A mediados de los años cincuenta abandona los estudios para trabajar como humorista en compañías de revistas y espectáculos musicales. Su éxito le permite tener su propia compañía de revistas, un programa en televisión y desde 1968 hacer pequeños papeles en películas. Entre 1979 y 1983 protagoniza, formando pareja con Fernando Esteso y bajo la dirección de Mariano Ozores*, catorce comedietas, como *¡Qué gozada de divorcio!* (1981), *Cristóbal Colón, de oficio descubridor* (1982) o *La Lola nos lleva al huerto* (1983), que le dan una gran popularidad, mientras no deja de actuar en teatro y televisión. Con *La hoz y el Martínez* (1984), de Álvaro Sáenz de Heredia, comienza un cambio de imagen que, a través de *Moros y cristianos* (1987), de Luis G. Berlanga*, le lleva a ganar el premio de interpretación en el Festival de Montreal con *¡Ay, Carmela!* (1990), de Carlos Saura*. Prosigue su éxito con *Makinavaja, el último choriso* (1990) y *Makinavaja II* (1993), de Carlos Suárez*. Realiza su mejor trabajo en *Bwana* (1996), de Imanol Uribe*.

PÁJARO DE LA FELICIDAD, EL
(1993)

A pesar de estar basada en una historia de Mario Camus*, se trata de una de las películas más personales de Pilar Miró*. Siguiendo una línea narrativa muy similar a *Gary Cooper que estás en los cielos* (1981) y utilizando a la misma actriz, narra la historia de Carmen (Mercedes Sampietro*), una restauradora que, tras sufrir una fuerte conmoción, hace balance de su vida, decide alejarse de su entorno y comenzar desde cero. Si en aquella ocasión la excusa era una operación de corazón, en esta es un asalto, robo e intento de violación. Rompe con su actual pareja, va a visitar al padre de su

hijo, pasa unos días en casa de sus padres en Cataluña y se instala para trabajar en una gran casa en Almería, pero la soledad no le dura mucho. Tras frenar los avances del propietario, casualmente llegado de Estados Unidos, debe enfrentarse con su nuera y su nieto, que llegan tras ser abandonados por su hijo. Sólo con ellos descubrirá la felicidad, según subraya un título de resonancias barojianas, y cuando la nuera se vaya con su nueva pareja, ella exigirá quedarse con su nieto. Rodada con evidente maestría, Pilar Miró* se deleita en exceso con sus bellas imágenes y hace inútiles cambios de punto de vista, de la restauradora a su nuera, que distorsionan y alargan la narración en exceso. Junto a la siempre excelente fotografía de José Luis Alcaine*, destaca una sobria y apropiada música de Jordi Savall.

Directora: *Pilar Miró*. Guionista: *Mario Camus*. Fotografía: *José Luis Alcaine*. Música: *Jordi Savall*. Intérpretes: *Mercedes Sampietro, Aitana Sánchez-Gijón, José Sacristán, Carlos Hipólito*. Producción: *Central de Producciones Audiovisuales*. Duración: *118 min.*

PALABRAS DE MAX, LAS *(1977)*

Max es un oscuro intelectual de cuarenta y tantos años, a quien no interesa su trabajo, trata de relacionarse con cuantos le rodean, pero por su peculiar manera de ser, su manía de pontificar, de indagar en el interior de cuantos están a su alrededor, de preguntarles qué piensan de él, cada vez encuentra más dificultades para comunicarse, está más solo, se acerca hacia un suicidio que se divisa en lontananza. Este personaje egoísta, doctrinario, miedoso, aburrido y obsesionado, está dado a través de las relaciones con su hija, una novia casual, un antiguo amigo y una vieja criada. Narrada en largas escenas plagadas de diálogos, que muestran cómo estas personas se alejan de él, reprochándole su conducta, hasta dejarle en la más completa soledad, el resultado está demasiado impregnado de la antipatía y el aburrimiento que destila el protagonista, por otro lado no muy bien interpretado por el no-profesional Ignacio Fernández de Castro. Sin la menor relación con las comedias que posteriormente realiza Emilio Martínez-Lázaro, esta primera e irregular película se trata de un curioso encargo del productor Elías Querejeta*, que no obstante gana el Oso de Oro del Festival de Berlín.

Director: *Emilio Martínez-Lázaro*. Guionistas: *Emilio Martínez-Lázaro, Elías Querejeta*. Fotografía: *Teo Escamilla*. Música: *Luis de Pablo*. Intérpretes: *Ignacio Fernández de Castro, Myriam Maeztu, Gracia Querejeta, Cecilia Villarreal, Héctor Alterio, Raúl Sender*. Producción: *Elías Querejeta P. C.* Duración: *95 min.*

PALACIOS, Fernando (*Fernando Palacios Martínez. Zaragoza, 1917-Madrid, 1965*)

Licenciado en ciencias exactas, durante los años cuarenta y cincuenta desarrolla un amplio trabajo como ayudante de dirección. Tras firmar como codirector por razones sindicales algunas coproducciones realizadas por extranjeros, debuta con *Juanito* (1960), una de las últimas y peores películas protagonizadas por Pablito Calvo*. Durante la primera mitad de la década de los sesenta rueda diez irregulares producciones, pero que se sitúan entre las más comerciales de la época. Las comedias sentimentales *El día de los enamorados* (1960), y su continuación, *Vuelve san Valentín* (1962), *Siempre es domingo* (1961) y *Tres de la Cruz Roja* (1962); las comedias *La gran familia* (1963) y su continuación *La familia... y uno más* (1965), y los musicales *Marisol, rumbo a Río* (1963), *Búsqueme a esa chica* (1964) y *Whisky y vodka* (1965).

PANIAGUA, Cecilio (*Cecilio Paniagua Rodríguez. Almería, 1911-Madrid, 1979*)

Abandona sus estudios de arquitectura para dedicarse a la fotografía y a comienzos de los años treinta ya es un conocido profesional. En la segunda mitad de la década de los treinta rueda numerosos documentales y trabaja como ayudante del prestigioso director de fotografía Enrique Guerner*. Su primera película como operador es *Una herencia de París* (1944), de Miguel

Pereyra, y la última *Los restos del naufragio* (1978), de Ricardo Franco*, y durante los treinta y cuatro años que las separan rueda un total de ochenta y tres. Trabaja especialmente con Rafael Gil*, *Un traje blanco* (1956), *Siega verde* (1960), *Cariño mío* (1961); con Luis Lucia*, *Gloria Mairena* (1952), *Jeromín* (1953), *La vida en un bloc* (1956), *La muralla* (1958); con José María Forqué*, *Un día perdido* (1954), *Amanecer en Puerta Oscura* (1957), *La noche y el alba* (1958). Sus mejores películas son *Novio a la vista* (1954), de Luis G. Berlanga*, y *Sonatas* (1959), de J. A. Bardem*. Durante los años sesenta y, sobre todo, los setenta es director de fotografía de múltiples producciones extranjeras que se ruedan en España, como *La última aventura* (Custer in the West, 1967), de Robert Siodmak; *Los cien rifles* (100 Rifles, 1969), de Tom Gries, y *La luz del fin del mundo* (The Light at the Edge of the World, 1971), de Kevin Billington. En la última etapa de su carrera trabaja indistintamente para cine o televisión, donde, por ejemplo, hace la fotografía de la serie *El pícaro* (1973), de Fernando Fernán-Gómez*.

PARADA, Manuel (*Manuel Parada de la Puente. Salamanca, 1911-Madrid, 1973*)

Debuta como compositor cinematográfico con *Raza* (1941), de José Luis Sáenz de Heredia*, y no tarda en convertirse en el mejor músico de los plúmbeos melodramas que pueblan el cine español de los años cuarenta. Su melodía más conocida es la popular sintonía de NO-DO, que durante treinta y tantos años debe escuchar inevitablemente cualquier aficionado al cine. Entre sus primeras películas destacan *El escándalo* (1943), de José Luis Sáenz de Heredia*; *Los últimos de Filipinas* (1945), de Antonio Román*, y *La calle sin sol* (1948), de Rafael Gil*. Convertido en el compositor favorito de estos tres directores, los grandes puntales del cine del general Franco, entre sus mejores partituras de la década de los cincuenta hay que citar *El gran galeote* (1951), de Rafael Gil*, por la que gana el premio Miguel de Cervantes, y *Los clarines del miedo* (1958), de Antonio Román*. Tras escribir la música de *Maribel y la extraña familia* (1969), de José María Forqué*, y *Mi calle* (1960), de Edgar Neville*, la mayor parte de su trabajo durante los sesenta está dedicado a los *spaghetti-western* que inundan el cine español de la época. Durante los últimos años de su vida trabaja casi en exclusiva para Rafael Gil* en producciones tan irrelevantes como *El relicario* (1970), *El hombre que se quiso matar* (1970), *El sobre verde* (1971), *Nada menos que todo un hombre* (1971) y *La guerrilla* (1971), *La duda* (1972).

PARAGUAS PARA TRES, UN (1992)

Muy alejado del tono experimental de sus irregulares primeras producciones, *Mientras haya luz* (1987) y *El mejor de los tiempos* (1989), la tercera película escrita y dirigida por Felipe Vega* es una comedia, pero de inspiración francesa. Esto resulta bastante insólito en una cinematografía como la española, donde las comedias siempre han tenido una gran influencia italiana. Vega* emplea el mismo esquema que Eric Rohmer en su serie de comedias *Cuentos morales*. «La historia de un hombre y dos mujeres; mientras busca a la primera encuentra a la segunda; ese encuentro constituye el argumento de la película; al final encuentra a la primera. Esta es la moral del cuento.» Destaca el buen trabajo del trío protagonista, Juanjo Puigcorbé*, Eulalia Ramón e Icíar Bollaín*, y la luminosa fotografía de José Luis López Linares*.

Director y guionista: *Felipe Vega.* Fotografía: *José Luis López Linares.* Música: *Ángel Muñoz.* Intérpretes: *Juanjo Puigcorbé, Icíar Bollaín, Eulalia Ramón.* Producción: *Tornasol Films (Madrid), Gemini Films (París).* Duración: *90 min.*

PARAÍSOS PERDIDOS, LOS (1985)

Veinte años después de rodar *Nueve cartas a Berta* (1965), su primer largometraje, Basilio M. Patinio* vuelve al mismo personaje para, en una peculiar especie de segunda parte, dar una visión crítica y sentimental de la España socialista. Rodada tras diez años de silencio cinematográfico y gracias a la ayuda de la denominada *ley Miró,* es una de sus mejores películas y también se sitúa entre las más destacadas de la década de los ochenta. Narra cómo al cabo de los años, Berta (Charo López*), aunque el personaje en esta ocasión no tenga nombre, la hija de un exiliado a quien Lorenzo (Emilio Gutiérrez Caba*) escribía cartas para contarle su vida en Salamanca, vuelve a España, pero no desde Inglaterra, sino desde la República Federal Alemana, para asistir a la muerte de su madre, reencontrar el paisaje de su niñez y tomar contacto con una realidad que desconoce. Mientras recita en *off* fragmentos de la traducción que realiza de *Hiperion,* de Hölderlin, toma contacto con los libros y papeles de su padre, la vieja casa familiar, algunos parientes casi olvidados, el compañero de estudios refugiado en la provincia, el amigo de siempre con sus viejas obsesiones políticas, un antiguo amor, etc., Basilio M. Patino da su personal y lúcida visión de una capital de provincias, de Salamanca, en los comienzos del gobierno socialista.

Director y guionista: *Basilio M. Patino.* Fotografía: *José Luis Alcaine.* Música: *Carmelo Bernaola.* Intérpretes: *Charo López, Alfredo Landa, Francisco Rabal, Juan Diego, Miguel*

Narros, Ana Torrent. Producción: *Basilio M. Patino para La Linterna Mágica.* Duración: *100 min.*

PAREDES, Marisa *(María Luisa Paredes Bartolomé. Madrid, 1946)*

Desde muy joven actúa en pequeños papeles en teatro y cine mientras estudia arte dramático. Durante la década de los setenta trabaja principalmente en televisión, y pueden destacarse sus colaboraciones en *Goya* (1970), de Nino Quevedo, y *El perro* (1976), de Antonio Isasi*. Con la llegada de los ochenta comienza a trabajar sólo en películas de nuevos realizadores: *Ópera prima** (1980), de Fernando Trueba*; *Sus años dorados** (1980), de Emilio Martínez-Lázaro*; *Entre tinieblas* (1983), de Pedro Almodóvar*; *Las bicicletas son para el verano** (1983), de Jaime Chávarri*; *Tras el cristal* (1985), de Agustín Villaronga; *Mientras haya luz* (1987), de Felipe Vega*. El éxito europeo de *Tacones lejanos* (1991), de Pedro Almodóvar*, relanza su carrera y la lleva a trabajar principalmente en Francia y Suiza, mientras en España protagoniza *Tierno verano de lujurias y azoteas** (1993), de Jaime Chávarri* y *La flor de mi secreto* (1995), de Pedro Almodóvar*.

PARES Y NONES *(1982)*

Las relaciones sentimentales entre dos parejas, la compuesta por el arquitecto-pintor Paco (Antonio Resines*) y la actriz-locutora de televisión Carmen (Silvia Munt*) y la integrada por el poeta-crítico de arte Víctor (Carlos Velat) y la maestra Montse (Virginia Mataix), más otros personajes que también tienen parte fundamental en la acción, son el eje de la primera película escrita y dirigida por José Luis Cuerda*. Rodada con pocos medios, apoyada en exceso en el diálogo y con una acción que se desarrolla principalmente en interiores naturales, se sitúa dentro de la denominada «comedia madrileña».

Director y guionista: *José Luis Cuerda.* Fotografía: *Juan Ruiz Anchía.* Música: *José Nieto.* Intérpretes: *Antonio Resines, Virginia Mataix, Silvia Munt, Carlos Velat, Alicia Sánchez, Mercedes Camins, Marta Fernández-Muro.* Producción: *Estela Films, Brezal P. C., Anen Films, Impala.* Duración: *95 min.*

PARRA, Vicente *(Vicente Parra Collado. Oliva, Valencia, 1931)*

Desde muy joven es figurante en cine y meritorio en teatro hasta que consigue un primer papel de cierta importancia en la compañía de Luis Prendes y se convierte en uno de los protagonistas de *El expreso de Andalucía* (1956), de Francisco Rovira Beleta*. Después de trabajar con Manuel Mur Oti* en *Fedra* (1956) y *El batallón de las sombras** (1956), y con Antonio Isasi* en *Rapsodia de sangre* (1957), obtiene un gran éxito popular al encarnar a Alfonso XII en *¿Dónde vas Alfonso XII?* (1958), de Luis César Amadori*, y *¿Dónde vas triste de ti?* (1960), de Alfonso Balcázar*. Durante la década de los sesenta hace más teatro que cine, y entre sus películas cabe destacar los irregulares *Cariño mío* (1961), de Rafael Gil*; *La verbena de la Paloma* (1963), de José Luis Sáenz de Heredia*; *Nobleza baturra* (1965), de Juan de Orduña*; *Buenos días, condesita* (1966), de Luis César Amadori*, y *Varietés* (1970), de J. A. Bardem*. Con *La semana del asesino* (1971) y *Nadie oyó gritar* (1972), de Eloy de la Iglesia, intenta cambiar de imagen, pero no lo consigue, y mientras prosigue su actividad teatral, comienza a hacer papeles secundarios de galán maduro en producciones cada vez de menor entidad.

PARRANDA *(1977)*

A mediados de la década de los setenta, y por puras razones de subsistencia, Gonzalo Suárez* se ve obligado a abandonar sus personales películas fantásticas, siempre basadas en guiones propios, para hacer productos de encargo, sobre clásicos de la literatura española, que muy poco o nada tienen que ver con él. Tras la irregular *La regenta* (1975), sobre la novela homónima de Leopoldo Alas, y la fallida *Beatriz* (1976), sobre dos cuentos de Ramón del Valle-Inclán, hace esta adaptación de la novela *A esmorga*, de Eduardo Blanco

Amor, que sin ser buena, resulta la mejor de las tres. Por encima de graves defectos de estructura, destacan las veinticuatro horas de parranda que en 1934, en la cuenca minera asturiana, viven Cibrán (José Sacristán*), Bocas (José Luis Gómez*) y Milhombres (Antonio Ferrandis), eje principal de la narración. Sin llegar a conseguir sus objetivos, una personal mezcla de elementos fantásticos y realistas, la película encierra un buen trabajo interpretativo de sus tres protagonistas.

Director: *Gonzalo Suárez.* Guionistas: *Eduardo Blanco Amor, Gonzalo Suárez.* Fotografía: *Carlos Suárez.* Música: *Juan José García Caffi.* Intérpretes: *José Luis Gómez, José Sacristán, Antonio Ferrandis, Fernando Fernán-Gómez, Charo López, Queta Claver, Isabel Mestre, Marilina Ross.* Producción: *Lotus Films Internacional.* Duración: 87 min.

PASCUAL DUARTE *(1975)*

Después de realizar algunos cortometrajes y el largo independiente *El desastre de Annual* (1970), Ricardo Franco* dirige para el productor Elías Querejeta* una sólida adaptación de *La familia de Pascual Duarte*, la famosa novela de Camilo José Cela. En Extremadura, en los años anteriores a la guerra española, describe la vida de Pascual Duarte (José Luis Gómez*) en ambientes campesinos, sus relaciones con su hermana Rosario (Diana Pérez de Guzmán) y su mujer Lola (Maribel Ferrero), mientras aumentan los conflictos entre los propietarios y los campesinos y se proclama la II República. En una escalada de violencia Pascual mata a un perro, a una mula y al hombre (Joaquín Hinojosa) que arrastra a la prostitución a su hermana. Sale de la cárcel por la amnistía decretada por el Frente Popular, pero poco después tiene lugar la insurrección militar, se ve envuelto en la guerra española y acaba matando a su madre (Paca Ojea) y a un terrateniente (Eduardo Calvo), lo que hace que sea ejecutado a garrote vil en 1937. Rodada en un estilo tan austero como eficaz, sólo roto por la brutal escena de la muerte de la mula a cuchilladas, es un personal retrato de un violento personaje dentro de una situación tan conflictiva como la del campesinado durante los años treinta, y la mejor película de Ricardo Franco*, que desde el primer momento deja muy claro su interés por los personajes marginales.

Director: *Ricardo Franco*. Guionistas: *Emilio Martínez-Lázaro, Elías Querejeta, Ricardo Franco*. Fotografía: *Luis Cuadrado*. Música: *Luis de Pablo*. Intérpretes: *José Luis Gómez, Paca Ojea, Héctor Alterio, Diana Pérez de Guzmán, Eduardo Calvo, Joaquín Hinojosa, Maribel Ferrero*. Producción: *Elías Querejeta P. C.* Duración: *105 min*.

PASIÓN TURCA, LA *(1994)*

Como si fuese una moderna *madame* Bovary, la provinciana española Desideria (Ana Belén*) conoce por casualidad al turco Yaman (George Corraface) en un viaje turístico a Estambul con su marido y sus amigos, deja las comodidades de su mundo burgués y se va a Turquía a vivir una loca pasión amorosa con él. No todo funciona bien en las relaciones entre Occidente y Oriente sobre una cama turca, Yaman no tarda en aparecer como un mujeriego, un tipo peligroso, al que Desideria no duda en someterse hasta llegar a prostituirse por él. Rodada a partir de la novela homónima de Antonio Gala, el director y guionista Vicente Aranda* la convierte en una de sus mejores investigaciones sobre las relaciones hombre-mujer.

Director y guionista: *Vicente Aranda*. Fotografía: *José Luis Alcaine*. Música: *José Nieto*. Intérpretes: *Ana Belén, Georges Corraface, Ramón Maudala, Silvia Munt, Blanca Apilánez*. Producción: *Andrés Vicente Gómez para Lola Film, Cartel*. Duración: *118 min*.

PASO, Alfonso *(Alfonso Paso Gil. Madrid, 1926-Madrid, 1978)*

Hijo del dramaturgo Antonio Paso y de la actriz Juana Gil, se licencia en filosofía y letras en la especialidad historia de América en 1951, pero desde 1946 escribe y estrena teatro con regularidad. A mediados de los años cincuenta comienza a escribir guiones con José Luis

Dibildos*, *Felices Pascuas* (1954), de J. A. Bardem*, y *Sierra Maldita* (1954), de Antonio del Amo*, pero no tarda en preferir la cantidad a la calidad y desde poco después se convierte en uno de los más prolíficos coguionistas nacionales. Entre sus películas como coguionista cabe citar *La noche y el alba* (1958), de José María Forqué*; *Los que tocan el piano* (1968), de Javier Aguirre*, y *Lola, espejo oscuro* (1965), de Fernando Merino*. Mientras tanto se ha convertido en el comediógrafo más prolífico y de más éxito de la dictadura del general Franco, y la mayoría de sus obras teatrales son adaptadas al cine: *Vamos a contar mentiras, Hay alguien detrás de la puerta, Usted puede ser un asesino, Cena de matrimonios, Los derechos de la mujer, Enseñar a un sinvergüenza*. En sus últimos años también se atreve a debutar como actor de cine y dirigir media docena de terribles películas sobre guiones propios: *Vamos a por la parejita* (1969), *Los extremeños se tocan* (1969), *La otra residencia* (1970).

PATINO, Basilio M. *(Basilio Martín Patino. Lombrales, Salamanca, 1930)*

Licenciado en filosofía y letras por la Universidad de Salamanca, en 1953 crea el cine-club universitario de dicha ciudad y poco después la revista especializada *Cinema Universitario*. Diplomado en dirección en el Instituto de Investigaciones y Experiencias Cinematográficas en 1960, más tarde es profesor de montaje en la Escuela Oficial de Cinematografía. Mientras realiza una amplia labor en el terreno del cine publicitario, debuta como director con *Nueve cartas a Berta* (1965), minucioso compendio de la vida en una capital de provincias, una de las obras más significativas del llamado *Nuevo Cine Español*. El fracaso de *Del amor y otras soledades* (1969), intento de análisis crítico de la vida matrimonial, le conduce a desarrollar su interés por el montaje en *Canciones para después de una guerra* (1971), donde a través de una hábil mezcla de documentos gráficos y canciones de moda en la época reconstruye los duros años que van de 1939 a 1953, pero es prohibida por la censura del general Franco hasta su desaparición. Dentro de esta línea de atractivos documentales también rueda *Queridísimos verdugos* (1973), sobre las peculiaridades españolas del arte de matar, y *Caudillo* (1975), película de montaje sobre la guerra española que incluye una crítica demasiado leve de la figura del dictador. Perdido en el terreno del vídeo, la llamada *ley Miró* le devuelve al cine con *Los* *paraísos perdidos** (1985), una especie de continuación veinte años después de su primera película, y *Madrid** (1987), intento de síntesis de su interés por el documental, la ficción, el cine y el vídeo, pero su mala acogida por parte del público le hace volver a alejarse del cine.

PATRIMONIO NACIONAL *(1980)*

El éxito obtenido por *La escopeta nacional** (1978) y la popularidad alcanzada por Luis Escobar* en su creación del marqués de Leguineche, llevan al realizador Luis G. Berlanga*, al guionista Rafael Azcona* y al productor Alfredo Matas* a hacer esta segunda parte de su trilogía de comedias sobre la actualidad política nacional. Narra cómo el marqués de Leguineche, con la llegada de la monarquía, abandona su exilio en una finca de Guadalajara, para regresar a Madrid, a su destartalado palacio de la plaza de la Cibeles, con la esperanza de tener un cargo importante en la corte. No lo consigue y la acción gira en torno a sus desavenencias con la marquesa (Mary Santpere), los preparativos para remozar el palacio, los problemas de su hijo Luis José (José Luis

José Luis López Vázquez, Luis Escobar, Alfredo Mayo, Chus Lampreave y Luis Ciges en *Patrimonio nacional*, de Luis G. Berlanga

López Vázquez*) con Hacienda y la solución de su mala situación económica al convertir el palacio en un museo que se visita pagando. Es otra de las películas corales de Berlanga*, pero la primera que prescinde del personaje que aglutina la historia para quedarse tan sólo con el coro, lo que no impide que el resultado tenga una gran eficacia. Su éxito les lleva a *Nacional III** (1982), que cierra la trilogía en la misma línea.

Director: *Luis G. Berlanga*. Guionistas: *Rafael Azcona, Luis G. Berlanga*. Fotografía: *Carlos Suárez*. Intérpretes: *Luis Escobar, José Luis López Vázquez, Amparo Soler Leal, Luis Ciges, Mary Santpere, José Ruiz Lifante, José Luis de Vilallonga, Syliane Stella, Alfredo Mayo*. Producción: *Alfredo Matas para InCine, Jet Films*. Duración: *110 min*.

PECES ROJOS, LOS *(1955)*

Lejos del cine de denuncia social que realiza José Antonio Nieves Conde* durante los años cincuenta, en esta ocasión parte de un guión del reputado Carlos Blanco* para hacer una obra de género, un policiaco. La trama gira en torno a un escritor encarnado por el mexicano Arturo de Córdova, que se inventa un personaje en su propia conveniencia, pero hace tantos esfuerzos para que sea real que acaba creyendo en su existencia. Demasiado artificiosa y alejada de la realidad, el resultado se resiente de ello, pero tiene un ambiente bien logrado. Destaca tanto el trabajo de Arturo

de Córdova como el de Emma Penella*, que interpreta a una corista, salida de la miseria y a quien empuja la ambición.

Director: *José Antonio Nieves Conde*. Guionista: *Carlos Blanco*. Fotografía: *Francisco Sempere*. Música: *Miguel Asins Arbó*. Intérpretes: *Arturo de Córdova, Emma Penella, Félix Dafauce, Pilar Soler, Félix Acaso, Manuel de Juan*. Duración: *80 min*.

PENELLA, Emma *(Manuela Ruiz Penella. Madrid, 1930)*

Hermana de las también actrices Elisa Montés (Granada, 1936) y Terele Pávez (Madrid, 1939), comienza su carrera de actriz como meritoria en teatro y doble en cine. Durante los años cincuenta hace destacados e interesantes papeles en *Los ojos dejan huellas* (1952), de José Luis Sáenz de Heredia*; *Carne de horca** (1953), de Ladislao Vajda*; *El guardián del paraíso** (1955), de Arturo Ruiz-Castillo*; *Los peces rojos** (1955), de José Antonio Nieves Conde*; *Fedra* (1956) y *El batallón de las sombras** (1956), de Manuel Mur Oti*; *Un marido de ida y vuelta* (1957), de Luis Lucia*; *De espaldas a la puerta* (1959), de José María Forqué*, pero salvo en *Cómicos** (1954), de J. A. Bardem*, la mejor película de todas ellas, es sistemáticamente doblada por otra voz según una nefasta costumbre de la época. En la primera mitad de la década de los sesenta se dedica con mayor intensidad al cine, pero entre sus trabajos sólo cabe destacar *La cuarta ventana* (1961), de Julio Coll*, donde por primera y única vez actúa con sus dos hermanas actrices, y la excelente *El verdugo** (1963), de Luis G. Berlanga*, donde al encarnar a Carmen hace el mejor de sus trabajos. Tras la irregular *Lola, espejo oscuro* (1956), de Fernando Merino*, y la atractiva *La busca** (1966), de Angelino Fons*, contrae matrionio con el productor Emiliano Piedra* y durante veinte años sólo protagoniza sus producciones *Fortunata y Jacinta* (1969) y *La primera entrega* (1971), de Angelino Fons*, y *La regenta* (1974), de Gonzalo Suárez*. Posteriormente sólo hace papeles episódicos en *Padre nuestro** (1985), de Francisco Regueiro*; *El amor brujo** (1986), de Carlos Saura*, y de mayor envergadura en *La estanquera de Vallecas* (1987), de Eloy de la Iglesia*.

PEÑA, Julio *(Julio Peña Muñoz. Madrid, 1912-Marbella, Málaga, 1972)*

Hijo del actor Ramón Peña, debuta en el teatro a los quince años y no tarda en incorporarse a la compañía de su padre. En 1930 es contratado por Paramount para trabajar en los estudios franceses de Joinville, cerca de París, en la versión castellana de *Doña Mentiras*, de Adelqui Millar. Entre 1931 y 1935 permanece en Hollywood contratado por Metro-Goldwyn-Mayer y Fox e interviene en las versiones castellanas de quince películas norteamericanas, entre las que destacan *La mujer X* (1931), de Carlos F. Borcosque; *Mamá* (1931), de Benito Perojo*; *Angelina, o el honor de un brigadier* (1935), de Louis King, y *Rosa de Francia* (1935), de Gordon Willis. De regreso a España, protagoniza varias producciones, pero el ritmo de su trabajo se hace muy lento durante la guerra española, a pesar de intervenir en *Sierra de Teruel** (L'espoir, 1938), de André Malraux, la mejor obra realizada durante esta etapa. En 1946 constituye con su hermano Ramón Peña la productora Peña Films, para la que produce y protagoniza *Alhucemas* (1947), de José López Rubio*, y *Confidencias* (1947) y *Siempre vuelven de madrugada* (1948), de Jerónimo Mihura*. Entre las casi cien películas que protagoniza también cabe citar *Los ojos dejan huellas* (1952), de José Luis Sáenz de Heredia*; *Volver a vivir* (1967), de Mario Camus*, y *La casa sin fronteras* (1971), de Pedro Olea*. El inglés aprendido en Hollywood le vale para intervenir en papeles secundarios en algunas de las películas rodadas por los norteamericanos en España: *Alejandro El Magno* (Alexander the Great, 1956), de Robert Rossen; *Salomón y la reina de Saba* (Solomon and Sheba, 1959), *Pampa salvaje* (1965), de Hugo Fregonese, o *Campanadas a* *medianoche* (1965), de Orson Welles. Casado en 1953 con la actriz Susana Canales, forman una compañía con la que obtienen repetidos éxitos en los años siguientes.

PEÑA, Luis *(Luis Peña Illescas. Santander, 1918-Madrid, 1977)*

Hijo de los actores Luis Peña y Eugenia Illescas y hermano de la actriz Pastora Peña, debuta a los dos años en el teatro y desde los seis hace papeles destacados en la compañía de sus padres. Debuta como actor de cine a comienzos de los años treinta, pero sólo se convierte en un célebre galán en los cuarenta cuando protagoniza *Boy* (1940), de Antonio Calveche; *Harka* (1941), de Carlos Arévalo; *Porque te vi llorar* (1941), de Juan de Orduña*; *Vidas cruzadas* (1942), de Luis Marquina*; *Bambú* (1945), de José Luis Sáenz de Heredia*, y *Reina Santa* (1947), de Rafael Gil*. Sin abandonar nunca el teatro, donde durante mucho tiempo tiene compañía propia, sus mejores actuaciones cinematográficas las realiza en papeles secundarios en *Surcos* * (1951), de José Antonio Nieves Conde*; *Calle Mayor* * (1956), de J. A. Bardem*, y *Amanecer en Puerta Oscura* * (1957), de José María Forqué*. Aunque continúa trabajando hasta poco antes de su muerte, en cine sólo hace papeles muy secundarios, la mayoría de las veces en películas con poco interés.

PEPPERMINT FRAPPÉ *(1967)*

Durante doce años, Carlos Saura* realiza nueve películas con Geraldine Chaplin*, todas menos una como protagonista, para el productor Elías Querejeta*. Esta amplia colaboración comienza con esta producción, que también marca el encuentro de Rafael Azcona* con Saura* y Querejeta*, que resulta un tanto atípica dentro del conjunto. No por ser una de las primeras que indagan sobre el comportamiento de la burguesía española, sino porque Geraldine Chaplin* por primera y única vez encarna a una española, la enfermera Ana, y aparece morena y doblada, aunque en compensación también da vida a la extranjera rubia Elena. La película trata realmente de cómo el reprimido médico cuarentón Julián (José Luis López Vázquez*) intenta transformar a su tímida enfermera española en la desinhibida mujer rubia de su amigo Pablo (Alfredo Mayo*). Esta transformación, que recuerda mucho a la llevada a cabo por Scottie Ferguson (James Stewart) con Judy Barton (Kim Novak) para convertirla en Madeleine Elster en *De entre los muertos* (Vértigo, 1958), de Alfred Hitchcock, esta peculiar historia de amor, este atípico triángulo amoroso que finaliza violentamente, en su momento representa una gran novedad dentro del cine español, en especial por la brillante fotografía de

José Luis López Vázquez y Geraldine Chaplin en *Peppermint frappé*, de Carlos Saura

Luis Cuadrado*, pero el paso de los años pesa demasiado sobre ella.

Director: *Carlos Saura.* Guionistas: *Carlos Saura, Rafael Azcona, Angelino Fons.* Fotografía: *Luis Cuadrado.* Música: *Luis de Pablo.* Intérpretes: *Geraldine Chaplin, José Luis López Vázquez, Alfredo Mayo.* Producción: *Elías Querejeta P. C.* Duración: *90 min.*

PÉREZ MERINERO, Carlos *(Écija, Sevilla, 1950)*

Tras estudiar económicas en la Universidad de Madrid, trabaja como profesor universitario al tiempo que publica algunos libros sobre temas cinematográficos en colaboración con su hermano David Pérez Merinero: *En pos del cinema, Cine y control, Del cinema como arma de clase, Cine español, una reinterpretación.* Más tarde se especializa en narraciones de corte policiaco, entre las que destacan *Días de guardar, La mano armada, El papel de víctima, Las noches contadas,* y sobre todo *El ángel triste,* origen de las películas *Bajo en nicotina* (1983), de Raúl Artigot*, y *Bueno y tierno como un ángel* (1988), de José María Blanco. Como guionista colabora en *Cara de acelga* (1986), de José Sacristán*; *Amantes** (1991), de Vicente Aranda*, y *Mal de amores** (1993), de Carlos Balagué, además de intervenir en varios episodios de las series de televisión *La huella del crimen* y *Crónicas del mal.*

PÉREZ OLEA, Antonio *(Madrid, 1923)*

Estudia en el Conservatio de Madrid y en la Escuela Oficial de Cinematografía, donde se diploma en las especialidades de cámara y sonido. Debuta en 1960 como director de fotografía de cortometrajes, actividad que realiza durante los años sesenta y setenta y le lleva a fotografiar algunos largos, como *Ninette y un señor de Murcia* (1965), de Fernando Fernán-Gómez*, de la que también hace la música. A pesar de que dirige numerosos cortos y el largo *El anillo de niebla* (1985), es especialmente conocido por su música cinematográfica. Durante la década de los sesenta se convierte en el compositor del denominado *Nuevo Cine Español* al realizar la música de *Noche de verano** (1962), *El espontáneo** (1964), *Acteón* (1965), *Una historia de amor** (1966), *Cántico* (1970), de Jorge Grau*; *Del rosa al amarillo** (1963), *La niña de luto* (1964), *El juego de la oca* (1965), de Manuel Summers*; *La tía Tula** (1964), *Oscuros sueños de agosto* (1967), de Miguel Picazo*; *Con el viento solano* (1965), de Mario Camus*; *Fata Morgana** (1966),

de Vicente Aranda*. Lo que posteriormente no le impide colaborar en *Los cien caballeros* (1965), de Vittorio Cottafavi; *¡Vivan los novios!* (1970), de Luis G. Berlanga*; *El bosque del lobo* (1970), de Pedro Olea*, o *Jalea Real* (1980), de Carles Mira. Tras escribir la música de más de cuarenta largometrajes, el fracaso de *El anillo de niebla*, el único que dirige, le hace apartarse definitivamente del cine.

PEROJO, Benito *(Benito Perojo González. Madrid, 1893-Madrid, 1974)*

Perteneciente a una familia vinculada con el periodismo, y tras realizar estudios en el Reino Unido, debuta como actor de cine en los años diez y populariza el personaje *Peladilla,* claramente inspirado en el *Charlot* de Charles Chaplin, en numerosos cortometrajes, algunos de los cuales también dirige. Tras una estancia en Francia, donde hace algunos largos, vuelve a España para rodar varias películas, entre las que destacan *Boy* (1925), sobre la novela del padre Coloma, y *El negro que tenía el alma blanca* (1926), sobre la de Alberto Insúa. La llegada del sonoro le lleva otra vez a Francia, donde contratado por Paramount dirige las versiones castellanas de algunas de las películas producidas en los estudios Joinville, cerca de París, y más tarde a Hollywood, donde dirige *Mamá* (1931), sobre la comedia de Gregorio Martínez

Estrellita Castro en *El barbero de Sevilla*, de Benito Perojo

Sierra. De nuevo en España, realiza ocho películas, entre las que sobresale su versión de *La verbena de la Paloma** (1935), la popular zarzuela de Tomás Bretón y Ricardo de la Vega, pero la insurrección militar que origina la guerra española interrumpe el rodaje de *Nuestra Natacha* (1936), según la obra teatral de Alejandro Casona. Durante la contienda rueda tres películas en Alemania y dos en Italia, y en la más inmediata posguerra nueve en Argentina. A finales de los años cuarenta vuelve definitivamente a España, dirige tres películas sin interés y pasa a convertirse en un importante productor, en cuanto a cantidad, pero muy baja calidad, como da idea que entre más de cuarenta títulos, producidos en veinte años, sólo pueda destacarse *Novio a la vista** (1953), de Luis G. Berlanga*.

PICAZO, Miguel *(Miguel Picazo Dios. Cazorla, Jaén, 1927)*
Educado en Guadalajara, estudia derecho y en 1960 se licencia en dirección en el Instituto de Investigaciones y Experiencias Cinematográficas. Debuta con *La tía Tula** (1964), adaptación de la novela de Miguel de Unamuno

que le sirve para dibujar un brillante cuadro de la vida provinciana, que se convierte en una de las películas más representativas del llamado *Nuevo Cine Español*. Tras el fracaso de *Oscuros sueños de agosto* (1967), afectada por la censura y la muerte del productor Cesáreo González*, realiza más de setenta programas dramáticos para televisión. Al comienzo de la democracia hace dos películas tan diferentes como *El hombre que supo amar** (1976), biografía realista de san Juan de Dios producida por su propia Orden, y *Los claros motivos del deseo* (1976), una producción de José Frade* donde insiste sobre el mundo de la provincia a través de las relaciones entre unos adolescentes. El fracaso comercial de ambas le devuelve a televisión, de donde sale gracias a la llamada *ley Miró* para rodar *Extramuros** (1985), irregular adaptación de la novela homónima de Jesús Fernández Santos, que se convierte en su última película.

PICO, EL *(1983)*

Sobre un tan complejo como barroco guión del realizador Eloy de la Iglesia* y Gonzalo Goicoechea*, su colaborador habitual en la mejor etapa de su carrera, se hace una de las películas más insólitas del cine español. En un conseguido tono de fuerte realismo, habitual en el mejor cine de Eloy de la Iglesia*, se narran las desventuras del hijo drogadicto de un comandante de la guardia civil destinado en el País Vasco. Logra que la difícil mezcla de drogas, sexo, delincuencia y política funcione bien, y se convierte en el mayor éxito de su carrera. Lo que lleva al mismo equipo técnico y artístico a rodar una imposible segunda parte, *El pico II* (1984), donde todavía se intenta ir más lejos, al verse envuelto el hijo del comandante en el asesinato de una pareja de traficantes de heroína en Bilbao, pero los resultados no son tan contundentes, resultan excesivos.

Director: *Eloy de la Iglesia.* Guionistas: *Gonzalo Goicoechea, Eloy de la Iglesia.* Fotografía: *Hans Burmann.* Intérpretes: *José Luis Manzano, José Manuel Cervino, Luis Iriondo, Enrique San Francisco.* Producción: *Ópalo Films.* Duración: *110 min.*

PIEDRA, Emiliano *(Emiliano Piedra Miana. Madrid, 1931-Madrid, 1991)*

Madrileño por los cuatro costados, vive gran parte de su vida en la castiza calle Mesón de Paredes. Aficionado al cine desde niño, cuando a los diecisiete años debe ponerse a trabajar, lo hace por casualidad de auxiliar administrativo en una distribuidora de películas en 16 mm. Durante los más duros años de la posguerra su gran capacidad de trabajo le lleva a hacerse además proyeccionista y más tarde también *ambulante,* lo que le hace recorrer durante los fines de semana algunos pueblos, principalmente de la provincia de Cuenca, en coche de línea, mula o borrico, proyectando películas para un público que en su mayoría desconoce el cine. En una rápida sucesión de etapas, crea una sociedad para la fabricación y venta de proyectores en 16 mm a comienzos de los años cincuenta, luego la distribuidora Brepi Films y en seguida produce su primera película, *Canción de cuna* (1961), de José María Elorrieta. Tras una breve asociación con la actriz Marujita Díaz y el actor y productor venezolano Espartaco Santoni, su interés por el cine de calidad le lleva a *La boda* (1963), una coproducción con Argentina dirigida por Lucas Demare sobre una novela de Ángel María de Lera, y sobre todo *Campanadas a medianoche* (1965), la mejor de las obras shakesperianas de Orson Welles, que sólo se termina gracias a su empuje personal y para la que tiene que crear una productora en Suiza con la que montar una peculiar coproducción. Casado en 1967 con la actriz Emma Penella*, produce varias películas con ella de protagonista: *Fortunata y Jacinta* (1969), sobre la novela homónima de Benito Pérez Galdós; *La primera entrega* (1971), ambas dirigidas por Angelino Fons*, y *La regenta* (1974), adaptación de la novela homónima de Leopoldo Alas, realizada por Gonzalo Suárez*. Mientras distribuye las produc-

ciones de Elías Querejeta* y películas en versión original subtitulada, construye los cines Luna de Madrid, la única de sus empresas que nunca llega a funcionar correctamente. Gran aficionado al flamenco, convence al bailarín Antonio Gades y al director Carlos Saura* para que hagan la trilogía musical integrada por *Bodas de sangre** (1981), sobre la obra teatral homónima de Federico García Lorca; *Carmen** (1983), adaptación de la ópera de George Bizet, y *El amor brujo** (1986), versión de la obra homónima con libreto de Gregorio Martínez Sierra y música de Manuel de Falla. La mala situación del cine español le lleva a asociarse con Televisión Española para hacer *El Quijote* (1991), una versión de seis horas de duración sobre la primera parte de *Don Quijote de la Mancha*, de Miguel de Cervantes, dirigida por Manuel Gutiérrez Aragón* y protagonizada por Fernando Rey* y Alfredo Landa*, empresa a la que dedica sus últimos años de entusiasmo.

PIEL QUEMADA, LA *(1967)*

Entre la irregular producción de Josep María Forn*, propietario de la productora Teide y gran impulsor del cine catalán, destaca esta película. Se trata de un intento de análisis de la emigración interior, en concreto desde el sur hacia Cataluña, de los denominados *charnegos,* a través de la historia de José (Antonio Iranzo), un obrero de la construcción que, después de una temporada de trabajo en la Costa Brava, consigue traerse consigo a su familia desde Andalucía, sobre el fondo del entonces naciente fenómeno del turismo. A pesar de su irregular desarrollo y sus problemas con censura, tiene interés en la medida que es una de las pocas producciones que tratan este tema.

Director y guionista: *Josep María Forn*. Fotografía: *Ricardo Albiñana*. Música: *Federico Martínez Tudó*. Intérpretes: *Antonio Iranzo, Marta May, Silvia Solar, Ángel Lombardo, Carlos Otero*. Producción: *Josep María Forn para P. C. Teide*. Duración: *110 min*.

PIM, PAM, PUM... ¡FUEGO! *(1975)*

Tras el éxito de *Tormento** (1974), sobre la novela homónima de Benito Pérez Galdós que transcurre en el Madrid de finales del siglo XIX, y antes de *La Corea* (1976), que enlaza con ella al narrar las desventuras de un muchacho que al llegar a Madrid se encuentra con el rodaje de una película de época en la estación de Atocha, Pedro Olea* dirige para el productor José Frade* la segunda parte de su trilogía madrileña. Sobre guión de Rafael Azcona* y suyo, narra las relaciones entre Paca (Conchita Velasco*), una corista sin trabajo que debe cuidar a su padre (José Orjas) y busca un puesto en la compañía de revistas de Celia Gámez, Luis (José María Flotats), un maqui que quiere huir a Francia, pero no tiene los papeles en regla, y Julio (Fernando Fernán-Gómez*), un enriquecido estraperlista, que acaba convirtiéndola en su amante y poniéndole un piso, en el duro Madrid de principios de los años cuarenta, en medio de la miseria y las cartillas de racionamiento. Rodada con una cierta amplitud de medios, trata de unir demasiados elementos dispersos sin llegar a conseguirlo plenamente, en medio de una selección de canciones de la época: *Tatuaje, No te mires en el río, Mírame, Tiroliro...*

Director: *Pedro Olea*. Guionistas: *Pedro Olea, Rafael Azcona*. Fotografía: *Fernando Arribas*. Música: *Carmelo Bernaola*. Intérpretes: *Conchita Velasco, José María Flotats, Fernando Fernán-Gómez, José Orjas*. Producción: *José Frade P. C.* Duración: *102 min*.

PIQUER, Juan *(Juan Piquer Simón. Valencia, 1934)*

Tras una larga experiencia en el cine industrial y publicitario, debuta como realizador de largometrajes con *Viaje al centro de la tierra* (1976), esforzada adaptación de la novela homónima de Jules Verne protagonizada por actores británicos y españoles. Su cine está lastrado por un desmesurado interés de batir al cine norteamericano en su propio terreno, lo que le lleva a hacer *Supersonic Man* (1979), increíble imitación de *Superman* (1978), de Richard Donner, y *Los nuevos extraterrestres* (1982), aberrante intento de plagio de *E.T.* (1982), de Steven Spielberg. Tampoco tienen mucho atractivo sus restantes producciones —*Misterio en la isla de los monstruos* (1980), *Los diablos del mar* (1981), *Mil gritos tiene la noche* (1982), *Muerte viscosa* (Slugs, 1988), *La grieta* (1989)—, a medio camino entre el cine fantástico y el más pringoso terror.

PISITO, EL *(1958)*

A mediados de los años cincuenta, el italiano Marco Ferreri* llega a Madrid como representante de la parte italiana de la coproducción *Toro bravo* (1956), una conflictiva película que rueda Vittorio Cottafavi, pero no monta, conoce al escritor y humorista Rafael Azcona* y decide dirigir su novela homónima. Narra cómo los eternos novios Rodolfo (José Luis López Vázquez*) y Petrita (Mary Carrillo) deciden, ante la imposibilidad de encontrar un piso donde irse a vivir, que él se case con doña Martina (Concha López Silva) para heredar su piso a su muerte, pero una vez celebrada la boda, la vieja recupera la salud y tarda más de dos años en morirse. Narrada en unos largos planos que reflejan con fuerza la cruda realidad de la época, su conseguido tono de humor negro hace que apenas sea atacada por la censura, en contra de lo ocu-

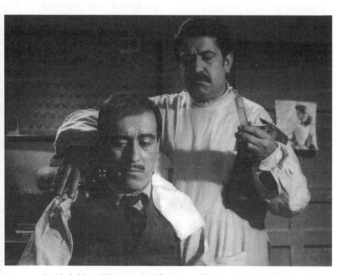

José Luis López Vázquez y José Cordero en *El pisito,* de Marco Ferreri

rrido con *El inquilino** (1958), de José Antonio Nieves Conde*, realizada casi de manera simultánea también sobre el acuciante tema de la vivienda. Estrenada de mala manera ante la indiferencia de crítica y público, no sólo es la primera de las tres películas rodadas por Ferreri* en España, las otras dos son *Los chicos** (1959) y *El cochecito** (1960), sino el comienzo de su larga carrera y el principio de su fructífera colaboración con Azcona*, que se extiende durante la parte italiana de su obra. Por problemas sindicales, dada la calidad de extranjero de Ferreri*, también aparece firmada por Isidoro M. Ferry, un productor que posteriormente dirige un par de películas, que sólo se ocupa de la producción a través de la marca Documento Films.

Director: *Marco Ferreri*. Guionista: *Rafael Azcona*. Fotografía: *Francisco Sempere*. Intérpretes: *José Luis López Vázquez, Mary Carrillo, Concha López Silva, J. Cordero, Celia Conde*. Producción: *Isidoro M. Ferry para Documento Films*. Duración: *87 min*.

PLÁCIDO *(1961)*

Tras una primera parte de su obra marcada por el neorrealismo crítico cargado de humor rosa, Luis G. Berlanga* lo tiñe de negro gracias al encuentro con el humorista gráfico y guionista Rafael Azcona*, que se convierte en su colaborador habitual durante casi treinta años. Al tiempo que la planificación entrecortada de sus primeras películas da paso a largos planos-secuencia de gran complejidad por el tono coral que adquieren sus relatos, la multiplicación de sus personajes y la presencia casi constante de la mayoría de ellos en la acción. A pesar de estar también escrito por sus antiguos colaboradores José Luis Colina* y José Luis Font, esta primera colaboración entre Berlanga* y Azcona* está claramente dominada por este último. Ambientada en una pequeña ciudad de provincias, narra la campaña de navidad titulada «Siente un pobre a su mesa», inventada por las mujeres de las fuerzas vivas de la localidad, desde el punto de vista de Plácido (Cassen), el dueño de un motocarro, contratado para participar en la cabalgata, a quien le vence ese mismo día una de las letras de su arma de trabajo. Mientras a su alrededor rebosa la caridad artificial manipulada por los organizadores de la campaña, debe luchar contra la falta de buena voluntad de bancos, notarios y quienes podían ayudarle a pagar la letra y evitar el embargo del motocarro. Finalmente consigue su propósito, pero llega a su casa tarde con su familia y sin ganas de celebrar la Nochebuena, mientras se oye el villancico que dice: «En esta tierra no hay caridad, ni nunca la ha habido, ni nunca la habrá.» Tras salvar múltiples problemas con la censura del general Franco, que hace variar el título original e incluye multitud de cambios, se

Elvira Quintillá y Cassen en *Plácido,* de Luis G. Berlanga

estrena con cierto éxito y desde hace tiempo se ha convertido en uno de los mejores frutos de la colaboración entre Berlanga* y Azcona*.

Director: *Luis G. Berlanga.* Guionistas: *Luis G. Berlanga, Rafael Azcona, José Luis Colina, José Luis Font.* Fotografía: *Francisco Sempere.* Música: *Manuel Asíns Arbó.* Intérpretes: *Cassen, José Luis López Vázquez, Elvira Quintillá, Manuel Alexandre, Amelia de la Torre.* Producción: *Alfredo Matas para Jet Films.* Duración: *85 min.*

POMÉS, Félix de *(Félix de Pomés Soler. Barcelona, 1893-Barcelona, 1969)*

Estudia medicina y farmacia, pero acaba titulándose en dere-cho. Trabaja como periodista y participa en varias exposiciones de pintura antes de hacerse futbolista profesional, llegar a ser campeón de esgrima y competir en esta modalidad en las olimpíadas de París y Amsterdam. A finales de los años veinte debuta en el cine alemán como director artístico y actor y llega a trabajar a las órdenes del famoso Wilhelm Dieterle. Con la llegada del sonoro es contratado por Paramount para actuar en las versiones castellanas rodadas en los estudios de Joinville, cerca de París, y posteriormente por Fox para trabajar en la misma modalidad en Hollywood. De regreso a España, entre otras protagoniza *Pax* (1932) y *Rata-*

plán (1935), de Francisco Elías*. En la posguerra dirige *Pilar Guerra* (1940) y *La madre guapa* (1941), para luego desarrollar una regular carrera de actor que, por ejemplo, le lleva a hacer destacados papeles en *Vidas cruzadas* (1942), de Luis Marquina*; *La torre de los siete jorobados* (1944), de Edgar Neville*; *Vida en sombras* (1948), de Lorenzo Llobet Gracia, o *La otra vida del capitán Contreras* (1954), de Rafael Gil*. Posteriormente hace pequeños papeles en algunas de las producciones norteamericanas rodadas en España, *Orgullo y pasión* (The Pride and the Passion, 1957), de Stanley Kramer; *El capitán Jones* (John Paul Jones, 1959), de John Farrow; *Rey de Reyes* (King of Kings, 1961), de Nicholas Ray, además de en las habituales películas españolas, *La vida por delante* (1958) y *La vida alrededor* (1959), de Fernando Fernán-Gómez*. Su última película es *Una historia de amor* (1966), de Jorge Grau*. Es padre de la actriz Isabel de Pomés*.

POMÉS, Isabel de *(Isabel de Pomés López. Barcelona, 1924)*

Hija del actor, director y decorador Félix de Pomés*, desde niña trabaja en el teatro. Debuta como actriz de cine de la mano de su padre en papeles secundarios en *Pilar Guerra* (1940) y *La madre guapa* (1941), pero en seguida encarna a protagonistas

con otros directores: *Huella de luz* (1942), de Rafael Gil*; *Noche fantástica* (1943), de Luis Marquina*; *El abanderado* (1943), de Eusebio Fernández Ardavín*; *Te quiero para mí* (1944), de Ladislao Vajda*; *La torre de los siete jorobados* (1944), de Edgar Neville*; *La sirena negra* (1947), de Carlos Serrano de Osma*; *Botón de ancla* (1947), de Ramón Torrado*, o *Vida en sombras* (1948), de Lorenzo Llobet Gracia. Durante los años cincuenta pasa a hacer papeles secundarios en *Marcelino, pan y vino* (1954) y *Un ángel pasó por Brooklyn* (1957), de Ladislao Vajda*; *Amanecer en Puerta Oscura* (1957), de José María Forqué*, etc., para retirarse a comienzos de los sesenta.

PONCELA, Eusebio *(Eusebio Poncela Aprea. Madrid, 1947)*

Después de estudiar en la Escuela de Arte Dramático, debuta tanto en teatro como en cine a finales de los años sesenta, pero mientra en teatro no tarda en adquirir un cierto prestigio, en cine sólo hace papeles secundarios hasta que protagoniza *La muerte del escorpión* (1975), de Gonzalo Herralde*. Entre sus posteriores trabajos destaca el del frustrado realizador José Sirgado de *Arrebato* (1979), de Iván Zulueta, junto a los de *Operación Ogro* (1979), de Gillo Pontecorvo*, y *El arreglo*

(1983), de José Antonio Zorrilla. Consigue un gran éxito personal en televisión con la serie *Los gozos y las sombras* (1981), de Rafael Moreno Alba*, que no logra repetir con *Las aventuras de Pepe Carvalho* (1985), de Adolfo Aristarain, mientras en cine protagoniza *Werther* (1986), de Pilar Miró*; *Matador** (1986) y *La ley del deseo** (1987), de Pedro Almodóvar*, y hace destacadas colaboraciones en *El Dorado** (1987), de Carlos Saura*; *Diario de invierno** (1988), de Francisco Regueiro*, y *El rey pasmado** (1991), de Imanol Uribe*.

PONS, Ventura *(Ventura Pons Sala. Barcelona, 1945)*

Desde finales de los años sesenta a comienzos de los ochenta trabaja como director teatral hasta llegar a convertirse en uno de los puntales del recién nacido teatro hablado en catalán. Mientras tanto rueda el documental *Ocaña, retrat intermitent* (Ocaña, retrato intermitente, 1978), sobre un travesti habitual de las Ramblas barcelonesas, y la burda comedia cómica *Vicari de Olot* (Vicario de Olot, 1981). Abandona el teatro por el cine y se especializa en la realización y producción de burdas comedias catalanas: *Puta miseria* (1988), *¿Qué te juegas, Mari Pili?* (1990), *Esta noche o jamás* (1991), *Rosita, please!* (1993). Su mejor película es *El porqué de las cosas* (1994).

¿POR QUÉ PERDIMOS LA GUERRA? *(1977)*

Dentro de la serie de documentales sobre la guerra española realizados al principio de la democracia, este tiene especial interés, lejos de los directamente fascistas o los que con excesiva asepsia tratan de encontrar una imposible verdad histórica, por tener un punto de vista claramente parcial, no tratar de ocultarlo en ningún momento, y ser anarquista. A través de un irregular conjunto de entrevistas y documentales de la época, la pregunta que plantea el título se contesta con excesiva claridad: por la poca y tardía ayuda que la Unión Soviética presta a la II República Española, por la sistemática eliminación, por parte de los comunistas, de los elementos que pudiesen impedir a Stalin el control de la situación y porque éste decide entregarle la II República a Hitler a cambio de la firma del pacto germano-soviético. Escrita y dirigida por el hijo de Diego Abad de Santillán, destacado anarquista miembro de la F.A.I., lo que más se echa de menos en su trabajo es una exposición más directa de la actuación de los anarquistas y, especialmente, sus actividades en la retaguardia en la administración de fábricas y ciudades, antes de ser eliminados por los comunistas.

Directores: *Diego Santillán, Luis Galindo*. Guionista: *Diego Santillán*. Fotografía: *Julio Bragado*. Música:

Mario Litwin. Producción: *Luis Galindo.* Duración: *95 min.*

PORTABELLA, Pere *(Pere Portabella Rafols. Figueras, Girona, 1929)*

Estudia química, colabora con los pintores Antoni Tapies, Antonio Saura, Eduardo Chillida, etc., en los movimientos de las vanguardias artísticas y en 1959 crea la marca Films 59 con la que produce *Los golfos** (1959), de Carlos Saura*, y *El cochecito** (1960), de Marco Ferreri*, e interviene en *Viridiana** (1961), de Luis Buñuel*, lo que marca el final de sus actividades. Su colaboración con el poeta Joan Brossa origina un cine muy personal, cercano al surrealismo, que entre algunos cortos da lugar al largometraje *Nocturno 29** (1968). Siempre dentro de esta línea, pero al margen del cine comercial, rueda *Cuadecuc* (1970), especie de contradocumental sobre el rodaje de *El conde Drácula* (1970), de Jesús Franco*, y *Umbracle* (1972), donde mezcla muchas cosas entre números surrealistas a cargo del actor británico Christopher Lee. Una serie de cortos cada vez más realistas sobre arte le llevan a *Informe general* (1977), una amplia colección de entrevistas con personalidades políticas nacionales realizadas antes de las primeras elecciones legislativas. Senador por Girona entre 1977 y 1982, abandona el cine por la política durante este período para volver a escribir, producir y dirigir *El puente de Varsovia* (1989), clara prueba de que su estilo ha envejecido y no ha evolucionado.

POZO, Ángel del *(Ángel del Pozo Merino. Madrid, 1934)*

Después de colaborar con el T.E.U., debuta como actor de teatro en 1958 en la compañía de Lilí Murati. Interviene en su primera película en 1960, durante diecisiete años trabaja activamente en casi setenta y, aparte de participar en producciones extranjeras rodadas en España, como *Pampa salvaje* (1966), de Hugo Fregonese; *Cervantes* (1966), de Vincent Sherman; *Simón Bolívar* (1968), de Alessandro Blasetti, y *El cóndor* (1970), de John Guillermin, hace sus papeles más destacados con Rafael Gil* en *Nada menos que todo un hombre* (1971) y *La duda* (1972). Durante los años setenta también dirige cuatro irregulares películas, *¿Y el prójimo?* (1974), *El alijo* (1976), *La promesa* (1976), *El hijo es mío* (1978), y posteriormente se aleja del mundo del espectáculo.

PRIMA ANGÉLICA, LA *(1973)*

Durante la primera mitad de los años setenta, Carlos Saura* realizad, sobre guiones de Rafael Azcona* y suyos, una trilogía sobre los mecanismos de poder de la reaccionaria burguesía española. A la fallida *El jardín de las delicias* (1970), sigue la excesivamente críptica *Ana y los lobos** (1972), para llegar a esta, la mejor y más

José Luis López Vázquez y María Clara Fernández en *La prima Angélica,* de Carlos Saura

lograda, uno de los mayores éxitos de su carrera. Empleando un procedimiento narrativo descubierto por Ingmar Bergman en *Fresas salvajes* (Smultronstället, 1957), el del personaje que con su aspecto actual se introduce en sus viejos recuerdos, Saura* narra cómo Luis (José Luis López Vázquez*), un solitario editor cuarentón, revive los años vividos durante las guerra española en una pequeña ciudad de provincias al trasladar los restos mortales de su madre al panteón familiar. De esta forma la prima Angélica será tanto la adolescente a la que amó al final de los años treinta (Clara Fernández Loaysa) como la mujer casada actual (Lina Canalejas*), mezclada entre los recuerdos de sus madres, sus tías, una monja y el tío Anselmo. El hecho de que el tío Anselmo (Fernando Delgado) sea un duro falangista y que en un determinado momento deban escayolarle con el brazo derecho en alto, típica ocurrencia de Azcona*, unido a la delicada situación política creada por los últimos coletazos de la dictadura del general Franco, sin olvidar el premio ganado en el Festival de Cannes, hace que se estrene sin cortes de censura, pero las fuerzas más reaccionarias del régimen organicen repetidos actos de sabotaje contra ella, lo que automáticamente la convierte en un gran éxito.

Director: *Carlos Saura.* Guionistas: *Rafael Azcona, Carlos Saura.* Fotografía: *Luis Cuadrado.* Intérpretes: *José Luis López Vázquez, Lina Canalejas, Fernando Delgado, Clara*

Fernández Loaysa, Lola Cardona, Julieta Serrano. Producción: *Elías Querejeta P. C.* Duración: *100 min.*

PRÓXIMA ESTACIÓN, LA *(1982)*

El conflicto planteado en una familia de clase media cuando una noche se presenta su único hijo, José (Alberto Delgado), acompañado de su chica, Ana (Cristina Marcos), y dispuesto a que viva con él en la casa familiar, da lugar a una especie de obra de tesis sobre el conflicto generacional, a un enfrentamiento con los padre, el ingeniero industrial José Luis (Alfredo Landa*) y el ama de casa Marga (Lola Herrera). Un planteamiento ambicioso, pero un desarrollo irregular y un final en exceso convencional, así como una interpretación insuficiente por parte de Alberto Delgado y Lola Herrera, hacen que se tambalee el resultado de esta película de Antonio Mercero*.

Director: *Antonio Mercero.* Guionistas: *Antonio Mercero, Horacio Valcárcel, J. A. Rodero.* Fotografía: *José Luis Alcaine.* Música: *Luis Gómez-Escolar, Honorio Herrero.* Intérpretes: *Alfredo Landa, Lola Herrera, Carmen de la Maza, Agustín González, Cristina Marcos, Alberto Delgado.* Producción: *Bridas, S. A.* Duración: *91 min.*

PUIGCORBÉ, Juanjo *(Juan José Puigcorbé Benaiges. Barcelona, 1955)*

Abandona las carreras de físicas y filosofía y letras para estudiar arte dramático en el Instituto del Teatro de Barcelona. Debuta como actor de teatro en 1976 y desde entonces interviene en importantes montajes de prestigiosos directores como Mario Gas, Lluis Pasqual, Núria Espert, Pere Planella, Fabià Puigserver, y también dirigie algunas óperas y espectáculos poéticos. Como otros actores de su generación, debuta en cine con *L'orgía* (La orgía, 1978), de Francesc Bellmunt*, en cuyo guión también interviene. Vuelve a colaborar con Bellmunt*, como guionista y actor, en *Salut y força al canut* (Cuernos a la catalana, 1979) y *La quinta del porro* (1980). Tras hacer papeles secundarios en *Últimas tardes con Teresa* (1983), de Gonzalo Herralde*; *La noche más hermosa** (1984), de Manuel Gutiérrez Aragón*; *La vaquilla** (1984), de Luis G. Berlanga*, y *Cómo ser mujer y no morir en el intento* (1991), de Ana Belén*, protagoniza *Salsa rosa* (1991), de Manuel Gómez Pereira; *Un paraguas para tres* (1991), de Felipe Vega*; *La reina anónima** (1992), de Gonzalo Suárez*; *Mal de amores** (1993), de Carlos Balagué*, y *Mi hermano del alma** (1993), de Mariano Barroso. De manera paralela también trabaja regularmente en televisión y entre sus papeles destaca el de la serie *Miguel Servet* (1988), de José María Forqué*.

¿QUÉ HE HECHO YO PARA MERECER ESTO? *(1984)*

Después de tres irregulares producciones de aprendizaje, Pedro Almodóvar* consigue hacer su primera película interesante. Funciona muy bien la historia de Gloria (Carmen Maura*), la mujer de mediana edad que se droga con anfetaminas para poder trabajar como asistenta y convivir con su marido, su suegra, dos hijos y un lagarto en una vivienda de reducidas dimensiones, pero cuando le faltan acaba matando de un jamonazo, como en uno de los mejores telefilmes de Alfred Hitchcock, a Antonio (Ángel de Andrés), su marido taxista, y alcanzando la felicidad. Aunque con ella discurren demasiadas historias laterales sin interés, mal desarrolladas, y que no hacen más que enturbiar la claridad de la principal. Destaca el trabajo interpretativo de Carmen Maura* al frente de un reparto irregular, donde puede darse lo mejor y lo peor, no totalmente controlado por Almodóvar.

Director y guionista: *Pedro Almodóvar.* Fotografía: *Ángel Luis Fernández.* Música: *Bernardo Bonezzi.* Intérpretes: *Carmen Maura, Chus Lampreave, Gonzalo Suárez, Kiti Manver, Ángel de Andrés.* Producción: *Tesauro, Kaktus.* Duración: *102 min.*

QUEREJETA, Elías *(Elías Querejeta Gárate. Hernani, Guipúzcoa, 1935)*

Jugador de fútbol en el equipo Real Sociedad de San Sebastián, su interés por el cine le lleva a escribir y dirigir con Antonio Eceiza* los documentales *A través de San Sebastián* (1960) y *A través del fútbol* (1961). Tras intervenir en la producción de *Noche de verano** (1962), de Jorge Grau*, crea su propia productora en 1963 y, rodeado de un sólido equipo, el jefe de producción Primitivo Álvaro, el montador Pablo G. del Amo, el director de fotografía Luis Cuadrado* y el músico Luis de Pablo*, se convierte en uno de los productores más importantes de los años sesenta y setenta. Interviene en los guiones de sus primeras producciones, *El próximo otoño* (1963), *De cuerpo presente* (1965) y *Último encuentro* (1966), de Antonio Eceiza*. Produce trece películas dirigidas por Carlos Saura*, entre las que cabe destacar *La caza** (1965), *Peppermint frappé** (1966), *La madriguera** (1969), *Ana y los lobos** (1972), *La prima Angélica** (1973), *Cría cuervos...** (1975), *Elisa, vida mía** (1977), *Los ojos vendados** (1978) y *Deprisa, deprisa** (1980), ganadoras de importantes premios internacionales. También produce las primeras películas de Víctor Erice*, *El espíritu de la colmena** (1973); Manuel Gutiérrez Aragón*, *Habla, mudita* (1973); Ricardo Franco*, *Pascual Duarte** (1975); Jaime Chávarri*, *El desencanto** (1975); Emilio Martínez-Lázaro*, *Las palabras de Max** (1978); Montxo Armendáriz*, *Tasio** (1984); Gracia Querejeta, *Una estación de paso* (1992). Colabora en los guiones de *Pascual Duarte** y *Las palabras de Max**. Entre los más de cuarenta largometrajes que produce en treinta años de actividad, también cabe citar *A un Dios desconocido** (1977) y *Dedicatoria* (1980), de Jaime Chávarri*, en cuyos guiones también interviene; *27 horas* (1986) y *Las cartas de Alou* (1990), de Montxo

Armendáriz; *El sur** (1982), de Víctor Erice*, y *Feroz* (1983), de Manuel Gutiérrez Aragón*. Consigue trasmitir su fuerte personalidad a la práctica totalidad de sus producciones, que salvo en el caso de *Pascual Duarte**, adaptación de la novela *La familia de Pascual Duarte,* de Camilo José Cela, están basadas en guiones originales. La mayoría de ellas tienen un subrayado tono intimista, ganan importantes premios en festivales internacionales y se distribuyen por el resto de Europa.

QUERIDÍSIMOS VERDUGOS *(1973)*

Durante la primera mitad de la década de los setenta, Basilio M. Patino* hace, de forma clandestina, una trilogía de documentales que se sitúa entre lo mejor de su obra y sólo puede estrenarse con la democracia asentada. Entre *Canciones para después de una guerra** (1971) y *Caudillo** (1975), tradicionales documentales de montaje, se sitúa este insólito documento. Tomando como punto de partida los libros de Daniel Sueiro *El arte de matar* y *Los verdugos españoles,* Patino* realiza un duro reportaje donde, al tiempo que narra la historia del garrote vil, entrevista a los tres verdugos que había en España en 1972, para terminar centrándose en el enfrentamiento de uno de ellos con los padres de una de sus próximas víctimas. Realizada con extremada sencillez, nunca intenta extraer conclusiones, simplemente se exponen unos hechos terribles para que cada uno saque las suyas. Rodada de manera clandestina entre 1971 y 1972, terminada en 1973 y sólo autorizada en 1977, el mismo día de su estreno, en un país donde se ha vivido de espaldas a la realidad durante cuarenta años, es uno de los más impresionantes documentales posibles.

Director: *Basilio M. Patino.* Guionistas: *Basilio M. Patino, Daniel Sueiro.* Producción: *Manuel Arroyo para Turner.* Duración: *100 min.*

QUINTERO, Juan *(Juan Quintero Muñoz. ?, 1903-Ceuta, 1980)*

Sin ninguna relación con Manuel Quintero, del famoso terceto de la canción española integrado por Quintero, León y Quiroga, es uno de los grandes de la música cinematográfica española. En los años treinta colabora con Florián Rey* en la segunda versión de *La hermana san Sulpicio** (1934), la primera sonora, y vuelve a hacer la música de la tercera, dirigida por Luis Lucia* en 1952. Entre las músicas que compone para Juan de Orduña* en la década de los cuarenta destacan las de las comedias *Deliciosamente tontos* (1943) y *Ella, él y sus millones** (1944), pero sobre todo la de *Locura de amor** (1948). También escribe la música de *El clavo* (1944), *La pródiga* (1946) y *La señora de Fátima* (1951), de Rafael Gil*. Con Luis Lucia* colabora en las populares producciones folclóricas *Currito de la Cruz* (1949), *Lola la piconera* (1952), *Un caballero andaluz* (1954), etc. De sus múltiples e inspiradas partituras para el cine destacan las escritas para *Castillos de naipes** (1943), de Jerónimo Mihura*; *La corona de hierro* (1951), de Luis Saslavsky, y, sobre todo, *Novio a la vista** (1953), de Luis G. Berlanga.

RABAL, Francisco *(Francisco Rabal Valera. Águilas, Murcia, 1926)*

Tras pasar gran parte de su infancia en Barcelona, se instala con su familia en Madrid en 1936 y después de la guerra española comienza a trabajar como eléctri-co en los estudios Chamartín. Esto le lleva a hacer algunos papelitos a mediados de los años cuarenta y protagonizar *Hay un camino a la derecha** (1953), de Francisco Rovira Beleta*, pero sus primeros éxitos los consigue

Lea Massari y Francisco Rabal en *Llanto por un bandido,* de Carlos Saura

en las películas político-religiosas escritas y producidas por Vicente Escrivá y dirigidas por Rafael Gil*, *La guerra de Dios* (1953), *El beso de Judas* (1953), *Murió hace quince años* (1954), *El canto del gallo* (1955) y *La gran mentira* (1956), entre las que se sitúan *Historias de la radio* (1955), de José Luis Sáenz de Heredia*; *Amanecer en Puerta Oscura* (1957), de José María Forqué*; *Los clarines del miedo* (1958), de Antonio Román*, y *Sonatas* (1959), de J. A. Bardem*. Mientras tanto comienza una amplia carrera internacional donde trabaja, entre otros, con Gillo Pontecorvo en *Prisionero del mar* (La grande strada azzurra, 1957), con Luis Buñuel* en *Nazarín* (1958), con Leopoldo Torre-Nilsson en *La mano en la trampa* (1961). Aunque es la gran repercusión de *Viridiana* (1961), de Luis Buñuel*, la que durante la década de los sesenta le lleva a trabajar más en el extranjero —*El eclipse* (L'eclisse, (1962), de Michelangelo Antonioni; *La rimpatriata* (1963), de Damiano Damiani; *María Chantal contra el doctor Kha* (Marie Chantal contre le docteur Kha, 1965), de Claude Chabrol; *Las brujas* (Le streghe, 1967), episodio de Luchino Visconti; *Simón Bolívar* (1969), de Alessandro Blasetti— que en España —*Llanto por un bandido* (1963), de Carlos

Saura*; *Oscuros sueños de agosto* (1967), de Miguel Picazo*; *Después del diluvio* (1968), de Jacinto Esteva*—. Los setenta marcan una cierta decadencia, que le hace trabajar menos, pero que no le impide rodar *Cabezas cortadas* (1970), de Glauber Rocha; *La leyenda del alcalde de Zalamea* (1972), de Mario Camus*; *Tormento* (1974), de Pedro Olea*; *El desierto de los tártaros* (Il deserto dei tartari, 1976), de Valerio Zurlini; *Carga maldita* (Sorcerer, 1977), de William Friedkin. Durante estos años de menor actividad como actor, dirige cuatro convencionales cortometrajes, pero a mediados de la década de los ochenta vuelve a recobrar su pulso habitual gracias a sus trabajos en *Truhanes* (1983), de Miguel Hermoso; *Epílogo* (1984), de Gonzalo Suárez*; *Padre nuestro* (1985), de Francisco Regueiro*; *Los paraísos perdidos* (1985), de Basilio M. Patino*; *Tiempo de silencio* (1986), de Vicente Aranda*, entre los que destaca el del anciano de pocas luces Azarías en *Los santos inocentes* (1984), de Mario Camus*, que le vale el premio de interpretación del Festival de Cannes. Entre sus últimas películas destaca *El hombre que perdió su alma* (1991), de Alain Tanner. Es padre de la actriz Teresa Rabal (Barcelona, 1952) y del realizador Benito Rabal (Madrid, 1954).

RAMÍREZ, Pedro L. *(Pedro López Ramírez. Almería, 1919)*

Comienza en el cine como actor, pero a principios de los años cuarenta empieza a trabajar como ayudante de dirección, en especial con Rafael Gil*. Debuta como director a mediados de los años cincuenta y su irregular filmografía aparece dividida por una intensa actividad en televisión que abarca casi todos los años sesenta. La primera parte consta de diez películas, está dedicada a la comedia y destacan por su éxito popular *Recluta con niño* (1956), *Los ladrones somos gente honrada* (1956), sobre la obra homónima de Enrique Jardiel Poncela, y *La Cenicienta y Ernesto* (1957), escritas y producidas por Vicente Escrivá*. La segunda parte todavía tiene menos interés, está integrada por cinco películas, la mayoría *spaghetti-western* de bajo presupuesto, como *Clint, el solitario* (1971), firmados bajo el seudónimo Stan Parker.

RAZA *(1941)*

Poco después de finalizar la guerra española, el general Franco publica, bajo el seudónimo Jaime de Andrade, una novelucha titulada *Raza*. Tal como ha demostrado en diferentes ocasiones el historiador Roman Gubern*, no es difícil ver a su propia familia tras las vicisitudes de los Churruca. En 1941 se crea la Cancillería del Consejo de la Hispanidad y se encarga a José Luis Sáenz de Heredia*, primo hermano del fundador de Falange, la realización de una película sobre ella, que debe servir como modelo a las que se hagan sobre la contienda. Sobre guión suyo y del también realizador Antonio Román*, narra cómo los Churruca se enfrentan con la guerra, el izquierdista Pedro (José Nieto*) quiere ser diputado, el oficial José (Alfredo Mayo*) no tarda en unirse a los rebeldes, Jaime (Luis Arroyo) es sacerdote e Isabel (Blanca de Silos*) acaba de casarse con el oficial Luis Echevarría (Raúl Cancio). Mientras el primero y alguno de los demás muere defendiendo sus ideas, el segundo interviene como triunfador en el denominado «Primer Desfile de la Victoria». El resultado es un aburrido panfleto que, por evidentes motivos políticos, tiene un gran éxito en el momento de su estreno. Lo curioso es que en 1950 se reestrena con un nuevo doblaje y montaje donde han desaparecido los saludos fascistas, las alusiones más directas al nazismo y el prólogo donde se explicaba la terrible situación alcanzada por España, para tratar de adecuarla a la nueva situación política mundial. Ambas son el triste modelo que a lo largo de cuarenta años utilizan los vencedores para hacer películas sobre la guerra española.

Alfredo Mayo y Raúl Cancio en *Raza,* de José Luis Sáenz de Heredia

Director: *José Luis Sáenz de Heredia.* Guionistas: *José Luis Sáenz de Heredia, Antonio Román.* Fotografía: *Enrique Guerner.* Música: *Manuel Parada.* Intérpretes: *Alfredo Mayo, Ana Mariscal, José Nieto, Blanca de Silos, Raúl Cancio, Luis Arroyo.* Producción: *Cancillería del Consejo de la Hispanidad.* Duración: *113 min.*

RAZA, EL ESPÍRITU DE FRANCO (1977)

Bajo el seudónimo Jaime de Andrade, el general Franco publica poco después de finalizar la guerra española una execrable narración titulada *Raza,* donde da su peculiar visión de los últimos años de la historia de España a través de las vicisitudes de la familia Churruca, detrás de la cual no es difícil ver a la suya propia, tal como ha demostrado en diferentes ocasiones el historiador Roman Gubern*. En 1941 José Luis Sáenz de Heredia* hace una adaptación cinematográfica con el mismo título que pretende ser el modelo del cine que debe hacerse sobre la contienda. Utilizando la película como base y contraponiéndola a las declaraciones de Pilar Franco, la única superviviente de la familia en aquel momento, y del actor Alfredo Mayo*, que encarna en la pantalla a José Churruca, el claro *alter ego* del dictador, el realizador Gonzalo Herralde* construye un documento que analiza la carga ideológica de *Raza*, hace un retrato psicológico del general Franco, pero sólo empleando elementos en principio favorables, su película y su hermana. Demasiado fascinado por la fuerza de las afirmaciones de Pilar Franco, que se desenvuelve con habilidad ante la cámara, Herralde* no trabaja más el tema. No obstante demuestra, con *El asesino de Pedralbes* (1978), que se le da mejor el documental que la ficción.

Director: *Gonzalo Herralde*. Guionistas: *Gonzalo Herralde, Román Gubern*. Fotografía: *Tomás Pladevall*. Intérpretes: *Pilar Franco, Alfredo Mayo*. Producción: *Gonzalo Herralde para Septiembre*. Duración: *85 min.*

REGUEIRO, Francisco *(Francisco Regueiro Bravo. Valladolid, 1934)*

Profesor mercantil, estudia derecho y periodismo antes de licenciarse en 1961 en dirección en el Instituto de Investigaciones y Experiencias Cinematográficas. Publica chistes en la revista de humor *La Codorniz* y en el diario *El Norte de Castilla,* participa en exposiciones de pintura, gana el premio Sésamo de cuentos en 1962 y colabora en diferentes guiones. Debuta como realizador con *El buen amor** (1963), que se sitúa entre las películas más conseguidas del llamado *Nuevo Cine Español*. Desorienta su carrera las múltiples variaciones introducidas por la censura del general Franco en *Amador* (1965). El productor Elías Quere-

jeta* cambia su personal humor negro por un realismo que le resulta ajeno en *Si volvemos a vernos* (Smashing Up, 1967) y, con menor intensidad, en *Cartas de amor de un asesino* (1972), que nunca se estrena. De su amplia producción de documentales y programas dramáticos para televisión durante finales de los años sesenta y comienzos de los setenta, destaca *La niña que se convirtió en rata* (1968). Después de tocar fondo con la fallida *Me enveneno de azules* (1969), comienza su recuperación con la insólita, chirriante y divertida comedia negra *Duerme, duerme, mi amor* (1974), a la que sigue en una línea similar *Las bodas de Blanca* (1975), que hace para el productor José Frade*, donde comienza su colaboración con el guionista Ángel Fernández-Santos*. Tras diez años de forzado silencio en que regresa a la pintura, gracias a la denominada *ley Miró* vuelve al cine para hacer sus mejores películas, basadas en guiones propios escritos en colaboración con Fernández-Santos*, la dura trilogía integrada por la excelente *Padre nuestro** (1985) y las interesantes *Diario de invierno** (1988) y *MadreGilda** (1993).

REINA, Juanita *(Juana Reina Castrillo. Sevilla, 1925)*

Descubierta por Claudio de la Torre, que le da el papel protagonista de *La Blanca Paloma* (1942), tiene una corta, pero intensa carrera, que la lleva a protagonizar once películas en dieciséis años. En su filmografía destacan *Canelita en rama* (1942), de Eduardo G. Maroto*; *La Lola se va a los puertos* (1947), *Serenata española* (1947) y *Vendaval* (1949), de Juan de Orduña*; *Lola la Piconera* (1951), *Gloria Mairena* (1952) y *Aeropuerto* (1953), de Luis Lucia*.

REINA ANÓNIMA, LA *(1992)*

Sin la menor relación con la realidad, con un subrayado aire teatral y prácticamente en un decorado único, donde cuenta por igual la brillantez del diálogo, la imaginación desplegada por el autor, la perfección del juego interpretativo de los actores, que la convierte en una película insólita dentro del panorama del cine español, pero coherente dentro de la obra de Gonzalo Suárez*, y la relaciona directamente con lo mejor de la novela y el teatro nacional de los años treinta. A pesar del excelente trabajo de Carmen Maura* en el papel de Ana Luz, la moderna ama de casa que sueña despierta todo tipo de fantasías con un subrayado tono erótico en su espléndido apartamento, Gonzalo Suárez* no logra mantener el alto nivel de brillantez que se impone, y frente a momentos originales y divertidos hay frecuentes baches, demasiada lentitud y actores secundarios que se quedan demasiado cortos.

Director y guionista: *Gonzalo Suárez*. Fotografía: *Carlos Suárez*. Música: *Mario de Benito*. Intérpretes: *Carmen Maura, Marisa Paredes, Juanjo Puigcorbé, Jesús Bonilla, Cristina Marcos, Kiti Manver*. Producción: *Gonzalo Suárez para Lola Films, Rocabruno*. Duración: *90 min.*

REMANDO AL VIENTO *(1988)*

Las relaciones entre el poeta Percy B. Shelley, lord Byron, el doctor Polidori y Mary Wellstonecraft en una villa de Suiza, les lleva una noche de noviembre de 1816 a contar historias fantásticas y que ella invente el monstruo del doctor Frankenstein. Esta situación no sólo es origen del brillante prólogo de *La novia de Frankenstein* (The Bride of Frankenstein, 1935), de James Whale, sino que en la segunda mitad de los años ochenta se ruedan, casi de forma simultánea, tres películas muy diferentes sobre el mismo tema. A la producción británica *Gothic* (1986), dirigida por Ken Russell y protagonizada por Gabriel Byrne, Julian Sands y Natasha Richardson, y la norteamericana *Haunted Summer* (1988), realizada por Ivan Passer e interpretada por Phillip Anglim, Laura Dern y Alice Krige, hay que añadir esta producción española originalmente rodada en inglés. Escrita y dirigida por Gonzalo Suárez*, le permite volver a plantearse a otro nivel su tema favorito de las relaciones de los escritores con la escritura. Destaca el trabajo de producción, pues a pesar de estar rodada casi íntegramente en España, está eficazmente ambientada en Suiza, Noruega y otros países.

Director y guionista: *Gonzalo Suárez*. Fotografía: *Carlos Suárez*. Música: *Alejandro Massó*. Intérpretes: *Hugh Grant, Lizzy McInnerny, Valentine Pelka, Elizabeth Hurley, José Luis Gómez, Virginia Mataix*. Producción: *Andrés Vicente Gómez para Compañía Iberoamericana de TV (Madrid), Ditirambo Films (Madrid), Viking Films (Noruega)*. Duración: *96 min.*

RÉQUIEM POR UN CAMPESINO ESPAÑOL *(1985)*

Siguiendo muy de cerca la novela homónima de Ramón J. Sender, el irregular Francesc Betriu* hace una de sus mejores películas. Narra las relaciones entre el cura de un pequeño pueblo aragonés mosén Millán (Antonio Ferrandis) y el joven campesino Paco el del Molino (Antonio Banderas*), a través de una sucesión de *flash-back* mientras espera en la sacristía que llegue la hora de celebrar una misa de réquiem por su alma, sobre el fondo de los años de la II República y los brutales comienzos de la guerra española. A pesar del buen material que tiene entre manos, Betriu* no acierta plenamente al contar cómo el monaguillo se convierte en concejal en 1931, expropia las tierras del señor duque y, cuando comienza la guerra, pasa a ser uno de los principales objetivos de los falangistas que toman el pueblo.

Director: *Francesc Betriu*. Guionistas: *Raul Artigot, Gustau Hernández, Francesc Betriu*. Fotografía: *Raul Artigot*. Música: *Antón García Abril*. Intérpretes: *Antonio Ferrandis, Antonio Banderas, Fernando Fernán-Gómez, Terele Pávez, Simón Andreu, Emilio Gutiérrez Caba, Francisco Algora*. Producción: *Nemo Films, Venus Producción, Induri Films*. Duración: *95 min.*

RESINES, Antonio *(Antonio Fernández Resines. Torrelavega, Santander, 1954)*

Tras estudiar ciencias de la información, interviene como actor en algunos cortos de Fernando Trueba* y hace un pequeño papel en *Ópera prima* (1980). Tras protagonizar *Vecinos* (1981), de Alberto Bermejo; *Pares y nones* * (1982), de José Luis Cuerda*, y *La línea del cielo* (1983), de Fernando Colomo*, y convertido en uno de los puntales de la denominada «comedia madrileña», interviene en la creación de la productora Brezal Films y trabaja como productor ejecutivo en algunas de sus películas. El éxito de *Sé infiel y no mires con quién* * (1985), de Fernando Trueba*, y *La vida alegre* * (1986), de Fernando Colomo*, le convierte en un popular actor cómico dentro de un mismo registro. Entre sus restantes películas cabe citar *El juego más divertido* * (1987), de Emilio Martínez-Lázaro*; *Amanece, que no es poco* (1988), de José Luis Cuerda*; *El baile del pato* (1989), de Manuel Iborra, y sobre todo *Amor propio* * (1994), de Mario Camus*.

Ricardo Franco en *Los restos del naufragio,* de Ricardo Franco

RESTOS DEL NAUFRAGIO, LOS
(1978)

Desengañado por una mujer, el joven Mateo (Ricardo Franco*) se refugia en un asilo de ancianos, donde encuentra a Pombal (Fernando Fernán-Gómez*), un viejo actor que trata de recuperar su pasado de amor y aventuras, entre ambos surge una fuerte amistad y el joven se hace inseparable compañero del viejo en sus imaginarias aventuras. La película se mueve a dos niveles muy diferenciados: por un lado, la cruda realidad del asilo, tratada en tono de comedia, y, por otro, las míticas peripecias que sueñan los protagonistas, narradas de forma nostálgica, y demuestra la imposibilidad de recuperar la aventura a niveles teóricos y la dificultad de acceder a ella de forma práctica. Llena de referencias tanto literarias —Conrad, Stevenson, Espronceda— como cinematográficas —el cine clásico norteamericano, en general, y *Casablanca* (1942), de Michael Curtiz, en concreto—, tiene un final pesimista y desolador, que contrasta con la vitalidad y el humor que destila el relato. El hecho de que el protagonista sea el propio realizador y el carácter de aventura de la película en sí, da mayor complejidad al tema y abre nuevas posibilidades de lectura. Rodada con tanta austeridad como eficacia narrativa, su fallo es que Ricardo Franco* es mucho mejor director que actor y además trabaja sobre un guión brillante, pero no demasiado bien construido.

Director y guionista: *Ricardo Franco*. Fotografía: *Cecilio Paniagua*. Música: *David C. Thomas*. Intérpretes: *Ricardo Franco, Fernando Fernán-Gómez, Ángela Molina, Alfredo Mayo, Felicidad Blanc, Luis Ciges, Marta Fernández-Muro*. Producción: *Promociones Aura (Madrid, InCine (Madrid), Producciones Mon-Vel (Madrid), Ina (París), Televisa (México)*. Duración: *90 min.*

REY, Fernando *(Fernando Casado d'Arambillet. La Coruña, 1917-Madrid, 1994)*

Hijo del republicano coronel Casado, la guerra española interrumpe sus estudios de arquitectura y en la posguerra empieza a trabajar como extra por razones de subsistencia, se introduce en los medios teatrales y también comienza a hacer doblajes. A mediados de los años cuarenta ya se ha convertido en un apreciado actor secundario, tiene importantes papeles en *Misión blanca* (1946), de Juan de Orduña*; *La pródiga* (1946), de Rafael Gil*; *Locura de amor* (1948), de Juan de Orduña*, y protagoniza *Mare nostrum* (1948), de Rafael Gil*. Convertido en un imprescindible secundario, trabaja activamente durante la década de los cincuenta, destacando sus colaboraciones con J. A. Bardem* en *Cómicos* (1953), *La venganza* (1957), *Sonatas* (1959), hasta que el éxito de *Viridiana* (1961), de

Luis Buñuel*, da a su carrera un giro internacional, lo que le lleva a trabajar sin descanso y colaborar con Orson Welles en *Campanadas a medianoche* (Chimes at Midnight, 1965) y *Una historia inmortal* (Une histoire inmortelle, 1967). Su siguiente trabajo con Buñuel* en *Tristana* (1970) no sólo le permite hacer su mejor papel al encarnar al caballero don Lope, sino que refuerza su carrera internacional: *Contra el imperio de la droga* (The French Connection, 1971), de William Friedking; *La gran burguesía* (Fatti di gente bene, 1974), de Mauro Bolognini; *French Connection 2* (1975), de John Frankenheimer; *Excelentísimos cadáveres* (Cadaveri eccellenti, 1976), de Francesco Rosi; *Nina* (A Matter of Time, 1976), de Vincente Minnelli; *El desierto de los tártaros* (Il deserto dei tartari, 1976), de Valerio Zurlini; *El gran atasco* (L'ingorgo, 1978), de Luigi Comencini; *Quinteto* (Quintet, 1979), de Robert Altman, y nacional, *Elisa, vida mía* (1977), de Carlos Saura*, con la que obtiene el premio de interpretación en el Festival de Cannes, mientras vuelve a colaborar con Buñuel* en *El discreto encanto de la burguesía* (Le charme discret de la bourgeoisie, 1972) y *Ese oscuro objeto del deseo* (1977). Su carrera prosigue en su doble faceta nacional e internacional al mismo ritmo. En total ha intervenido en más de ciento ochenta producciones y entre sus últimas interpretaciones cabe señalar las realizadas en *Cercasi Gesú* (1982), de Luigi Comencini; *Bearn o la sala de las muñecas** (1983), de Jaime Chávarri*; *La venganza* (The Hit, 1984), de Stephen Frears; *Padre nuestro** (1985), de Francisco Regueiro*; *El bosque animado** (1987), de José Luis Cuerda*; *El túnel** (1987), de Antonio Drove*; *Diario de invierno** (1988), de Francisco Regueiro*; *El aire de un crimen* (1988), de Antonio Isasi*, y *Después del sueño** (1992), de Mario Camus*, sin olvidar su genial encarnación del protagonista en la serie de televisión *Don Quijote* (1991), de Manuel Gutiérrez Aragón*.

REY, Florián *(Antonio Martínez del Castillo. La Almunia, Zaragoza, 1894-Alicante, 1962)*
Abandona sus estudios de derecho para dedicarse al periodismo, primero en Zaragoza y posteriormente en Madrid. Interesado por la interpretación, debuta como actor de cine en *La inaccesible* (1920), de José Buchs*, y el mismo año en teatro en la compañía de Catalina Bárcena. Tras protagonizar *La señorita inútil* (1921), *Víctima del odio* (1921), *La verbena de la Paloma* (1921), *Alma rifeña* (1922), siempre bajo la dirección de Buchs*, y *La casa de la Troya* (1924), de Alejandro Pérez Lugín y Manuel Noriega, se une al actor Juan de Orduña* para producir y dirigir *La revoltosa* (1924), según la popular zar-

zuela de López Silva y Fernández-Shaw. Su éxito le vale un contrato en Atlántida Films para realizar cinco películas, entre las que destacan *Gigantes y cabezudos* (1925), sobre la zarzuela de Miguel Echegaray, y *El cura de aldea* (1926). Sus primeros éxitos los obtiene al final del período mudo con *La hermana san Sulpicio* (1927) y *Los claveles de la Virgen* (1928), que marcan el comienzo de su colaboración con la *estrella* Imperio Argentina*, y el drama rural *La aldea maldita* (1930), que una vez finalizado va a sonorizar a los estudios Epinay de París. Durante los primeros años treinta trabaja en los estudios Paramount de Joinville, cercanos a París, en las versiones en castellano de producciones norteamericanas. Regresa a España para rodar *Sierra de Ronda* (1933), pero sus grandes éxitos los logra durante la II República en producciones Cifesa protagonizadas por Imperio Argentina*, la comedia *El novio de mamá* (1934), una nueva versión de *La hermana san Sulpicio** (1934) y, sobre todo, *Nobleza baturra** (1935) y *Morena Clara** (1936). Durante la guerra española acepta una invitación del ministro de propaganda del III Reich, Goebbels, para rodar en Alemania en doble versión *Carmen, la de Triana* (1939) y *La canción de Aixa* (1939) con Imperio Argentina*. En la más inmediata posguerra, y separado de su musa particular, sigue trabajando con regularidad, pero a pesar del interés de *La Dolores* (1939), una nueva versión de *La aldea maldita* (1942) y *Orosia* (1943), su cine cada vez tiene menos atractivos. De forma que languidece a lo largo de *La nao capitana* (1947), sobre la novela de Ricardo Baroja, *Brindis a Manolete* (1948), *La moza de cántaro* (1953), adaptación de Lope de Vega, y *Polvorilla* (1956), su última película.

REY, Roberto *(Roberto Colas Iglesias. Valparaíso, Chile, 1899-Madrid, 1972)*

Hijo de españoles, llega a España a los veintidós años y poco después debuta como actor de teatro. Tras protagonizar la producción muda *Madrid en el año 2000* (1925), de Manuel Noriega, emprende giras como cantante por diferentes países. De nuevo en España, se convierte en un reputado galán gracias a sus trabajos con Benito Perojo*, *Un hombre de suerte* (1930), *La verbena de la Paloma** (1935), y Luis Marquina*, *El bailarín y el trabajador** (1936), sin que cese su actividad teatral y como intérprete de zarzuelas. Durante la guerra española interviene en *Suspiros de España* (1938) y *El barbero de Sevilla* (1938), que Benito Perojo* rueda en los estudios alemanes. De sus trabajos en la posguerra destacan los protagonistas de *El crucero Baleares* (1941), de Enrique del Campo, y *Se vende un palacio* (1943), de Ladislao Vajda*, pero mientras sigue teniendo éxitos teatrales, pasa a hacer papeles secundarios en cine. A finales de los años cuarenta y comienzos de los cincuenta hace una larga gira por Latinoamérica, durante la cual dirige en Cuba la extraña producción *Bella, la salvaje* (1952). De regreso a España encarna papeles secundarios, tanto en teatro como en cine, hasta poco antes de su muerte.

REY DEL RÍO, EL *(1995)*

La historia de la familia Costa, que vive en un pequeño pueblo del norte de España junto a un río salmonero, tiene dos aspectos complementarios. Por un lado, cómo el padre médico Antón (Alfredo Landa*) y la madre Carmen (Carmen Maura*) crían a sus dos hijos y a su sobrino César. Y, por otro, cómo este niño crece, destaca frente a sus hermanos, consigue cuanto se propone, desde el amor de las más bellas mujeres hasta el salmón más grande del río y una beca para estudiar en Estados Unidos, sin importarle lo que debe hacer para conseguirlo. Esta apacible, tranquila y lenta historia está narrada con gran seguridad por Manuel Gutiérrez Aragón*, que por primera vez trabaja sobre un guión escrito por otro, Rafael Azcona*, pero basado en un argumento de José Luis García Sánchez* y suyo y lleno de obsesiones personales. Tal como demuestra que la película también puede verse como otro más de sus habituales cuentos, el nacimiento del héroe César (Gustavo Salmerón), hijo de un mítico padre extranjero, que conquista a la princesa rubia Elena (Miriam Ubri) y la salva de las garras de un ogro (Cesáreo Estebanez) con la ayuda de una peculiar hada madrina, su tío Antón.

Director: *Manuel Gutiérrez Aragón.* Guionista: *Rafael Azcona.* Fotografía: *Teo Escamilla.* Música: *Milladoiro.* Intérpretes: *Alfredo Landa, Carmen Maura, Gustavo Salmerón, Ana Álvarez, Achero Mañas, Silvia Munt.* Producción: *Andrés Vicente Gómez para Sogetel, Lola Films.* Duración: *104 min.*

REY PASMADO, EL *(1991)*

A principios del siglo XVII el inexperto y joven monarca Felipe IV (Gabino Diego*), en medio de una época tenebrosa más que oscurantista, ve desnuda a la atractiva prostituta Marfisa (Laura del Sol) y pretende ver también así a la reina (Anne Roussell), pero para lograrlo tiene que enfrentarse a las costumbres de la corte, la Iglesia y el Santo Oficio. A partir de la novela homónima de Gonzalo Torrente Ballester, el irregular Imanol Uribe* hace una de sus mejores y más cuidadas películas con un amplio y bien conjuntado reparto.

Director: *Imanol Uribe.* Guionistas: *Juan Patou, Gonzalo Torrente Malvido.* Fotografía: *Hans Burmann.* Música: *José Nieto.* Intérpretes: *Gabino Diego, Juan Diego, Joaquín de Almeida, Eulalia Ramón, Anne Roussell, Javier Gurruchaga, Laura del Sol, Fernando Fernán-Gómez, Eusebio Poncela, María Barranco.* Producción: *Aiete Films (Madrid), Ariane Films (Madrid), Arion Productions (París), Inforfilmes (Lisboa).* Duración: *110 min.*

RIBAS, Antoni *(Antoni Ribas Pierá. Barcelona, 1935)*

Licenciado en derecho y ciencias políticas, escribe teatro antes de interesarse por el cine. Después de una larga etapa como ayudante de dirección debuta como realizador con *Las salvajes en Puente san Gil* (1967), basada en la obra teatral homónima de Martín Recuerda, a la que siguen las fallidas *Palabras de amor* (1968), *Medias y calcetines* (1970) y *La otra imagen* (1973). La llegada de la democracia le anima a embarcarse en la tan ambiciosa como frustrada *La ciutat cremada* (La ciudad quemada, 1976), que trata de narrar los turbulentos acontecimientos políticos que conmocionan Cataluña a principios de siglo, pero su éxito comercial le lleva a hacer en la misma línea la desmesurada trilogía *¡Victoria!** (1983). Su fracaso le conduce a productos tan diferentes como *El primer torero porno* (1985), *Dalí* (1989) y algunos trabajos para televisión.

RICO, Paquita *(Francisca Rico Martínez. Sevilla, 1929)*

Desde su adolescencia forma parte del ballet español de Montemar. La descubre Florian Rey* cuando busca protagonista para

Brindis a Manolete (1948), vuelve a trabajar con él en *La moza de cántaro* (1953) y no tarda en convertirse en una de las actrices folclóricas más populares de los años cincuenta. Trabaja en especial con Ramón Torrado* en *Rumbo* (1949), *Debla, la virgen gitana* (1950), *La alegre caravana* (1953), *Malvaloca* (1954), *Suspiros de Triana* (1955) y *Curra Veleta* (1955), pero también con Rafael Gil* en *¡Viva lo imposible!* (1957) y Juan de Orduña* en *La tirana* (1958). Obtiene su mayor éxito popular al encarnar a la reina Mercedes en *¿Dónde vas Alfonso XII?* (1958), de Luis César Amadori*. A comienzos de la década de los sesenta su carrera comienza a declinar y entre sus posteriores películas sólo cabe citar *La viudita naviera* (1961), de Luis Marquina*, y *El balcón de la luna* (1963), de Luis Saslavsky, que protagoniza junto a Lola Flores* y Carmen Sevilla*.

RÍO DE ORO, EL *(1986)*

Doce años después de *Los viajes escolares* (1973), Jaime Chávarri* vuelve a la misma finca de la provincia de Segovia para rodar una nueva historia familiar, sobre argumento y guión propio, llena de resonancias personales. Narra cómo la familia integrada por Laura (Ángela Molina*), Juan (Stefan Gubser) y sus tres hijos, vuelve a pasar un verano con Peter (Bruno Ganz) una especie de Peter Pan,

viejo amigo de la madre, y su amiga Dubarry (Francesca Annis), una especie de moderna Campanilla, pero han pasado los años y nada es como recordaban. A pesar de su mayor experiencia —entre medias Chávarri* rueda cinco películas de encargo—, por culpa de un reparto demasiado internacional y un doblaje no afortunado, al igual que ocurre en su primera película, los resultados quedan por debajo de sus brillantes intenciones.

Director y guionista: *Jaime Chávarri*. Fotografía: *Carlos Suárez*. Música: *Francisco Guerrero*. Intérpretes: *Ángela Molina, Bruno Ganz, Francesca Annis, Stefan Gubser*. Producción: *Tesauro (Madrid), InCine (Madrid), Federal Films (Madrid), Marea Films Produktion (Zurich)*. Duración: *120 min.*

RIVELLES, Amparo *(Amparo Rivelles Ladrón de Guevara. Madrid, 1925)*

Hija de los actores Rafael Rivelles* y María Fernanda Ladrón de Guevara, debuta a los trece años en la compañía teatral de sus padres y hace su primera aparición en cine en *Mari Juana* (1940), de Armando Vidal. Contratada en exclusiva por la productora Cifesa, se convierte en una de las *estrellas* del cine español de la década de los cuarenta a través de su trabajo en *Malvaloca* (1942), de Luis Marquina*; *Deliciosamente tontos* (1943), *La leona de Castilla* (1951) y *Alba de América* (1951), de Juan de Orduña*; *Eloísa está debajo de* *un almendro* (1943), *El clavo* (1944), *La fe* (1947) y *La calle sin sol** (1948), de Rafael Gil*; *La duquesa de Benamejí* (1949) y *De mujer a mujer* (1950), de Luis Lucia*. Tras intervenir en la versión española de *Míster Arkadin* (1954), de Orson Welles; *La herida luminosa* (1957), de Tulio Demicheli, y *El batallón de las sombras** (1956), de Manuel Mur Oti*, en 1957 emigra a México, donde en veinte años interviene en diecisiete películas, entre las que cabe destacar *El esqueleto de la señora Morales* (1959), de Rogelio A. González, y *Presagio* (1974), de Luis Alcoriza, múltiples series de televisión y muchas obras de teatro. De regreso a España obtiene un gran éxito con la serie de televisión *Los gozos y las sombras* (1981), de Rafael Moreno Alba*, y varias obras de teatro, mientras en cine se dedica a hacer breves apariciones en *Soldados de plomo* (1983), de José Sacristán*; *Esquilache* (1988), de Josefina Molina*, *El día que nací yo* (1991), de Pedro Olea*, *Una mujer bajo la lluvia* (1992), de Gerardo Vera*, y protagonizar *Hay que deshacer la casa* (1986), de José Luis García Sánchez*.

RIVELLES, Rafael *(Rafael Rivelles Guillén. El Cabañal, Valencia, 1898-Madrid, 1971)*

Hijo de los actores José Rivelles y Amparo Guillén, debuta a los quince años en teatro en la compañía de Rosario Pino y en

Rafael Durán y Amparo Rivelles en *Eloísa está debajo de un almendro,* de Rafael Gil

Rafael Rivelles, Sara Montiel y Julia Caba Alba en *Don Quijote de La Mancha,* de Rafael Gil

cine en *Prueba trágica* (1914), de José de Tagores. En 1922 se casa con la actriz María Fernanda Ladrón de Guevara, forman compañía y durante diez años tienen grandes éxitos teatrales. Con la difusión del cine sonoro, Hollywood comienza a hacer versiones habladas en castellano de algunas de sus películas y en 1931 les contrata Metro-Goldwyn-Mayer para interpretar cuatro. Tras interpretar con su mujer *Niebla* (1932), de Benito Perojo*, rodada en Francia, vuelve a España para dirigir el Teatro Lara de Madrid, donde obtienen grandes éxitos. Vuelve a trabajar con Benito Perojo* en *El hombre que se reía del amor* (1932), la conflictiva *Nuestra Natacha* (1936), prohibida por la censura del general Franco, y *Goyescas* (1942).

Durante la guerra española hace cuatro películas en Italia, entre las que cabe citar *Frente de Madrid* (Carmen fra i rossi, 1939), de Edgar Neville*. Regresa a España en plena posguerra para proseguir su triunfal carrera teatral, tanto en compañía propia como contratado, e intervenir en una decena más de películas, entre las que destacan *Don Quijote de La Mancha* (1947), *El beso de Judas* (1953) y *Murió hace quince años** (1954), de Rafael Gil*, y *Marcelino, pan y vino** (1954), de Ladislao Vajda*.

RODRIGO, Raquel *(Raquel Rodrigo López. La Habana, Cuba, 1915)*

Educada en Madrid, abandona los estudios de medicina para dedicarse al teatro. En cine debuta como protagonista de *Carcele-*

ras (1932), de José Buchs*, y se convierte en una de las *estrellas* del cine español de los años treinta gracias al éxito alcanzado por *Doña Francisquita* (1934), de Hans Behrendt; *El Niño de las Monjas* (1935), de José Buchs*; *La verbena de la Paloma* (1935), de Benito Perojo*, y *La reina mora* (1936), de Eusebio Fernández Ardavín*. Durante la guerra española protagoniza *El barbero de Sevilla* (1939), que Benito Perojo* rueda en los estudios alemanes, pero en la posguerra, y tras *Para ti es el mundo* (1941), de José Buchs*, prácticamente deja de trabajar. Curiosamente, durante los años setenta y ochenta vuelve al cine para intervenir en papeles episódicos en irregulares producciones.

ROJAS, Manuel *(Manuel Rojas Hidalgo. Sevilla, 1930-Madrid, 1994)*
Después de trabajar con su padre en una galería fotográfica, en 1956 se diploma en fotografía en el Instituto de Investigaciones y Experiencias Cinematográficas. Es uno de los directores de fotografía más prolíficos de su generación, no sólo rueda gran cantidad de cortometrajes, sino que debuta en el largo con *Los que no fuimos a la guerra* (1962), de Julio Diamante, y en treinta años de profesión interviene en más de ciento diez. En la primera parte de su carrera trabaja asiduamente con Javier Aguirre*: *España insólita* (1964), *Los que tocan el piano* (1968), *Una vez al* año ser hippy no hace daño (1969); en la intermedia con Pedro Lazaga*, *Hay que educar a papá* (1971), *El abuelo tiene un plan* (1973), *Hasta que el matrimonio nos separe* (1976), *Vota a Gundisalvo* (1977), y en la final con José Luis Garci*, *Asignatura pendiente* (1977), *Solos en la madrugada* (1979), *El crack* (1981), *Volver a empezar* (1982), *Sesión continua* (1984), *Asignatura aprobada* (1987).

ROJO Y NEGRO *(1942)*

Un prólogo situado en 1921 describe la amistad entre el niño pobre socialista Miguel (Quique Camoiras) y la niña rica burguesa Luisa (Luisita España). Durante la etapa del Frente Popular los personajes se han hecho mayores, pero siguen pensando igual que cuando eran niños. Luisa (Conchita Montenegro*) lleva en la solapa de su traje una insignia de Falange Española y cree que los problemas de España se resolverán con la llegada del fascismo al poder. Miguel (Ismael Merlo) se ha hecho comunista y discute con su amiga de política. En su última y mejor parte, cuenta la situación en Madrid durante los primeros días de la guerra española a través de la violación de Luisa por un comunista borracho y los inútiles esfuerzos de Miguel para sacarla con vida de la checa de la calle de Fomento. El olvidado falangista Carlos Arévalo demuestra ser un gran director tanto por la acertada utilización del excelente y complejo decorado de la checa de Fomento, como por la tensión creada en la última parte de su historia, pero dos semanas después de su estreno, por razones nunca aclaradas, la película es prohibida y permanece desaparecida hasta que en 1996 es restaurada por la Filmoteca Española.

Director y guionista: *Carlos Arévalo*. Fotografía: *Enzo Riccioni, Alfredo Fraile, Andrés Pérez Cubero*. Música: *Juan Tellería*. Intérpretes: *Conchita Montenegro, Ismael Merlo, Rafaela Satorres, Ana de Sirio, José Sepúlveda, Emilio G. Ruiz, Luisita España, Quique Camoiras*. Producción: *Cepicsa*. Duración: *86 min*.

ROMÁN, Antonio *(Antonio Fernández Román. Orense, 1911)*
Abandona los estudios de farmacia en la Universidad de Madrid para colaborar en las revistas especializadas *Popular Films, Films Selectos y Cinegramas*, y rodar bastantes cortometrajes entre los que destaca *La ciudad encantada* (1934). Tras colaborar en el guión de *Raza**, de José Luis Sáenz de Heredia*, debuta como realizador con los panfletos políticos *Escuadrilla* (1941) y *Boda en el infierno* (1942). Bastante más interés tienen el curioso policiaco *Intriga** (1943), la dramática *La casa de la lluvia* (1943), la biográfica *Lola Montes* (1944) e incluso la propagandística *Los últimos de Filipinas** (1945). Vuelve a caer en la mediocridad con *Fuenteovejuna*

(1947), sobre la obra de Lope de Vega; las melodramáticas *La vida encadenada* (1948), *Pacto de silencio* (1949), de la que vuelve a rodar otra versión con el mismo título catorce años después, *La fuente enterrada* (1950), *Último día* (1952); la panfletaria *El pasado amenaza* (1950), y *El amor brujo* (1949), primera versión de la obra de Gregorio Martínez Sierra con música de Manuel de Falla. En sus restantes doce películas abundan las comedias, género para el que no está dotado, e incluso hay un *spaghetti-western* de bajo presupuesto, *Ringo de Nebraska* (1966), pero también obras ambiciosas con algún interés, como *La fierecilla domada** (1955), basada en la obra de William Shakespeare; *Madrugada* (1957), sobre un texto de Antonio Buero Vallejo, y *Los clarines del miedo** (1958), adaptación de la novela de Ángel María de Lera.

ROMERO-MARCHENT, Joaquín L. *(Joaquín Luis Romero-Marchent Canales. Madrid, 1921)*
Tras una etapa como ayudante de dirección, debuta como realizador con dos películas muy diferentes producidas por Ignacio F. Iquino*: *Juzgado permanente* (1953), que se inscribe dentro del cine policiaco catalán de la época, y el desmelenado folletín *Sor Angélica* (1954). Su cine está marcado por la casualidad de sustituir al director mexicano José Soler en dos adaptaciones de las populares novelas de José

Mallorquí que se ruedan de manera simultánea, *El Coyote* (1954) y *La venganza del Coyote* (1954). Su éxito y la moda de los denominados *spaghetti-western* le convierten en uno de los más reputados cultivadores del subgénero, con título como *La sombra del Zorro* (1962), *La venganza del Zorro* (1962), *Cabalgando hacia la muerte* (1962), *Tres hombres buenos* (1963), *El sabor de la venganza* (1963) y, sobre todo, el personal *Antes llega la muerte** (1964). A partir de 1965 se dedica especialmente a colaborar en el guión y producir los *spaghetti-western* que por lo general dirige su hermano el actor Rafael Romero-Marchent, aunque también realiza, entre otros, *Aventuras del Oeste* (1964), *Fedra West* (1967) y *Condenados a vivir* (1971). Aunque el cine que más le interesa está en la línea de las comedias neorrealistas que rueda a finales de los años cincuenta, *Fulano y Mengano* (1955), *El hombre que viajaba despacito* (1955), *El hombre del paraguas blanco* (1958), pero no tiene éxito. Sus últimas películas son los fallidos y pretenciosos policiacos *El juego del adulterio* (1973) y *El clan de los nazarenos* (1976).

ROMERO-MARCHENT, Rafael *(Rafael Romero-Marchent Canales. Madrid, 1928)*

En 1946 abandona los estudios de medicina para emprender una carrera como actor que le con-

vierte en un nombre conocido a finales de la década y durante la siguiente con títulos como *El traje de luces* (1947), de Edgar Neville*; *Mare Nostrum* (1948), de Rafael Gil; *La mies es mucha* (1948), de José Luis Sáenz de Heredia*; *Paz* (1949), de José Díaz Morales; *Juzgado permanente* (1953), de Joaquín L. Romero-Marchent*, o *El Cristo de los Faroles* (1957), de Gonzalo Delgrás. Poco a poco va alternando el trabajo de actor con el de producción y ayudante de dirección, y aunque no lo abandona por completo, tal como prueba su brillante papel en *A solas contigo** (1990), de Eduardo Campoy*, lo reduce al mínimo para emprender en 1965 una segunda carrera como realizador. Producidos por su hermano Joaquín L. Romero-Marchent*, dirige una docena de *spaghetti-western* de bajo presupuesto entre mediados de los años sesenta y comienzos de los setenta, pero sin el menor atractivo. El resto de su producción, que se extiende hasta mediados de los ochenta, está casi íntegramente formada por fallidos dramas sobre guiones de Santiago Moncada*, *Tu Dios y mi infierno* (1974), su mayor éxito, *La noche de los cien pájaros* (1976), *Violines y trompetas* (1983), hasta un total de más de treinta películas.

ROTAETA, Félix *(Félix Rotaeta Otegui. Madrid, 1942-Barcelona, 1994)*

Estudia periodismo y arte dramático y a mediados de los años sesenta se convierte en uno de los impulsores y destacado intérprete del grupo de teatro independiente «Los Goliardos». Debuta como actor de cine a mediados de los años cincuenta y durante diez años interviene en numerosos cortometrajes y hace atractivos papeles secundarios en muchos largos, entre los que destacan *Tigres de papel** (1977), de Fernando Colomo*; *La escopeta nacional** (1977), de Luis G. Berlanga*; *Al servicio de la mujer española* (1978), de Jaime de Armiñán*; *Sonámbulos** (1978), de Manuel Gutiérrez Aragón*; *El crimen de Cuenca** (1979), de Pilar Miró*; *Akelarre* (1984), de Pedro Olea*, y *Tiempo de silencio* (1986), de Vicente Aranda*. Además de actuar también en televisión, publica las novelas *Las pistolas* y *Merienda de negros* y dirige las irregulares películas *El placer de matar* (1987) y *Chatarra* (1991).

ROVIRA BELETA, Francisco *(Francesc Rovira Beleta. Barcelona, 1912)*

Desbaratados sus estudios de arquitectura y derecho por la guerra española, e interesado por el cine *amateur,* comienza a trabajar en la productora Cifesa como ayudante de dirección de Luis Lucia* y Juan de Orduña*. Tras *Doce horas de vida* (1948), *39 cartas de amor* (1949) y *Luna de sangre* (1950), irregulares pelícu-

las de aprendizaje, empieza su trilogía neorrealista con *Hay un camino a la derecha** (1953), a la que siguen *El expreso de Andalucía* (1956) y *Los atracadores** (1961), que a pesar de sus problemas con censura tiene fuerza. Entre las que hace las poco atractivas comedias románticas *Once pares de botas* (1953), sobre el mundillo del fútbol; *Historias de la feria* (1957), ambientada en la Feria de Muestras, y *Altas variedades* (1960), que transcurre en ambientes circenses. Sus grandes éxitos son los musicales gitanos *Los Tarantos** (1963), sobre la obra de Alfredo Mañas, y *El amor brujo* (1967), sobre la de Gregorio Martínez Sierra y Manuel de Falla. Bastante menos interés tienen sus restantes adaptaciones, desde *La dama del alba* (1965), de Alejandro Casona, hasta *La larga agonía de los peces* (1970), de Aurora Bertrana, así como *La espada negra* (1976), sobre un guión original de Carlos Blanco. Es uno de los pioneros de las coproducciones y ha producido o coproducido tres de sus principales películas; también es coguionista de casi todas.

RUIZ ANCHÍA, Juan *(Bilbao, 1949)*

Licenciado en fotografía en la Escuela Oficial de Cinematografía en 1972 y en la Escuela de Cine de Lodz (Polonia), consigue una beca de la Fundación March para rodar un cortometraje en Estados Unidos, *Black Modern Art* (1975), y a finales de los años setenta estudia durante dos cursos en el American Film Institute. Mientras tanto hace numerosos cortos en España y debuta en el largo con *Renacer* (Reborn, 1981), de Bigas Luna*, que se rueda íntegramente en Estados Unidos. Tras rodar en España *Pares y nones** (1982), de José Luis Cuerda*, *Valentina** (1982) y *1919** (1983) de Antonio Betancor*; *Soldados de plomo* (1983), de José Sacristán*, se instala en Los Ángeles y emprende una interesante carrera dentro del cine norteamericano con títulos como *Los amantes de María* (Maria's Lovers, 1984), de Andrei Konchalovski; *Hombres frente a frente* (At Close Range, 1985), de James Foley, o *Casa de juego* (House of Games, 1987), de David Mamet.

RUIZ-CASTILLO, Arturo *(Arturo Ruiz-Castillo y Basala. Madrid, 1910-Madrid, 1994)*

Hijo del editor José Ruiz-Castillo y licenciado en ciencias exactas por la Universidad de Madrid, abandona sus estudios de arquitectura por su afición al teatro. Funda en 1932 junto a Federico García Lorca el grupo teatral universitario «La barraca», colabora con los grupos de cultura popular durante la II República y trabaja como director artístico de la editorial Biblioteca Nueva. Su afición al cine le hace rodar múltiples cortometrajes, primero en colaboración con Gonzalo Menéndez Pidal y luego en solitario, antes, durante y después de la guerra española. En 1946 crea la productora Horizonte Films para hacer el largometraje *Las inquietudes de Shanti Andía*

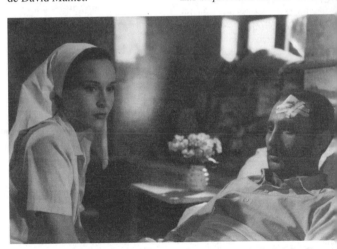

Mary Lamar y Alfredo Mayo en *El santuario no se rinde,* de Arturo Ruiz-Castillo

(1947), adaptación de la novela homónima de Pío Baroja, pero el fracaso económico del fallido melodrama *Obsesión* (1947) le lleva al cine más convencional según las tendencias de la época: la religiosa *La manigua sin Dios* (1948), la política *El santuario no se rinde* (1949), la folclórica *María Antonia «La Caramba»* (1950), la histórica *Catalina de Inglaterra* (1951), la futbolística *Los ases buscan la paz* (1954), la infantil *Pachín* (1961). Entre sus casi veinte largometrajes sólo cabe destacar *El guardián del paraíso** (1955) por su conseguido tono de sainete madrileño a través de tres episodios unidos por un mismo personaje.

DICCIONARIO DEL CINE ESPAÑOL

S

SABINA, LA *(1979)*

Siguiendo las huellas de otro escritor inglés, desaparecido por los mismos parajes muchos años antes, Michael (Jon Finch) llega a un pueblo de Andalucía y no tarda en quedar atrapado por lo que va descubriendo sobre su

Carol Kane y Ángela Molina en *La Sabina,* de José Luis Borau

personalidad. Al mismo tiempo se enamora de la española Pepa (Ángela Molina*), que no le hace mucho caso porque tiene novio formal, y mantiene relaciones con la norteamericana Daisy (Carol Kane) y su ex mujer Mónica (Harriet Anderson). Este enfrentamiento más sentimental que cultural entre dos grupos, uno de extranjeros y otro de nativos, está presidido por la leyenda de una mujer que vive en una cueva y devora a los hombres después de proporcionarles toda clase de placeres. Antes que nada se trata de una curiosa alegoría sobre la condición femenina escrita, producida y dirigida por José Luis Borau*, que es necesario ver en su versión original bilingüe para apreciar en todo su valor. El hecho de ser una coproducción entre España y Suecia y tener un reparto demasiado internacional, los españoles Ángela Molina* y Ovidi Montllor*, la sueca Harriet Anderson, los británicos John Finch y Simon Ward y la norteamericana Carol Kane, consigue que sus resultados sean demasiado dispersos en contra de su planteamiento inicial.

Director y guionista: *José Luis Borau.* Fotografía: *Lars Goren Bjorne.* Música: *Paco de Lucía.* Intérpretes: *Harriet Anderson, John Finch, Ángela Molina, Simon Ward, Ovidi Montllor.* Producción: *José Luis Borau para El Imán, S. A. (Madrid), Svenska Filmindustri (Estocolmo).* Duración: *105 min.*

SACRISTÁN, José *(José Sacristán Turiégano. Chinchón, Madrid, 1937)*

Mientras trabaja como mecánico colabora con distintos grupos de aficionados al teatro hasta que en 1960 decide ser profesional y empieza a hacer pequeños papeles en diferentes compañías. Sin abandonar el teatro, en 1965 debuta en cine, pero deben transcurrir ocho años y cincuenta películas para 'llegar a ser el protagonista de *Vida conyugal sana* (1973), de Roberto Bodegas*. Entre sus trabajos posteriores destacan sus colaboraciones con Gonzalo Suárez* en *Parranda* (1977), *Reina Zanahoria* (1978) y *Epílogo** (1984), y con José Luis Garci* en *Asignatura pendiente** (1977) y *Solos en la madrugada** (1978), sin olvidar sus prestigiosas actuaciones en *Un hombre llamado «Flor de Otoño»** (1978), de Pedro Olea*; *El diputado** (1978), de Eloy de la Iglesia*; *¡Estoy en crisis!** (1982), de Fernando Colomo*; *La vaquilla** (1984), de Luis G. Berlanga*; *El viaje a ninguna parte** (1986), de Fernando Fernán-Gómez*; *Un lugar en el mundo* (1992), de Adolfo Aristarain; *El pájaro de la felicidad** (1993), de Pilar Miró, o *Madre Gilda** (1993), de Francisco Regueiro*. También dirige las irregulares *Soldado de plomo* (1983), *Cara de acelga* (1986) y *Yo me bajo en la próxima, ¿y usted?* (1992), que además protagoniza.

SÁENZ DE HEREDIA, José Luis
(José Luis Sáenz de Heredia y Primo de Rivera. Madrid, 1911-Madrid, 1992)

Tras interrumpir sus estudios de arquitectura y ganar una plaza por oposición en el Canal de Isabel II, muy joven dirige su primera película. Interesado desde siempre por el cine y el teatro, y organizador de representaciones de aficionados, cuando su amigo Serafín Ballesteros crea los estudios cinematográficos que llevan su nombre, a pesar de que sólo tiene veintitrés años no tarda en encomendarle la dirección de *Patricio miró una estrella* (1934), una curiosa comedia sobre el mundo del cine basada en un guión propio. Su peculiar atractivo hace que Luis Buñuel*, entonces en su transitoria etapa de productor ejecutivo de Filmófono, le llame para dirigir bajo su supervisión *La hija de Juan Simón* (1935) y *¿Quién me quiere a mí?* (1935), intentos de cine popular que tienen un relativo éxito. Primo hermano del fundador de la Falange, al comenzar la guerra española se le ofrece trabajo en el Departamento Nacional de Cinematografía, pero prefiere incorporarse al frente como alférez provisional y termina la contienda con el grado de teniente. Cuando el general Franco decide que una novelita suya se convierta en *Raza,* la película que marca la pauta del cine bélico nacional, inmediatamente piensa en él como realizador, y en 1941 la

transforma en un plúmbeo tratado de propaganda política. Convertido en el director oficial del régimen, durante los años cuarenta acumula una sucesión de éxitos con *El escándalo* (1943), adaptación de Pedro Antonio de Alarcón; *El destino se disculpa** (1944), una comedia basada en un texto de Wenceslao Fernández Flórez; *Mariona Rebull* (1947), sobre la novela de Ignacio Agustí, o *Las aguas bajan negras* (1948), adaptación de una obra de Armando Palacio Valdés. Mientras tanto también escribe libretos de revista y canciones para la conocida *vedette* Celia Gámez: *Yola* (1941), *Si Fausto fuese Faustina* (1943), etc. Tras una ambiciosa versión de *Don Juan* (1950), que el tiempo ha tratado mal, el éxito de sus películas le lleva a crear su propia productora, Chapalo Films, con la que financia tanto trabajos ajenos como propios durante la década de los cincuenta. Con curiosos resultados intenta el cine católico en *La mies es mucha* (1949) y el social en *Los ojos dejan huellas* (1952), para volver a la comedia con *Todo es posible en Granada** (1954), *Historias de la radio** (1955), su mejor película, y *Faustina** (1957), que realmente es lo suyo. *Diez fusiles esperan* (1959) y *El indulto* (1960), discutibles intentos de cine de acción, ponen punto final a la mejor etapa de su carrera. En los años sesenta rueda diez comedietas, como *Relaciones casi*

Antonio Vilar y Annabella en *Don Juan*, de José Luis Sáenz de Heredia

públicas (1968), con Concha Velasco y Manolo Escobar, y *Se armó el belén* (1968), con Francisco Martínez Soria, que marcan su completa decadencia. Entre medias también hace una mala versión de la zarzuela *La verbena de la Paloma* (1963), el documental político *Franco, ese hombre* (1964), que vuelve a encargarle el general Franco como parte de la campaña publicitaria *25 años de paz* organizada por Manuel Fraga Iribarne, y *Fray Torero* (1965), al servicio del matador Paco Camino. Al final de su carrera intenta hacer alguna obra ambiciosa, como *Los gallos de la madrugada* (1970) y *Proceso a Jesús* (1973), que demuestran que su cine ha pasado y no

tiene vigencia, ni interés, entre insulsas comedietas rematadas por *Solo ante el streaking* (1975), su última película.

SALGADO, María Rosa *(María Rosa Jiménez Juan-José. Madrid, 1929)*
Tras estudiar interpretación en el Instituto de Investigaciones y Experiencias Cinematográficas y piano en el Real Conservatorio de Música, debuta como actriz de cine en un papel secundario de *El capitán de Loyola* (1948), de José Díaz Morales, pero en seguida protagoniza *La niña de Luzmela* (1949), de Ricardo Gascón. Realiza la mayoría de sus interpretaciones durante los años cincuenta y destaca su trabajo con José Antonio Nieves Conde*

en *Balarrasa** (1950) y *El inquilino** (1958) y con Ladislao
Vajda en *Séptima página* (1950)
y *El cebo* (1958). Entre medias
también rueda *Don Juan* (1950),
de José Luis Sáenz de Heredia*;
*El negro que tenía el alma blan-
ca* (1951), de Hugo del Carril;
Historias de la feria (1957), de
Francisco Rovira Beleta*, y *Rapsodia de sangre* (1957), de Antonio Isasi*. Se retira a comienzos
de los años sesenta, pero vuelve a
finales y hace interesantes papeles secundarios en *A un Dios desconocido* (1977), de Jaime Chávarri*, y *Sonámbulos** (1978), de
Manuel Gutiérrez Aragón*.

SALVADOR, Julio *(Julio Salvador
Valls. Barcelona, 1906-Barcelo-
na, 1974)*

Desde 1934 trabaja como ayudante de dirección, tras el paréntesis de la guerra española realiza algunos documentales y poco
después su primer largometraje,
Se le fue el novio (1945), una
irregular comedia ambientada en
un país imaginario. Consigue un
gran éxito con *Apartado de
correos 1001** (1950), uno de los
mejores policiacos de la escuela
catalana, que sabe aprovechar el
rodaje en exteriores naturales.
Entre sus restantes once películas, realizadas a lo largo de casi

María Rosa Salgado y Fernando Rey en *La señora de Fátima,* de Rafael Gil

treinta años de profesión, hay de todo, pero no destaca nada. Vuelve al policiaco con *Duda* (1951) y *Han matado un cadáver* (1960), adapta un serial radiofónico de éxito de Luisa Alberca y Guillermo Sautier Casaseca en *Lo que nunca muere* (1954), intenta el falso cine social con *Sin la sonrisa de Dios* (1955) y también dirige las comedias *Ya tenemos coche* (1958) y *La boda era a las doce* (1962).

SALVIA, Rafael J. *(Rafael Julián Salvia Jiménez. Tortosa, Tarragona, 1915-Madrid, 1976)*

Licenciado en derecho y filosofía y letras, publica libros de poesía y novelas, escribe en diferentes diarios y es redactor-jefe de la revista *Cinema*. Debuta como guionista profesional en 1948 y durante casi treinta años colabora en los guiones de más de ochenta películas, entre las que pueden citarse *El judas** (1952, de Ignacio F. Iquino*; pero sobre todo las múltiples que escribe con Vicente Coello*, Pedro Masó* o Antonio Vich* durante los años sesenta: *Siempre es domingo* (1961), de Fernando Palacios*; *Atraco a las tres** (1962), de José María Forqué*; *Sor Citroen* (1967), de Pedro Lazaga*; *La familia y... uno más* (1965), de Fernando Palacios*. Desde principios de los cincuenta hasta mediados de los

sesenta también dirige dieciséis largometrajes de ficción de muy escaso atractivo, entre los que destacan *Manolo, guardia urbano** (1956) por su conseguido aire sainetesco y *Las chicas de la Cruz Roja* (1958) por su éxito, pero aparecen rodeados de historias seudorreligiosas, *El pórtico de la gloria* (1953), *Isidro, el labrador* (1963), o subproductos, *Festival en Benidorm* (1960).

SÁMANO, José *(José Sámano de la Brena. Santander, 1943)*

Crea la productora Sabre Films con la que monta *Retrato de familia* (1976), de Antonio Giménez-Rico*, adaptación de la novela *Mi idolatrado hijo Sisí*, de Miguel Delibes; *¡Arriba Hazaña!* (1978), de José María Gutiérrez, y *Operación Ogro* (1979), de Gillo Pontecorvo*, una coproducción con Italia sobre el asesinato del almirante Carrero Blanco por la banda armada ETA. Comienza su colaboración con la realizadora Josefina Molina* con el montaje de una adaptación teatral de la novela *Cinco horas con Mario,* de Miguel Delibes, y prosigue en la compleja muestra de cinema-verité titulada *Función de noche** (1981), la narración histórica *Esquilache* (1988) y la comedia sentimental *Lo más natural* (1990). También produce para televisión los programas de entrevistas presentados por Mercedes Milá.

SAMPIETRO, Mercedes *(Mercedes Sampietro Marro. Barcelona, 1947)*

Desde muy joven trabaja en diferentes oficios, al tiempo que colabora con grupos *amateur* de teatro y estudia arte dramático en el Instituto del Teatro de Barcelona. Debuta como actriz de teatro a comienzos de los años setenta y no tarda en trabajar en televisión y doblaje, pero tarda varios años en hacer su primera película, *A un Dios desconocido** (1977), de Jaime Chávarri*. Entre sus posteriores interpretaciones destacan las realizadas con Pilar Miró* en *Gary Cooper que estás en los cielos** (1980), *Werther* (1986) y *El pájaro de la felicidad** (1993), sin olvidar las de *¡Estoy en crisis!** (1982), de Fernando Colomo*, y *Extramuros** (1985), de Miguel Picazo*.

SAN MARTÍN, Conrado *(Conrado San Martín Prieto. Higuera de las Dueñas, Ávila, 1921)*

Abandona el boxeo *amateur* para hacer pequeños papeles en teatro y actuar como extra en cine. Durante los años cuarenta se convierte en un solicitado actor secundario, lo que supone que la productora catalana Emisora Films le firme un contrato en exclusiva y protagonice para ella las comedias *Siempre vuelven de madrugada* (1948), *Despertó su corazón* (1949) y *Mi adorado Juan** (1949), de Jerónimo Mihura*, y los policiacos *Apartado de correos 1001** (1950), de Julio Salvador*, y *Relato policiaco*

(1954), de Antonio Isasi*. El éxito de algunas de estas producciones no sólo le llevan a ser el solicitado galán de *El pasado amenaza* (1950), de Antonio Román*; *La patrulla* (1954), de Pedro Lazaga*; *Pasión en el mar* (1956), de Arturo Ruiz-Castillo*, o *...y eligió el infierno* (1957), de César Ardavín*, sino también a crear la marca Laurus Films y producir los melodramas *Lo que nunca muere* (1954) y *Sin la sonrisa de Dios* (1955), de Julio Salvador*. El fracaso de sus experiencias como productor y el sistemático trabajo en coproducciones —*Las legiones de Cleopatra* (1959), de Vittorio Cottafavi; *El coloso de Rodas* (1960), de Sergio Leone; *La muerte silba un blues* (1962), de Jesús Franco*; *Simón Bolívar* (1967), de Alessandro Blasetti— le hacen retirarse a finales de la década de los sesenta. Vuelve diez años después para hacer sólidos papeles secundarios en *Asesinato en el Comité Central* (1983), de Vicente Aranda*; *A la pálida luz de la luna** (1985), de José María González Sinde*; *Extramuros** (1985), de Miguel Picazo*; *Dragon Rapide** (1986), de Jaime Camino*, *Boom Boom** (1989), de Rosa Vergés*, y *A solas contigo** (1990), de Eduardo Campoy*.

SAN MIGUEL, Santiago *(San Sebastián, 1941)*

Licenciado en ciencias políticas por la Universidad de Madrid, titulado en dirección en la Escuela Oficial de Cinematografía, y crítico cinematográfico en las revistas *Cuadernos de Arte y Pensamiento, Acento Cultural* y *Nuestro Cine*. En 1967 se traslada a Venezuela, donde trabaja en importantes empresas publicitarias, realiza unos ochenta cortometrajes industriales y los largos *Adiós, Alicia* (1977) y *La casa del paraíso* (1981). De vuelta a España rueda *Crimen en familia* (1985), *El señor de los llanos* (1987), *Solo o en compañía de otros* (1990) y *Hay que zurrar a los pobres* (1992). También es coguionista de *El próximo otoño* (1964), de Antonio Eceiza*; *Días de ceniza* (1968), de Abigail Rojas; *La muchacha de las bragas de oro** (1980), de Vicente Aranda*, y *Boves, el urogallo* (1990), de Maurizio Wallerstein.

SÁNCHEZ-GIJÓN, Aitana *(Aitana Sánchez-Gijón De Angelis. Roma, Italia, 1968)*

Tras estudiar arte dramático, debuta como actriz en la serie de televisión *Segunda enseñanza* (1982), de Pedro Masó*. En cine hace pequeños papeles en *Romanza final* (1986), de José María Forqué*, y *Remando al viento** (1988), de Gonzalo Suárez*, mientras comienza una importante actividad teatral, donde destaca su trabajo en *La malquerida*, de Jacinto Benavente, bajo la dirección de Miguel Narros. Protagoniza *Bajarse al moro** (1988), de Fernando Colomo*, y tiene buenos papeles en *El mar y el tiempo* (1989), de Fernando Fernán-

Gómez*; la serie de televisión *El Quijote* (1991), de Manuel Gutiérrez Aragón*; *El pájaro de la felicidad** (1992), de Pilar Miró*; *La ley de la frontera* (1995), de Adolfo Aristarain, y *Boca a boca* (1995), de Manuel Gómez Pereira*.

SANTOS INOCENTES, LOS *(1984)*

Gran especialista en adaptaciones de novelas de la literatura española, en esta ocasión Mario Camus* parte de la obra homónima de Miguel Delibes para hacer una de sus películas más premiadas. A lo largo de cuatro *flash-back* describe un gran cortijo de Extremadura durante los años sesenta, la mísera vida que llevan los guardeses dedicados a cuidar el campo y servir a los señores cuando organizan alguna cacería o celebran alguna fiesta, con la obsesión de que sus hijos puedan estudiar, prosperar y salir de allí, hasta que se produce un mortal enfrentamiento entre el anciano de pocas luces Azarías (Francisco Rabal*) y el señorito Iván (Juan Diego*). Con una excesiva división entre pobres y ricos, entre buenos y malos, pero de una gran fidelidad al original, entre sus numerosos premios destaca el ganado por Alfredo Landa*, en su papel de fiel Paco, y Francisco Rabal* en el Festival de Cannes.

Director: *Mario Camus*. Guionistas: *Antonio Larreta, Manuel Matji, Mario Camus*. Fotografía: *Hans Burmann*. Música: *Antón García Abril*. Intérpretes: *Alfredo Landa, Francisco Rabal, Maribel Martín, Terele Pávez, Ágata Lys, Agustín González, Juan*

Terele Pávez, Alfredo Landa y Francisco Rabal en *Los santos inocentes*, de Mario Camus

Diego, Mari Carrillo. Producción: *Julián Mateos para Ganesh P. C.* Duración: *107 min.*

SANTUGINI, José *(José Santugini Parada. Toledo, 1903, ?, 1958)*

De su amplia labor como guionista caben destacar los trabajos realizados al final de su vida para el realizador húngaro Ladislao Vajda*: *Doce lunas de miel* (1943), *Séptima página* (1950), *Doña Francisquita* (1952), *Carne de horca** (1953), *Tarde de toros** (1955), *Mi tío Jacinto** (1956) y *Un ángel pasó por Brooklyn** (1957), sin olvidar su aportación en *La torre de los siete jorobados*, de Edgar Neville*. Durante la II República escribe y dirige *Una mujer en peligro* (1935).

SANZ, Jorge *(Jorge Sanz Miranda. Madrid, 1969)*

A los diez años es seleccionado entre decenas de candidatos para protagonizar *La miel* (1979), de Pedro Masó*, lo que le lleva a hacer destacados papeles, entre otras, en *La leyenda del tambor* (1981), de Jorge Grau*, *Valentina** (1982), de Antonio J. Betancor, y encarnar al mismísimo Conan niño en la producción norteamericana *Conan, el bárbaro* (Conan the Barbarian, 1982), de John Milius. Logra dar el salto a la madurez de la mano de Fernando Trueba*, en *El año de las luces* (1986) y *Belle époque** (1992), y de Vicente Aranda*, en *El Lute II, mañana seré libre* (1988), *Si te dicen que caí** (1989), *Amantes**

(1991) y *Libertarias* (1996). Entre sus últimas películas destacan *Hotel y domicilio* (1995), de Ernesto del Río, y *Morirás en Chafarinas* (1995), de Pedro Olea*.

SAURA, Carlos (*Carlos Saura Atares. Huesca, 1932*)

Fotógrafo profesional, licenciado en dirección en el Instituto de Investigaciones y Experiencias Cinematográficas y profesor de realización de la Escuela Oficial de Cinematografía, también comienza a estudiar ingeniería industrial y periodismo. Tras coescribir y dirigir *Los golfos* (1959), excelente retrato realista de los jóvenes marginados que tiene graves problemas con la censura del general Franco, y *Llanto por un bandido* (1964), biografía del bandolero andaluz José María «el Tempranillo» que encierra grandes fallos de producción, el encuentro con el productor Elías Querejeta* revoluciona su obra y le conduce por caminos intimistas. Durante dieciséis años hacen trece películas juntos que analizan los comportamientos de la burguesía bajo la dictadura del general Franco, tienen una cierta repercusión en España y mucho mayor en el extranjero. Tras *La caza* (1965), eficaz parábola política en torno a la guerra española, rueda una trilogía, integrada por la interesante *Peppermint frappé* (1967), la fallida *Stress es tres, tres* (1968) y la teatral *La madriguera* (1969), protagonizada por Geraldine Chaplin*, donde indaga sobre las relaciones hombre-mujer. Con guiones escritos en colaboración con Rafael Azcona*, con un lenguaje demasiado críptico, analiza los mecanismos de poder de la burguesía española en la frustrada *El jardín de las delicias* (1970), la críptica *Ana y los lobos* (1972) y la lograda *La prima Angélica* (1973). El éxito de esta última y el final de la dictadura le llevan a obras más personales y mejores que escribe en solitario: *Cría cuervos...* (1976), sobre el mundo infantil; *Elisa, vida mía* (1977), sobre las relaciones padre-hija; *Los ojos vendados* (1978), sobre la tortura. Denota gran cansancio creativo en *Mamá cumple cien años* (1979), intento de comedia sobre los personajes de *Ana y los lobos*; *Deprisa, deprisa* (1980), donde vuelve al ambiente de los jóvenes marginados de *Los golfos*, y *Dulces horas* (1981), que cierra la etapa Querejeta*. Alcanza su mayor éxito internacional con la trilogía musical formada por *Bodas de sangre* (1981), sobre la obra teatral homónima de Federico García Lorca; *Carmen* (1983), sobre la ópera de Georges Bizet, y *El amor brujo* (1986), sobre el ballet de Gregorio Martínez Sierra y Manuel de Falla, protagonizada y coreografiada por el bailarín Antonio Gades y producida por Emiliano Piedra*. Entre medias realiza en México la tan fallida como ambiciosa coproducción *Antonieta* (1982), en torno al debatido personaje de María

Antonieta Rivas Mercado, y en España *Los zancos** (1984), poco atractivo retorno a la etapa intimista. Vuelve a cambiar por completo de registro en los trabajos que hace para el productor Andrés Vicente Gómez, la gran producción *El Dorado** (1987), sobre la figura del controvertido conquistador americano Lope de Aguirre; la intimista *La noche oscura* (1988), personal retrato de san Juan de la Cruz, y la tragicomedia *¡Ay, Carmela!** (1990), que de nuevo escribe con Azcona* sobre la obra teatral de José Sanchís Sinisterra. Sus últimas películas son *Marathon** (1992), sobre la olimpiada de Barcelona, los policiacos *Dispara** (1993) y *Taxi* (1996) y el musical *Flamenco* (1995).

SÉ INFIEL Y NO MIRES CON QUIÉN *(1985)*

Después de financiarse sus tres primeras películas, Fernando Trueba* entra en contacto con el productor-distribuidor Andrés Vicente Gómez*, que le produce las tres siguientes. Su primera colaboración es la adaptación del vodevil *More Over Mrs. Markham,* de los británicos Ray Cooney y John Chapman, que tiene un enorme éxito en los escenarios españoles. Escrita y dirigida por Trueba* con gran libertad, pero sin perder en ningún momento de vista sus orígenes teatrales, consigue hacer una tradicional comedia de enredo, pero donde los múltiples personajes y sus acciones engranan con perfección.

Carmen Maura y Ana Belén en *Sé infiel y no mires con quién,* de Fernando Trueba

Destaca la eficacia de un amplio reparto, a cuya cabeza brillan Ana Belén* y Carmen Maura*, y la luminosa fotografía de Juan Amorós*.

Director y guionista: *Fernando Trueba*. Fotografía: *Juan Amorós*. Música: *Miguel Ángel Muñoz*. Intérpretes: *Carmen Maura, Ana Belén, Antonio Resines, Santiago Ramos, Verónica Forqué, Chus Lampreave*. Producción: *Andrés Vicente Gómez para Compañía Iberoamericana de TV*. Duración: *91 min*.

SECRETAS INTENCIONES, LAS
(1969)

Última de las cuatro películas que Antonio Eceiza* rueda durante los años sesenta para el productor Elías Querejeta*, es la única escrita con el guionista Rafael Azcona* y la que tiene mayor interés. A través de una continua persecución, primero de él hacia ella y luego de ella hacia él, narra la relación entre Miguel (Jean Louis Trintignant), un arquitecto casado, con hijos y amante, y Blanca (Haydée Politoff), una atractiva joven que ha intentado suicidarse cortándose las venas. A lo largo de paseos, escenas donde los personajes hablan del aburrimiento, viajes en automóvil y un fallido intento de huida en tren, que supone un absurdo viaje de vuelta a Madrid, se da el vacío de unas vidas, rematado por el ridículo y

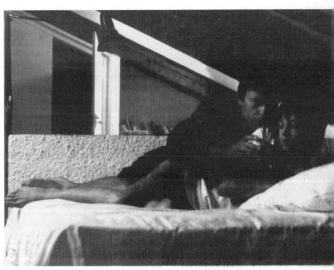

Jean Louis Trintignant y Haydée Politoff en *Las secretas intenciones,* de Antonio Eceiza

accidental suicidio de él. En esta historia que nada tiene que ver con Azcona*, salvo una obsesión general por la muerte, destacan las escenas relacionadas directamente con ella, llenas de sangre y típicamente suyas, dentro de la general atonía. Una muchacha sangra por la nariz; una niña (Gracia Querejeta) juega con las palomas en la madrileña plaza de Cibeles y le acaban picando en la cabeza; un hombre (José Luis López Vázquez*) herido en un accidente automovilístico donde han muerto quemadas su madre y su hermana; un hombre se come un vaso de cristal y se hiere en el coche-restaurante de un tren. En esta extraña producción, que es un gran fracaso, destaca la excelente fotografía de Luis Cuadrado*, una Haydée Politoff siempre a punto de desnudarse, pero una y otra vez frustrada por la censura, y una terrible música de Luis de Pablo*.

Director: *Antonio Eceiza*. Guionistas: *Rafael Azcona, Antonio Eceiza*. Fotografía: *Luis Cuadrado*. Música: *Luis de Pablo*. Intérpretes: *Jean Louis Trintignant, Haydée Politoff, Teresa del Río, Julio Núñez*. Producción: *Elías Querejeta P.C.* Duración: 97 min.

SEMPERE, Francisco (*Francisco Sempere González. Madrid, 1915-Madrid, 1979*)
Su gran afición al cine le lleva a trabajar como auxiliar de cámara y segundo operador hasta que finalmente debuta como director de fotografía en *Hermano menor* (1952), de Domingo Viladomat. En la primera parte de su carrera interviene en sus mejores películas, tanto con Luis G. Berlanga*, *Calabuch** (1956), *Los jueves, milagro** (1957), *Plácido** (1961) y Marco Ferreri*, *El pisito** (1958, *Los chicos** (1959), como con José Antonio Nieves Conde*, *Rebeldía* (1953), *Los peces rojos** (1955), *Todos somos necesarios** (1956), *El inquilino** (1957), sin olvidar *Diez fusiles esperan* (1958), de José Luis Sáenz de Heredia*, y *Amador* (1965), de Francisco Regueiro*. Posteriormente trabaja en especial con José María Forqué*, *¡Dame un poco de amoor!* (1968), *La vil seducción* (1968), *Pecados conyugales* (1969), y Pedro Lazaga*, *Las cicatrices* (1967), *Mil millones para una rubia* (1972), *El chulo* (1973) y *Largo retorno* (1975).

SERNA, Assumpta (*Assumpta Rodés Serna. Barcelona, 1957*)
Abandona la carrera de derecho para estudiar arte dramático en el Instituto del Teatro de Barcelona. Licenciada en 1976, colabora con diferentes grupos de teatro independiente, en especial con Dagoll Dagom. Al igual que varios actores de su generación, debuta en cine en *La orgía* (L'orgia, 1978), de Francesc Bellmunt*, pero con el nombre Assumpta Rodés, que posteriormente cambia por problemas familiares. Tras hacer algunos papeles secundarios, protago-

niza la comedia *Vecinos* * (1981), de Alberto Bermejo. Entre sus películas posteriores destacan *Dulces horas* * (1981), de Carlos Saura*; *Coto de caza* * (1983), de Jorge Grau*; *Lulú de noche* * (1985), de Emilio Martínez-Lázaro*, y *Matador* * (1986), de Pedro Almodóvar*. Mientras desarrolla una carrera paralela internacional que la lleva a rodar en Francia con Claude D'Anna *Círculo de pasiones* (Cercle des passions, 1982), en Portugal con José Fonseca e Costa *La playa de los perros* (A balada de praia dos caes, 1986), en México con Felipe Cazals *Lo del César* (1988), en Estados Unidos con Zalman King *Orquídea salvaje* (Wild Orchid, 1989), en Argentina con María Luisa Bemberg *Yo, la peor de todas* (1990). Sin olvidar su intervención en las series de televisión *La ballena blanca* (1988) y *Hemingway, fiesta y muerte* (1988), de José María Sánchez, y algunos episodios de la producción norteamericana *Falcon Crest*.

SERRANO DE OSMA, Carlos
(Madrid, 1916-Alicante, 1984)

Crítico y ensayista cinematográfico, escribe en numerosas revistas: *Nuestro Cinema, Popular Film, Cinegramas, Radiocinema*. Durante la guerra española trabaja para el equipo cinematográfico del partido comunista de Madrid. En la inmediata posguerra dirige varios documentales para diferentes organismos oficiales. Profesor de dirección en el Instituto de Investigaciones y Experiencias Cinematográficas y posteriormente también de la Escuela Oficial de Cinematografía, realiza ocho irregulares y personales largos, entre los que destacan *Abel Sánchez* (1946), sobre la novela de Miguel de Unamuno; *Embrujo* (1947), un extraño musical al servicio de Lola Flores* y Manolo Caracol; *La sirena negra* (1947), adaptación de la novela de Emilia Pardo Bazán, y *Parsifal* (1951), producida y codirigida por Daniel Mangrané, curiosa versión de la ópera de Richard Wagner. Durante los años sesenta realiza algunos programas de televisión, en los setenta dirige su propia galería de arte y los archivos de la Filmoteca Española. Padre del también realizador Carlos Serrano (Madrid, 1941), que aparte de sus trabajos para televisión también dirige las películas *Las gatas tienen frío* (1969), *Batida de raposas* (1976) y *Calé* (1987).

SESIÓN CONTINUA *(1984)*

Con una clara carga autobiográfica, José Luis Garci* narra la historia de José Manuel Varela (Adolfo Marsillach*) y Federico Alcántara (Jesús Puente), director de cine y guionista respectivamente, mientras escriben, preparan, dirigen y estrenan la película «Me deprimo despacio» para el productor Balboa (José Bódalo). Demasiado apoyada en el diálogo y rodada en largas escenas, tiene un tono teatral y filosófico que resta interés a los problemas de los dos primeros con las mujeres y del tercero con su hijo drogadicto. El hecho de que los actores previstos, José Sacristán* y Alfredo Landa*, sean sustituidos en el último momento por Adolfo Marsillach* y Jesús Puente por problemas económicos, también resta fuerza al resultado final.

Director: *José Luis Garci.* Guionistas: *José Luis Garci, Horacio Valcárcel.* Fotografía: *Manuel Rojas.* Música: *Jesús Gluck.* Intérpretes: *Adolfo Marsillach, Jesús Puente, María Casanova, José Bódalo, Encarna Paso, Víctor Valverde.* Producción: *José José Luis Garci para Nickel Odeón.* Duración: *130 min.*

SEVILLA, Carmen *(María del Carmen García Galisteo. Sevilla, 1930)*

Hija del letrista José García Padilla, más conocido por el seudónimo Kola, debuta a los trece años como bailarina en la compañía de Estrellita Castro y posteriormente llega a formar parte de las compañías del Príncipe Gitano, el marqués de Montemar y Paco Reyes. Tras protagonizar la coproducción hispano-mexicana *Jalisco canta en Sevilla* (1948), de Fernando de Fuentes, su segunda película, dan resonancia internacional a su carrera sus colaboraciones con el cantante Luis Mariano: *El sueño de Andalucía* (1950), de Robert Vernay; *Violetas imperiales** (1952), de Richard Pottier; *La bella de Cádiz* (1953), de Raymond Bernard, coproducciones franco-españolas. Mientras, en España, se convierte en una *estrella* de gran popularidad durante la década de los cincuenta al protagonizar *La revoltosa* (1950), de José Díaz Morales; *La hermana san Sulpicio* (1952) y *Un caballero andaluz* (1954), de Luis Lucia*; *Congreso en Sevilla* (1955) y *La fierecilla domada** (1955), de Antonio Román; *La venganza** (1957), de J. A. Bardem. Al tiempo que también es dirigida por los extranjeros Emilio Fernández en *Reportaje* (1953), León Klimovsky* en *La pícara molinera* (1954), John Berry en *El amor de don Juan* (1956), Don Siegel en *Aventura para dos* (Spanish Affair, 1956), Alessandro Blasetti en *Europa di notte* (1959). Después de intervenir en *Rey de reyes* (King of Kings, 1961), de Nicholas Ray, y protagonizar *El secreto de Mónica* (1961), de José María Forqué*, y *El balcón de la luna* (1962), de Luis Saslavsky, durante el resto de los años sesenta trabaja mucho menos y sólo caben citarse las irregulares *Camino del Rocío* (1966), *Un adulterio decente* (1969) y *El relicario* (1969), de Rafael Gil*. Resurge durante la primera mitad de la década de los setenta al cambiar de imagen y erotizarse en *El techo de cristal* (1970) y *Nadie oyó gritar* (1972), de Eloy de la Iglesia*; *La cera virgen* (1971), de José María Forqué*; *No es bueno que el hombre esté solo* (1973), de Pedro Olea*;

La loba y la paloma (1973) y *Beatriz* (1976), de Gonzalo Suárez*, pero posteriormente se retira. No obstante, a comienzos de los noventa reaparece como presentadora de concursos en televisión.

SI TE DICEN QUE CAÍ *(1989)*

Gran especialista en adaptaciones de novelas de autores contemporáneos españoles, Vicente Aranda* rueda tres películas sobre novelas de Juan Marsé: *La muchacha de las bragas de oro** (1979), *El amante bilingüe** (1992) y ésta, la mejor, la más dura e imaginativa de las tres. Basada en la novela homónima, publicada originalmente en México en 1973 y prohibida en España hasta 1976, está ambientada en el barcelonés barrio de Gracia en 1940, aunque algunas escenas se desarrollan en 1936 y otra en 1970, y narra una entramado de historias protagonizadas por personajes que viven en ambientes característicos de la más sórdida posguerra y el mercado negro. En este ambiente que tanto Marsé como Aranda* conocen bien, narra las peripecias de un grupo de muchachos que trata de olvidarse de la miseria contando historias mitad basadas en películas, mitad en la realidad cotidiana, el vicioso paralítico rico Conrado Galán (Javier Gurruchaga), los restos de los grupos anarquistas que sobreviven malamente, antiguos amantes separados por la guerra,

prostitutas, queridas, comerciantes enriquecidos por el mercado negro, dentro de un amplio conglomerado de personajes. Aranda* consigue una violenta y eficaz narración donde brillan con especial fuerza una compleja estructura, algunas escenas de especial dureza y el trabajo interpretativo de Victoria Abril*, que encarna a dos personajes distintos; Jorge Sanz*, que da vida a Java, el jefe de la banda de adolescentes, y Antonio Banderas*, que interpreta a Marcos, el anarquista que huye de los falangistas.

Director y guionista: *Vicente Aranda*. Fotografía: *Juan Amorós*. Música: *José Nieto*. Intérpretes: *Victoria Abril, Jorge Sanz, Antonio Banderas, Javier Gurruchaga*. Producción: *Enrique Viciano para Ideas y Producciones Cinematográficas*. Duración: *120 min*.

SIERRA DE TERUEL *(1939)*

Sobre un sólido guión del novelista Max Aub y el propio realizador, André Malraux hace una película muy lírica sobre los combates en la sierra de Teruel en 1937 en plena guerra española. Basada en su novela *L'espoir*, está concebida como una gran obra de propaganda de la II República, pero sólo puede estrenarse en el extranjero en 1945 y en España a mediados de 1978. Activista revolucionario en China, jefe de una escuadrilla de aviación en la guerra española, combatiente en la resistencia contra los alemanes durante la II Guerra Mundial, el novelista y ensayista francés André Malraux también dirige la mejor película sobre la guerra española, antes de ser ministro de Cultura del general Charles de Gaulle. Muy influenciada por los grandes clásicos rusos, como demuestra claramente la escena donde transportan los cadáveres de los pilotos desde las montañas, es una coproducción de gran atractivo que tiene una finalidad muy diferente a la que se había previsto.

Director: *André Malraux*. Guionistas: *Max Aub, André Malraux*. Fotografía: *Louis Page, André Thomas, Manuel Berenguer*. Música: *Darius Milhaud*. Intérpretes: *Andrés Mejuto, Julio Peña, José Sempere, Nicolas Rodríguez, José Lado*. Producción: *Corniglion, Molinier*. Duración: *87 min.*

SIERRA MALDITA *(1954)*

En la primera mitad de los años cincuenta, y antes de convertirse en el realizador oficial del niño cantante Joselito*, Antonio del Amo* hace una trilogía de películas realistas con un cierto interés. Entre *Día tras día** (1951) y *El sol sale todos los días* (1955), rueda este drama rural sobre guión de Alfonso Paso* y José Luis Dibildos*. Ambientada en la sierra de Almería, narra cómo los hombres del imaginario Puebla de Arriba van a buscar novia a Puebla del Valle por ser estériles las mujeres de su pueblo. Rodada en bellos escenarios naturales, tiene ciertos problemas con la censura que acaban por desvirtuar su escaso atractivo.

Director: *Antonio del Amo*. Guionistas: *Alfonso Paso, José Luis Dibildos*. Fotografía: *Eloy Mella*. Música: *Jesús Romo*. Intérpretes: *Rubén Rojo, Lina Rosales, José Guardiola, Manuel Zarzo*. Duración: *82 min.*

SILOS, Blanca de *(Blanca de Silos López de la Calle. Vitoria, Álava, 1917)*

Perteneciente a una familia de militares que se oponen a que sea actriz, finalmente debuta en la representación de un Auto Sacramental en Segovia en plena guerra española. Durante la década de los cuarenta desarrolla una amplia actividad tanto en el teatro, principalmente en la compañía del Teatro Nacional y la del Teatro María Guerrero de Madrid, como en cine, donde protagoniza una docena de películas. Tras debutar en *Frente de Madrid* (Carmen fra i rossi, 1939), de Edgar Neville*, hace sus mejores interpretaciones en *Su hermano y él* (1941), de Luis Marquina*; *Intriga* (1942) y *La casa de la lluvia* (1943), de Antonio Román*; *Orosia* (1943), de Florián Rey*; *Castillo de naipes** (1943) y *En un rincón de España* (1948), de Jerónimo Mihura*; *Mariona Rebull* (1947), de José Luis Sáenz de Heredia*, su mayor éxito, y *Sin uniforme* (1948), de Ladislao Vajda*. A finales de los años cuarenta se retira de la profesión y sólo hace un par de mínimos papeles secundarios en los sesenta.

SOL, Laura del *(Laura Escofet Arce. Barcelona, 1961)*

Perteneciente a una familia de bailarines, desde los quince años forma parte del ballet clásico español de sus padres. Descubierta por el productor Emiliano Piedra* cuando prepara *Carmen* (1983), de Carlos Saura*, no sólo encarna magníficamente a la protagonista, sino que el éxito internacional la lanza a una doble carrera. Mientras en España vuelve a trabajar con Saura* en *Los zancos* (1984) y *El amor brujo* (1985), y también lo hace con Fernando Fernán-Gómez* en *El viaje a ninguna parte* (1986), Carles Mira* en *Daniya, jardín del harén* (1987) e Imanol Uribe* en *El rey pasmado* (1991), rueda *La venganza* (The Hit, 1984), del británico Stephen Frears; *Il fu Matia Pascal* (1985), del italiano Mariano Monicelli, y *Amelia López O'Neil* (1990), de la chilena Valeriana Sarmiento.

SOL DEL MEMBRILLO, EL *(1992)*

En un principio iba a ser un episodio de la nunca realizada serie de televisión *Los perros andaluces,* producida por el cantante, pintor y cineasta Luis Eduardo Aute, donde a lo largo de media hora un director hacía el retrato de un pintor. Entusiasmados por el proyecto, tanto el pintor Antonio López como el realizador Víctor Erice*, se desgaja de la serie, alcanza autonomía propia y comienza a crecer. A medio camino entre el documental y la ficción, narra cómo durante el otoño y comienzos del invierno de 1990, Antonio López primero trata de pintar al óleo y luego de dibujar un membrillero que hay en el jardín del chalé de su madrileño estudio de Chamartín, pero el tiempo no le acompaña, llueve demasiado, no consigue la luz que necesita y no lo logra. A lo largo de dos horas, con el contrapunto de unos obreros polacos que hacen reformas en su chalet, Antonio López intenta pintar el tiempo, con la ayuda de sus personales y minuciosas técnicas, y no lo consigue. Al final los membrillos caen del árbol, el pintor interrumpe el trabajo y los polacos se los domen y no les gustan. Tienen menor interés los últimos veinte minutos donde Víctor Erice*, en un exceso de minuciosidad, trata de investigar la relación de Antonio López con el membrillero a través de la visualización de un sueño, mientras su mujer, la también pintora María Moreno, le pinta tumbado en su cama, pero tampoco lo logra. Su valor reside en la exactitud con que Víctor Erice* describe la minuciosidad con que Antonio López pinta, y en que éste resulta ser un gran actor. Ganadora del Premio Especial del Jurado del Festival de Cannes y otras recompensas

Claudia Gravy, Francisco Algora y Ovidi Montllor en *Soldados,* de Alfonso Ungría

internacionales, tiene mucha más repercusión en el extranjero que en España.

Director y guionista: *Víctor Erice.* Fotografía: *Javier Aguirresarobe, Ángel Luis Fernández.* Música: *Pascal Graigne.* Intérpretes: *Antonio López, María Moreno, Enrique Gran.* Producción: *María Moreno P. C., Igeldo P. C.* Duración: *140 min.*

SOLDADOS *(1977)*

A partir de la novela de Max Aub *Las buenas intenciones,* Alfonso Ungría* hace la mejor de sus películas, con una compleja estructura. Ambientada en el mes de marzo de 1939, la huida hacia Alicante de un grupo de soldados y su encuentro con un automóvil donde dos prostitutas se dirigen a Madrid, da pie para que cinco personas, en un continuo ir y venir, recuerden sus vidas a través de otros tantos *flash-back.* La criada Remedios (Marilina Ross) está embarazada de su señor (Lautaro Murúa), su hijo Agustín (Ovidi Montllor*) se casa con ella para que su madre no se entere, pero como el padre sigue acostándose con ella, les abandona y se hace puta. Al pistolero Tellina (Francisco Algora) le echan del seminario, mata a un minero, utiliza las pistolas para conseguir la mujer que le gusta y huye a la zona republicana al comienzo de la guerra. El comunista Javier (José María Muñoz) tiene una historia con una librera (Julieta Serrano), pero cuando la amenaza con dejarla, se vuelve loca, mata a su hijo e intenta suicidarse. El señorito Agustín mata a su padre cuando Remedios les deja y sueña que la crucifica para calmar sus dolores. La campesina Tula (Claudia Gravi) se casa con el rico del pueblo, pero cuando descubre que sólo es para utilizarla como tapadera de su incesto con su madre, corre bajo la lluvia y aborta, se hace prostituta y llega a ser una importante *madame*. También hay un prólogo donde los soldados libran una refriega en un pueblecito y un epílogo donde Agustín y Remedios se encuentran en un prostíbulo de Barcelona, finalmente se acuestan en mitad de un bombardeo, pero poco después él es detenido por los vencedores y fusilado. Un hábil juego de primeros planos y fundidos en negro, así como un logrado tono melodramático, la convierten en una gran y personal obra, pero que desgraciadamente no alcanza el éxito merecido.

Director: *Alfonso Ungría*. Guionistas: *Alfonso Ungría, Antonio Gregori*. Fotografía: *José Luis Alcaine*. Música: *Franz Shubert*. Intérpretes: *Marilina Ross, Ovidi Montllor, Claudia Gravi, Francisco Algora, José María Muñoz. Julieta Serrano, José Calvo*. Producción: *Antonio Gregorio P. C.* Duración: *120 min.*

SÓLO PARA HOMBRES *(1960)*

En 1955 Miguel Mihura* estrena con gran éxito la comedia teatral *Sublime decisión y* cinco años después Fernando Fernán-Gómez* escribe, dirige y protagoniza una adaptación cinematográfica, que sigue de cerca el original, dentro de la serie de películas que Analía Gadé* y él interpretan para el productor José Luis Dibildos*. Todo gira en torno a la decisión que a finales del siglo XIX adopta Florita Sandoval (Analía Gadé*), hija casadera de una familia acomodada venida a menos, de convertirse en funcionaria del Ministerio de Fomento, aprovechando que los liberales están en el gobierno, para poner punto a las estrecheces que pasa su familia y acabar con su aburrida vida. Además de su tono levemente feminista, apoyado en que Florita no tarda en demostrar que es mucho más eficaz que la mayoría de los hombres de su departamento ministerial, destaca la dirección de Fernando Fernán-Gómez*.

Director y guionista: *Fernando Fernán-Gómez*. Fotografía: *Ricardo*

Torres. Música: *Antón García Abril.* Intérpretes: *Analía Gadé, Fernando Fernán-Gómez, Elvira Quintillá, Juan Calvo, Manuel Alexandre, Joaquín Roa, Erasmo Pascual.* Producción: *José Luis Dibildos para Ágata Films.* Duración: *88 min.*

SOLOS EN LA MADRUGADA *1978)*

El éxito de su primera película, *Asignatura pendiente** (1977), lleva a José Luis Garci* a repetir la misma fórmula, donde mezcla la evocación nostálgica de los años de dictadura con un cierto humor y una alusión directa a la situación política del momento, para conseguir otro producto de la misma línea. En esta ocasión narra la historia de José (José Sacristán*), un periodista que tiene un programa nocturno de gran audiencia en la radio, envuelto en poco convincentes historias sentimentales y dentro de un claro homenaje a los profesionales del medio. Pretende ser el testimonio de la generación nacida poco después de acabarse la guerra española, sobre todo de sus frustraciones, y subraya el mensaje: «no podemos pasarnos otros cuarenta años hablando de los cuarenta años.»

Director: *José Luis Garci.* Guionistas: *José María González Sinde, José Luis Garci.* Fotografía: *Manuel Rojas.* Música: *Jesús Gluck.* Intérpretes: *José Sacristán, Fiorella Faltoyano, Emma Cohen, María Casanova.* Producción: *José Luis Tafur P.C.* Duración: *102 min.*

SOMBRAS EN UNA BATALLA *(1993)*

Especialmente conocido por sus eficaces adaptaciones de obras de la literatura española, las mejores películas de Mario Camus* son aquellas basadas en guiones originales donde alguien regresa del pasado y tiene un choque, más o menos violento, con el presente. En el caso de Ana (Carmen Maura*), la veterinaria que vive tranquilamente en Bermillo de Sayago, un perdido pueblo de Zamora, entre el amor de su colega Darío (Fernando Valverde) y de su hija Blanca (Sonia Martín), cuyo propio pasado irrumpe con violencia en el presente para intentar destruir su paz. Su encuentro casual con un viejo militante, José (Joaquín de Almeida), de la banda antiterrorista GAL, hace que su casi olvidado pasado como activista de ETA resurja con la violencia que le caracteriza tras quince años de silencio y esté a punto de destrozar su vida. En un cine como el español, cada vez más alejado de la realidad sociopolítica cotidiana, destaca esta historia que gira en torno a algunos de los aspectos más sucios de la misma, pero con una sutileza que hace que nunca se hable directamente de ninguna de las bandas armadas. Sin olvidar la existencia de un buen guión y una tan discreta como eficaz dirección, que sabe tanto crear el tranquilo paraje, lleno de pájaros

Carmen Maura en *Sombras en una batalla,* de Mario Camus

y sólo turbado por alguna pesadilla, donde se plantea la historia, como convertirlo paulatinamente en un infierno, en la pesadilla tantas veces soñada, con un mínimo de elementos empleados con sabiduría. Destacando en primer lugar el complejo y excelente trabajo de Carmen Maura* en uno de los mejores y más difíciles papeles de su carrera, bien secundada por Joaquín de Almeida, Fernando Valverde y la jovencísima Sonia Martín.

Director y guionista: *Mario Camus.* Fotografía: *Manuel Velasco.* Música: *Sebastián Mariné.* Intérpretes: *Carmen Maura, Joaquín de Almeida, Fernando Valverde, Sonia Martín.* Producción: *Cayo Largo Films, Sogepaq.* Duración: *100 min.*

SONÁMBULOS *(1978)*

Un festival de teatro realizado durante el proceso de Burgos. Una voz femenina que se alza en protesta contra la injusticia durante la representación en inglés de la obra *Sonata de espectros,* de August Strindberg. Un polvoriento libro de cuentos del que surgen confusos significados y una peculiar estructura en forma de tela de araña. Una mujer con una extraña enfermedad hereditaria e incurable que conduce hacia la locura y la muerte. Los personajes del hijo, la madre, el lejano tío y la criada de toda la vida de la enferma. El brillante marco de la Biblioteca Nacional de Madrid. Estos y otros elementos dispersos son los

que Manuel Gutiérrez Aragón*
teje y entreteje para trasmitir un
complejo mensaje cifrado, cuyo
posible significado puede ir
desde que la militancia política
conduce a la locura hasta que la
delación esconde un gran poder
curativo, en una difícil mezcla
donde también conviven Marx y
Freud. Dada la dispersión de
escenas, la sinceridad que des-
prenden y la peculiar estructura
que las une, parece como si
Manuel Gutiérrez Aragón*, tras
dos películas hechas para otros
tantos productores demasiado creadores, Elías Querejeta* y José
Luis Borau*, se hubiese encontrado con una libertad total que
aprovecha para realizar un viejo y
querido guión, escrito cuando la
férrea censura del general Franco

obligaba a la clave, al simbolismo, como únicas formas de supervivencia. Es una de las mejores películas de la primera parte
de su carrera y encierra algunas
de las mejores escenas que ha
rodado en su vida. Una carga a
caballo de la policía con la rotura
de una gran cristalera que destila
brutalidad y belleza. Un largo
diálogo sobre el sabor y el valor
nutritivo de las lentejas con un
atractivo tono literario. La aparición de Laly Soldevila haciendo
de sí misma con un elaborado y
peculiar humor. Un armario de
luna de tres cuerpos que encierra
una misteriosa clave.

Director y guionista: *Manuel
Gutiérrez Aragón*. Fotografía: *Teo
Escamilla*. Música: *José Nieto*. Intér-
pretes: *Ana Belén, Norman Brisky,*

Ana Belén en *Sonámbulos*, de Manuel Gutiérrez Aragón

María Rosa Salgado, Lola Gaos. Producción: *Profilmes.* Duración: *96 min.*

SONATAS *(1959)*

Esta primera película dirigida por J. A. Bardem* para la productora presidida por él, Uninci —la segunda es la teatral *A las cinco de la tarde* (1960), adaptación de la obra de Alfonso Sastre *La cornada* sobre el mundo de los toros—, es una coproducción con México, con el productor Manuel Barbachano Ponce, y un intento frustrado por revivir el mundo de Ramón del Valle-Inclán. Basada en sus *Sonata de otoño* y *Sonata de estío*, el primer episodio narra cómo a mediados del siglo XIX el marqués de Bradomín (Francisco Rabal*) se ve envuelto en Galicia en una conspiración política cuando intenta huir con su amante Concha (Aurora Bautista*) a México; y el segundo, que se desarrolla en México poco después, cuenta los amores entre el marqués y la Niña Chole (María Félix), bajo el brutal gobierno de Bustamante, y cómo la muerte de su amigo, el capitán Casares (Fernando Rey*), le hace tomar conciencia y unirse a los guerrilleros. Problemas de reparto —una inapropiada Aurora Bautista* sustituye en el último momento a Lucía Bosé*—, censura y producción, unidos a la complejidad de la empresa, dan como resultado una película irregular.

Director: *J. A. Bardem.* Guionistas: *J. A. Barden, Juan de la Cabada,*
José Revueltas. Fotografía: *Cecilio Paniagua, Gabriel Figueroa.* Música: *Isidro B. Maiztegui, Luis Fernández Bretón.* Intérpretes: *Francisco Rabal, Aurora Bautista, María Félix, Fernando Rey, Carlos Casaravilla, Ignacio López Tarso.* Producción: *Uninci (Madrid), Manuel Barbachano Ponce (México).* Duración: *105 min.*

SORIA, Florentino *(Florentino Soria Heredia. Gijón, 1917)*

Licenciado en filosofía y letras, también es titulado en dirección en el Instituto de Investigaciones y Experiencias Cinematográficas, del que más tarde será profesor de guión. Subdirector de la Escuela Oficial de Cinematografía, de la que también es profesor de guión, entre 1962 y 1967 es subdirector general de Cinematografía y Teatro. Entre su irregular actividad como guionista, que se extiende a lo largo de veinticinco años, destacan *Calabuch** (1956), de Luis G. Berlanga*; *La vida alrededor* (1959), de Fernando Fernán-Gómez*; *Martes y trece* (1961), de Pedro Lazaga*, y *La cera vírgen* (1972), de José María Forqué*. Durante los años finales de la dictadura saca a la Filmoteca Nacional de su mortecina vida, la dirige durante varios años y la convierte en Filmoteca Española.

SOTO, Luchy *(Luchy Soto Muñoz. Madrid, 1919-Madrid, 1970)*

Hija de los actores Manuel Soto y Guadalupe Muñoz Sampedro,

abandona los estudios en la adolescencia para debutar como actriz de teatro y poco después de cine en *La bien pagada* (1933), de Eusebio Fernández Ardavín*. Durante los años treinta hace papeles secundarios en *Rumbo al Cairo* (1935), de Benito Perojo*; *Morena Clara* (1935), de Florián Rey*; *El bailarín y el trabajador* (1936), de Luis Marquina*, para durante los cuarenta protagonizar, entre otras, *La marquesona* (1940), de Eusebio Fernández Ardavín*; *Harka* (1941), de Carlos Arévalo; *Escuadrilla* (1941), de Antonio Román*; *Viaje sin destino* (1942), de Rafael Gil*; *La boda de Quinita Flores* (1943), de Gonzalo Delgrás, y *Ella, él y sus millones* (1944), de Juan de Orduña*. A mediados de la década de los cuarenta abandona el cine para dedicarse en exclusiva al teatro, y sólo vuelve en la de los sesenta para hacer papeles secundarios, entre los que destaca el de *El jardín de las delicias* (1970), de Carlos Saura*, su última película.

SUÁREZ, Carlos *(Carlos Suárez Morilla. Oviedo, 1946)*

Licenciado en filosofía y letras por la Universidad de Madrid y diplomado en fotografía en la Escuela Oficial de Cinematografía, escribe crítica de cine en las revistas especializadas *Film Ideal* y *Griffith*. Hermano del realizador Gonzalo Suárez*, hace la fotografía de la mayoría de sus películas: *El extraño caso del doctor Fausto* (1969), *Aoom* (1970), *Al diablo con amor* (1972), *Beatriz* (1976), *Parranda* (1977), *Reina Zanahoria* (1978), *Epílogo* (1983), *Remando al viento* (1988), *Don Juan en los infiernos* (1991) y *La reina anónima* (1992). Del resto de su trabajo detacan sus colaboraciones con Luis G. Berlanga*, *La escopeta nacional* (1978), *Patrimonio nacional* (1980), *Nacional III* (1982), *La vaquilla* (1985); Manuel Gutiérrez Aragón*, *La noche más hermosa* (1984); Jaime Chávarri*, *El río de oro* (1985). También dirige el policiaco *El jardín secreto* (1984) y las comedias *Makinavaja, el último choriso* (1982) y *Makinavaja II* (1993).

SUÁREZ, Emma *(Emma Suárez Bodelón. Madrid, 1964)*

Elegida entre varias candidatas para protagonizar a los quince años *Memorias de Leticia Valle* (1979), de Miguel Ángel Rivas, continúa trabajando con regularidad en teatro, televisión y cine. Entre sus películas destacan *1919* (1983), de Antonio J. Betancor; *A solas contigo* (1990), de Eduardo Campoy*, y sobre todo *La blanca paloma* (1989), de Juan Miñón; *Vacas* (1991), *La ardilla roja* (1993) y *Tierra* (1996), de Julio Medem, y *El perro del hortelano* (1996), de Pilar Miró*.

SUÁREZ, Gonzalo *(Gonzalo Suárez Morilla. Oviedo, 1934)*

Estudia filosofía y letras, especialidad de filología francesa, en la Universidad de Madrid, pero le interesa más el trabajo en el TEU y en 1953 debuta como actor. Tras una etapa como profesional del teatro y una larga estancia en Francia, se instala en Barcelona y se convierte en un conocido cronista deportivo bajo el seudónimo Martin Girard. Por estas mismas fechas publica las novelas *De cuerpo presente* (1963), adaptada al cine por Antonio Eceiza*, *Rocabruno bate a Ditirambo* (1965), origen de algunas de sus películas, y los libros de cuentos *Los once y uno* (1964) y *Trece veces trece* (1964), dos de cuyos relatos son llevados al cine por Vicente Aranda* con guión de ambos. Después de rodar de forma independiente algunos originales mediometrajes en 16 mm, debuta en el largo dentro de un similar estilo realista-fantástico con *Ditirambo* (1967), *El extraño caso del doctor Fausto* (1969) y *Aoom* (1970), que nunca se estrena, que escribe, produce, dirige y protagoniza, pero no logra traspasar su personal estilo literario, su visión del mundo, al cine. El fracaso comercial de la trilogía le lleva a producciones más comerciales y menos originales, *Morbo* (1971), *Al diablo con amor* (1972), *La loba y la paloma* (1973), mientras publica la novela *Doble dos* (1974). Su decadencia cinematográfica le conduce a realizar *La regenta* (1974), *Beatriz* (1976) y *Parranda* * (1977), adaptaciones respectivas de Leopoldo Alas, Ramón del Valle-Inclán y Eduardo Blanco Amor,

que nada tienen que ver con él, pero con las que logra un cierto dominio del medio. Finalmente consigue la plasmación cinematográfica de su personal mundo en *Reina Zanahoria* (1978) y, sobre todo, *Epílogo* * (1984), donde retoma a sus viejos personajes Rocabruno y Ditirambo, y *Remando al viento* * (1988), que vuelven a tratar sobre los escritores y la escritura. Esto le conduce a unos claros excesos literarios en *Don Juan en los infiernos* (1991), *La reina anónima* * (1992), *El detective y la muerte* (1994), *Mi nombre es sombra* (1996), donde unos diálogos brillantes cubren las connotaciones visuales.

SUÁREZ, José *(José Suárez Sánchez. Trueba, Asturias, 1919-Moreda, Asturias, 1981)*

Mientras trabaja como revisor en los ferrocarriles asturianos llama la atención del realizador Gonzalo Delgrás, que viaja en busca de localizaciones para una nueva película, y le da un papel en *Altar mayor* (1943). Tras volver a actuar con Delgrás en *Tres onzas de oro* (1947), *Oro y marfil* (1947), *Viaje de novios* (1947), *La mujer de nadie* (1949), *El hombre que veía la muerte* (1949) y trabajar con algunos directores más, protagoniza *Brigada criminal* * (1950), de Ignacio F. Iquino*; *Ronda española* (1951), de Ladislao Vajda*; *Condenados* (1953), de Manuel Mur Oti*, *Crimen imposible* (1954), de César Ardavín*; *Once pares de* *botas* (1954), de Francisco Rovira Beleta*, etc. El éxito de *Calle Mayor** (1956), de J. A. Bardem*, donde realiza su mejor actuación al encarnar al irreflexivo Juan, le abre las puertas del mercado italiano, interviene en varias coproducciones durante el final de los años cincuenta y llega a protagonizar *El desafío* (La sfida, 1957), de Francesco Rosi. Durante la década de los sesenta prosigue su trabajo en coproducciones ítalo-españolas, cada vez de menor interés, entre las que destaca la serie de televisión *Cristóbal Colón* (Cristóforo Colombo, 1967), de Vittorio Cottafavi. Más interesado por la política y menos por el cine, sucesivamente es presidente de la Agrupación Sindical de Actores de Cine y de la Mutualidad Laboral de Artistas, y en 1971 es nombrado alcalde del pueblo asturiano Aller. No obstante, trabaja con regularidad hasta mediados de los setenta, pero cada vez en papeles de menor atractivo y longitud.

SUEÑO DEL MONO LOCO, EL (1989)

Lejos de sus habituales comedias, Fernando Trueba* rueda un extraño policiaco, basado en la novela homónima del francés Christopher Frank, en inglés, ambientado en París y con personajes norteamericanos, ingleses y franceses. Narra la fascinación que siente el guionista norteamericano Dan Gillis (Jeff Goldblum), que vive en París, recién separado

y con un hijo, por la joven hermana (Liza Walker) del debutante director británico (Dexter Fletcher) con quien comienza a trabajar. Esto le lleva no sólo a escribir el guión de una película y a trabajar con un director en quienes no cree, sino a entablar una compleja relación con ella que le hace descubrir que su hermano la emplea como cebo con el productor y con él. Una acumulación de sucesivos finales, el no muy claro juego de su representante, a pesar del buen trabajo interpretativo de Miranda Richardson, y un reparto en general no muy acertado, hacen que el resultado parezca más frío y desequilibrado de lo que en realidad es. En cualquier caso no se comprende el interés de Trueba* por rodar esta historia tan ajena a su mundo, sin el menor rastro de humor, que además incluye una escena fantástica final, que desorienta profundamente dentro de un relato realista.

Director: *Fernando Trueba*. Guionistas: *Fernando Trueba, Manuel Matji, Menno Meyjes*. Fotografía: *José Luis Alcaine*. Música: *Antoine Duhamel*. Intérpretes: *Jeff Goldblum, Miranda Richardson, Anemone, Dexter Fletcher, Daniel Ceccaldi, Liza Walker*. Producción: *Andrés Vicente Gómez para Iberoamericana Films Internacional*. Duración: *109 min*.

SUMMERS, Manuel *(Manuel Summers Rivero. Sevilla, 1935-Madrid, 1993)*

Hijo del pintor Francisco Summers y sobrino del dibujante

Serni, pertenece a una familia burguesa andaluza de origen inglés. Comienza a estudiar derecho, hace algunos cursos en la escuela de Bellas Artes de San Fernando de Madrid y, mientras trabaja como técnico en Televisión Española, publica chistes en el diario *Pueblo.* Su actividad como humorista gráfico es la más destacada de su personalidad, la que le lleva a colaborar en múltiples publicaciones, como *Hermano Lobo,* dirigir en su última etapa el famoso semanario de humor *La Codorniz* y trabajar hasta el final de su vida en el diario *ABC;* y también la base de las veinte películas que dirige, la mayoría sobre guiones propios, en sus casi treinta años de actividad profesional. Diplomado en dirección en el Instituto de Investigaciones y Experiencias Cinematográficas, ya en su práctica de fin de carrera, *El viejecito* (1959), se encuentra su peculiar sentido del humor, siempre teñido de negro, pero cada vez más reaccionario, que con mayor o menor intensidad aparece en sus películas. El éxito de su primer largometraje, *Del rosa al amarillo** (1963), una modesta producción que narra dos historias, una que se desarrolla entre adolescentes y otra entre ancianos, le lleva a realizar *La niña de luto* (1964) y *El juego de la oca* (1965), obras personales, pero lastradas por el exceso de chistes que jalonan su narración. Su mejor película es *Juguetes rotos** (1966), un documental crítico que cierra la prime-

ra parte de su obra, pues su fracaso le lleva a un cine más popular. Tanto *No somos de piedra* (1968) como *¿Por qué te engaña tu marido?* (1969) son típicas «comedias a la española», protagonizadas por Alfredo Landa*, que tienen gran éxito de público, pero ninguno de crítica. Su interés por los adolescentes le conduce a rodar *Adiós, cigüeña, adiós* (1971), sobre la aventura que para una quinceañera supone quedarse embarazada, cuyo éxito lleva al mismo equipo a rodar la continuación, *El niño es nuestro* (1975). Vuelve a insistir sobre temas similares en *Ya soy mujer* (1975) y *Mi primer pecado* (1976), que tienen una mayor carga erótica y algunos problemas con censura, así como en *Me hace falta un bigote** (1986), la más original y mejor de la serie, pero cuyo fracaso acaba con el ciclo. Sus restantes producciones carecen de interés, tanto se muevan en el terreno del falso documental como de la ficción. Su última obra personal es *Ángeles gordos** (1980), una coproducción con Estados Unidos que rueda en Nueva York. Cierra su muy irregular filmografía con *Sufre mamón* (1987) y *Suéltate el pelo* (1988), dos fallidos intentos de cine musical al servicio del grupo Hombres G, cuya alma es su hijo David Summers, que tienen una fuerte carga misógina.

SUR, EL *(1983)*

Tras los problemas de producción planteados en su anterior

Icíar Bollaín en *El sur,* de Víctor Erice

película *El espíritu de la colmena* (1973), suspensión del rodaje una semana antes de lo previsto y utilización de algunos planos indispensables de otras producciones, y diez años de silencio, Víctor Erice* parte del relato homónimo de Adelaida García Morales para hacer su segunda película, pero también para el productor Elías Querejeta*. Escribe un largo y excelente guión articulado en dos partes; la primera desarrolla en torno a la casa La Gaviota, situada en las afueras de una ciudad del norte de España, las complejas relaciones entre Estrella (Sonsoles Aranguren e Icíar Bollaín*), una niña primero de ocho años y luego de quince, y su padre el médico Agustín (Omero Antonutti) dentro de un contexto familiar de posguerra; la segunda, en un pueblecito del sur, prolonga la historia y expone las claves de su desarrollo. Con la perspectiva de una película de tres horas de duración, se realiza el rodaje y montaje de la parte norte, pero al ver que el resultado es una obra coherente de duración normal, Querejeta, de forma unilateral, decide suspender el rodaje en el sur. De manera que el resultado, a pesar de sus numerosos premios nacionales e internacionales y su éxito, sólo es un fragmento de un ambicioso proyecto frustrado. No obstante, se trata de una excelente película sobre el mundo de la infancia y la adolescencia, la complejidad de las relaciones paterno-filiales, la vida cotidiana en un perdido pueblo durante los años de la posguerra, con una brillante fotografía de José Luis Alcaine* y el descubrimiento de otras dos grandes actrices, la niña Sonsoles Aranguren y la jovencita Icíar Bollaín*, bien arropadas por Rafaela Aparicio, en el papel de la vieja criada Milagros, y Lola Cardona, en el de Julia, la madre.

Director: *Víctor Erice*. Guionista: *Víctor Erice*. Fotografía: *José Luis Alcaine*. Intérpretes: *Omero Antonutti, Sonsoles Aranguren, Icíar Bollaín, Lola Cardona, Rafaela Aparicio*. Producción: *Elías Querejeta (Madrid), Chlos Productions (París)*. Duración: *90 min.*

SURCOS *(1951)*

Tras el éxito de la moralizante *Balarrasa** (1950), José Antonio Nieves Conde* hace una de las grandes películas españolas, tanto por la dureza en la descripción del Madrid de la época, como por girar en torno al candente tema del estraperlo. Lo insólito es que, a pesar de costarle el cargo al director general de Cinematografía, por defenderla frente a *Alba de América* (1951), de Juan de Orduña*, y sufrir algunos cortes, se logra hacer y se exhibe con normalidad. Narra cómo una familia de campesinos, cansados de trabajar la tierra y pasar hambre, llega a Madrid en busca de un futuro mejor, pero las cosas no les pueden ir peor. El padre (José Prada) intenta tra-

bajar como *pipero* y de peón en una fábrica, pero es mayor para cambiar de profesión; el hijo mayor, Pepe (Francisco Arenzana), no tarda en ganar dinero con el estraperlo, pero muere en un ajuste de cuentas; la hija Antonia (Marisa de Leza) se coloca como criada, pero tras fracasar como cantante se convierte en la querida del poderoso estraperlista Chamberlain (Félix Dafauce); y sólo el hijo pequeño Manolo (Ricardo Lucía), tras ser despedido de una tienda de comestibles y vagar por la ciudad, comienza a hacer guiñol con un hombre y se enamora de su hija. Después de enterrar al hijo, los padres y la hija vuelven al pueblo, pero aquí falta una escena en la estación de Atocha, paralela a la primera, donde se cruzan con otra familia de campesinos que llega a Madrid en busca de fortuna. A pesar de las referencias directas al neorrealismo en el diálogo, poco tiene que ver con él en la medida que es un duro y eficaz melodrama sobre la desintegración de una familia, con la decadencia de la autoridad moral del padre frente al egoísmo mercantil de la madre, donde además los malos nunca son castigados.

Director: *José Antonio Nieves Conde*. Guionistas: *Natividad Zaro, Gonzalo Torrente Ballester, José Antonio Nieves Conde*. Fotografía: *Sebastián Perera*. Música: *Jesús García Leoz*. Intérpretes: *Luis Peña, Maruja Asquerino, Francisco Arenzana, Mari-*

José Prada, Francisco Arenzana, María Francés, Maruja Asquerino y Marisa de Leza
en *Surcos*, de José Antonio Nieves Conde

sa de Leza, Ricardo Lucía, José Prada, Félix Dafauce, María Francés. Producción: *Felipe Gerely y Francisco Madrid.* Duración: *95 min.*

SUS AÑOS DORADOS *(1980)*

Dentro de los límites de la denominada «comedia madrileña», Emilio Martínez-Lázaro* escribe, produce y dirige un documento social sobre los jóvenes de la época. Centrado en las relaciones entre María (Patricia Adriani*), una muchacha poco convencional que acaba de perder su empleo, y Luis (José Pedro Carrión), un joven casado, sin empleo y mantenido por su mujer, da una ajustada visión de los años de transición política. Apoyada en el diálogo, rodada en forma de cooperativa, como muchas producciones de la época, y con muchos más interiores que exteriores, es una comedia dramática que se resiente del desigual trabajo de sus actores.

Director y guionista: *Emilio Martínez-Lázaro.* Fotografía: *Porfirio Enríquez.* Música: *Suburbano.* Intérpretes: *José Pedro Carrión, Patricia Adriani, Marisa Paredes, Luis Politti, Pep Munné, Mireia Ross.* Producción: *Emilio Martínez-Lázaro.* Duración: *93 min.*

TAMAÑO NATURAL *(1973)*

Cansado de que la censura del general Franco prohíba sus proyectos, Luis G. Berlanga* hace, con una mayoría de capital francés, pero con los interiores rodados en Madrid, una amarga fábula con una fuerte carga misógina, ambientada en París. La historia del dentista de cuarenta y cinco años Michel (Michel Piccoli), especializado en niños, que vive plácidamente entre su mujer y su amante, rodeado de buenos amigos, pero un buen día compra una muñeca de tamaño natural y enloquece por ella, está basada en un excelente guión de Rafael Azcona* y el propio Berlanga*. Comienza en tono de comedia plácida, se convierte en tragicomedia cuando José Luis (Manuel Alexandre), el portero español del edificio, rapta y viola a la muñeca, y acaba en tragedia cuando Michel y la muñeca caen con su automóvil al Sena, él se ahoga y ella flota. A pesar de ser una de las grandes obras de su autor, tiene un éxito muy restringido, en el extranjero y en el momento de su realización por un equivocado lanzamiento como película casi pornográfica, cuando en realidad es todo lo contrario, y en España porque no se estrena hasta 1978, entre medias de un auténtico aluvión de producciones prohibidas durante los últimos años de la dictadura. Dejando a un lado su evidente interés, representa una película insólita dentro de la larga colaboración entre Azcona* y Berlanga* por ser la única que no es coral, tener sólo un protagonista y girar en torno a una relación sentimental, muy peculiar, pero sentimental al fin y al cabo. Asimismo es la única película de Berlanga*, junto con *Novio a la vista** (1953), que se mueve en una dirección muy diferente, donde aparece su obsesión por el

Michel Piccoli en *Tamaño natural*, de Luis G. Berlanga

erotismo, materia en la que es especialista.

Director: *Luis G. Berlanga.* Guionistas: *Rafael Azcona, Luis G. Berlanga.* Fotografía: *Alain Derobe.* Música: *Maurice Jarre.* Intérpretes: *Michel Piccoli, Rada Rassimow, Amparo Soler Leal, Queta Claver, Manuel Alexandre, Julieta Serrano.* Producción: *Jet Films (España), Uranus Productions (Francia), Verona Produzione (Italia).* Duración: *91 min.*

TAMAYO, Manuel *(Manuel Tamayo Castro. Madrid, 1917-Madrid, 1977)*

Autor de casi noventa guiones, durante los años cuarenta, al comienzo de su carrera, suele escribir a medias con Alfredo Echegaray, como en *Pepe Conde* (1941), de José López Rubio*; *Deliciosamente tontos* (1943), de Juan de Orduña*; *Te quiero para mí* (1944), de Ladislao Vajda*; *Pacto de silencio* (1949), de Antonio Román*, y *Locura de amor* (1948), de Juan de Orduña*. Más tarde es contratado por la productora catalana Emisora Films y pasa a colaborar con Julio Coll. Al final de la década de los cuarenta también dirige tres largometrajes: *Leyenda de Navidad* (1947), *Un hombre de mundo* (1949) y *Un soltero difícil* (1950). Prosigue su activo trabajo como coguionista, especialmente durante los años cincuenta y sesenta, en *Cañas y barro* (1954) y *Zalacaín, el aventurero* (1954), de Juan de Orduña*; *Tarde de toros** (1955), de Ladislao Vajda*; *El batallón de las sombras** (1956), de Manuel Mur Oti*; *¿Dónde vas Alfonso XII?* (1958), de Luis César Amadori*; *Aprendiendo a morir* (1961), de Pedro Lazaga*; *Nobleza baturra* (1965), de Juan de Orduña*, y *La novicia rebelde* (1972), de Luis Lucia*.

TARANTOS, LOS *(1963)*

Adaptación de la obra teatral *Historia de los Tarantos,* de Alfredo Mañas, que recrea el clásico *Romeo y Julieta,* de William Shakespeare, en ambiente gitano, convertida por Francisco Rovira Beleta* en un peculiar musical. El odio entre las familias gitanas rivales los Tarantos y los Zorongos y el amor entre sus respectivos miembros Rafael (Daniel Martín) y Juana (Sara Lezana) son el origen de una tragedia ambientada en Barcelona. Destacan muy en especial los bailes de Carmen Amaya, seguidos de los de Antonio Gades y Sara Lezana. El considerable éxito de este primer musical lleva a Rovira Beleta* a coescribir, producir y dirigir *El amor brujo* (1967), sobre la obra de Gregorio Martínez Sierra con música de Manuel de Falla, protagonizada por los bailarines La Polaca, Antonio Gades y Rafael de Córdoba. Con el título *Montoyas y Tarantos* (1989), Vicente Escrivá* coescribe, dirige y produce una nueva versión sin más interés

que la coreografía y la actuación de Cristina Hoyos.

Director: *Francisco Rovira Beleta.* Guionistas: *Alfredo Mañas, F. Rovira Beleta.* Fotografía: *Mássimo Dallamano.* Música: *Fernando García Morcillo, José Solá, Andrés Batista, Emilio Pujol.* Intérpretes: *Carmen Amaya, Daniel Martín, Sara Lezana, Antonio Gades, Margarita Lozano, Antonio Pietro.* Producción: *José G. Maesso para Tecisa Films y Films RB.* Duración: *92 min.*

TARDE DE TOROS *(1955)*

A medio camino entre el documental y la ficción se desarrolla esta producción que, como su nombre indica, gira en torno a una corrida de toros. Con una influencia muy clara de las producciones italianas del mismo tipo escritas y producidas por Sergio Amidei, su acción transcurre en unas cuantas horas y aprovecha los preparativos de los toreros, la corrida propiamente dicha, donde los diestros Antonio Bienvenida, Domingo Ortega y Enrique Vera lidian unas reses de Antonio Pérez Tabernero, y su final, para entrelazar algunas pequeñas historias a su alrededor. Correctamente realizada por el húngaro Ladislao Vajda*, tiene un gran éxito en su momento.

Director: *Ladislao Vajda.* Guionistas: *Manuel Tamayo, Julio Coll, José Santugini.* Fotografía: *Enrique Guerner.* Música: *José Muñoz Molleda.* Intérpretes: *Antonio Bienvenida, Domingo Ortega, Enrique Vera, Jorge Vico, Mariano Azaña.* Producción: *Chamartín.* Duración: *80 min.*

Domingo Ortega y Maruja Asquerino en *Tarde de toros*, de Ladislao Vajda

TASIO *(1984)*

Tomando como punto de partida su propio cortometraje *Carboneros de Navarra* (1981), el debutante Montxo Armendáriz* escribe y dirige con gran austeridad la historia de uno de los hombres que vive en los montes navarros de Urbasa, en el valle de las Amescoas. Con un conseguido tono de solemne drama rural, narra cómo el joven Tasio comienza a trabajar a los ocho años, a los catorce conoce a la que será su mujer, no tardan en casarse y tener una hija, y la vida pasa mientras fabrica carbón de leña, pesca y caza furtivamente, hasta que su hija le anuncia que va a casarse. Se trata de la mejor de las tres películas —las otras dos son *27 horas* (1986) y *Las cartas de Alou* (1990)— realizadas por Armendáriz* para el productor Elías Querejeta*.

Director y guionista: *Montxo Armendáriz*. Fotografía: *José Luis Alcaine*. Música: *Ángel Illarramendi*. Intérpretes: *Patxi Bisquert, Amaia Lasa, Nacho Martínez, José María Asín, Paco Sagarzazu*. Producción: *Elías Querejeta P.C.* Duración: *96 min.*

TATA MÍA *(1986)*

Dada la poca asiduidad con que José Luis Borau* realiza películas, trata de que se parezcan entre sí lo menos posible, de cambiar de estilo y género en cada una de ellas. Tras su compleja aventura norteamericana que da como resultado *Río bajo* (1974), una historia ambientada en la frontera entre México y Estados Unidos más cercana a un telefilm que a la serie B, vuelve a

España para realizar su primera y espléndida comedia. Sobre guión propio, como suele ser habitual en él, narra cómo Elvira Goicoechea (Carmen Maura*), hija de un general franquista caído en desgracia tras la guerra española, se escapa del convento de monjas, donde profesó siendo casi una niña, para encontrarse con un país que muy poco tiene que ver con el que recuerda. Va a buscar a su querida tata (Imperio Argentina*) y, respaldada por ella, se instala en la madrileña casa familiar para enfrentarse con su hermano Alberto (Miguel Rellán), empeñado en que vuelva al convento; su vecino Teo (Alfredo Landa*), que trata de revivir su infancia; el británico Peter (Xabier Elorriaga*), que intenta enamorarla para que le dé documentos inéditos para la biografía que escribe sobre su padre, y las monjas de su convento, que quieren que vuelva con ellas para no perder su dote. A medio camino entre la aventura personal interior, el enfrentamiento con unas nuevas condiciones de vida y la metáfora sobre la situación de España tras el período de transición política, se sitúa una sutil y hábil comedia que enlaza con la mejor tradición nacional. Entre el amplio y brillante reparto destaca el trabajo de Carmen Maura*, Alfredo Landa* y Miguel Rellán.

Director y guionista: *José Luis Borau*. Fotografía: *Teo Escamilla*. Música: *Jacobo Durán-Loriga*. Intérpretes: *Carmen Maura, Alfredo Landa, Imperio Argentina, Xabier Elorriaga, Miguel Rellán, Marisa Paredes, Julieta Serrano*. Producción: *José Luis Borau para El Imán, Isasi Producciones*. Duración: *106 min.*

TEBAR, Juan *(Juan Tebar López-Cortón. Madrid, 1941)*

Su interés por el cine le lleva a estudiar dirección en la Escuela Oficial de Cinematografía y a colaborar en diferentes revistas especializadas: *Griffith, Fotogramas*. Desde mediados de los años sesenta escribe gran cantidad de guiones, tanto adaptaciones como originales, para Televisión Española. Esto le hace colaborar en los guiones de *La residencia* (1969), de Narciso Ibáñez Serrador; *Un casto varón español* (1973), *El amor del capitán Brando** (1974) y *¡Jo, papá!* (1975), de Jaime de Armiñán*; *Ceremonia sangrienta* (1973), de Jorge Grau*; *Emilia, parada y fonda* (1976), de Angelino Fons*; *Al fin solos, pero...* (1976), de Antonio Giménez-Rico*, e *In memoriam** (1977), de Enrique Brasó*. Posteriormente dirige programas radiofónicos, escribe y realiza series de televisión, publica novelas y rueda uno de los episodios de la producción colectiva *Cuentos eróticos* (1979).

TEIXEIRA, Virgilio *(Virgilio Gomes Delgado Teixeira. Funchal, Madeira, Portugal, 1917)*

Su fama como deportista le vale a comienzos de los años cuarenta un contrato para trabajar como actor de cine. Tras siete películas portuguesas, se introduce en el cine español gracias a la coproducción *La mantilla de Beatriz* (1946), de Eduardo G. Maroto*. Durante unos años interviene tanto en producciones portuguesas como españolas, pero a principios de la década de los cincuenta es contratado en exclusiva por Cifesa y pasa a protagonizar, siempre doblado, *Agustina de Aragón* (1950), *La leona de Castilla* (1951), *Cañas y barro* (1954) y *Zalacaín, el aventurero* (1954), de Juan de Orduña*; *Lola la Piconera* (1951) y *La hermana Alegría* (1954), de Luis Lucia*. Posteriormente hace papeles secundarios en superproducciones norteamericanas rodadas en España *Alejandro el Magno* (Alexander the Great, 1956), de Robert Rossen; *Simbad y la princesa* (The Sevent Voyage of Sinbad, 1958), de Nathan Juran; *Salomón y la reina de Saba* (Solomon and Sheba, 1959), de King Vidor; *El Cid* (1961), de Anthony Mann; *Doctor Zhivago* (1965), de David Lean, etc. Retirado a finales de los sesenta, durante los ochenta hace algunas intervenciones secundarias en televisión y cine portugués.

TÍA TULA, LA *(1964)*

Personal adaptación de la novela homónima de Miguel de Unamuno que constituye el brillante debut como realizador de Miguel Picazo*. A través de las relaciones entre la solterona Tula (Aurora Bautista*) y su cuñado Ramiro (Carlos Estrada), que acaba de quedarse viudo, se hace un riguroso retrato de una mujer llena de frustraciones sexuales, religiosas e ideológicas. Asimismo recrea con fuerza la triste y aburrida vida en las capitales de provincia durante la década de los sesenta. Encierra una de las mejores actuaciones de Aurora Bautista* y es la mejor película de la irregular y corta filmografía de Picazo*. Desde una perspectiva muy diferente, vuelve a contar otra historia llena de erotismo que también se desenvuelve en un ambiente provinciano en *Los claros motivos del deseo* (1977).

Director: *Miguel Picazo.* Guionistas: *José Miguel Hernán, Luis Sánchez Enciso, Manuel López Yubero, Miguel Picazo.* Fotografía: *Juan Julio Baena.* Música: *Antonio Pérez Olea.* Intérpretes: *Aurora Bautista, Carlos Estrada, Mari Loli Cobo, Carlos Sánchez, Enriqueta Carballeira.* Producción: *Eco Films, Surco Films.* Duración: *114 min.*

TIEMPO DE SILENCIO *(1986)*

Gran especialista en la adaptación de novelas españolas contemporáneas, Vicente Aranda* en esta ocasión emprende la empresa casi imposible de trasladar a la pantalla la compleja y famosa novela homónima del malogrado Luis Martín Santos,

Aurora Bautista en *La tía Tula,* de Miguel Picazo

pero gracias a su habilidad consigue un producto de gran interés donde sólo pueden encontrarse algunos fallos de ambientación. La complicada historia, desarrollada a finales de los duros años cuarenta en Madrid, que une a Pedro (Imanol Arias*), un médico que hace investigaciones con cobayas; la joven Dorita (Victoria Abril*), que aspira a casarse por amor a pesar de la tradición familiar; el chabolista Muecas (Francisco Rabal*), liado con su hija Florita (Diana Peñalver) y suministrador de las cobayas; Matías (Juan Echanove*), el hijo de familia bien obsesionado por el sexo y su madre (Charo Ló-

pez*), con otros personajes característicos de la época, no sólo encuentra un justo equivalente cinematográfico, sino que está muy bien narrada y tiene una fuerza similar a la encerrada en la novela. Colaboran en el resultado final tanto el hábil guión y la eficaz dirección de Aranda* como el amplio y sólido reparto y la buena fotografía de Juan Amorós*.

Director: *Vicente Aranda*. Guionistas: *Vicente Aranda, Antonio Rabinat*. Fotografía: *Juan Amorós*. Intérpretes: *Imanol Arias, Victoria Abril, Charo López, Francisco Rabal, Juan Echanove, Francisco Algora, Joaquín Hinojosa*. Producción: *Lola*

Films, Morgana Films. Duración: *110 min.*

TIERNO VERANO DE LUJURIAS Y AZOTEAS *(1993)*

A partir de la novela *La última palabra,* de Pablo Solozábal, convertida en guión por Salvador Maldonado* y el propio realizador, Jaime Chávarri* rueda una divertida comedia erótica que encierra atractivos materiales dispersos. Narra cómo Pablo (Gabino Diego*), un muchacho recién llegado de Rusia, hijo de los famosos niños de la guerra española, que habla un barroco castellano más aprendido en los clásicos que en la calle, está obsesionado por conquistar a su atractiva y madura prima Olga (Marisa Paredes*), mientras ella está a punto de estrenar una versión veraniega de *El sueño de una noche de verano,* de William Shakespeare. Construida en torno a una cena y una comida, donde poco se come, pero se habla mucho, está apoyada en dos *flash-back,* uno ambientado en Rusia y otro en París, en dos recuerdos, que marcan el tono erótico de la película, con que el seductor trata de seducir a su amada. Mientras la historia madrileña funciona a la perfección, con un eficaz desarrollo en la plaza de la Paja, la rusa y la parisina no logran elevarse a la misma altura por la falta de medios y la premura con que han sido realizadas. También tiene interés, y está perfectamente integrada en el conjunto, la relación entre Olga y el director teatral Doria (Imanol Arias*), que es el contrapunto adecuado, el perfecto colofón para la historia entre los primos.

Director: *Jaime Chávarri.* Guionistas: *Salvador Maldonado, Jaime Chávarri.* Fotografía: *José Luis López Linares.* Música: *Alejandro Massó.* Intérpretes: *Marisa Paredes, Gabino Diego, Imanol Arias, Ana Álvarez, Laura Bayonas.* Producción: *Alfredo Matas para Jet Films, Sogetel.* Duración: *110 min.*

TIGRES DE PAPEL *(1977)*

Aparte de sus valores propios, tiene un doble interés. Primero por ser el origen de la denominada «comedia madrileña», que durante el final de los años setenta y la primera mitad de los ochenta da lugar a algunas divertidas producciones sobre problemas de personas separadas, o a punto de estarlo, cercanas a los treinta años, rodadas en cotidianos interiores naturales y básicamente apoyadas en el diálogo. Y segundo por rodarse con *sonido directo,* frente a la práctica habitual del doblaje, y su éxito y el del todo el subgénero que genera condicionan que se ponga de moda, lo que supone un importante avance técnico para el cine español. Las pequeñas anécdotas de varias parejas jóvenes, centradas en una de ellas, durante la etapa de las primeras elecciones legis-

Joaquín Hinojosa, Carmen Maura y Miguel Arribas en *Tigres de papel,*
de Fernando Colomo

lativas celebradas después de la larga dictadura del general Franco, da lugar a una eficaz crónica de la vida cotidiana. Rodada en largos planos y apoyada en el diálogo, muestra a Fernando Colomo* como un eficaz guionista, productor y realizador.

Director y guionista: *Fernando Colomo*. Fotografía: *Ángel Luis Fernández*. Música: *Tomasso Albinoni*. Intérpretes: *Miguel Arribas, Carmen Maura, Joaquín Hinojosa, Pedro Díaz del Corral, Concha Gregori, Félix Rotaeta, Emma Cohen*. Producción: *Fernando Colomo para La Salamandra*. Duración: *97 min*.

TIRANO BANDERAS *(1993)*

Tras su discutible versión de *Divinas palabras* (1987), José Luis García Sánchez* vuelve a adaptar una obra de Ramón María del Valle-Inclán, pero consigue mucho mejores resultados. En gran parte se deben a la buena versión escrita por Rafael Azcona* y él de la tan barroca y literaria como poco cinematográfica novela original. Situada la acción en la imaginaria Santa Fe de Tierra Firme, capital de un país latinoamericano, a comienzos de siglo, narra el último día de la vida del dictador Santos Banderas (Gian Maria Volonté): el enfrentamiento con el líder político de la oposición Roque Cepeda (Omar Valdés), el embajador español barón de Benicarlés (Javier Gurruchaga) y el coronel unido a los rebeldes Domiciano de la Gándara (Ignacio López Tarso), y cómo la muerte le llega de la mano del indio Zacarías (Patricio Contreras) en una compleja sucesión de hechos en los que también intervienen el adulador Nacho Veguillas (Juan Diego*), la prostituta Lupita «La romántica» (Ana Belén*) y el prestamista Quintín Pereda (Fernando Guillén). Rodada en largos y simples planos, pero que encierran el barroquismo del trópico, se trata de una cara y compleja coproducción, rodada en Cuba y México, entre España, Cuba y México, con un amplio y eficaz reparto latinoamericano a cuya cabeza se sitúa el italiano Gian Maria Volonté, que hace una personal y gran creación del tirano Banderas, a la que sólo puede reprochársele una excesiva frialdad, una distancia demasiado grande con la locura que destila el universo reflejado.

Director: *José Luis García Sánchez.* Guionistas: *Rafael Azcona y José Luis García Sánchez.* Fotografía: *Fernando Arribas.* Música: *Emilio Kauderer.* Intérpretes: *Gian Maria Volonté, Ignacio López Tarso, Javier Gurruchaga, Fernando Guillén, Ana Belén, Juan Diego.* Producción: *Víctor Manuel San José y Andrés Vicente Gómez para Ion Films, Iberoamericana Films Producción, Producciones Reunidas Audiovisuales, Luz Directa, I.C.A.I.C. (Cuba), Cinematográfica del Prado (México).* Duración: *90 min.*

Fernando Guillén y Javier Gurruchaga en *Tirano Banderas,* de José Luis García Sánchez

TODO ES POSIBLE EN GRANADA
(1954)

Los amores entre Margaret (Merle Oberon), la presidenta de una compañía norteamericana que llega a Andalucía para comprar unas tierras que contienen uranio, y Fernando (Francisco Rabal*), el único propietario que se niega a vender sus tierras porque cree que en ellas se esconde el tesoro del último rey moro de Granada, dan lugar a una de las mejores películas de José Luis Sáenz de Heredia*. Escrita por él en colaboración con el guionista Carlos Blanco*, se trata de una comedia romántica que funciona con eficacia, a pesar de la desigual fotografía de Ted Pahle por culpa de las escenas rodadas con el irregular procedimiento de patente nacional Cinefotocolor. En 1981 Rafael Romero-Marchent* dirige una nueva versión sin el más mínimo interés, protagonizada por el cantante Manolo Escobar.

Director: *José Luis Sáenz de Heredia*. Guionistas: *José Luis Sáenz de Heredia, Carlos Blanco*. Fotografía: *Ted Pahle*. Música: *Ernesto Halffter*. Intérpretes: *Merle Oberon, Francisco Rabal, Peter Damon, Rafael Bardem, Félix Dafauce, José Isbert*. Producción: *José Luis Sáenz de Heredia para Chapalo Films*. Duración: 98 *min.*

TODOS A LA CÁRCEL *(1993)*

Tras un paréntesis de seis años, el mayor de su filmografía, en buena medida motivado por los problemas económicos que encuentra el proyecto «Nacional IV» y la repentina muerte de Luis Escobar, su protagonista, Luis G. Berlanga vuelve a dirigir una de sus mejores y más caóticas comedias. A pesar de no contar como coguionista con Rafael Azcona, con quien trabajaba desde hace treinta años, y escribir el guión a medias con su debutante hijo Jorge Berlanga, el resultado se mueve en la misma línea de humor crítico que le caracteriza, tiene múltiples concomitancias con *La escopeta nacional** (1977) y una vez más vuelve a contar la historia de una frustración. Desarrollada íntegramente en la cárcel modelo de Valencia, narra cómo durante la celebración del Día Internacional del Preso de Conciencia, bajo el lema «Todos a la cárcel», un acto organizado para reunir durante un día a antiguas víctimas de la represión franquista, hoy en el poder, el modesto empresario Artemio Bermejo (José Sazatornil) trata de cobrar los ochenta millones de pesetas que le adeuda la administración, y el banquero César Muñagorri (Juan Luis Galiardo) de liberar a su amigo el milanés Tornicelli (Torrebruno) relacionado con la Banca Vaticana. Mientras la celebración cada vez se complica más, tanto por la falta de quienes habían anunciado su asistencia y la muerte del padre Rebollo (José Luis López Vázquez), como por el egoísmo de todos los que participan en ella y el motín organiza-

Marta Fernández-Muro y José Sacristán en *Todos a la cárcel*, de Luis G. Berlanga

do por los presos, el banquero consigue fugarse de la cárcel con la ayuda de las fuerzas de seguridad estatales, pero el empresario desiste en su intento de cobrar lo que le debe el Ministerio. Rodada en largos, complejos y eficaces planos con gran cantidad de personajes moviéndose en ellos, Berlanga consigue ordenar el caos que maneja y hacer una divertida comedia crítica con elementos extraídos de la más actual realidad política.

Director: *Luis G. Berlanga*. Guionistas: *Jorge Berlanga, Luis G. Berlanga*. Fotografía: *Alfredo Mayo*. Música: *Luis Mendo, Bernardo Fuster*. Intérpretes: *José Sazatornil «Saza», José Sacristán, Marta Fernández-Muro, Juan Luis Galiardo,* *Agustín González, Manuel Alexandre, Chus Lampreave, Guillermo Montesinos.* Producción: *José Luis Olaizola, Fernando Garcillán, José Ferrandiz para Sogetel, Centro de Producciones Audiovisuales, Antea Films.* Duración: *100 min.*

TODOS SOMOS NECESARIOS
(1956)

Siempre atraído por el cine que tiene algo de denuncia social, en esta ocasión José Antonio Nieves Conde* parte de un guión suyo y de F. González Aller para relatar una situación extrema. La historia de tres ex presidiarios que viajan en un tren que queda detenido por la nieve, encuentran la oposición de la mayoría de los viajeros cuando descubren su condición y uno de ellos, médico pero privado del derecho a ejercer su profesión, se ve obligado a hacer una operación de urgencia con los materiales que encuentra a mano, resulta tan característica de la época como irregular y desafinado el canto de solidaridad que encierra. Junto a la atinada dirección de Nieves Conde*, destaca el trabajo de un Alberto Closas* recién llegado de Argentina en el papel del médico.

Director: *José Antonio Nieves Conde*. Guionistas: *F. González Aller, José Antonio Nieves Conde*. Fotografía: *Francisco Sempere*. Música: *Miguel Asins Arbó*. Intérpretes: *Alberto Closas, Folco Lulli, José Marco Davó, Ferdinand Antón, Josefina Kipper, Mirella Uberti, Lida*

Baarova. Producción: *Hispano-Italiana*. Duración: *86 min*.

TORMENTO *(1974)*

A mediados de la década de los setenta el realizador Pedro Olea* rueda una importante trilogía sobre Madrid para el productor José Frade*. Tras el éxito de esta adaptación de la novela homónima de Benito Pérez Galdós, rueda *Pim, pam, pum... ¡fuego!* (1975), sobre un guión original de Rafael Azcona* y suyo, en torno a la relaciones entre una corista, un maqui y un estraperlista en la más dura posguerra, y más tarde *La Corea* (1976), sobre el submundo de homosexuales, prostitutas y chu-

Francisco Rabal y Ana Belén en *Tormento,* de Pedro Olea

los del Madrid de la época. Aprovechando el deterioro de las relaciones Iglesia-Estado que caracteriza el final de la larga dictadura del general Franco, narra los amores de la atractiva joven Amparo (Ana Belén*) con el maduro indiano Agustín (Francisco Rabal*) y el padre Pedro (Javier Escrivá*) en el Madrid de finales del siglo XIX. Rodada con cierta amplitud de medios, un buen reparto y una cuidada ambientación, es la mejor película de la trilogía y una de las obras más conocidas de Pedro Olea*.

Director: *Pedro Olea.* Guionistas: *Ricardo López Aranda, José Frade, Pedro Olea, Ángel María de Lera.* Fotografía: *Fernando Arribas.* Música: *Carmelo Bernaola.* Intérpretes: *Ana Belén, Francisco Rabal, Javier Escrivá, Concha Velasco, Rafael Alonso.* Producción: *José Frade P. C.* Duración: *93 min.*

TORRADO, Ramón *(Ramón Torrado Estrada. La Coruña, 1905)*

Su éxito como pintor y su amistad con el productor Cesáreo González* le llevan a trabajar en cine primero como decorador y más tarde como jefe de producción, guionista y director. Interesado por un cine comercial sin pretensiones, rueda unos cincuenta largometrajes en treinta y

Fernando Fernán-Gómez en *Nadie lo sabrá*, de Ramón Torrado

cuatro años de profesión, pero sólo en muy escasas ocasiones alcanza el éxito. Debuta con la historia de fútbol *¡Campeones!* (1942), y logra su mayor triunfo con *Botón de ancla* (1947), lo que le lleva a repetir la misma fórmula en *La trinca del aire* (1951), otra comedia construida sobre una sólida base de propaganda militar. Dentro del más característico cine folclórico de la época dirige *Castañuela* (1945), *Debla, la virgen gitana* (1950), *La niña de la venta* (1951), *La estrella de Sierra Morena* (1952), *La alegre caravana* (1953), *Suspiros de Triana* (1955), *Curra Veleta* (1955) y *María de la O* (1958), protagonizadas por Lola Flores* o Paquita Rico*. Otro de sus éxitos es *Fray Escoba* (1961), biografía de fray Martín de Porres, que le lleva a volver a trabajar con el actor cubano de color René Muñoz en *Cristo negro* (1962) y *Bienvenido, padre Murray* (1963), dentro del mismo tipo de cine religioso. La moda de los *spaghetti-western* le hace rodar algunos de los peores bajo el seudónimo Raymond Torrad. Sus últimos triunfos los obtiene con *Mi canción es para ti* (1965), *Un beso en el puerto* (1966) y *El padre Manolo* (1966), muy mediocres musicales al servicio del cantante Manolo Escobar. Su última película es *Guerreras verdes* (1976), una historia ambientada en los años treinta en la serranía de Córdoba a mayor gloria de la guardia civil.

TORRE DE LOS SIETE JOROBADOS, LA *(1944)*

A mediados de los años cuarenta, el brillante Edgar Neville* escribe, produce parcialmente y dirige una interesante trilogía de películas policiacas de ambiente madrileño. Comienza con esta adaptación de una novela de Emilio Carrere y prosigue con las más interesantes y personales *Domingo de carnaval** (1945) y *El crimen de la calle de Bordadores** (1946), sobre guiones originales suyos. A medio camino entre lo policiaco y lo fantástico, en esta primera entrega de la trilogía narra cómo en el Madrid de finales del siglo XIX el modesto joven Basilio Beltrán (Antonio Casal*) es elegido por el difunto arqueólogo Robinson de Mantua (Félix de Pomés*) para investigar su propia muerte y defender a su bella hija Inés (Isabel de Pomés*) del peligro en que se encuentra. Esto le lleva a descubrir una torre subterránea, una vieja y clandestina sinagoga construida bajo la plaza de la Paja por los judíos para esconder su oro en tiempos remotos, donde algunos siniestros jorobados se dedican a falsificar papel moneda bajo la dirección del doctor Sabatino (Guillermo Marín*).

Director: *Edgar Neville*. Guionistas: *José Santugini, Edgar Nevi-*

Guillermo Marín, Isabel de Pomés y Antonio Casal en *La torre de los siete jorobados*, de Edgar Neville

lle. Fotografía: *Enrique Barreyre.* Música: *Maestro Azagra.* Intérpretes: *Antonio Casal, Isabel de Pomés, Guillermo Marín, Julia Lajos, Félix de Pomés.* Producción: *Luis Judez para J Films, Germán López para España Films.* Duración: *90 min.*

TORRENT, Ana *(Ana Torrent Bertrán-Delís. Madrid, 1966)*

Descubierta a los siete años por Víctor Erice* cuando busca protagonista para su excelente *El espíritu de la colmena** (1973), posteriormente trabaja con Carlos Saura* en papeles similares en *Cría cuervos...** (1975) y *Elisa, vida mía** (1976). Tras intervenir en *Operación Ogro** (1979), de Gillo Pontecorvo, realiza su mejor interpretación al encarnar a la enamoradiza Goyita en *El nido** (1980), de Jaime de Armiñán*. Posteriormente, y tras estudiar arte dramático en diferentes lugares, prosigue una carrera irregular, en la medida que trabaja poco, pero en películas interesantes: *Los paraísos perdidos** (1985), de Basilio M. Patino*; *Sangre y arena* (1989), de Javier Elorrieta*; *Amor y deditos del pie* (1991), de Luis Felipe Rocha; *Vacas** (1991), de Julio Medem; *Entre rojas* (1995), de Azucena Rodríguez, y *Tesis* (1996), de Alejandro Amenábar.

TORRES, Ricardo *(Ricardo Torres Núñez. Granada, 1911)*

Desde muy joven trabaja como

reporter gráfico para diferentes diarios madrileños. Interesado por el cine, reparte su actividad entre técnico de laboratorio y segundo operador. Debuta como director de fotografía con los famosos cortos de Eduardo G. Maroto* *Una de fieras* (1934), *Una de miedo* (1935), *Y ahora... una de ladrones* (1935). Durante la guerra española se incorpora al Departamento Nacional de Cinematografía. En la posguerra hace la fotografía de *Vidas confusas* (1947) y *Siempre vuelven de madrugada* (1948), de Jerónimo Mihura*; *La mies es mucha* (1949), de José Luis Sáenz de Heredia*, y *39 cartas de amor* (1949), de Francisco Rovira Beleta*. Entre sus películas posteriores destacan *Cómicos* (1954), de J. A. Bardem*; *El malvado Carabel* (1955), *La vida por delante* (1958) y *Sólo para hombres* (1960), de Fernando Fernán-Gómez*. En la última parte de su filmografía trabaja especialmente con Ramón Torrado* en *Fray Escoba* (1961), *Cristo negro* (1962), *Bienvenido, padre Murray* (1963), *Relevo para un pistolero* (1964), *Los cuatreros* (1965) y *La carga de la Policía Montada* (1965).

TRAMPOSOS, LOS *(1959)*

Entre finales de los años cincuenta y principios de los sesenta, el prolífico Pedro Lazaga* dirige ocho producciones, la mayoría comedias, para el guionista y productor José Luis Dibildos*. La mejor es esta, porque más allá de su simple moraleja (cómo dos sinvergüenzas se convierten en honorables oficinistas gracias a la influencias de dos amigas), da una clara visión del Madrid de la época y encierra algunos divertidos timos, desde el clásico *tocomocho*, el más vulgar de la rifa falsa, hasta los imaginativos de la pierna escayolada o la zanja en la calle. Sin olvidar que cuando Virgilio (Tony Leblanc*) y Paco (Antonio Ozores) deciden hacerse decentes, pasan de vender su propio esqueleto, litros de sangre y libros de heráldica, a crear la agencia de viajes Virpa para llevar a los incipientes turistas de la época a entierros y tascas. Siempre a través de los largos, eficaces y descriptivos planos de Lazaga, al final, cada uno en su correspondiente Biscuter de lujo, con sus respectivas novias Julita (Conchita Velasco*) y Katy (Laura Valenzuela*), enfilan la desierta carretera de La Coruña para disfrutar de un futuro mejor gracias al turismo.

Director: *Pedro Lazaga*. Guionista: *José Luis Dibildos*. Fotografía: *Manuel Merino*. Música: *Antón García Abril*. Intérpretes: *Tony Leblanc, Conchita Velasco, Antonio Ozores, Laura Valenzuela, José María Rodero, José Luis López Vázquez*. Producción: *José Luis Dibildos para Ágata Films*. Duración: *88 min*.

TRASTIENDA, LA *(1975)*

En la segunda mitad de la década de los setenta, Jorge Grau* dirige para el productor

462

José Frade* cuatro irregulares películas que tratan de aprovechar la permisividad de la nueva situación política. Tras la anodina comedia *El secreto inconfesable de un chico bien* (1975) y antes de las eróticas *La siesta* (1976) y *Cartas de amor de una monja* (1978), hace esta producción que no tarda en convertirse en uno de los grandes éxitos del cine español. En Pamplona, durante las fiestas de san Fermín, narra las relaciones entre el serio doctor Navarro (Frederick Stafford), su enfermera Juana Ríos (María José Cantudo*) y su atractiva mujer Lourdes Echave (Rosanna Schiaffino). Más allá del documental sobre las famosas fiestas populares, su éxito se debe a mostrar el primer desnudo frontal del cine español, una María José

Cantudo* apoyada en el sombrío marco de una puerta, y a que el protagonista es un intransigente miembro del Opus Dei.

Director: *Jorge Grau.* Guionistas: *Alfonso Jiménez Romero, Jorge Grau.* Fotografía: *Fernando Arribas.* Intérpretes: *María José Cantudo, Frederick Stafford, Rosanna Schiaffino, Ángel del Pozo.* Producción: *José Frade P. C.* Duración: *99 min.*

TRAVIESA MOLINERA, LA *(1934)*
Después de su aventura norteamericana, de las ocho interesantes películas que rueda en Hollywood entre finales del período mudo y comienzos del sonoro, el vasco Harry D'Abbadie D'Arrast realiza en España una excelente versión de la conocida novela de Pedro Antonio de Alarcón *El sombrero de tres picos.* Sobre

La traviesa molinera, de Harry D'Abbadie D'Arrast

guión suyo y de Edgar Neville*, y según la costumbre de la época, se ruedan simultáneamente tres versiones, una castellana con Santiago Ontañón en el papel del molinero, otra francesa con Víctor Vasconi en el mismo cometido y otra inglesa también con el mismo protagonista, y Hilda Moreno como la molinera y Eleanor Boardman como la corregidora en las tres versiones. En 1934 el italiano Mario Camerini rueda otra versión de la misma novela con el título *Il capello a tre punte*, protagonizada por Eduardo de Filippo, Leda Gloria y Peppino de Filippo, considerada como una de sus mejores películas. Posteriormente Juan Bustillo Oro dirige la producción mexicana *El sombrero de tres picos* (1943) con Joaquín Pardavé, Sofía Álvarez y Bernardo Sancristóbal. Y el argentino León Klimovsky* realiza la producción española *La pícara molinera* (1965) con Carmen Sevilla*, Francisco Rabal* y Mischa Auer.

Director: *Harry D'Abbadie D'Arrast*. Guionistas: *Harry D'Abbadie D'Arrast, Edgar Neville*. Fotografía: *Jules Kruger*. Música: *Rodolfo Halffter*. Intérpretes: *Santiago Ontañón, Hilda Moreno, Eleanor Boardman*. Producción: *Harry D'Abbadie D'Arrast para Exclusivas Diana (Madrid), United Artists (Hollywood)*.

TRISTANA

Las relaciones entre el viejo caballero librepensador don Lope (Fernando Rey*) y su sobrina huérfana Tristana (Catherine Deneuve), entre los que se interpone el joven pintor Horacio (Franco Nero), basadas en la novela homónima de Benito Pérez Galdós, dan origen a una de las mejores obras de Luis Buñuel*, sobre excelente guión de Julio Alejandro* y suyo, pero también a una de las películas donde más se come, se hacen constantes referencias a la comida y se guisa en repetidas ocasiones. El campanero (Juan Calvo) cocina unas migas sin chorizo y sin huevo, que denomina comida de pobres, pero gustan mucho a Tristana. En los peores momentos económicos de don Lope, su criada Saturna (Lola Gaos) les sirve un huevo pasado por agua, acelgas y vino y, tras una leve discusión, ella se come el huevo y él las acelgas. Tristana queda embelesada al tratar de apreciar las diferencias entre dos garbanzos cuando come cocido. Don Lope y don Cosme (Antonio Casas) salen de un restaurante donde han comido ricas perdices. En plena decadencia moral, don Lope merienda chocolate cremoso y espesito con picatostes y azucarillos con tres curas. Mientras Saturna muele café en un típico molinillo manual, guisa judías verdes con patatas y prepara manzanas asadas. Horacio seduce a Tristana a base de café y ensaimadas. Don Lope brinda con champaña por la muerte de su beata y tacaña hermana ante

Catherine Deneuve en *Tristana,* de Luis Buñuel

unos restos de naranja y café humeante. Sin olvidar que don Lope compra *marrons glacés* para Tristana, en la boda de ambos hay una rica tarta y Tristana, ya coja y desde su silla de ruedas, juega con el sordomudo a la barquillera y gana unos cuantos barquillos. Estos detalles sirven para humanizar las turbulentas relaciones entre el anticlerical rentista don Lope y su protegida, amante y finalmente mujer Tristana, en el Toledo de los años veinte, pero cumplen su propósito, dado que el problema de Luis Buñuel* siempre ha sido deshumanizar en exceso a sus personajes. En esta ocasión, por ejemplo, Horacio trae desde Barcelona hasta Toledo a un payés con su traje típico y su barretina para que le sirva de modelo en uno de sus cuadros; y don Lope es una genial caricatura, pero caricatura al fin, del propio Buñuel*; mientras los personajes femeninos, tanto Tristana como Saturna, resultan mucho más auténticos, pero tienen menos peso en el desarrollo de la acción y se limitan a dejarse llevar por ella.

Director: *Luis Buñuel.* Guionistas: *Luis Buñuel, Julio Alejandro.* Fotografía: José Aguayo. Intérpretes: *Catherine Deneuve, Fernando Rey, Franco Nero, Lola Gaos, Antonio Casas.* Producción: *Época Films (Madrid), Talia Films (Madrid), Selenia Cinematografica (Roma),*

Les Films Corona (París). Duración: 96 min.

TRUCHAS, LAS (1977)

Después de dos intentos frustrados, *El love feroz* (1972) y *Colorín colorado* (1976), de introducir un contenido diferente en la denominada «comedia española», José Luis García Sánchez* casi lo consigue con esta producción, que gana un Oso de Oro en el Festival de Berlín, llena de su virulento, socarrón, negro y demasiado fácil humor. La celebración de la comida anual de una sociedad de pescadores de caña para entregar sus premios, le sirve para construir un irregular esperpento con características de fábula, pero recuerda demasiado a *El ángel exterminador* (1962) de Luis Buñuel*, hay demasiado desbarajuste en el comportamiento de los sesenta protagonistas y la multitud de extras en el único decorado donde se desarrolla la acción, una famosísima sala de fiestas de los primeros años de la posguerra. La moraleja reside en que, mientras los socios con las cuotas al día se envenenan con las truchas que ellos mismos han pescado, sin aceptar que están en mal estado ni atreverse a salir del local, los empleados se marchan sin dificultad del restaurante donde se celebra el tumultuoso y catastrófico almuerzo.

Director: *José Luis García Sánchez.* Guionistas: *Manuel Gutiérrez*

Aragón, José Luis García Sánchez, Luis Megino. Fotografía: *Magi Torruella.* Música: *Víctor Manuel.* Intérpretes: *Héctor Alterio, Mari Carrillo, Luis Ciges, Verónica Forqué, Antonio Gamero, Elisa Laguna, Lautaro Murúa, Luis Politti, Walter Vidarte.* Producción: *Luis Megino para Arándano.* Duración: *99 min.*

TRUEBA, Fernando (*Fernando Rodríguez Trueba. Madrid, 1955*)

Estudiante de imagen en la facultad de Ciencias de la Información de la Universidad de Madrid, crítico cinematográfico del diario *El País* y fundador de la revista de cine *Casablanca,* tras rodar algunos cortos debuta en el largo con *Ópera prima** (1980), uno de los pilares de la denominada «comedia madrileña». Coguionista de *La mano negra** (1980), de Fernando Colomo*, y *A contratiempo** (1981), de Óscar Ladoire*, sus peores trabajos son *Mientras el cuerpo aguante* (1982), desigual documento sobre Chicho Sánchez Ferlosio, y la fallida comedia *Sal gorda* (1983). Su obra da un considerable paso hacia adelante cuando empieza a colaborar con el productor Andrés Vicente Gómez*, tanto por la comedia de encargo *Sé infiel y no mires con quién** (1985), un vodevil de los ingleses Ray Cooney y John Chapman que escribe y dirige con perfección, como por la eficaz comedia dramática *El año de las luces** (1986), que Rafael Azcona* escribe con él, y el complejo y sórdido policiaco *El sueño del mono loco** (1989), que rueda en inglés sobre una novela de Christopher Frank. Convertido en productor, obtiene un gran éxito y consigue un Oscar con *Belle époque** (1992), una comedia erótica que vuelve a escribir con Azcona* y repite el esquema de su anterior colaboración, al tiempo que coproduce algunas películas ajenas: *Alas de mariposa* (1991), de Juanma Bajo Ulloa, *Sublet* (Realquiler, 1992), de Chus Gutiérrez, y algunas de las dirigidas por Emilio Martínez-Lázaro*. En Estados Unidos hace la desigual comedia *Two Much* (1995).

TRUHANES *(1983)*

Durante su estancia en la madrileña cárcel de Carabanchel, el veterano delincuente Ginés (Francisco Rabal*) promete protección al elegante especialista en evasión de impuestos Gonzalo (Arturo Fernández*) a cambio de que éste le ayude una vez que ambos estén en la calle. Con este punto de partida y el eficaz trabajo de la pareja Rabal*-Fernández*, el debutante Miguel Hermoso consigue una sólida comedia, con unos claros puntos de apoyo en la denominada «comedia a la italiana», que tiene una cierta repercusión. Diez años después, el mismo terceto la convierte en una comedia de situaciones para televisión.

Director y guionista: *Miguel Hermoso*. Fotografía: *Fernando Arribas*.

Música: *José Nieto*. Intérpretes: *Francisco Rabal, Arturo Fernández, Isabel Mestres, Vicky Lagos, Lola Flores*. Producción: *P. E. Films*. Duración: *98 min*.

TÚNEL, EL *(1987)*

Fiel adaptación de la novela homónima del argentino Ernesto Sábato, constituye uno de los trabajos más interesantes del realizador Antonio Drove* dentro de su irregular filmografía. Narra cómo el pintor Juan Pablo Castel (Peter Weller) enloquece de amor por la bella María Iribarne (Jane Seymour) y llega a matarla. Rodada en inglés en Buenos Aires, Madrid y el peculiar decorado del estudio del pintor, por razones difíciles de precisar existen demasiadas diferencias entre los tres ambientes, que llegan a enturbiar el desarrollo dramático, pero sobre todo el relato destila una frialdad que nada conviene a la historia de *amour fou* que cuenta. Producida con amplitud de medios y protagonizada por actores extranjeros para facilitar su difusión internacional, a pesar del buen trabajo de Drove* el resultado final también queda dañado porque Peter Weller es uno de los actores menos indicados para encarnar al protagonista.

Director: *Antonio Drove*. Guionistas: *Alberto Cornejo, José Agustín Mahieu, Antonio Drove*. Fotografía: *Gilberto Azevedo*. Música: *Augusto Algueró jr*. Intérpretes: *Peter Weller, Jane Seymour, Fernando Rey, Manuel de Blas*. Producción: *Santiago Cinematográfica*. Duración: *121 min*.

DICCIONARIO DEL CINE ESPAÑOL

U

ULLOA, Alejandro *(Alejandro García Alonso. Madrid, 1926)*

Hijo del director de teatro y actor de carácter Alejandro Ulloa, a los quince años comienza a trabajar como auxiliar de cámara. Es uno de los directores de fotografía más prolíficos del cine español, debuta con *Susana y yo* (1956), de Enrique Cahen Salaberry, y en poco más de treinta años de profesión interviene en más de ciento diez largometrajes. Al principio de su carrera trabaja sobre todo con Fernando Palacios* en las comedias *El día de los enamorados* (1959), *Siempre es domingo* (1961), *Tres de la Cruz Roja* (1961) y *Vuelve san Valentín* (1962). Durante la segunda mitad de los años sesenta y principios de los setenta colabora en gran cantidad de coproducciones con Italia, tanto dirigidas por italianos como por españoles. En la última parte de su carrera trabaja en especial con José María Forqué*, con quien ya había hecho *Atraco a la tres** (1962), *La becerrada* (1962), en *No es nada, mamá, sólo un juego* (1973), *Madrid, costa Fleming* (1975), *Vuelve, querida Nati* (1976), *El segundo poder* (1976), y también con Pedro Masó* en *La Coquito* (1977), *La familia bien, gracias* (1979), *El divorcio que viene* (1980), *127 millones libres de impuestos* (1981) y las series de televisión *Anillos de oro* (1983), *Segunda enseñanza* (1985) y *Brigada central* (1988). Sin olvidar *El anacoreta** (1976), de Juan Esterlich, una de sus mejores películas.

ÚLTIMO CABALLO, EL *(1950)*

Su relación con Italia lleva a Edgar Neville* a rodar allí dos producciones con un subrayado tono fascista, *Frente de Madrid* (Carmen fra i rossi, 1939) y *La muchacha de Moscú* (Sancta Maria, 1941), en plena II Guerra Mundial, al final del denominado *Ventennio nero,* pero también a

ser el primero que trae a España las técnicas de rodaje en la calle que caracteriza al neorrealismo. La historia de Fernando (Fernando Fernán-Gómez*), el soldado de caballería que al licenciarse se entera de que su regimiento va a ser motorizado, vende sus viejos caballos para ser utilizados por los picadores de la madrileña plaza de toros de Las Ventas, y decide comprar el suyo para librarle de una muerte segura, da lugar a la primera comedia neorrealista española. Tanto por los problemas que le plantea el alojamiento y la manutención de Bucéfalo, como por un rodaje en la calle que origina un interesante documento sobre el Madrid de la época. El resultado es una eficaz comedia con un tono amable, ligeramente crítico, que poco después es retomado y desarrollado por Luis G. Berlanga* en sus primeras películas.

Director y guionista: *Edgar Neville*. Fotografía: *César Fraile*. Música: *José Muñoz Molleda*. Intérpretes: *Fernando Fernán-Gómez, Conchita Montes, José Luis Ozores, Mary Lamar, Julia Lajos*. Producción: *Edgar Neville*. Duración: *85 min.*

ÚLTIMOS DE FILIPINAS, LOS *(1945)*

Dentro del cine bélico de raigambre patriotera de la más dura posguerra, cuyo inevitable modelo a seguir es *Raza** (1941), de José Luis Sáenz de Heredia*, des-

Guillermo Marín, José Nieto y Armando Calvo en *Los últimos de Filipinas*, de Antonio Román

taca esta producción, la mejor de las realizadas por el siempre demasiado acartonado y falso Antonio Román*. Narra la tan absurda como alabada gesta del capitán Las Morenas (José Nieto*) que, refugiado con sus hombres en la iglesia de la capital, resiste los ataques de los tagalos en Baler, en las islas Filipinas, durante casi un año después de finalizada la guerra. La distancia, tanto geográfica como temporal, el tono claustrofóbico de la situación y una estructura narrativa hábilmente calcada de las mejores películas norteamericanas del género, hacen más digerible una historia pensada para glorificar el «abnegado proceder del soldado español». Sin olvidar algunas buenas escenas, como aquella en que Nani Fernández en su papel de tagala, la única mujer en un amplio y eficaz reparto masculino, canta una dulce canción a los soldados, que llega a hacerse famosa en la época.

Director: *Antonio Román.* Guionistas: *Antonio Román, Enrique Alfonso Barcones, Rafael Sánchez Campoy, Enrique Llovet.* Fotografía: *Enrique Guerner.* Música: *Manuel Parada.* Intérpretes: *Armando Calvo, José Nieto, Guillermo Marín, Manolo Morán, Fernando Rey, Carlos Muñoz.* Producción: *Cea, Alhambra Films.* Duración: *97 min.*

UNGRÍA, Alfonso *(Alfonso Ungría Ovies. Madrid, 1946)*

Alterna el estudio de ciencias económicas en la Universidad de Madrid con el montaje de obras teatrales en el T.E.U. Tras dirigir algunos cortometrajes, debuta en el largo con *El hombre oculto* (1970), personal y claustrofóbica narración sobre uno de los hombres que permanecen encerrados por miedo a las represalias desde el final de la guerra española, que tiene una mínima carrera comercial. Peor suerte corre *Tirarse al monte* (1971), extraña narración donde se mezclan obsesiones personales y políticas, dado que es prohibida por la censura nunca llega a estrenarse. Tampoco corre mucha mejor suerte *Gulliver** (1976), parábola en torno al conocido personaje, en la medida que no tiene el menor éxito. Su gran película es *Soldados** (1978), eficaz y personal adaptación de la novela *Las buenas intenciones,* de Max Aub, pero tampoco tiene la acogida que merece. Posteriormente sólo hace dos producciones con temática y subvenciones vascas: *La conquista de Albania* (1983) y *Cien metros* (1986). Entre los muchos programas dramáticos dirigidos para televisión destacan las series *Cervantes* (1981) y *Hasta luego, cocodrilo* (1991). Vuelve al cine con *África* (1996), una historia juvenil ambientada en el madrileño barrio obrero de San Blas.

URIBE, Imanol *(Imanol Uribe Bilbao. San Salvador, El Salvador, 1950)*

Nacido por casualidad en Latinoamérica, pero vasco por natu-

Carlos Otero en *Tirarse al monte,* de Alfonso Ungría

raleza, lo demuestra con claridad en sus primeros cortos y largometrajes. Desde el irregular documental *El proceso de Burgos* (1979) hasta su gran éxito *La muerte de Mikel** (1983), sin olvidar *La fuga de Segovia** (1981), confirman su interés por el cine político y los problemas de Euskadi. Estudia periodismo y se licencia en dirección en 1974 en la Escuela Oficial de Cinematografía. Posteriormente comienza a hacer cine de géneros con el fallido policiaco *Adiós, pequeña* (1986), la irregular producción de terror *La luna negra* (1989) y la cuidada adaptación histórica *El rey pasmado** (1991), una coproducción basada en la novela de Gonzalo Torrente Ballester. Mezcla a la perfección ambas tendencias en *Días contados** (1994), su mejor trabajo, personal adaptación de una novela policiaca de Juan Madrid. Tiene gran éxito con la divertida comedia antirracista *Bwana** (1996).

VACAS *(1992)*

Las conflictivas y apasionadas relaciones de los Irigibel y los Mendiluze, dos familias que viven en sendos caseríos, apenas separados por una colina y un bosque, en un pequeño valle de Guipúzcoa, son el eje en torno al cual gira la primera película de Julio Medem. El peculiar manejo del tiempo cinematográfico, dado que la historia se desarrolla a través de tres generaciones, y de los actores, en especial de una sorprendente Emma Suárez*, da como resultado un prometedor conjunto. Sólo se ve empañado por un tan discutible como excesivo abuso de la denominada *cámara subjetiva,* que en gran parte invalida los resultados obtenidos en *La ardilla roja* (1993), su mucho menos interesante segunda película.

Director: *Julio Medem.* Guionistas: *Julio Medem, Michel Gaztambide.* Fotografía: *Carles Gusi.* Música: *Alberto Iglesias.* Intérpretes: *Carmelo Gómez, Emma Suárez, Ana Torrent, Txema Blasco, Karra Elejalde, Klara Badiola.* Producción: *Sogetel.* Duración: *96 min.*

VAJDA, Ladislao *(Laszlo Vajda Weisz. Budapest, Hungría, 1906-Barcelona, 1965)*

Hijo del escritor, dramaturgo, director teatral y guionista del mismo nombre, colaborador habitual de G. W. Pabst, Alexander Korda y Michael Curtiz, su padre le obliga a recorrer todo el escalafón técnico en los estudios de Budapest antes de dirigir su primera película. Debuta a comienzos del sonoro con la producción británica *The Beggerstudent* (1932) y después de rodar veinte irregulares producciones en Hungría, Reino Unido, Francia e Italia, llega a España convertido en un especialista en comedias para hacer *Se vende un palacio* (1942). Durante los años cuarenta rueda ocho películas españolas, pero tanto *Doce lunas de miel* (1943), *Te quiero para mí* (1944), *El testamento del Virrey* (1944), *Cinco lobitos*

(1945), *Tres espejos* (1946), *Barrio* (1947), como *Sin uniforme* (1948), se resienten de la poca solidez de sus argumentos. Mucho más interés tienen algunas de las nueve películas nacionales que hace durante la década de los cincuenta. En concreto la historia de bandoleros andaluces *Carne de horca** (1953) y la trilogía protagonizada por el niño Pablito Calvo*: la religiosa *Marcelino, pan y vino** (1954), uno de los grandes éxitos internacionales del cine español; la realista *Mi tío Jacinto** (1956), una de sus mejores películas, y la fantástica *Un ángel pasó por Brooklyn** (1957). Frente al excesivo tono de panfleto político de *Séptima página* (1950) y, sobre todo, *Ronda española* (1951), las musicales *Doña Francisquita* (1952), adaptación de la zarzuela de Federico Romero y Guillermo Fernández-Shaw; *Aventuras del barbero de Sevilla* (1954), al servicio de Luis Mariano, y la taurina *Tarde de toros** (1955). Posteriormente sólo rueda en España tres películas sin interés, *«María», matrícula de Bilbao* (1960), *Una chica casi formal* (1963) y *La dama de Beirut* (1965), durante cuyo rodaje muere, por lo que la finaliza y firma Luis María Delgado. Pero entre medias se sitúa la excelente coproducción hispano-suiza *El cebo* (1958), basada en un sólido argumento del dramaturgo Friedrich Dürrenmatt, que también colabora en el guión, que es uno de sus mejores trabajos.

VALENTINA *(1982)*

El primer acuerdo, firmado a comienzos de los años ochenta, entre Televisión Española y los productores cinematográficos nacionales, da como resultado algunas interesantes películas y series basadas en clásicos contemporáneos de la literatura española. Entre todas destaca esta adaptación de *Crónica del alba,* la gran novela con una clara carga autobiográfica original de Ramón J. Sender. Dividida en dos partes, en dos producciones autónomas, realizadas por el mismo equipo técnico, pero diferente artístico, la mejor es ésta, la primera. Ambientada en un pueblo del bajo Aragón en 1910, narra la vida cotidiana del niño Pepe Garcés (Jorge Sanz*), claro *alter ego* de Sender, su amor por la niña Valentina (Paloma Gómez), las relaciones con sus padres y con su profesor y párroco del pueblo mosen Joaquín (Anthony Quinn). Destaca el trabajo de los niños Jorge Sanz* y Paloma Gómez, la apropiada fotografía de Juan Ruiz Anchía* y la eficaz dirección de Antonio Betancor, de demasiado corta carrera. La segunda parte se titula *1919** (1983) y está ambientada en Zaragoza.

Director: *Antonio Betancor.* Guionistas: *Lautaro Murúa, Antonio Betancor.* Fotografía: *Juan Ruiz Anchía.* Intérpretes: *Jorge Sanz, Paloma Gómez, Anthony Quinn,*

Saturno Cerra, Conchita Leza. Producción: *Carlos Escobedo para Ofelia Films, Kaktus Producciones. TVE.* Duración: *90 min.*

VALENZUELA, Laura *(Rocío Espinosa López. Sevilla, 1931)*

En 1952 se instala en Madrid, es elegida presentadora en la incipiente televisión de la época y casi al mismo tiempo comienza a hacer pequeños papeles en cine. Mientras se convierte en uno de los más populares personajes de la televisión, gracias al apoyo del productor José Luis Dibildos*, con quien más tarde contrae matrimonio, pasa a protagonizar la mayoría de las comedias que produce durante los años sesenta. Entre sus veinticuatro películas de esa década hay que destacar *Ana dice sí* (1958), *Luna de verano* (1958), *Los tramposos* (1959), *Los económicamente débiles* (1960) y *Eva 63* (1963), de Pedro Lazaga*; *Los subdesarrollados* (1967), de Fernando Merino*; *Pierna creciente, falda menguante* (1970), de Javier Aguirre*, y *Españolas en París* (1970), de Roberto Bodegas*. En los años noventa vuelve a trabajar como presentadora de televisión.

VALERO, Antonio *(Antonio Valero Osma. Burjassot, Valencia, 1955)*

Tras una brillante actividad en el teatro catalán con los directores Fabià Puigserver, Albert Boadella y Pere Planella, debuta como actor de cine en uno de los principales papeles de *La mitad del cielo* (1986), de Manuel Gutiérrez Aragón*. Entre sus restantes películas cabe destacar *Adiós, pequeña* (1986), de Imanol Uribe*; *El Lute, camina o revienta* (1987), de Vicente Aranda*; *El juego más divertido* (1987), de Emilio Martínez-Lázaro*; *Después del sueño* (1992), de Mario Camus*, e *Intruso* (1993), de Vicente Aranda*. Sin olvidar la serie de televisión *La forja de un rebelde* (1989), de Mario Camus*, donde encarna al protagonista, *alter ego* de Arturo Barea, autor de la excelente novela original

VAQUILLA, LA *(1985)*

A mediados de la década de los sesenta, y animados por el éxito de sus primeras colaboraciones, el guionista Rafael Azcona* y el realizador Luis G. Berlanga* se lanzan a escribir un ambicioso guión sobre la guerra española con múltiples personajes, dentro de su habitual humor esperpéntico, y que además encierra el *mensaje,* revolucionario para el momento, de que entre insurrectos y republicanos destrozaron España. Narra cómo en un frente de trincheras hace tiempo estabilizado, los altavoces de los rebeldes anuncian el programa de festejos para el día de la Virgen de Agosto y un grupo de soldados republicanos decide pasar al campo enemigo, robar la vaquilla preparada para la corrida y, al tiempo que estropean la fiesta, consiguen llenar su medio vacía despensa, pero el animal acaba muriendo en tierra de nadie sin que ni unos ni otros puedan aprovecharse de ella. Prohibido por los censores del general Franco, sólo consiguen realizarla veinte años después gracias al inicial plan de ayuda al cine del gobierno socialista, pero a pesar de estar rodada con amplitud de medios, tener un excelente reparto y algunos de los mejores y más complejos planos-secuencia realizados por Berlanga*, se nota demasiado que su momento ha pasado, lo que no le impide convertirse en uno de los grandes éxitos de público del cine español.

Director: *Luis G. Berlanga*. Guionistas: *Rafael Azcona, Luis G. Berlanga*. Fotografía: *Carlos Suárez*. Música: *Miguel Asins Arbó*. Intérpretes: *Alfredo Landa, Guillermo Montesinos, Santiago Ramos, José Sacristán, Carlos Velat, Eduardo Calvo, Violeta Cela*. Producción: *Alfredo Matas para InCine, Jet Films*. Duración: *116 min*.

VASO DE WHISKY, UN *(1959)*

El paso del tiempo no le ha sentado demasiado bien a esta producción, pero en su momento supuso un considerable intento de renovación y tuvo cierta repercusión. Toda la historia gira en torno a un *gigoló*, cómo abandona a una de sus conquistas por no ser lo suficientemente acaudalada y la venganza que pone en marcha el antiguo novio. Hoy este primer *gigoló* del cine nacional, más por culpa de la férrea censu-

ra del general Franco que de las intenciones de sus creadores, aparece demasiado tímido, y nada queda de la impresión que causó en su época. En cualquier caso se trata de uno de los más sólidos trabajos de dirección de Julio Coll* y una de las primeras películas protagonizadas por Arturo Fernández*.

Director: *Julio Coll*. Guionistas: *Germán Huici, Julio Coll*. Fotografía: *Salvador Torres*. Música: *Xavier Montsalvatge, José Solá*. Intérpretes: *Rossana Podestá, Arturo Fernández, Yelena Samarina, Maruja Bustos, Gisia Paradis*. Producción: *Este Films, P.E.F.S.A.* Duración: *91 min*.

VECINOS *(1980)*

El triángulo creado cuando el experto en computadoras Antonio (Mario Pardo) se convierte en el nuevo vecino del matrimonio formado por la atractiva Aurora (Assumpta Serna) y el neurótico y celoso profesor Luis (Antonio Resines*), da lugar a una eficaz y nada pretenciosa comedia que se encuadra dentro del subgénero «comedia madrileña». Escrita, producida y dirigida por Alberto Bermejo, se trata de su único largometraje.

Director y guionista: *Alberto Bermejo*. Fotografía: *Ángel Luis Fernández*. Música: *Fernando Ember*. Intérpretes: *Antonio Resines, Assumpta Serna, Mario Pardo, Lola G. Carballo, José Lifante*. Producción: *Fernando Trueba para Globe Films S.A., Alberto Bermejo P. C.* Duración: *90 min*.

VEGA, Felipe *(Felipe Vega Barroeta. León, 1952)*

Estudia ciencias políticas, derecho y ciencias de la información en la Universidad Complutense de Madrid. Escribe crítica de cine en diarios y revistas especializadas, sobre todo en *Casablanca,* de la que llega a ser redactor jefe. Alterna el trabajo en distintas agencias de publicidad con el rodaje de sus personales películas. Tras el corto *Objetos personales* (1977) y el largo inacabado *Viento sobre los árboles,* su primer largometraje es el experimental *Mientras haya luz* (1987), al que sigue en la misma línea *El mejor de los tiempos* (1989) y ya dentro del terreno de la comedia *Un paraguas para tres** (1991) y la personal parábola antirracista *El techo del mundo* (1995).

VELASCO, Concha *(Concepción Velasco Verona. Valladolid, 1939)*

Estudia danza clásica en Madrid, debuta como bailarina en el cuerpo de baile de la ópera de La Coruña y posteriormente trabaja como bailarina flamenca en las compañías de Manolo Caracol y Luisa Ortega y vicetiple de revista en la de Celia Gámez. Sin dejar de hacer teatro, debuta en el cine a mediados de los años cincuenta, para en seguida adquirir cierta notoriedad al intervenir en las comedias *Las chicas de la Cruz Roja* (1958), de Rafael J. Salvia*; *Los tramposos** (1959), de Pedro Lazaga*, o *El día de los enamorados* (1959), de Fernando Palacios*. Durante la década de los sesenta trabaja repetidas veces con Lazaga*, pero sobre todo con José Luis Sáenz de Heredia*, con quien protagoniza tanto zarzuelas, *La verbena de la Paloma* (1963), como comedias, *Historias de la televisión* (1965), o dramas, *Los gallos de la madrugada* (1971). A mediados de los setenta lleva a cabo un cambio de imagen, tanto en teatro como en cine, dejando a un lado las comedias intrascendentes e interesándose por obras dramáticas, que la llevan a hacer sus mejores trabajos en *Tormento** (1974) y *Pim, pam, pum... ¡fuego!** (1975), de Pedro Olea*; *Las bodas de Blanca* (1975), de Francisco Regueiro*; *Libertad provisional* (1976), de Roberto Bodegas*; *La colmena** (1982), de Mario Camus*; *La hora bruja** (1985), de Jaime de Armiñán*, sin olvidar la serie de televisión *Teresa de Jesús* (1984), de Josefina Molina*. Bastante apartada del cine, prosigue trabajando sin descanso tanto en obras musicales teatrales como de presentadora de diferentes programas de televisión.

VENGANZA, LA *(1957)*

El éxito nacional e internacional de *Muerte de un ciclista** (1955) y *Calle Mayor** (1956), lleva a J. A. Bardem* a escribir y dirigir la más ambiciosa de sus películas, pero por diferentes motivos el resultado queda a niveles inferiores. Dentro de la

Raf Vallone y Carmen Sevilla en *La venganza*, de J. A. Bardem

idea de «reconciliación nacional», lanzada en la época por el partido comunista, narra cómo Juan Díaz (Jorge Mistral*), tras permanecer diez años en la cárcel por un crimen que no ha cometido, jura nada más salir, con su hermana Andrea (Carmen Sevilla*), matar a Luis el Torcido (Raf Vallone), a quien creen culpable de sus desgracias. Enrolados los tres en una de las cuadrillas que llegan en verano a Castilla a segar las mieses, no sólo Andrea acaba enamorándose de Luis, sino que Juan le perdona. La censura obliga a cambiar el título inicial *Los segadores,* por coincidir con el del himno nacional catalán *Els segadors,* a situar la acción en 1931, para que no coincida con la época actual y pierda su intencionalidad, así como a efectuar numerosos cortes y cambios una vez concluida. Esto unido a que Bardem* no se encuentra especialmente inspirado durante el rodaje y a cierto tono doctrinario que, a pesar de todo, destila la película, hacen que tenga un interés muy relativo.

Director y guionista: *J. A. Bardem.* Fotografía: *Mario Pacheco.* Música: *Isidro B. Maiztegui.* Intérpretes: *Carmen Sevilla, Jorge Mistral, Raf Vallone, José María Prada, Manuel Alexandre, Manuel Peiró, Fernando Rey, Arnaldo Foa, Louis Segnier, Conchita Bautista.* Producción: *Manuel J. Goyanes (Guión P.C., Madrid) y Vides (Roma) para Suevia Film-Cesáreo González.* Duración: *92 min.*

VERA, Gerardo *(Gerardo Vera Perales. Miraflores de la Sierra, Madrid, 1947)*

Estudia escenografía y vestuario en la Central School of Arts de Londres, el Teatro Laboratorio de Zagreb y el Instituto del Teatro de Praga. Desde 1967 realiza trabajos como escenógrafo y figurinista en ópera, teatro y televisión. Entre sus colaboraciones cinematográficas destacan *Feroz* (1984), *La noche más hermosa** (1984) y *La mitad del cielo** (1986), de Manuel Gutiérrez Aragón*; *Sé infiel y no mires con quién** (1985), de Fernando Trueba*, y *El amor brujo** (1986), de Carlos Saura*. Tras dirigir algún episodio de una serie de televisión, debuta como director de cine con *Una mujer bajo la lluvia* (1992), nueva versión de *La vida en un hilo** (1945), de Edgar Neville*, demasiado fiel al original.

VERBENA DE LA PALOMA, LA *(1935)*

La gran tradición popular de la zarzuela en la España de comien-

Raquel Rodrigo, Roberto Rey y Charito Leonís en *La verbena de la Paloma,* de Benito Perojo

zos de siglo, lleva al absurdo de que muchas películas mudas de éxito se basen en ellas. Así ocurre, por ejemplo, con la famosa obra de Tomás Bretón y Ricardo de la Vega, de la que en 1921 José Busch* dirige una primera versión protagonizada por Elisa Ruiz Romero y Florián Rey* con gran éxito. Aunque su mejor adaptación es la escrita y dirigida por Benito Perojo* en 1935, gracias a la movilidad que sabe dar a los amores de Julián (Roberto Rey*) con Susana (Raquel Rodrigo*) en el bien reconstruido Madrid de 1893, que se convierte en uno de los grandes éxitos del cine de la II República. En 1963 José Luis Sáenz de Heredia* realiza una nueva versión en color y Scope, con Conchita Velasco* y Vicente Parra* al frente del reparto, que no sólo carece de los atractivos de la de Perojo*, sino incluso de la de Busch*.

Director y guionista: *Benito Perojo.* Fotografía: *Fred Kandel.* Música: *Tomás Bretón.* Intérpretes: *Miguel Ligero, Roberto Rey, Raquel Rodrigo, Charito Leonís, Selica Pérez Carpio.* Producción: *Cifesa.* Duración: *67 min.*

VERDAD SOBRE EL CASO SAVOLTA, LA *(1979)*

Las relaciones entre Savolta (Omero Antonutti), propietario de una fábrica de armas; Lepprince (Charles Denner), su misterioso socio francés; el oficinista Miranda (Ovidi Montllor*), el periodista Domingo «Pajarito» de Soto (José Luis López Vázquez*) y su mujer

Teresa (Stefania Sandrelli), sobre el telón de fondo de la Barcelona de la Gran Guerra, dan lugar a una peculiar historia sobre represión patronal, reivindicaciones obreras e ideología anarquista. A pesar de la complejidad del proyecto, de ser una coproducción tripartita con actores de tres nacionalidades y los problemas de rodaje, que obligan a pararlo varias veces, Antonio Drove* no sólo logra una buena adaptación de la novela homónima de Eduardo Mendoza, sino la mejor de sus películas. Tanto la versión francesa como sobre todo la italiana, tienen cambios sustanciales y añadidos y poco que ver con la española.

Director: *Antonio Drove.* Guionistas: *Antonio Drove, Antonio Larreta.* Fotografía: *Gilberto Azevedo.* Música: *Egisto Macchi.* Intérpretes: *José Luis López Vázquez, Charles Denner, Ovidi Montllor, Omero Antonutti, Stefania Sandrelli, Ettore Manni.* Producción: *Andrés Vicente Gómez para Domingo Pedret P. C. (Barcelona), Nef Diffusion (París), Filmalpha (Roma).* Duración: *125 min.*

VERDÚ, Maribel *(María Isabel Verdú Rollán. Madrid, 1970)*

Descubierta por Vicente Aranda*, que no sólo le da un papel secundario en *El crimen del capitán Sánchez,* episodio de la serie de televisión *La huella del crimen* (1985), sino que más tarde le ofrece sus mejores papeles protagonistas en la serie de televisión *Los jinetes del alba* (1990) y la película *Amantes** (1991), no tarda en encarnar importantes personajes con otros realizadores, entre los que cabe destacar los de *El sueño de Tánger* (1986), de Ricardo Franco*; *27 horas* (1986), de Montxo Armendáriz*; *El año de las luces** (1986) y *Belle époque** (1992), de Fernando Trueba*; *El juego más divertido** (1987), de Emilio Martínez-Lázaro*; *El aire de un crimen* (1988), de Antonio Isasi*, y *Ovejas negras** (1989), de José María Carreño. También trabaja como actriz de teatro, modelo y presentadora de televisión.

VERDUGO, EL *(1963)*

Durante los años sesenta Luis G. Berlanga* hace cuatro películas y cuarto sobre guiones de Rafael Azcona* y suyos. Tras la excelente *Plácido** (1961) y el irregular episodio *La muerte y el labrador* de *Las cuatro verdades* (1962), y antes del fracaso de *La boutique* (1967), que por razones de censura se rueda en Argentina, y la fallida *¡Vivan los novios!* (1969), rueda su obra maestra. Al narrar los amores entre José Luis (Nino Manfredi), un empleado de la funeraria que sólo piensa en irse a trabajar a Alemania para convertirse en un buen mecánico, y Carmen (Emma Penella*), la solterona hija de un verdugo, bajo la atenta mirada de don Amadeo (José Isbert*), su experimentado y materialista padre, no sólo logra una excelente comedia llena del mejor humor

José Isbert y Pedro Beltrán en *El verdugo,* de Luis G. Berlanga

negro, sino un claro alegato contra la pena de muerte. La historia de cómo José Luis siempre acaba haciendo lo que no quiere, casarse, tener un hijo y convertirse en verdugo, acuciado con que gracias a ello mejora su vida, tanto por lo bien que guisa Carmen como por poder disfrutar del piso que ha conseguido don Amadeo, tiene un perfecto desarrollo dramático y algunas excelentes escenas. Baste recordar aquella donde, mientras el matrimonio está contemplando el espectáculo de luz y sonido de las mallorquinas cuevas del Drac, aparece una barca con una pareja de la guardia civil buscándole para que haga sus funciones de verdugo; o la ejecución final donde un grupo de personas tiene que arrastrar al reo hacia el garrote y otro más numeroso al verdugo. Sin olvidar el final, donde, tras la ejecución, José Luis dice a su mujer y a su suegro «No lo haré más», y éste le contesta: «Eso mismo dije yo la primera vez.» Tras ganar el premio de la crítica en la Mostra de Venecia, antes de estrenarse en España sufre algunos cortes de censura por culpa de una denuncia del entonces embajador español en Italia.

Director: *Luis G. Berlanga.* Guionistas: *Luis G. Berlanga, Rafael Azcona, Ennio Flaiano.* Fotografía: *Tonino delli Colli.* Música: *Miguel Asins Arbó.* Intérpretes: *Nino Manfredi, Emma Penella, José Isbert.* Producción: *Nazario Belmar para Naga Films (Madrid), Zebra Film (Roma).* Duración: *95 min.*

VERGANO, Serena *(Adalgisa Serena Maggiora Vergano. Milán, Italia, 1943)*

Hija del realizador Aldo Vergano, estudia arte dramático y debuta como actriz en *I dolci inganni* (1960), de Alberto Lattuada. Tras intervenir en media docena de producciones italianas, entre las que cabe citar *Il brigante* (1961), de Renato Castellani, y *Crónica familiar* (Cronaca familiare, 1962), de Valerio Zurlini, llega a España para rodar la coproducción *El conde Sandorf* (1963), de Georges Lampim, y se queda a trabajar y vivir. No tarda en convertirse en musa de la denominada *Escuela de Barcelona* y protagoniza la mayoría de sus películas: *Brillante porvenir* (1963), de Vicente Aranda*; *Noche de vino tinto* (1966), de José María Nunes; *Una historia de amor* (1966) e *Historia de una chica sola* (1969), de Jorge Grau*; *Dante no es únicamente severo* (1967), de Jacinto Esteva* y Joaquín Jordá*; *Cada vez que...* (1967) y *Liberxina 90* (1970), de Carlos Durán; *Un invierno en Mallorca* (1969), de Jaime Camino*, y *Esquizo* (1970), de Ricardo Bofill. Mientras en Madrid también protagoniza, siempre convenientemente doblada, *Al ponerse el sol* (1967) y *Digan lo que digan* (1968), de Mario Camus*; *La Lola dicen que no vive sola* (1970) de Jaime de Armiñán*, y *Carta de amor de un asesino* (1972), de Francisco Regueiro*. Retirada a comienzos de los años setenta, hace algunos papeles secundarios en producciones de finales de los ochenta.

VIAJE A NINGUNA PARTE, EL *(1986)*

Primero interesante serie radiofónica, más tarde atractiva novela y por último excelente película, narra las venturas y desventuras de un grupo de cómicos de la legua por la España de la posguerra a través de los recuerdos de uno de ellos, Carlos Galván (José Sacristán*), desde su vejez en una residencia para ancianos. Partiendo de su propia experiencia y con una sólida carga autobiográfica, Fernando Fernán-Gómez* mezcla el amor, los problemas económicos, los familiares, el hambre y el triunfo soñado de un grupo de actores durante sus viajes de trabajo por los duros pueblos de Castilla en constante competencia con el cine. Construida en largas y brillantes escenas apoyadas en un buen, fluido y abundante diálogo, muestra el hábil manejo de un amplio grupo de excelentes actores y es un constante homenaje a una de las profesiones más viejas del mundo.

Director y guionista: *Fernando Fernán-Gómez*. Fotografía: *José Luis Alcaine*. Música: *Pedro Iturralde*. Intérpretes: *José Sacristán, Laura del Sol, Juan Diego, María Luisa Ponte, Gabino Diego, Nuria Gallardo, Fernando Fernán-Gómez, Queta Claver*. Producción: *Julián Mateos y Maribel Martín para Ganesh*. Duración: *137 min.*

VIANCE, Carmen *(Carmen Hernández Álvarez. Madrid, 1905-Madrid, 1985)*

Descubierta por José Buchs* cuando trabaja como mecanógrafa, se convierte en una de las más populares actrices españolas de finales del período mudo. Esto la lleva a protagonizar, entre otras, *Mancha que limpia* (1924) y *La hija del corregidor* (1924), de José Buchs*; *La casa de la Troya* (1924), de Alejandro Pérez Lugín y Manuel Noriega; *Gigantes y cabezudos* (1925), *El lazarillo de Tormes* (1925) y *La aldea maldita* (1930), de Florián Rey*; *Las de Méndez* (1927), *¡Viva Madrid, que es mi pueblo!* (1928) y *El gordo de Navidad* (1929), de Fernando Delgado*. Tras rodar *Prim* (1930), de José Buchs*, una de las primeras producciones sonoras españolas, se retira. Y posteriormente sólo hace algunos papeles secundarios a mediados de los años treinta y protagoniza *La casa de la lluvia* (1943), de Antonio Román*, su última película.

VICH, Antonio *(Antonio Vich Pérez. Cartagena, 1908)*

Tras una etapa como jefe de producción, desde mediados de los años cuarenta a la mitad de los cincuenta, trabaja como coguionista de reputadas obras dramáticas: *Fedra* (1956), de

Manuel Mur Oti*; *El sol sale todos los días* (1955), de Antonio del Amo*; *Los clarines del miedo* (1958), de Antonio Román*. Posteriormente comienza una larga etapa de colaboración con Pedro Masó*, primero con comedietas en su etapa de guionista y productor —*La gran familia* (1962), *La familia... y uno más* (1965), de Fernando Palacios*; *Un millón en la basura* (1967), de José María Forqué*— y luego con dramones en su década de guionista, productor y director —*Las colocadas* (1972), *Experiencia prematrimonial* (1972), *Una chica y un señor* (1973), *Un hombre como los demás* (1974), *La menor* (1977), *La Coquito* (1978)—. En veinte años de carrera colabora en los guiones de más de cuarenta películas.

VICIANO, Enrique *(Enrique Viciano Bellmunt. Castellón, 1952)*

Tras realizar estudios de cine, televisión, fotografía y *marketing,* comienza a trabajar en cine en 1970 como *script* y ayudante de dirección. Más tarde pasa a la producción con *Un par de huevos* (1984), de Francesc Bellmunt*; *Lola** (1985), de Bigas Luna*, y produce *Laura* (1986), de Gonzalo Herralde*; *Sinatra* (1987), de Francesc Betriu*; *Si te dicen que caí** (1988), de Vicente Aranda*, y *La puñalada* (1989), de Jorge Grau*. También colabora en los guiones de *Lola** y *Laura.*

VICO, Antonio *(Antonio Vico Camarero. Santiago de Chile, Chile, 1904-Madrid, 1972)*

Perteneciente a una familia de actores con una gran tradición, nace durante una gira de sus padres por Latinoamérica. Educado en España, debuta muy joven en la compañía de teatro de Concha Catalá, para trabajar posteriormente en las de María Palou, Ernesto Vilches e Irene López Heredia. Aunque interviene en un par de películas mudas, sus mejores trabajos cinematográficos los realiza durante la II República al protagonizar *Patricio miró una estrella* (1934), de José Luis Sáenz de Heredia*; *El malvado Carabel* (1935), de Edgar Neville*, y *La hija del penal** (1935), de Eduardo G. Maroto*, mientras obtiene sucesivos éxitos teatrales en la compañía que forma con su mujer Carmen Carbonell. En la postguerra, tras protagonizar *Los cuatro robinsones* (1939), de Eduardo G. Maroto*; *Boy* (1940) de Antonio Calvache; *Su hermano y él* (1941), de Luis Marquina*, y *Fortunato* (1941), de Fernando Delgado*, se interesa más por el teatro que por el cine y pasa a hacer papeles secundarios: *Novio a la vista** (1953), de Luis G. Berlanga*; *Marcelino, pan y vino* (1954), de Ladislao Vajda*; *La ironía del dinero** (1955), de Edgar Neville*; *El batallón de las sombras** (1956), de Manuel Mur Oti*. Esto no le impide hacer una gran creación al encar-

Antonio Vico en *Patricio miró una estrella,* de José Luis Sáenz de Heredia

nar al viejo torero Jacinto, protagonista de *Mi tío Jacinto** (1956), de Ladislao Vajda*. Posteriormente sólo interviene en breves papeles en películas sin atractivos, pero prosigue su actividad teatral hasta casi su muerte. Es padre del actor Jorge Vico y abuelo del también actor Antonio Vico.

¡VICTORIA! *(1983)*

Dividida en tres partes, *La gran aventura de un pueblo, El frenesí del 17* y *La razón y el arrebato,* narra las peripecias vividas por el teniente Rodríguez de Haro (Helmut Berger), el militante obrero Jaime Canals (Xabier Elorriaga*) y su mujer María Aliaga (Norma Duval) en la conflictiva Barcelona del verano de 1917. Sin el menor poder de síntesis y con una tendencia a lo desmesurado, Antoni Ribas* trata de describir la situación de una España neutral durante la Gran Guerra a través del enfrentamiento del ejército con sus reivindicaciones profesionales, las fuerzas anarcosindicalistas con sus amenazas de huelga general y una burguesía dividida entre aliadófilos y germanófilos. A pesar de que en su conjunto resulta confusa, mal narrada y larga, tiene algunas escenas aisladas, en especial en la tercera parte, que de puro desmesuradas consiguen ser interesantes.

Director: *Antoni Ribas*. Guionistas: *Miguel Sanz, Antoni Ribas*. Fotografía: *Andrés Berenguer*. Música: *Manuel Valls i Gorina*. Intérpretes: *Helmut Berger, Xabier Elorriaga, Norma Duval, Craig Hill, Pau Garsaball, Carme Elias, Artur Costa, Eva Cobo, Teresa Gimpera, Francisco Rabal*. Producción: *Tabaré*. Duración: *385 min*.

VICUÑA, José *(José Antonio Sainz de Vicuña. San Sebastián, 1934)*

Ligado a la exhibición a través de la sociedad Cinesa y la distribución por la marca InCine, en 1962 constituye la productora Impala. Durante treinta años interviene en la producción de más de setenta largometrajes de muy variado tipo, entre los que cabe citar: *Del rosa al amarillo** (1962), *La niña de luto* (1963), *¿Por qué te engaña tu marido?* (1970), *Adiós, cigüeña, adiós* (1971), *El niño es nuestro* (1972), *Ya soy mujer* (1975) y *Ángeles gordos** (1981), de Manuel de Summers*; *Experiencia prematrimonial* (1972), *Una chica y un señor* (1973), *Las adolescentes* (1975), *La menor* (1976), *La miel* (1979) y *El divorcio que viene* (1980), de Pedro Masó*; *El amor del capitán Brando** (1974), *¡Jó, papá!* (1975) y *Nunca es tarde* (1977), de Jaime de Armiñán*; *Los pájaros de Baden-Baden* (1974), *La joven casada* (1975) y *Los días del pasado* (1977), de Mario Camus*; *Clara es el precio* (1974) y *Cambio de sexo* (1977), de Vicente Aranda*; *La criatura* (1977), de

Eloy de la Iglesia*; *Pares y nones** (1983), de José Luis Cuerda*, y *Últimas tardes con Teresa* (1984), de Gonzalo Herralde*.

VIDA ALEGRE, LA *(1987)*

Entre las variadas «comedias madrileñas» escritas y dirigidas por Fernando Colomo* destaca ésta por su bien tramado enredo, la eficacia de algunas escenas, como por ejemplo la del zapato, y el gran éxito alcanzado. En un tono casi de vodevil narra las andanzas en torno a una clínica de enfermedades venéreas de un matrimonio de médicos, el ministro de Sanidad y su secretaria, a los que también se unen algunas prostitutas, homosexuales y chulos. Hay que destacar el trabajo del amplio grupo de actores, y en especial a Verónica Forqué* en el papel de directora de la clínica, Miguel Rellán en el de ministro y Ana Obregón en el de secretaria.

Director y guionista: *Fernando Colomo*. Fotografía: *Javier Salmones*. Música: *Suburbano*. Intérpretes: *Verónica Forqué, Antonio Resines, Massiel, Ana Obregón, Miguel Rellán, Alicia Sánchez*. Producción: *Fernando Colomo para El Catalejo*. Duración: *98 min*.

VIDA EN SOMBRAS *(1948)*

Figura prestigiosa del cine *amateur* catalán de los años treinta y cuarenta, Lorenzo Llobet Gracia (1911-1976) sólo realiza este largometraje profesional. A pesar de su tono autobiográfico y de su evidente interés, en su momento pasa completamente desapercibido, es un fracaso comercial y no vuelve a repetir la experiencia. Narra cómo Carlos (Fernando Fernán-Gómez*) nace casualmente en una barraca de feria durante una primitiva proyección cinematográfica, ya de niño siente gran pasión por el cine, comienza a trabajar en una distribuidora y se declara a Ana (María Dolores Pradera) mientras ven Romeo y Julieta (Romeo and Juliet, 1936), de George Cukor. Contratado por un productor como cameraman, durante los primeros días de la guerra española sale a rodar un reportaje por las calles de Barcelona, pero cuando llega a su casa encuentra a su mujer Ana muerta, lo que le lleva a acusarse de su muerte y apartarse del cine. En la posguerra, y durante una proyección de Rebecca (1940), de Alfred Hitchcock, identifica su problema con el del protagonista y se libera de él, comienza a salir con Clara (Isabel de Pomés*), una compañera de pensión, dirige una película y tiene un gran éxito. Rodada con largos y eficaces planos, lo que da lugar a escenas de gran fuerza, como aquella donde el protagonista realiza el reportaje bélico parapetado en grandes bobinas de papel, también tiene una excelente interpretación. Por lo que no se comprende que tengan que pasar casi treinta años, una vez desaparecido su autor, para ser descubierta entre el mediocre cine nacional de la época.

Director: Lorenzo Llobet Gracia. Guionistas: Lorenzo Llobet Gracia, Victorio Aguado. Fotografía: Salvador Torres Garriga. Música: Jesús García Leoz. Intérpretes: Fernando Fernán-Gómez, María Dolores Pradera, Isabel de Pomés, Alfonso Estela, Félix de Pomés. Producción: Francisco de Barnola para Castilla Films. Duración: 80 min.

VIDA EN UN HILO, LA (1945)

El relativo éxito de esta película, y como suele ser habitual en la época, lleva a Edgar Neville* a convertirla en una obra de teatro, que le consagra como uno de los grandes de la comedia intrascendente y algo fantástica que se escribe en la posguerra. Narra cómo la joven viuda Mercedes (Conchita Montes*), cuando regresa en tren a Madrid desde la pequeña ciudad de provincias donde ha vivido con su difunto marido, se encuentra con una vidente que le relata cómo hubiese sido su vida si en un determinado momento hubiera tomado una decisión diferente. Una tarde de lluvia Mercedes se encuentra en una floristería con el ingeniero de provincias de buena familia Ramón (Guillermo Marín*) y con el escultor Miguel Ángel (Rafael Durán*), ambos la ofrecen llevarla a su casa en un taxi, ella lógicamente elige al primero, acaba casándose con él y lleva una vida lujosa, pero aburrida. La vidente le relata lo muy diferente que habría sido su vida si la hubiese acompañado el escultor, a quien encuentra casualmente cuando el tren llega a

Madrid. Muchos años después el excelente decorador Gerado Vera* debuta como realizador con *Una mujer bajo la lluvia* (1992), nueva versión demasiado fiel al original, protagonizada por Ángela Molina*, Antonio Banderas* e Imanol Arias*.

Director y guionista: *Edgar Neville.* Fotografía: *Enrique Barreyre.* Música: *José Muñoz Molleda.* Intérpretes: *Conchita Montes, Rafael Durán, Guillermo Marín, Julia Lajos, Alicia Romay, María Bru, Eloísa Muro.* Producción: *Edgar Neville.* Duración: *92 min.*

VIDA POR DELANTE, LA *(1958)*

Después de tres intentos anteriores como realizador, el actor Fernando Fernán-Gómez* consigue su primer éxito como director con esta producción. Narra en un tono realista, a través de confusos *flash-back*, con un humor crítico bastante insólito en la época, cómo en el último curso de sus respectivas carreras, el abogado Antonio (Fernando Fernán-Gómez*) y la psicoanalista Josefina (Analía Gadé*) deciden casarse, pero él antes de encontrar trabajo en su profesión debe vender automóviles y aspiradoras, dibujar historietas gráficas, hacer de extra de cine y presentador en un cabaret y dar clases en un colegio femenino, y ella debe abrir una consulta ante los celos de él. Las múltiples desventuras cotidianas de la pareja de recién casados se agudizan cuando él defiende a ella en un pleito por un accidente de tráfico, pero la ilusión del primer hijo vuelve a unirles. Narrada en una sucesión de episodios independientes, con Fernando Fernán-Gómez* hablando directamente a la cámara para hacer cómplices a los espectadores de sus problemas, destaca la utilización del personaje de Manolo (Manuel Alexandre) como contrapunto de la vida de los protagonistas y la larga escena de la comisaría donde un accidente de tráfico es narrado de forma muy diferente según las versiones de las dos partes y de un testigo tartamudo (José Isbert*). Rodada con muy pocos medios, sus buenas recaudaciones animan al mismo equipo a hacer *La vida alrededor* (1959), una especie de similar continuación, y a planear *La vida por detrás,* que nunca llega a rodarse.

Director: *Fernando Fernán-Gómez.* Guionistas: *Manuel Pilares, Fernando Fernán-Gómez.* Fotografía: *Ricardo Torres.* Música: *Rafael de Andrés.* Intérpretes: *Fernando Fernán-Gómez, Analía Gadé, Manuel Alexandre, Rafaela Aparicio, Pilar Casanova.* Producción: *José María Rodríguez para Estela Films.* Duración: *89 min.*

VIEJA MEMORIA, LA *(1977)*

Eficaz documental de montaje que entrelaza con habilidad diferentes entrevistas con personalidades de la época para indagar sobre los antecedentes de la guerra española. Entre otros hablan los anarquistas Abad de Santillán y Federica Montseny, el falangista Raimundo Fernández Cuesta, el fundador de la CEDA José María Gil Robles, el dirigente del POUM Julián Gorkin, los comunistas Dolores Ibárruri y Enrique Líster y el presidente de la Generalitat Josep Tarradellas. Especialmente centrada en los sucesos ocurridos en Cataluña, funciona bien, pero tiene una excesiva longitud.

Director y guionista: *Jaime Camino*. Fotografía: *José Luis Alcaine, Teo Escamilla, Roberto Gómez, Francisco Sánchez, Tomás Pladevall, Magi Torruella*. Música: *Xavier Montsalvatje*. Producción: *Profilmes*. Duración: *165 min.*

VILAR, Antonio *(Antonio Vilar Justiniano dos Santos. Lisboa, Portugal, 1912-Madrid, 1995)*

Después de trabajar como periodista y cantante, hace un pequeño papel en una película a comienzos de los años treinta, pero sólo le vale para incorporarse al mundo del cine como maquillador, técnico de sonido, decorador y ayudante de dirección. Sólo diez años después vuelve a la interpretación, pero de forma simultánea a sus otras actividades, y gracias a la coproducción *La mantilla de Beatriz* (1946), de Eduardo G. Maroto*, entra en el cine español. A pesar de estar siempre doblado, no tarda en convertirse en una de las *estrellas* del cine español de los años cincuenta y entre sus interpretaciones destacan las de *Reina Santa* (1947) y *La calle sin sol** (1948), de Rafael Gil*; *Don Juan* (1950), de José Luis Sáenz de Heredia*; *Alba de América* (1951), de Juan de Orduña*; *El judas** (1952), de Ignacio F. Iqui-

Antonio Vilar y Jesús Tordesillas en *Alba de América,* de Juan de Orduña

no*; *Embajadores en el infierno* (1956), de José María Forqué*, e *Historias de la feria* (1957) de Francisco Rovira Beleta*. Mientras también interviene en producciones italianas, francesas y argentinas, su carrera comienza a decaer a principios de la década de los sesenta, lo que le lleva a producir algunas de sus más desafortunadas películas: *Comando de asesinos* (1966), de Julio Coll*, o *Disco rojo* (1972), de Rafael Romero-Marchent*.

VIOLETAS IMPERIALES *(1952)*

Durante la primera mitad de los años cincuenta la pareja integrada por el cantante Luis Mariano y la bailarina Carmen Sevilla* protagoniza tres operetas realizadas en coproducción entre España y Francia. Entre *El sueño de Andalucía* (1950), de Robert Vernay, y *La bella de Cádiz* (1953), de Raymond Bernard, se sitúa ésta, la más popular de la trilogía. Sobre el fondo de los amores entre Eugenia de Montijo (Simone Valere) y Napoleón III (Louis Arbessier), se desarrollan las castísimas relaciones entre Juan de Ayala (Luis Mariano), primo de la emperatriz, y la gitana del Albaicín Violeta Cortés (Carmen Sevilla), que lee en la mano de la española que llegará a ser más que reina, entre Granada y París. Dirigida, al igual que las otras dos, por un irregular realizador francés, es una cursilona opereta, pero bastante insó-

lita dentro del cine de los cincuenta, con más canciones de Luis Mariano que bailes de Carmen Sevilla.

Director: *Richard Pottier.* Guionistas: *Henry Roussell, Marc-Gilbert Sauvajon, Jesús María Arozamena.* Música: *Francis López.* Intérpretes: *Luis Mariano, Carmen Sevilla, Simone Valere, Louis Arbessier, Marie Sabouret, Colette Regis.* Producción: *Benito Perojo y Cesáreo González para Suevia Films (Madrid), y Émile Natal para Films Modernes (París).* Duración: *93 min.*

VIRIDIANA *(1961)*

Dividida en dos partes claramente diferenciadas, narra las relaciones entre la novicia Viridiana (Silvia Pinal) primero con su tío don Jaime (Fernando Rey*) y luego con su primo Jorge (Francisco Rabal*), un hijo natural de éste, en una hacienda en tierras castellanas. El gran parecido de la novicia con su mujer, muerta la noche de bodas, lleva a don Jaime a hacerle vestir el traje de novia de su esposa y, con la complicidad de la criada Ramona (Margarita Lozano*), la narcotiza y la instala en su lecho, pero sólo se atreve a besarla. Sin embargo, le hace creer que la ha poseído para obligarla a casarse con él, pero ella insiste en irse. Cuando Viridiana se entera de que don Jaime se ha colgado de un árbol, se siente culpable, renuncia a los hábitos y vuelve a la hacienda para dedicarse a regenerar mendigos por el traba-

Silvia Pinal en *Viridiana,* de Luis Buñuel

jo. Un día llega Jorge con su amante, se enfrenta con Viridiana por la caótica situación a que ha llegado en su trato con los mendigos e intenta que la hacienda sea productiva. No obstante, surge una atracción entre ambos, que hace que los mendigos y la amante se vayan, y ambos se queden jugando a las cartas con la criada en una simbólica cama redonda. Basada en un excelente guión original de Luis Buñuel* y Julio Alejandro*, está sabiamente narrada por Buñuel* en un estilo realista heredado de la mejor tradición literaria y pictórica española y, entre otras cosas, demuestra la imposibilidad de practicar la caridad cristiana. Por ganar la Palma de Oro del Festival de Cannes y aparecer un artículo en *L'Osservatore Romano* tachándola de blasfema, los censores del general Franco no sólo la prohíben hasta después de su muerte, sino que disuelven a sus dos importantes productoras, Uninci y Films 59, y secuestran el negativo, pero se salva gracias a tener otro el coproductor mexicano Gustavo Alatriste.

Director: *Luis Buñuel.* Guionistas: *Luis Buñuel, Julio Alejandro.* Fotografía: *José Aguayo.* Música: *Gustavo Pitaluga.* Intérpretes: *Silvia Pinal, Fernando Rey, Francisco Rabal,*

Margarita Lozano, José Calvo. Producción: *Uninci (Madrid), Films 59 (Barcelona), Gustavo Alatriste (México).* Duración: *90 min.*

¡VIVA LA CLASE MEDIA! *(1980)*

Después de colaborar como guionista en las primeras películas dirigidas por José Luis Garci*, el productor José María González Sinde* debuta como director con esta película producida y escrita entre ambos, donde además Garci* encarna a uno de los protagonistas. Con un claro tono autobiográfico, narra cómo José (Emilio Gutiérrez Caba*) se deja convencer por su compañero de oficina Antonio (José Luis Garci*) para entrar a formar parte de una célula comunista a comienzos de los años sesenta. Al tiempo que José se casa y tiene una hija, se desarrolla la triste vida de su célula, también integrada por la criada Marina (María Casanova), el lechero Alfredo (Raúl Freire) y el infiltrado Alejandro (Miguel Ángel Rellán), dedicada a tirar panfletos en barrios obreros al amanecer. Sus buenas intenciones y lo insólito de su tema en un cine tan despolitizado como el español, están acompañados por una notable falta de medios, una total carencia de sentido del humor, un tono demasiado lacrimoso y una dirección torpe, sin imaginación, que deja demasiado claro que se trata de una primera película.

Director: *José María González Sinde.* Guionistas: *José Luis Garci, José María González Sinde.* Fotografía: *Hans Burmann.* Música: *Federico Chueca.* Intérpretes: *Emilio Gutiérrez Caba, Enriqueta Carballeira, José Luis Garci, María Casanova, Irene Gutiérrez Caba.* Producción: *José Luis Garci para Garci-Sinde P. C., Acuarius Films.* Duración: *100 min.*

VOLVER A EMPEZAR *(1982)*

La historia de Antonio Miguel Albajara (Antonio Ferrandis), el reciente premio Nobel de literatura que, tras cuarenta años de exilio en Estados Unidos, regresa a España, a su Gijón natal, para despedirse antes de morir, ocupa una posición especial dentro de las comedias sentimentales que le gusta hacer a José Luis Garci*. En primer lugar por narrar con una cierta solidez una historia de amor entre dos personas mayores, el galardonado profesor y un antiguo amor de juventud a quien encuentra casualmente en su regreso, Elena (Encarna Paso), y después por ser la única producción española que ha conseguido el Oscar destinado a las películas extranjeras.

Director: *José Luis Garci.* Guionistas: *José Luis Garci, Ángel Llorente.* Fotografía: *Manuel Rojas.* Música: *Johann Pachelbel, Cole Porter.* Intérpretes: *Antonio Ferrandis, Encarna Paso, José Bódalo, Agustín González, Marta Fernández-Muro.* Producción: *José Luis Garci para Nickel Odeón.* Duración: *100 min.*

WAITZMANN, Adolfo *(Adolfo Waitzmann Goldsteyn. Buenos Aires, Argentina, 1930)*

Tras una cierta experiencia en su país natal como compositor de música para espectáculos teatrales, llega a España con la compañía del bailarín Alfredo Alaria a comienzos de la década de los sesenta y logra una cierta repercusión con la banda sonora del peculiar musical *Diferente** (1961), de Luis María Delgado. A partir de este momento desarrolla una estrecha colaboración con José María Forqué* que se extiende a lo largo de quince años y le lleva a componer la música de muchas de sus películas de esta etapa, entre las que cabe destacar *Atraco a las tres** (1962), *Vacaciones para Ivette* (1964), *Pecados conyugales* (1969), *El monumento* (1970), *La cera virgen* (1971) y *El segundo poder* (1976). Entre las más de cincuenta películas españolas en que colabora durante estos años también hay que citar *La gran familia* (1961), de Fernando Palacios*; *Tiempo de amor* (1964), de Julio Diamante; *Los chicos con las chicas* (1967), de Javier Aguirre*, y *La campana del infierno* (1973), de Claudio Guerín.

YEGROS, Lina *(Avelina Yegros Antón. Madrid, 1913-Madrid, 1978)*

Desde muy joven hace pequeños papeles en teatro, pero después de triunfar en la compañía de Irene López Heredia, crea en 1932 una propia con el actor Alfonso Albalar y hace una larga gira por Latinoamérica. Debuta en cine en un papel secundario en *La bien pagada* (1933), de Euse-

Lina Yegros y Carmen Jiménez en *La bien pagada*, de Eusebio Fernández Ardavín

bio Fernández Ardavín*, pero en seguida se convierte en la famosa protagonista de los melodramas *Sor Angélica* (1934), de Francisco Gargallo; *El secreto de Ana María* (1935), de Salvador de Alberich; *El octavo mandamiento* (1936), de Arturo A. Porchet, y *¿Quién me quiere a mí?* (1936), de José Luis Sáenz de Heredia*. En la posguerra se pasa a la comedia con *Unos pasos de mujer* (1941), de Eusebio Fernández Ardavín*; *Polizón a bordo* (1941), de Florián Rey*; *Un marido a precio fijo* (1942), *La condesa María* (1942) y *Ni tuyo ni mío* (1944), de Gonzalo Delgrás; pero también interviene en *Leyenda de Navidad* (1947), de Manuel Tamayo*; *Vendaval* (1949), de Juan de Orduña*, y *Vértigo* (1950), de César Ardavín*. A comienzos de la década de los cincuenta pasa a hacer papeles secundarios en cine, por lo que intensifica su actividad teatral, pero rueda su última película a mediados de los años sesenta.

YOUNG SÁNCHEZ *(1963)*

Tomando como punto de partida la narración homónima de Ignacio Aldecoa, un joven y casi debutante Mario Camus* hace la mejor película de la irregular primera parte de su carrera. Ya dentro del terreno de las adaptaciones literarias, en la que se hará especialista en la segunda parte de su obra, narra las negras interioridades del mundo del boxeo nacional a través de la figura de Paco (Julián Mateos*), un boxeador *amateur* que quiere convertirse en famoso profesional. Producida por el director, productor y distribuidor Ignacio F. Iquino*, está realizada con muy pocos medios, pero encierra un conseguido tono realista y, quizá debido a ello, es un fracaso y pasa completamente desapercibida en su momento.

Director: *Mario Camus.* Guionistas: *Mario Camus.* Fotografía: *Víctor Monreal.* Música: *Enrique Escolar.* Intérpretes: *Julián Mateos, Carlos Otero, Ermanno Bonetti, Luis Ciges.* Producción: *Ignacio F. Iquino para I.F.I.* Duración: *92 min.*

ZANCOS, LOS *(1984)*

Entre la trilogía musical realizada para el productor Emiliano Piedra*, el director Carlos Saura* también hace para él una de sus últimas películas intimistas. Sobre un guión de Fernando Fernán-Gómez* y suyo, con una cierta carga autobiográfica, Saura* narra el amor que nace entre Ángel (Fernando Fernán-Gómez*), un profesor universitario mayor, deprimido desde la muerte de su mujer, y Teresa (Laura del Sol*), su joven y atractiva vecina que le salva de un intento de suicidio. A pesar del eficaz trabajo de ambos actores, la película carece del grado de locura que la historia requiere, el *amour* nunca llega a ser *fou,* y no acaba de funcionar bien. Destaca la música del grupo judeo-español de Madrid, pero no la obra teatral que interpretan sobre zancos Teresa, el padre de su hija y algunos amigos.

Director: *Carlos Saura.* Guionistas: *Fernando Fernán-Gómez, Carlos Saura.* Fotografía: *Teo Escamilla.* Música: *Grupo de música Judeo-Española de Madrid.* Intérpretes: *Fernando Fernán-Gómez, Laura del Sol, Antonio Banderas, Francisco Rabal.* Producción: *Emiliano Piedra P. C.* Duración: *95 min.*

ÍNDICE
DE
NOMBRES

498

ÍNDICE DE PELÍCULAS

534

536